naw mis

CARYL·LEWIS

y Lolfa

Argraffiad cyntaf: 2009

Dymuna'r cyhoeddwyr gydnabod cymorth ariannol Cyngor Llyfrau Cymru

Llun y clawr: Kevin Russ
Cynllun y clawr: Sion Ilar

Rhif Llyfr Rhyngwladol: 9781847710840

Cyhoeddwyd ac argraffwyd yng Nghymru
gan Y Lolfa Cyf., Talybont, Ceredigion SY24 5HE
gwefan www.ylolfa.com
e-bost ylolfa@ylolfa.com
ffôn 01970 832 304
ffacs 832 782

PENNOD 1

'Psst!'

Daeth llais o'r tywyllwch.

'Psst!'

Teimlodd Cara law yn rhoi pwt i'w hochor.

'Dihuna!'

Roedd Cara'n gorwedd ar y traeth a'i llygaid ar gau. Cymysgai sŵn y tonnau â sŵn ei gwaed ei hun yn pwmpio yn ei chlustiau. Roedd hi wedi bod yn y dŵr ers amser hir, yn cael ei chario'n ofalus at y lan. Teimlai rywun yn cydio yn ei hysgwyddau ac yn ei hysgwyd. Ceisiodd agor ei llygaid ac wrth iddi wneud hynny pesychodd ddŵr hallt ar y tywod. Cododd ei hwyneb. Roedd hanner hwnnw wedi'i orchuddio â thywod gwlyb a'r halen yn llosgi ei llygaid nes eu bod wedi cochi. Roedd yr wybren yn gam.

Syllodd y bachgen arni a'i wyneb rhyngddi hi a'r haul. Agorodd Cara'i llygaid yn lletach a chodi llaw at ei thalcen er mwyn gallu gweld yn well.

'Beth… ble… ?'

Roedd ei llais yn gryg a'i gwddf yn llosgi. Edrychodd heibio i wyneb llwyd y bachgen a sylwi ei bod hi'n eistedd ar draeth a oedd yn ymestyn yn bell, bell, tua'r gorwel.

'Paid ag ofni,' meddai'r bachgen. Edrychodd Cara o'i chwmpas unwaith eto gan geisio sadio'i meddwl ychydig. Roedd ei thop gorau wedi'i rwygo. Sylwodd ei bod hi wedi colli esgid, a bod y siaced ddu'n hongian yn garpiog oddi ar ei hysgwyddau. Rhwbiodd ei phen. Breuddwyd oedd y cyfan, siŵr o fod. Daliai'r bachgen i edrych arni â hanner gwên ar ei wefusau. Roedd rhywbeth amdano a âi o dan groen Cara.

'Ar beth ti'n edrych? Beth ti ise?'

Gwenodd y bachgen.

'Beth ti ise?' holodd Cara'n daer.

Gwenodd yntau eto.

'Wel, gwed rywbeth!'

Sodrodd y bachgen ei lygaid ar rai Cara a chamu'n agosach ati gan estyn llaw at ei hwyneb. Ciciodd hithau ei chorff am yn ôl ar hyd y tywod wrth i don o ofn dorri drosti.

'Paid!'

Safodd y bachgen yn astud ac astudiodd hi ei wyneb yn ofalus. Ef oedd â'r llygaid glasa a welsai Cara erioed. Roedden nhw'n llaith ac yn henaidd a'u disgleirdeb yn pwysleisio gwelwder ei groen. Dyfalai Cara, wrth edrych ar ei gorff eiddil, ei fod tua deg oed. Dim ond rhyw byjamas glas golau oedd amdano a'r rheiny'n edrych yn llawer rhy fawr iddo. Roedd hi wedi drysu. Teimlai'n anghyfforddus dan drem ei lygaid llonydd, a heb iddi feddwl fe dynnodd ei hunig esgid a'i thaflu ato. Glaniodd honno ar ei frest cyn cwympo ar y tywod.

'Cer o 'ma!'

Wnaeth y bachgen ddim symud cam, dim ond edrych arni. Camodd yn ôl am eiliad.

'Neith yr halen wella'r briwiau,' meddai ymhen ychydig.

'Pa friwiau?' gofynnodd hithau.

Edrychodd arni a rhyw ddyfnder yn ei lygaid. Rhyw dosturi.

Roedd hi eisiau codi, eisiau symud o olwg y llygaid mawr. Ceisiodd godi, ond roedd hi'n sigledig ar ei thraed, a'i stumog yn galw am fwyd. Stryffaglodd ar ei thraed; camodd yntau tuag ati i gynnig helpu, ond fe wingodd Cara fel pe bai wedi'i llosgi gan gyffyrddiad ei ddwylo bach oer. Estynnodd ei bysedd am ei breichled. Roedd honno'n dal ar ei garddwrn ac fe chwaraeai â hi'n reddfol bob tro y teimlai'n ansicr. Denwyd llygaid y bachgen hefyd gan ddisgleirdeb ei breichled.

'Ma'n rhaid i ti ddod 'da fi,' meddai wrthi, gan dorri ar draws sŵn rhythmig y tonnau.

Siglodd Cara'i phen. Roedd y cyfan yn ddryslyd a'r tonnau fel pe baen nhw wedi ysgwyd y meddyliau yn ei phen a'u haildrefnu.

'W… Wi ise mynd adre.' Sylweddolodd Cara fod ei llais yn fach a chochodd am swnio mor ofnus wrth siarad â bachgen a oedd yn amlwg yn llawer iau na hi.

'Wi ise mynd adre, nawr!'

Camodd y bachgen yn ôl fel pe bai am i Cara weld y traeth yn ymestyn i'r pellter. Roedd y tywod yn codi allan o'r dŵr fel asgwrn cefn, a'r tonnau'n sgrialu'n hir ar hyd y traeth; ond, ar yr ochr arall, lle dylai'r tir fod, roedd traeth arall yn cefnu arno. Dau draeth yn wynebu'i gilydd a'r gorwel yn gylch o'u cwmpas. Trodd yn ei hunfan gan ddilyn llinell ddi-dor y gorwel. Dechreuodd Cara deimlo rhyw oerni, hyd yn oed yng ngwres tanbaid yr haul. Doedd dim tir, dim unman i ddianc.

'Do's dim ffordd allan,' meddai'r bachgen fel pe bai'n darllen ei meddwl.

'Dere 'da fi,' meddai'n dawel.

'Na,' meddai Cara gan siglo ei phen.

'Dere,' meddai'r bachgen eto, gan wenu a throi ei gefn arni a dechrau cerdded.

Gwyliodd Cara'i ddillad yn goleuo yn yr haul wrth iddo

bellhau oddi wrthi. Safodd yn ei hunfan gan gamu o'r naill droed i'r llall ac wrth ei weld yn diflannu yn y pellter fe gododd rhyw banig ynddi wrth feddwl am gael ei gadael yno ar ei phen ei hun.

'Aros!'

Safodd y bachgen a throi i'w hwynebu.

'Dere, fe ddaw pethe'n gliriach,' meddai unwaith eto.

Camodd Cara tuag ato. 'Ble ni'n mynd?'

'Gei di weld,' atebodd yntau, gan edrych yn ôl dros ei ysgwydd fel pe bai'n cael ei alw gan rywun.

'Plis, gwed wrtha i lle ni'n mynd,' erfyniodd Cara, gan gamu'n agosach ato.

Trodd y bachgen i edrych arni a'r haul yn goleuo'i wyneb yn euraid.

'Adre,' meddai'n syml dros sŵn y tonnau.

Dechreuodd Cara'i ddilyn yn ara cyn sylweddoli, ymhen ychydig, nad oedd ôl ei draed i'w gweld yn unman ar y tywod perffaith.

PENNOD 2

'Pen-blwydd hapus i ti, pen-blwydd hapus i ti, pen-blwydd hapus i Rhysi, pen-blwydd hapus i ti.'

Gosododd Mags y gacen ar y ford o flaen Rhys. Roedd hi wedi treulio oriau'n ei gwneud i edrych yn union 'run peth â chae pêl-droed. Cymysgodd goconyt sych â rhyw liw gwyrdd llachar i greu porfa ac fe brynodd ffigyrau bach o chwaraewyr a pheli i'w gosod ar hyd y cae.

'Beth am dy ddymuniad di 'de?' gofynnodd Steve.

Caeodd Rhys ei lygaid a daeth golwg ddifrifol dros ei wyneb bach wrth iddo feddwl cyn iddo agor ei lygaid. Fflachiodd y camera.

'Hip hip?'

'Hwrê!'

'Hip hip?'

'Hwrê!'

'Hip hip?'

'Olreit!' chwarddodd Rhys a thynnodd ei dad lun arall ohono wrth iddo dynnu anadl ddofn a diffodd y canhwyllau.

Roedd hi wedi bod yn bwrw ers diwrnodau a thonnau'r môr yn taro ar y traeth caregog. Byddai'r siopau a safai'n un rhibyn ar hyd y cei ar gau yr adeg yma o'r flwyddyn, yn aros i'r Pasg ddod â'r teuluoedd a'u plant diamynedd o'r trefi mawr cyfagos. Swatiai'r stad y tu ôl i'r tai crand ar lan y môr. Roedd glaw wedi taro toeon y tai drwy'r nos a rhedai afonydd bychain ar hyd yr hewlydd gan nadreddu'u ffordd o gwmpas y strydoedd. Roedd Mags wedi hurio castell neidio i'w roi yn yr ardd ar gyfer y parti. Gwyddai fod Rhys, ac yntau'n ddeg oed, braidd yn rhy hen iddo, ond roedd yn awyddus i weld ei blentyndod yn parhau cyhyd ag y gallai gan ei fod yn tyfu gymaint bob dydd. Ond roedd y tywydd wedi sarnu'r cynlluniau, a'r ardd gefn yn llawn o byllau dŵr. Roedd Rhys wedi gorfod bodloni ar wahodd ychydig ffrindiau draw i chwarae. Llithrodd y plant bob yn un oddi ar y stolion a amgylchynai ford y gegin, a mynd i chwarae yn yr ystafell fyw. Torrodd Mags ddarnau o gacen tra bod Steve yn edrych ar rai o'r lluniau ar ei gamera digidol newydd mewn tawelwch. Cliciodd yn ddiamynedd dros lun o ferch ifanc bryd tywyll yn gwenu ar y camera.

'Falle'i bod hi 'di anghofio. Ti'n gwbod fel ma'r merched 'ma...' Torrodd Mags ar draws ei fyfyrdod.

'Pwy anghofio wnaeth hi? 'Na'r peth dwetha i ni weud wrthi cyn iddi adel.'

'Paid â bod yn rhy... '

'Rhy beth?' gofynnodd Steve. 'Diwrnod Rhys yw hi heddi... a ma hi 'di llwyddo i dynnu'r sylw ati hi ei hunan unwaith 'to.'

'Ma hi'n un deg chwech, Steve. Beth ti'n meddwl sy 'ma iddi hi heddi?'

Oedodd Steve am ychydig gan gulhau ei lygaid wrth edrych ar y lluniau ar sgrin y camera. 'Ie ie, cadwa di 'i hochor hi.'

Rhoddodd Steve y camera i lawr yn ddiamynedd a dechrau clirio rhai o'r platiau oddi ar y ford.

'Mae hi'n... '

'Beth?' gofynnodd Mags.

'Spoilt. Ca'l neud beth bynnag ma hi ise.'

'Paid ti â dechre sôn am... '

‘'Co ni off...' Taflodd Steve weddillion platied o frechdanau i'r bin. Edrychodd Mags arno.

'Wel, faint o'r gloch dest ti adre neithwr?'

Roedd dwylo Mags wedi dechrau crynu fel y bydden nhw bob tro pan oedd hi'n grac.

'Beth s'da 'ny i neud â'r peth?'

'Ti'n ffaelu beio Cara am beidio bihafio os wyt ti'n bihafio'n gwmws yr un peth!'

Cafodd ei geiriau effaith ar Steve. Sythodd ei gefn cyn cerdded i gau'r drws rhwng y gegin a'r ystafell fyw rhag ofn i'r plant glywed. Safodd am eiliad a'i law ar ddolen y drws.

'Dim fy mai i yw'r ffordd mae Cara'n bihafio,' meddai trwy ei ddannedd.

'Fy mai i yw e 'de, ife?'

Llaciodd ysgwyddau Steve damaid.

‘'Nes i ddim gweud 'na.'

‘'Na beth o't ti'n feddwl.'

'Wel, dy ferch di yw hi.'

'O 'na ni... Wedi dod at y gwir o'r diwedd.'

Roedd hyn yn destun ffrae ers blynyddoedd. Ar y dechrau, a hithau'n blentyn bach, roedd Cara wedi'i dderbyn, ond wrth iddi dyfu'n fenyw ifanc roedd Mags wedi sylweddoli nad oedd dim yn gyffredin rhwng y ddau. A phob tro y gwnâi Cara rywbeth o'i le, ei merch *hi* oedd hi.

'Dyle hi fod wedi bod 'ma'r bore 'ma. Buodd Rhys yn chwilio amdani, ' meddai Steve gan gerdded at y ford.

'Dyw Rhys ddim yn becso.'

'Ydy ma fe, jest bo ti'n pallu... ddim *ise* gweld.'

Yn yr ystafell fyw roedd un o gryno-ddisgiau Rhys yn

chwarae'n uchel. Gwrandawodd y ddau ar y gerddoriaeth blentynnaidd am ychydig. Daeth Mags i eistedd wrth y ford gan edrych ar y lliain bwrdd papur a brynodd hi'n arbennig ar gyfer y parti. Roedd y rhif 10 yn frith ar ei draws a balŵns coch a glas yn blastar ar ei hyd. Roedd deng mlynedd ers iddi gwrdd â Steve. Deng mlynedd, ac er ei bod hi'n hŷn nag ef bryd hynny, teimlai fod y bwlch yn llawer mwy erbyn hyn.

'Allwn ni ddim dadle am hyn o hyd,' meddai hi'n dawel.

Symudodd Steve tuag ati ac eistedd gyferbyn â hi. Sylwodd ei bod hi wedi pwyso'i phen yn ei dwylo. Gwisgai hen dop o liwiau'r hydref, a'r lliwiau brown a chopor yn gwneud i'w chroen edrych yn wynnach rhywffordd. Roedd ei gwallt wedi'i liwio'n goch tywyll a'i llygaid glas yn loyw. Edrychodd Steve ar y croen tenau dros wythiennau ei dwylo. Estynnodd ei law yntau ar draws y ford tuag ati.

'Wi jest ddim yn dy ddeall di, 'na i gyd. Mae hi'n cael neud fel y mynnith hi… mynd a dod… ti ddim yn gweud gair wrthi.'

'Beth alla i weud? Ma hi bron yn oedolyn, ac ar ôl popeth…'

Edrychodd Steve o gwmpas y gegin gan sylweddoli pa mor ddyran oedd y tŷ. Roedd y gegin yn fach, ond pan fyddai'n cyrraedd adref o'r ysgol ar ôl diwrnod hir o ddysgu fe fyddai'n meddwl am y cynhesrwydd yn ei ddisgwyl: Rhys yn gwneud ei waith cartref wrth y ford a Cara'n gwrando ar gerddoriaeth neu'n helpu ei mam i wneud swper. Yn ddiweddar, fodd bynnag, teimlai'r ystafell yn fach ac yn dywyll a phob modfedd ohoni wedi troi'n faes y gad. Gafaelodd yn dyner yn llaw Mags.

'Sori.'

Rhoddodd hithau ei llaw am ei law yntau a rhwbio'i fysedd.

'Na, ti'n iawn, mae'n bryd i fi roi 'nhroed i lawr,' meddai'n flinedig. 'Ond dyw hi ddim yn meddwl y pethe ma hi'n gweud, t'mod.'

Cytunodd Steve mewn tawelwch. Cododd Mags a chydio mewn parsel oddi ar gownter y gegin.

'Fe roia i hon iddo fe nawr. Cara brynodd hi… sgarff fel lliwiau'r enfys yw hi.'

Nodiodd Steve. 'Ffonia i Casi nawr, a gweud wrthi am ei siapio hi,' meddai.

Nodiodd Mags wrth agor y drws i'r ystafell fyw a gadael i'r gerddoriaeth a'r sgrechiadau a'r chwerthin atseinio o gwmpas y gegin fach am eiliad cyn cau'r drws ar y sŵn.

Cydiodd Steve yn y ffôn a deialu. Roedd Cara yn y gawod. Cytunodd Casi i anfon Cara adre'n syth a gofynnodd i Steve ddymuno pen-blwydd hapus i Rhys drosti. Ar ôl i Casi roi'r ffôn i lawr, fe ddeialodd hithau a mynd yn syth at y peiriant ateb.

'Cara… gwranda… ma Steve wedi bod ar y ffôn. Ma fe'n dal yn meddwl bo ti wedi aros 'ma. Ti 'da Cai? Drycha, beth bynnag sy'n bod, jest ffonia adre 'nei di? Ne cer adre… ti'n cofio bod pen-blwydd rhywun heddi? Ta-ra.'

Diffoddodd Casi'r ffôn yn ddiamynedd ac eistedd ar y gwely sengl am eiliad. Cochodd ei bochau wrth iddi feddwl am yr holl gelwyddau roedd hi newydd eu dweud ac wrth iddi feddwl am Cai. Doedd hi ddim wedi cysgu rhyw lawer. Eisteddodd â'i chefn at y wal oer, a'r ffôn yn dal yn ei dwylo, yn gwrando ar ei meddyliau yn y tawelwch.

PENNOD 3

Safodd Cara am eiliad i gael ei hanadl yn ôl. Bu'n dilyn y bachgen am oriau ac roedd ei meddwl yn dechrau gwegian. Cerddodd y ddau i ben pella'r traeth, ond wrth gyrraedd y pen draw roedd y gorwel yn pellhau a'r darn cul o draeth fel petai'n codi o'r môr ac yn ymestyn yn ddiddiwedd o'u blaenau. Roedd pelydrau'r haul fel cyllyll yn ei dallu ac wrth iddi gerdded ganllath y tu ôl i'r bachgen ar y rhicyn cul o dywod, roedd sŵn y tonnau bob ochr iddi'n troi ei stumog. Teimlai ryw wacter difrifol yn ei pherfedd. Roedd y gwres yn annioddefol, a theimlai ei phen a'i meddyliau'n toddi un. Stryffaglodd ar ei ôl, a'i choesau'n drwm, cyn sylwi ar y rhes o gregyn a gwymon a orweddai ar hyd asgwrn cefn y tywod.

Penderfynodd ddilyn llinell y cregyn – fel yna, ni fyddai'n rhaid iddi godi'i phen yn yr haul ffyrnig ac fe allai ei ddilyn yn saff. Setlodd i ryw rythm anghyfforddus, a'i chyhyrau'n ara wrth ymateb i'w hewyllys, gan aros bob nawr ac yn y man i gael ei gwynt. Gwaeddai ar y bachgen, ond daliai hwnnw i gerdded fel petai'r haul heb gael fawr o effaith arno, felly byddai'n rhaid iddi hithau gyflymu. Teimlai ei thraed yn gwynio, gan nad oedd wedi arfer cerdded mor bell heb esgidiau.

Doedd ganddi ddim syniad pa mor hir y bu yn y dŵr. Wrth gerdded, fe geisiai hel atgofion am y gorffennol, ond doedd dim byd yno – dim ond yr haul a'r glesni a'r halen. Doedd hi ddim yn hoffi'r freuddwyd hon o gwbwl. Byddai hi'n breuddwydio dipyn, gwyddai hynny, a'i chorff yn plycio ac yn gwingo yn ei chwsg nes ei bod hi'n dihuno weithiau a'i chyhyrau'n boenau i gyd. Weithiau, byddai breuddwyd yn hongian fel tarth oeraidd drosti drwy'r dydd ac yn cymryd tan hanner dydd i godi. Pe bai hi'n freuddwyd wael, byddai'n sarnu ei hwyl am ddiwrnod cyfan a hithau'n sicr bod y freuddwyd yn wir. Câi yr un breuddwydion droeon, weithiau wedi eu gosod mewn llefydd oedd yn gyfarwydd i'w hisymwybod. Dinasoedd pellennig, mannau lle chwaraeodd pan oedd yn blentyn, a phobl a oedd fel hen ffrindiau neu hen elynion iddi erbyn hyn. Ond roedd y lle yma'n newydd. Roedd hi bron yn sicr o hynny. A'r cyfan mor llachar, mor loyw.

Roedden nhw wedi bod yn cerdded ers oriau a llygaid Cara bron wedi cau. Yna fe sylwodd Cara fod y swnd yn frasach dan ei thraed a'r dŵr fel petai'n tewhau. Tawelodd sŵn y tonnau ac yn y pellter gwelodd Cara siâp cyfarwydd – fframyn o bren amrwd yn bier yn ymestyn allan i'r môr. Roedd ychydig o risiau yno a'r bachgen bach yn aros amdani'n amyneddgar. Stryffaglodd Cara tua'r pier a chydio yn y pren, yn falch o gael rhywbeth cyfarwydd a solet i gydio ynddo. Fflachiodd atgof ohoni'i hun yn groten fach ar draws ei meddwl. Cofiodd iddi geisio nofio yn y môr ers talwm, a'r tonnau nerthol yn ei thaflu a hithau'n methu cael ei hanadl. Fe gododd rhyw ofn dychrynllyd ynddi bryd hynny a dechreuodd grio a chrio nes i freichiau cryfion ei chodi o'r dŵr. Cydiodd yn y pier â'r un angerdd â phan gydiodd yn y breichiau cadarn bryd hynny. Dringodd y grisiau, gan sylwi bod yna ddegau o olion traed gwlyb ar y pren porpoeth. Safodd i edrych am ychydig – roedd yr olion traed yn diflannu yn y gwres cyn i ôl traed arall ymddangos yn ddyfrllyd ar y pren. Syllodd, ei llygaid yn dyfrhau yn y golau, wrth i olion traed ymddangos a diflannu fel goleuadau'n disgleirio ac yna'n diffodd. Yna trodd a dilyn y bachgen ar hyd y pier tuag at y creigiau anferth gerllaw a'u siâp tywyll yn llenwi'r gorwel.

Roedd grisiau pren serth fel ysgol yn glynu wrth y creigiau

ac ymestynnai am ryw gan metr uwch ei phen. Synnodd Cara at gyflymder y bachgen yn eu dringo.

'Aros,' gwaeddodd arno, ond dim ond gwadnau ei draed a welai wrth iddo ddiflannu uwch ei phen. 'Wi'm yn hoffi uchder!'

Gwyliodd y bachgen yn diflannu cyn teimlo oerni'r creigiau o'i hamgylch. Gosododd un droed yn sigledig ar y ris isa a thynnu ei hun i fyny ar y rhaff wrth ochr y grisiau. Sylwodd Cara ar ambell blanhigyn a dyfai'n styfnig ar y creigiau garw gan wasgu'i wreiddiau i mewn i'r craciau dwfn rhyngddynt. Camodd yn uwch ac yn uwch, a'i hysgyfaint yn protestio wrth iddi droedio o ris i ris. Roedd ei breichiau'n gwanhau; gorffwysodd am ychydig, gan fod cyhyrau ei choesau'n tynnu, a syllodd i lawr at y môr. O ganlyniad i'r haul a'r halen pigai'r dagrau ei llygaid gan wneud iddynt deimlo'n amrwd. Roedd hi wedi blino a'r aer cynnes yn gwneud dim i fywiogi ei chorff. Syllodd ar y môr trwy ei llygaid hanner caeedig. Disgleiriai hwnnw cyn belled ag y gallai hi weld a golau'n dawnsio ar bob ton. Edrychai'r pier yn fach o'r fan hon ac am ychydig fe deimlai Cara fel ildio. Roedd y blinder yn annioddefol a'r ofn wedi toddi'n rhyw anobaith llwyr. Daeth llais bach yn ddwfn o'r tu mewn iddi. Dim ond gollwng y rhaff oedd eisiau. Cau ei llygaid. Roedd y gwres a'r dŵr wedi sugno'i nerth. Falle mai celwydd oedd y cyfan wedi'r cwbwl. Dim ond gollwng y rhaff a byddai'r gwymp yn ei dihuno o'r freuddwyd – neu efallai y gallai hi gwympo i'r môr a chysgu a chysgu…

'Dere!' Torrodd ei lais ar draws ei meddyliau. Edrychodd i fyny a gweld wyneb y bachgen yn edrych arni dros ochr y clogwyn.

Siglodd ei phen. Estynnodd yntau ei law iddi.

'Dere mlân, Cara! Ma 'da fi rywbeth i'w ddangos i ti.'

Roedd e'n gwybod ei henw hi.

'Na, wi'm yn credu y galla i,' sibrydodd a'i gwddf yn llosgi.

'Un cam ar y tro! Ni bron adre.'

'Adre?' Anwesodd y gair cyfarwydd glustiau Cara. 'Adre,' ailadroddodd.

Tynnodd anadl hir a chydio unwaith eto yn y rhaff. Camodd yn uwch ac yn uwch cyn tynnu'i chorff dros erchwyn y clogwyn. Gorweddodd ar y graig gan anadlu'n drwm. Teimlai'n benysgafn. Trodd ar ei chefn a syllu ar yr awyr las. Roedd y bachgen ar ei draed wrth ei hymyl yn taflu'i gysgod drosti. O'r diwedd, fe gododd Cara ei phen a thynnu'i hun i fyny ar ei phengliniau.

'Edrych,' meddai'r bachgen.

Rhwbiodd Cara'i llygaid a chodi ar ei thraed. Oddi tani, mewn dyffryn, roedd adeiladau rhyfedd yn ymestyn yr holl ffordd tua'r gorwel. Teimlai Cara'i chalon yn curo'n galed. Doedd hi erioed wedi gweld dinas mor brydferth yn ei bywyd. Rowliai'r gwres yn donnau ar draws y panorama gan gymhlethu'r wybren a'r golau'n dal tyrau ucha'r ddinas gan wneud iddynt ddisgleirio. Amlygai'r haul liwiau'r ddinas, a'i gwydrau'n adlewyrchu'r golau amryliw i'r awyr. Sylwodd Cara ar yr adar a hedfanai'n glystyrau o amgylch yr adeiladau uchaf. Cododd Cara a'i cheg yn sych, ond roedd yr olygfa'n falm i'w llygaid.

'Prydferth, on'd yw e?' meddai'r bachgen, gan gerdded i lawr y llwybr serth tuag at y ddinas heb roi cyfle iddi ymateb.

PENNOD 4

Cododd Mags ar ei thraed a'i pherfedd yn crynu. Syllodd Steve o'i flaen yn fud.

'Dwi ddim eisiau ichi boeni'n ormodol. Mae e'n rhywbeth cyffredin iawn… Ma'r rhan fwya o bobl ifanc sy'n diflannu yn dod adre o'u gwirfodd, yn y diwedd.'

Edrychai'r heddwas ifanc yn anghyfforddus wrth eistedd ar y soffa yn yr ystafell fyw. O'i gwmpas roedd balŵns parti pen-blwydd y diwrnod cynt wedi dechrau crebachu a'r cryno-ddisgiau'n dal yn bentwr anniben ar y llawr. Doedd Steve na Mags ddim wedi bod yn y gwely drwy'r nos ac roedd y bwrdd yn llawn o fygiau te gwag.

'Ond dyw hi mo'r teip. Ma'n rhaid bod rhywbeth wedi digwydd…'

Cerddai Mags yn ddiamcan yn ôl ac ymlaen a'i meddwl yn gwibio i bobman.

'Roedd Cara wedi perswadio Casi i ddweud fel ffafr ei bod hi'n sefyll 'da hi…' meddai'r heddwas.

'Ffafr!' safodd Mags yn stond. 'Drychwch ar yr amser ry'n ni wedi'i golli!'

'Ma'n rhaid i ni gymryd mai wedi diflannu o'i gwirfodd mae hi.'

'Ond galle *unrhyw beth* fod wedi digwydd iddi.' Roedd rhyw dyndra'n gwasgu am wddf Mags a'i chorff yn teimlo'n wan.

'Mags, stedda. Ma'n rhaid i ni feddwl yn glir.'

'Clir!'

Rhythodd Mags ar ei gŵr. Tynnodd yr heddwas lyfr

nodiadau cul o'i boced.

'Oedd 'na… ' dewisodd yr heddwas ei eiriau'n ofalus, '… resymau pam bod Cara am ddianc am ychydig?'

Thynnodd Mags mo'i llygaid oddi ar wyneb Steve. Edrychai hwnnw ar y llawr. Roedd llais Mags yn llyfn ac o dan reolaeth.

'Roedd 'na un neu ddau o bethau'n ei phoeni hi, wi'n meddwl ei bod hi'n deg i weud hynny. Roedd hi'n cwmpo mas tipyn â Steve yn ddiweddar. Fe'n ceisio gosod y rheolau, fel petai.'

'Fuodd yna gweryla y noson y diflannodd hi?' gofynnodd yr heddwas gan grafu'r pensel ar ei bapur.

'Buodd 'na anghytuno… do.'

Cochodd Steve wrth orfod cyfadde'r anghydfod wrth fachgen mor ifanc. Gallai ei weld yn ffurfio'i farn amdanyn nhw fel teulu. Edrychodd yr heddwas ar Steve yn plethu ac yn ailblethu'i fysedd.

'Dyw… dyw ein perthynas ni ddim wedi bod yn un hawdd,' cynigiodd Steve eto, 'ond dyw pethau ddim wedi bod cynddrwg â 'ny. Falle bod Cara'n meddwl mod i'n rhoi mwy o sylw i Rhys, efalle.'

Edrychodd Mags ar y llawr.

'Eich mab chi?'

'Ni'n dau,' cytunodd Mags.

'Beth am arian?' gofynnodd yr heddwas gan wneud rhagor o nodiadau.

'Arian?'

'Oes arian i ga'l 'da hi? Cyfri banc?'

'Ma hi'n gweitho yng nghaffi'r Glannau. Wi ddim yn siŵr faint oedd 'da hi, ' atebodd Mags.

'Fe wnawn ni gymryd disgrifiad ohoni hi ac o'i gwisg hi hefyd. Rhoi gwybodaeth i'r gorsafoedd trên a bysiau... y math 'na o beth.'

Nodiodd Steve.

'Ond alla i ddim credu... Ma'n rhaid bod rhywbeth wedi digwydd iddi.'

'Mam!'

Doedd 'run ohonyn nhw wedi clywed sŵn y traed ysgafn ar garped y grisiau.

'Beth sy 'di digwydd?'

Trodd Mags. Safai Rhys yn syllu ar yr heddwas a'i sgarff lliwiau'r enfys yn gwlwm am ei wddf. Gwenodd hwnnw wên wan arno.

'Dim nawr, Rhys.'

Edrychodd y bachgen i fyw llygaid ei fam.

'Ond wedest ti allen i fynd at Tomos.'

'Wedyn, Rhys.'

'Wedyn?'

'Cer i chwarae yn yr ardd am dipyn, Rhys,' awgrymodd ei dad. 'Fe a' i â ti draw yno wedyn.'

Sodrodd Rhys ei lygaid ar yr heddwas.

'Pwy yw e?'

Edrychodd Steve a'r heddwas ar ei gilydd.

'Rhywun wedi dod i siarad â Dad... ' meddai Mags gan gerdded ato, cydio yn ei ysgwyddau a'i arwain i'r gegin.

'Yr ardd... nawr,' mynnodd. 'Ma hi 'di stopio bwrw o'r diwedd.'

'Fydd Cara'n dod adre wedyn?'

'Wrth gwrs,' meddai gan geisio cuddio'i theimladau.

Bodlonodd ei mab a cherdded yn ara allan i'r ardd. Yn fuan gellid ei glywed yn taro'i bêl newydd yn erbyn ochr y tŷ.

'Efalle y dyle fe fynd at gymydog, neu ffrind... am ychydig,' awgrymodd yr heddwas.

Edrychodd Steve a Mags ar ei gilydd.

'Chi'n meddwl?' gofynnodd Steve.

'Eich dewis chi, wrth gwrs. Bydd angen rhestr o rifau ffôn arna i hefyd... manylion ei ffrindiau... ei holl gysylltiadau. Siaradwn ni'n bersonol â'i ffrindiau. Mae hynny'n gwneud iddyn nhw gymryd y peth mwy o ddifri weithiau. Taldra?'

'Beth?' gofynnodd Mags. Methai â rhoi unrhyw drefn ar ei meddyliau.

'Ei thaldra hi?'

'Pum troedfedd chwe modfedd,' atebodd Steve.

'Gwallt?'

'Du, tywyll.'

'Ei jîns glas tywyll oedd amdani, a'i thop newydd – un porffor ac aur. Roedd hi'n gwisgo breichled – dyw hi byth yn tynnu honno,' meddai Mags.

'Oedd hi'n gwisgo cot?'

Siglodd Mags ei phen. Gwrandawodd y tri ar ei bensel yn crafu'r papur.

'Bydde llun o help,' meddai eto. 'Llun pen ac ysgwydd.'

'Wrth gwrs.' Cododd Mags ar unwaith, yn falch o gael rhywbeth i'w wneud. Trodd am y grisiau, ei phen yn dal i droi a'i pherfedd yn crynu wrth iddi geisio ffrwyno'r holl bosibiliadau erchyll a gorddai yn ei dychymyg. Roedd hi wedi treulio'r noson cynt mewn tymer gynddeiriog, yn meddwl bod Cara'n gwthio'r ffiniau unwaith eto. Wnaeth y posibilrwydd fod rhywbeth wedi digwydd iddi ddim croesi ei meddwl tan i Cara fethu dod adre i fynd i'r ysgol y bore hwnnw.

Gwthiodd y drws i'w hystafell wely. Ystafell fach – rhy fach a dweud y gwir – ond gallai Mags glywed curiad ei chalon ei hun yn yr ehangder heddiw. Roedd gwraig gyntaf Steve wedi mynd â'i dŷ ef yn dilyn yr ysgariad a doedd gan Mags ddim arian beth bynnag. Bu'n rhaid felly setlo am dŷ llawer mwy cyffredin nag roedd y ddau wedi disgwyl byw ynddo. Gan fod Steve yn newid ei swyddi'n aml a Mags yn ennill cyflog isel, wrth godi arian i elusen, doedd dim gobaith i'w sefyllfa ariannol newid yn fuan, chwaith.

Roedd pethau Cara dros bob man – dillad ar lawr a llond y lle o golur yn gorlifo o focsys ar ei *dressing table*. Roedd hen bosteri ar y waliau a'u corneli'n cwrlo a thedi bêr o gyfnod ei phlentyndod ar y gwely cul. Cymysgedd o ferch fach a menyw ifanc driphlyth draphlyth ar hyd y lle. Roedd llun o Cara mewn ffrâm wrth ei gwely. Eisteddodd Mags ar ochr y gwely bach ac edrych am eiliad ar y pant a adawyd ar y gobennydd gan siâp pen ei merch. Cydiodd yn y llun ohoni. Llun ysgol. Llun ohoni yn ei gwisg ysgol a'i gwallt tywyll yn weddol daclus am unwaith. Ond er yr holl ffurfioldeb ymddangosiadol, roedd bathodynnau dros ei thei. Roedd ei llygaid yn las llachar a'i chroen yn lân. Gwasgodd Mags y llun i'w brest a theimlo rhyw ofn dychrynllyd yn blaguro ym mêr ei hesgyrn.

PENNOD 5

'Dere â dy law i fi.'

Siglodd Cara'i phen.

'Dere.'

Camai'r ddau drwy'r llwyni i lawr llwybrau serth, a chodai ambell aderyn wrth iddynt nesáu at eu trigfannau. Cerddodd y ddau at gyrion y ddinas. Roedd hi'n dywyllach erbyn hyn, a'r golau ddim ond yn dal y tyrau ucha. Sylwodd Cara nad oedd coed o amgylch cyrion y ddinas, dim ond llinell dywyll yn ei hamgylchynu cyn belled ag y gellid gweld. Roedd coesau Cara'n dechrau llacio wrth iddi gerdded i lawr y rhiw a'i blinder wedi'i thawelu'n llwyr. Dilynodd y bachgen heb ddweud gair. Edrychai hwnnw o'i gwmpas yn nerfus bob nawr ac yn y man gan aros amdani'n amlach a gofyn iddi gerdded yn gyflymach. Arhosodd amdani ar waelod y rhiw.

Cerddodd Cara tuag ato cyn stopio'n stond. Safai wrth ochr hafn yn y ddaear – roedd slifren anferth o'r ddaear, lled heol, wedi diflannu. Ond nid hafn oedd e chwaith – dim rhyw dwll dwfn tywyll, ond gwacter pur, golau fel petai rhywun wedi pilo croen y ddaear oddi ar y llawr. Cydiodd y bachgen yn ei garddwrn a chamu i'r gwacter.

'Paid!' gwaeddodd Cara gan dynnu'i braich yn ôl. Ond yn lle cwympo i'r gwynder, safai'r bachgen yno. Cododd hanner gwên ar ei wyneb wrth weld ei hymateb a theimlai Cara'i thymer yn codi trwy'r blinder.

'Ti'n meddwl bo ti'n gomig, wyt ti?'

'Dere,' meddai, a dal ei law allan iddi. Curai ei chalon yn gyflymach. Siglodd ei phen. Daeth rhyw wres dychrynllyd i'w bochau. Roedd hi wedi cael digon. Roedd y lle'n ddierth, y bachgen yn ddierth, a hyd yn oed ei chorff ei hun yn teimlo'n ddierth. Teimlai awydd beichio llefen o'i flaen, ond doedd hi ddim eisiau iddo fe ei gweld â'r dagrau'n powlio i lawr ei bochau.

'Cara, ma'n rhaid i ni fynd.'

Roedd e o ddifri. Edrychodd Cara arno, a phoen yng nghefn ei gwddw – y poen hwnnw sy'n llosgi cyn llefen. Llyncodd ei phoer gan geisio'i wasgu'n ôl.

'Ma'n bwysig mynd nawr – ma hi'n tywyllu.' Edrychodd y bachgen o'i gwmpas unwaith eto. Doedd e ddim yn edrych mor gysurus ag roedd e ar y traeth. 'Dy'n ni ddim ise bod fan hyn ar ôl iddi dywyllu. Dere.'

Estynnodd ei law tuag ati – edrychai honno fel pe bai'n hofran yn yr aer. Edrychodd i fyw ei llygaid. Roedden nhw'n las, yn las ffyrnig.

'Pwy wyt ti?' holodd Cara. 'Wyt ti'n disgwl i fi dy ddilyn di heb i fi wbod dim amdanat ti?'

'Delo dw i,' meddai'r bachgen o'r diwedd.

'Delo?'

Nodiodd yntau ei ben. 'Dere,' meddai eto gan gamu'n ôl ati. Teimlodd hithau ei gyffyrddiad oer. 'Ma'n rhaid i ti ymddiried yndda i.'

Gafaelodd ei fysedd bach am ei rhai hithau a llaciodd ei hysgwyddau. Roedd ei law mor fach yn ei llaw hi. Edrychodd arno eto a gwenodd arni. Camodd y ddau law yn llaw, a theimlodd Cara'i stumog yn hyrddio fel pe bai hi'n camu oddi ar adeilad uchel ond fe laniodd ei throed ar y llawr fel pe bai ar y ddaear. Edrychodd i lawr i'r gwacter. Doedd dim byd yno, ac fe symudodd ei throed ar ei draws. Gwenodd y bachgen arni a gollwng ei llaw. Cerddodd y ddau ar draws yr hafn gan gyrraedd y ddaear yr ochr draw.

'Fyddwn ni ddim yn hir nawr,' meddai'r bachgen a dilynodd Cara ef dros y tir agored.

Sylwodd Cara ei bod hi'n oeri a chroen ei hysgwyddau'n dechrau llosgi ar ôl bod allan yn yr haul. Roedd yr adeiladau'n creu cysgodion, ac fe sylwodd mai ffens uchel, dywyll oedd y llinell a welsai o bellter – ffens dal a weiren bigog arni, mewn gwrthgyferbyniad rhyfedd â'r adeiladau prydferth y tu mewn i'r ddinas. Swatiai adeiladau isel ar hyd gwaelodion y ffens ac arweiniai gatiau llydan i mewn i'r ddinas. Roedd y ddaear wedi llosgi'n ddu, heb ddim o'r gwyrddni a welsai uwchben y clogwyni i'w weld. Edrychai'r planhigion a dyfai yno'n llwydaidd a gwantan fel petaent heb gael digon o faeth gan y ddaear. Edrychodd Cara at y gatiau wrth waelod y ffens bigog. Wrth bob giât safai dau ddyn cyhyrog yn llonydd heb edrych i'r chwith nac i'r dde. Dechreuodd Cara grynu, yn rhannol oherwydd yr oerfel, ond yn rhannol oherwydd awyrgylch annifyr y lle. Gwnâi gatiau a dynion fel hyn iddi deimlo'n nerfus ac yn euog – er na fyddai ganddi byth reswm dros deimlo felly.

Arweiniodd y bachgen hi i un o'r adeiladau pren – un bach heb ddrws arno – a chamodd Cara i mewn ar ei ôl. Dim ond lle i ychydig o gadeiriau a chownter oedd yno. Pwyntiodd y bachgen at un o'r cadeiriau ac eisteddodd Cara arni. Sylwodd ar hen blanhigyn mewn potyn yn y cornel ac ychydig o deganau yn y cornel gyferbyn â hi. Tu ôl i'r cownter eisteddai dyn croen tywyll a'i ben mewn rhyw waith papur. Arhosodd Delo am ychydig i gael ei sylw. Edrychodd Cara ar y cloc ar y wal. Gwibiodd ei llygaid yn ôl ato am eiliad, gan fod rhywbeth yn wahanol amdano ond roedd ei hymennydd wedi ymlâdd a doedd ganddi ddim egni i feddwl. Edrychodd unwaith eto a sylwi mai naw rhif oedd ar ei wyneb – y rhifau un i naw. Roedd hi'n siŵr ei fod wedi stopio hefyd gan nad oedd y bys eiliadau'n symud o gwbwl. Cododd y dyn ei ben o'r diwedd.

'Nesa?' gofynnodd.

Doedd pen Delo ddim hyd yn oed yn cyrraedd i dop y cownter. Gweld ei law wnaeth y dyn. Roedd e wedi tynnu llyfr gweddol drwchus o boced trowsus ei byjamas. Gwyliodd Cara wrth i Delo godi ar flaenau'i draed a gwthio'r llyfr dros y cownter. Cydiodd y dyn ynddo. Clywodd Cara fe'n siffrwd drwy'r tudalennau ac wrth wneud fe symudai ei ben o'r naill ochr i'r llall mor gyflym nes ei fod yn ymddangos fel pe bai'n darllen pob gair. Edrychodd Cara arno mewn syndod a theimlo awydd cryf i chwerthin er nad oedd ganddi syniad beth oedd mor ddoniol a dweud y gwir. Y blinder oedd e mae'n siŵr. Clywodd ryw sŵn yn gadael ei gwefusau. Cododd y dyn ei ben yn siarp ac edrych arni.

'Safa ar dy draed,' meddai'n sydyn mewn llais awdurdodol, fel athro. Sylwodd Cara fod ei lygaid yn dywyll a bod ei wisg werdd, dywyll yn edrych fel iwnifform. Cododd a'i wynebu. Syllodd arni'n ddi-wên heb ddweud gair pellach cyn edrych yn ôl ar dudalen ola'r llyfr fel pe bai'n cymharu ei golwg â rhywbeth. Nodiodd o'r diwedd a stampio tudalen ola'r llyfr. Gwthiodd y llyfr yn ôl i gyfeiriad y bachgen a hwnnw'n ei wasgu'n ôl i boced trowsus ei byjamas. Cydiodd y dyn mewn darn o bapur a thynnu'r stamp inc tuag ato. Cododd ei aeliau tywyll i alw Cara tuag at y cownter.

'Fan hyn,' meddai.

'Beth?' gofynnodd hithau, ond cyn iddi gael ateb fe bwysodd y dyn ar draws y ddesg a chydio yn ei llaw.

'Aw!' Roedd ei ddwylo'n gryf a cheisiodd Cara dynnu'i llaw yn ôl. Gwthiodd ei bys i mewn i'r inc a'i wasgu ar y darn papur. Edrychodd Cara ar ôl ei bys. Roedd ei chroen yn gwynnu dan ei fysedd gan fod ei afael amdani mor dynn. Yna, gollyngodd ei llaw a chipiodd hithau hi'n ôl. Tynnodd y papur tuag ato ac wrth iddo wneud sylwodd Cara ar eiriau'n ymddangos yn ara bach ar ei wynder. Gwelodd ei henw'n ymddangos wrth ôl ei bys. A'i dyddiad geni.

'Hei!' meddai.

Ond roedd Delo'n ei thynnu at y drws cefn. Syllodd Cara ar y dyn, ond anwybyddodd hi a gweiddi, 'Nesa', er na allai Cara weld neb arall yn yr ystafell.

Y tu ôl i'r adeilad, roedd mynediad yn y ffens a'r giât yn llawer rhy uchel i'w dringo. O boptu iddi, safai dau ddyn. Yn sydyn, teimlai Cara fel rhedeg, rhedeg nerth ei thraed. Rhedeg yn ôl am y traeth. Roedd gan y dynion un allwedd yr un; roedd dau glo ar y drws felly byddai rhaid i'r ddau fod yn bresennol er mwyn agor y giât. Doedd Cara ddim yn hoffi hynny. Doedd hi ddim yn hoffi cael ei chaethiwo o gwbwl. Fel arfer allai hi ddim cysgu heb adael y ffenest led y pen ar agor. Hyd yn oed wrth fynd ar fws neu drên fe fyddai hi'n mynnu eistedd ar bwys y drws, lle gallai hi ddianc pe bai angen. Byddai hyd yn oed yn eistedd wrth y ddesg agosa at y drws yn yr ysgol. Doedd hi ddim yn gwybod pam. Fel yna roedd hi wedi bod erioed.

'Delo… ' cychwynnodd hi wrth i'r ddau ddyn wthio'r giât ar agor, 'Delo… '

Roedd e wedi camu i mewn i'r ddinas a gwên lydan ar ei wyneb.

'Delo!'

Roedd hi'n ffaelu'n deg â chamu drosodd. Dechreuodd gamu'n ôl ond teimlai bresenoldeb y ddau ddyn tal y tu ôl iddi ac fe stopiodd.

'Fi ise mynd 'nôl.'

Roedd y golau a'r haul a'r traeth yn teimlo mor bell yn ôl erbyn hyn.

'Dere,' meddai Delo, 'ni bron â bod adre.'

Roedd y gair yn swnio'n ddierth iddi erbyn hyn. Teimlodd law drom ar ei hysgwydd yn ei harwain hi fel plentyn bach yn ei blaen.

'Ond alla i fynd adre, wedyn?' gofynnodd hi. Roedd ei llais yn fach.

Nodiodd Delo'i ben. 'Wrth gwrs.'

A chamodd ymlaen, heb fod ganddi ddewis, a'r giât yn cau'n glep ar ei hôl.

PENNOD 6

'Ma 'na ddillad glân fan'na,' meddai Delo gan bwyntio at y gwely gwyn. 'Bydda i 'ma bore fory i dy nôl di.'

Trodd Cara i ffarwelio ag ef, ond roedd e wedi diflannu. Yn sydyn, teimlodd ryw hiraeth ar ei ôl.

Roedd y ddau wedi cerdded ar hyd strydoedd di-ri, gyda Cara'n ceisio cadw un llygad ar Delo a'r llall ar y ddinas. Roedd hi'n debyg iawn i ddinasoedd eraill yr ymwelsai Cara â nhw – ond eto, roedd rhywbeth yn wahanol. Oedd, roedd yma siopau a busnesau ac ychydig o hen geir yn gyrru'n ara i lawr y strydoedd cul. Ond yma ac acw roedd adeiladau tywyll, fel pe baent wedi'u llosgi rhywbryd a rhesi o dai â'u ffenestri wedi'u bordio. Cerddodd Cara gan edrych o'i chwmpas wrth lusgo'i thraed ar hyd y palmentydd. Ar ôl troi un cornel, fe gododd ei phen a gweld strydoedd hirion o dai bach gwynion o'i blaen – strydoedd ar strydoedd o dai a phob un yn union yr un fath. Doedd hi erioed wedi gweld golygfa debyg iddi.

Sylweddolodd Cara mor hawdd fyddai mynd ar goll, gan fod pobman yn edrych mor debyg. Arweiniodd Delo hi at dŷ ar stryd hir, gul; roedd darn o ardd o'i flaen a mainc ynddi. Tŷ syml un llawr oedd e, a'r welydd wedi'u peintio'n lliw hufen golau. Yn y cefn, roedd cegin ac ynddi ford wen a phump o stolion. Yn nhu blaen y tŷ gorweddai pump o welyau cul – dau wely bync ac un gwely sengl. Un ffenest, a honno'n wynebu'r stryd. Edrychodd Cara ar y bynciau. Roedd ychydig o lyfrau a siwmper ar un bync, ac wrth y drws, gwelai ychydig becynnau o hadau, bylbiau a throwel ar gyfer garddio. Ar ei gwely hi, roedd dillad wedi'u gosod yn barod ar ei chyfer. Camodd yn nes atyn nhw a chydio ynddynt. Jîns – yr un rhai'n union â'r pâr oedd amdani, ond roedd y rhain yn gyfan ac yn lân. A thop glân, newydd. Top porffor, un-ysgwydd a phatrwm aur arno. A siaced lac, yn union fel yr un oedd ganddi hithau. Gafaelodd Cara yn y defnydd a theimlo'i hun yn crynu. Lledai rhyw binnau bach ar hyd ei chroen.

'Oer?'

Neidiodd Cara wrth glywed y llais. Sylwodd wedyn ar gwrlyn o fwg yn codi o'r bync top gyferbyn â hi. Edrychodd Cara ar y cwrlyn cyn i law ymddangos, ac yna coes ac yna merch. Eisteddodd ar y bync ucha am ychydig cyn tynnu ar ei sigarét. Syllodd ar Cara a'i llygaid yn hanner cau wrth iddi dynnu'r mwg yn ddwfn i'w hysgyfaint. Gwenodd ar Cara cyn llithro'n ara i lawr. Roedd hi tua'r un oed â Cara a safodd am eiliad fel petai hi'n ceisio ei mesur â'i llygaid. Gwisgai sgert ddenim fer a chrys-t tyn pinc a'i gwallt golau wedi'i dynnu'n ôl a'i glymu. Ffliciodd y lludw oddi ar y sigarét â'i bawd. Cerddodd at Cara a chwythu llond ceg o fwg i'w hwyneb. Pesychodd hithau.

'Gwell i ti folchi,' meddai hi o'r diwedd.

Edrychodd i mewn i lygaid Cara a hanner gwên yn chwarae dros ei gwefusau. Sylwodd Cara fod ganddi graith binc lydan ar draws ei thalcen.

'Breichled neis,' meddai hi wedyn a'i llygaid heb symud oddi ar wyneb Cara. Cuddiodd Cara'i garddwrn y tu ôl i'w chefn. Gwenodd y ferch, gan synhwyro nerfusrwydd Cara cyn dweud wrthi, 'Ma 'na le molchi draw fan'na.'

Edrychodd Cara y tu ôl iddi. Byddai molchi'n braf, meddyliodd, ar ôl y daith hir. Byddai'n teimlo'n well wedyn a byddai'r niwl yn codi damaid efallai. Dihuno yn ei gwely ei hun, efallai. Edrychodd unwaith eto ar lygaid oeraidd y ferch cyn troi a cherdded yn ansicr tuag at yr ystafell molchi. Roedd hi'n falch o gael cau'r drws ar ei hôl.

Dim ond cawod oedd yno – cawod anferth yng nghanol y nenfwd a drych mawr ar un wal. Un celficyn oedd yno, cadair bren ar y llawr teils gwyn a thywel gwyn arni. Trodd dap y dŵr ac aros iddo gynhesu. Gosododd Cara y dillad glân ar y gadair a sefyll o flaen y drych. Roedd ei llygaid yn goch a phothelli o'u cwmpas. Roedd yn syndod ei bod hi'n medru gweld o gwbwl. Gwasgodd nhw â'i bysedd a sylwi bod yr halen wedi rhannu'i gwallt yn gudynnau tywyll; gallai weld haenen wen ar ei chroen lle roedd ei chwys a'r halen wedi sychu'n bowdwr yn yr haul. Tynnodd ei jîns. Roedd y rheiny wedi rhwygo ac edrychodd ar ei thop – yr un roedd ei mam wedi'i brynu iddi ar gyfer ei phen-blwydd. Ei phen-blwydd? Allai hi ddim cofio pryd roedd ei phen-blwydd. Byddai ei mam yn ei lladd, beth bynnag, pan welai hi'r stad oedd arno – y llawes yn hongian yn anniben a'r defnydd yn llawn rhwygiadau. Meddyliodd am ei mam am eiliad, ond pan fyddai hi'n ceisio sodro'i meddwl ar ei hwyneb, diflannai fel niwl.

Cododd ei thop a rhythu arni'i hun yn y drych. Stopiodd ei chalon am eiliad. Fflachiodd rhyw dyndra ar draws ei hysgyfaint ac fe gwympodd ar ei phengliniau. Teimlai ei holl gorff yn crynu cyn iddi agor ei llygaid yn llydan mewn ofn. Closiodd at y drych. Roedd ganddi friw – briw dwfn yn gylch perffaith yn ei bol. Roedd gwefusau'r clwy taclus yn goch sgald a'r croen o'i amgylch wedi cleisio'n ddulas. Fe'i byseddodd yn grynedig, a'i llygaid yn lledu mewn ofn. Gallai hi weld darn o'i pherfedd yn binc golau y tu mewn a'r croen wedi'i falu, wedi'i ddryllio a'i falurio. Gwasgodd ei bysedd o gwmpas y clwy, ond doedd dim poen, dim gwaed.

Dechreuodd grynu a llefen nes bod sŵn udo'n codi i lenwi'r ystafell fach. Clywodd chwerthin yr ochr arall i'r drws. Cododd stêm y dŵr poeth o'i chwmpas a chymylu'i llygaid nes gwneud i'r cyfan droi'n ddu.

'Leus! Shwd allet ti?'

'Beth?'

'Y bitsh!'

Clywodd Cara lais anghyfarwydd uwch ei phen. Roedd hi'n gorwedd ar y gwely gwyn. Cadwodd ei llygaid ar gau. Synhwyrai fod dillad sych amdani.

'Beth alwest ti fi? Gwed e 'to.'

Closiodd Leusa at y ferch arall a'i llygaid yn fflachio. Camodd honno am yn ôl.

'Gad hi fod,' meddai llais ifanc arall.

'Beth uffarn sy'n bod arnot ti, Leus? Pam rodd rhaid i ti neud 'na?'

Roedd llais Beth yn ddagreuol.

'Ma hi'n iawn,' poerodd Leusa.

Clywodd Cara fatsien yn cael ei thanio a rhywun yn tynnu anadl ddofn.

'Dim diolch i ti,' atebodd Beth.

'Ma nhw'n gorfod gweld yn y diwedd.'

'Dim fel'na, Leus, dim fel'na.' Roedd llais Beth yn feddal.

'Pam? Ma'n well na hongian mlân ddim yn gwbod…'

'Paid â dechre hyn 'to.'

Roedd llais Leusa'n codi a'i llaw'n crynu wrth ddal y sigarét.

'O'n i jest yn trio helpu ti, Leus... ma fe'n ormod o sioc fel arall.'

'Ma'n rhaid gneud y pethe 'ma'n ara.'

'Gwastraffu amser yn gweud celwydd wrth bobl.'

'NAAAAA!'

Torrodd Lili ar eu traws yn gweiddi a llefen.

'Dere... dere, Lili.' Symudodd Beth tuag at y plentyn a chydio ynddi. Tynnodd hi i'w chôl a theimlai Cara bwysau'n eistedd ar y gwely. Cadwodd ei llygaid ar gau a theimlo'i chalon yn carlamu.

'Paid â llefen. Ni'n iawn nawr, yn ffrindie.' Mwythodd Beth wallt y ferch fach. Culhaodd llygaid Leusa wrth iddi edrych ar Beth. Tawelodd y cwbwl am rai eiliadau.

'Ma hi'n *teimlo'n* neis,' meddai'r ferch fach braidd yn ddagreuol unwaith eto.

'Ti'n meddwl bod pawb yn neis, Lil?' gofynnodd Leusa wrth chwythu mwg i'r awyr.

'Gad hi fod, Leus.' Edrychai Beth arni'n heriol.

Pwysodd Leusa ar y bync gyferbyn â gwely Cara a syllu ar Beth yn mwytho gwallt y ferch fach.

'Ti'n naïf.'

'Sut un yw hi?' gofynnodd y llais bach.

'Gei di weld nawr.'

Teimlodd Cara'r pwysau'n cynyddu ar y gwely wrth i Beth symud Lili'n agosach ati.

'Paid â'i dihuno hi nawr... ma hi'n edrych wedi blino.'

Nodiodd Lili. Doedd ei choesau bach hithau ddim yn cyffwrdd â'r llawr wrth iddi eistedd yng nghôl Beth. Roedd gŵn nos wen amdani wedi'i gau â rhuban pinc. Fframiwyd ei hwyneb gan gyrls coch; ond y peth mwyaf rhyfedd amdani oedd ei llygaid. Llygaid gwyrdd llachar a syllai'n syth o'i blaen. Estynnodd ei dwylo at wyneb Cara.

Teimlodd Cara fysedd yn cyffwrdd â'i hwyneb. Bysedd bach cynnes yn dilyn siâp ei thrwyn a'i thalcen. Cyffyrddiad dros ei llygaid a than ei gên. Bysedd dros ei gwefusau a'i bochau.

'Ma hi'n brydferth,' meddai Lili o'r diwedd. 'Wi'n lico hi.'

'A finne,' cytunodd Beth. 'Beth bynnag ma Leusa'n weud.'

'Faint yw ei hoedran hi?' gofynnodd Lili.

'Pymtheg? Mwy?' cynigiodd Beth gan edrych ar Leusa.

'Rhywbeth fel'na,' atebodd honno.

'Pryd gyrhaeddodd hi?'

'Rhyw hanner awr yn ôl.'

'Pwy odd 'da hi?'

'Bachgen bach.'

'Ti'n gofyn lot o gwestiyne on'd wyt ti, Lil?'

Gwenodd y ferch fach arni. Syllai Lili i gyfeiriad Cara a phwyso'i phen ar ysgwydd Beth.

Roedd Beth yn hollol wahanol i Leusa, ei chorff yn grwn a'i gwallt yn ddi-liw. Roedd ei chroen yn olau a brychni haul arno fel smotiau ar wy aderyn gwyllt, mor wahanol i groen brown tywyll Leusa. Rhyw liw rhyfedd rhwng glas a gwyrdd golau oedd i'w llygaid.

'Fydd e'n dod 'ma i'w 'nôl hi bore fory?' holodd Lili.

Nodiodd Leusa cyn sylwi ar hen ddillad Cara ar y llawr. Cerddodd tuag atyn nhw a'u codi.

'Paid, Leus,' cychwynnodd Beth.

'Pam?' gofynnodd honno gan ddal ei sigarét yn ei cheg. 'Falle rhoddan nhw gliwie i ni, gan ein bod ni'n gorfod byw 'da hi.'

Clywodd Cara'i dwylo yn mynd trwy ei dillad.

'Dim byd, dim ond y freichled 'na.'

Teimlodd Cara bwysau'r freichled ar ei garddwrn ac er y byddai wedi hoffi symud ei braich, cadwodd hi yn y golwg.

'Reit, wi'n mynd,' meddai Leusa gan ollwng y dillad ar lawr unwaith eto.

'Allwn ni ei dihuno hi?'

'Na, dim nawr, Lil,' atebodd Beth.

Clywodd Cara sŵn siffrwd defnydd fel petai rhywun yn gwisgo siaced.

'Lle ti'n mynd, Leusa?' gofynnodd Beth.

'Pam?'

'Ma hi'n dywyll. Ti ddim fod i fynd allan. Bydd Ifan 'ma nawr a ma hi'n bryd i Lili fynd i'r gwely.'

'Wel, welwch chi ddim o'n ise fi wedyn, newch chi?'

Tynnodd Leusa ei siaced yn dynnach amdani cyn rhoi hanner gwên i Beth a throi i adael.

Clywodd Cara ddrws yn cau a theimlodd bresenoldeb Beth yn hofran uwch ei phen am ychydig. Roedd y gwely'n gyfforddus, a hithau wedi cael ychydig o gysur o'r presenoldeb oedd yn twtio ac yn ffysan o'i hamgylch. Gwyddai y byddai hi yno am sbel yn esgus cysgu, felly gadawodd i'w hysgwyddau ymlacio. Gwrandawodd ar Beth yn perswadio Lili i fynd i'w gwely a honno'n gwneud esgus ei bod hi eisiau diod o ddŵr, wedyn eisiau stori ac wedyn eisiau cân fach cyn bodloni cysgu. Gwrandawodd Cara ar Beth yn canu'r hwiangerdd drosodd a throsodd. Roedd ei llais yn swynol, yn brydferth. Roedd Lili'n protestio lai a llai, a blinder yn amlwg yn ei llais wrth iddi ofyn am y gân unwaith eto.

'Caru ti,' meddai wrth Beth cyn bodloni cysgu o'r diwedd. Gorweddai Cara'n gwrando, a'r hwiangerdd yn toddi, nes clywed geiriau Leusa yn nhôn y gân. 'Ma'n nhw'n gorfod gweld yn y diwedd.' Arafodd ei chalon a gwasgodd ei llygaid yn dynnach gan ollwng dagrau trymion wrth iddi syrthio i gwsg anghysurus o drwm.

PENNOD 7

'Fydde fe'n ddim ffwdan o gwbwl… '

'Na, wi wedi gweud… ma Rhys yn aros 'ma.'

Edrychodd Steve ar Mags a oedd wrthi'n paratoi te ar gownter y gegin.

'Mags, falle bod dy chwâr yn iawn. Bydde fe'n un peth yn llai i feddwl amdano.'

Gwasgodd Mags y cwdyn te yn erbyn ochr y myg â llwy.

'Wi wedi gweud, Steve. Ma fe'n aros fan hyn.'

Edrychodd Steve ar Helen gan godi'i aeliau ychydig. Roedd sŵn y radio'n dawel yn y cefndir yn hymian ddydd a nos ers diflaniad Cara.

'Ond meddylia beth ma fe'n glywed, beth ma fe'n weld. Sdim ise iddo fe fynd trwy hyn. Bydde fe'n saff,' rhesymodd Helen.

Bwrodd Mags y llwy i lawr ar y cownter.

'A dyw e ddim yn saff fan hyn, 'na beth ti'n weud?'

'Dere mlân, dim 'na beth wede… '

'Wel, 'na beth ma fe'n swnio i fi. Ma Rhys yn saff fan hyn a dyna ni. Ti wastad 'na, on'd wyt ti? 'Da dy gyngor a dy eirie doeth. Sdim pawb yn galler bod yn fam berffeth fel ti, ti'n gweld, Hels.'

'Mags… '

'Ma hi'n eitha reit, Steve, dyw hyn ddim yn hawdd i neb.'

'Tria fod yn gall, Mags. Wi'n meddwl bydde fe'n well se fe draw 'da Helen.'

'Paid â mynd yn f'erbyn i ar hyn, Steve...' Roedd llais Mags yn beryglus o lyfn.

Cododd Steve ar ei draed yn ei rwystredigaeth. 'Ond pam?'

Slamiodd Mags y myg o de ar y cownter.

'Achos wi 'di colli un plentyn yn barod, a bydd Cara'n disgwl 'i fod e 'ma pan ddaw hi'n ôl.'

Sylwodd Steve fod dwylo Mags yn crynu. Edrychodd y ddau ar ei gilydd. Aeth Steve ati a cheisio cydio ynddi. Tynnodd hithau yn ôl oddi wrtho cyn rhwbio'i phen am eiliad a cherdded at y ford.

Rhywffordd, edrychai ei llygaid tywyll yn ffyrnicach am fod ei chroen mor welw – roedd y ddeuddydd diwethaf wedi gadael eu hôl arni, meddyliodd Steve. Roedd hi'n llwyd, a heb newid ei dillad na golchi'i gwallt gan ei bod hi allan yn chwilio bob awr o'r dydd a'r nos gan ddod adre i gysgu am ryw ddwyawr cyn mynd allan wedyn. Doedd hi ddim wedi bwyta, chwaith, er bod y cymdogion – yn enwedig Belinda drws nesa – wedi bod yn galw â chacennau a bwydydd parod i'r popty. Roedd y cyfan yn eistedd heb eu cyffwrdd yn y gegin. Prysurodd Helen i gadw'r bwydydd.

'Beth oedd y peth diwetha glywoch chi 'de?' gofynnodd Helen o'r diwedd.

'Rodd hi'n mynd mas i gwrdd â rhyw fachgen, yn ôl Casi,' atebodd Steve.

'Odd hi'n caru?' gofynnodd Helen.

'Nag odd, ei ffrind hi yw e, Cai rhywbeth. 'Na beth ma fe'n gweud ta beth.'

Edrychodd Mags ar y papurau newydd a orweddai ar y ford o'i blaen heb wrando ar leisiau Helen a Steve. Yma ac acw roedd yna gylchoedd lle roedd Steve wedi cylchu â beiro ychydig linellau a soniai am ddiflaniad merch ifanc. Roedd yn ffordd o deimlo ei fod e'n gwneud rhywbeth tra bod Mags allan yn chwilio. Byddai yntau'n ceisio cysuro Rhys nad oedd dim byd yn bod, gan wrando ar y radio ar yr un pryd. Edrychai ar y ffôn bob hyn a hyn gan ei godi i wneud yn siŵr ei fod yn dal i weithio rhag ofn i Cara ffonio adre mewn pwl o edifeirwch. Byddai'n ei roi'n ôl yn ei le'n gyflym rhag iddi fethu cael ateb wrth drio ffonio. Meddyliodd Mags faint o weithiau roedd hithau wedi darllen am ddiflaniad rhywun cyn troi'r dudalen a meddwl am ei swper neu weiddi ar Rhys a Cara heb feddwl rhagor am y peth.

'Rodd hi'n meddwl y byd o'r bachgen 'ma, yn ôl Casi,' ailgychwynnodd Steve. 'Roedd hi wedi clywed ei fod e'n mynd i dafarn arbennig y noson 'ny. Falle ei bod hi'n meddwl cwrdd ag e 'na.'

'Gyrhaeddodd hi?'

Cododd Steve ei ysgwyddau. 'Sneb yn gwbod,' meddai'n dawel.

'Ond ma'r bachgen adre?'

'Odi. Dodd dim cynllun 'da nhw i redeg bant na dim.' Tawelodd llais Steve. 'Wi'm yn gwbod beth i feddwl, Hels, ma dau ddiwrnod... '

Cerddodd Helen at Steve a gafael yn ei law. Roedd Mags yn gwrando'n dawel wrth y bwrdd.

'Ma hi'n iawn,' torrodd Mags ar eu traws.

'Wrth gwrs 'i bod hi, ond ti'n gwbod fel roedd hi,' meddai Steve.

'Sut *roedd* hi?'

'Sut *ma* hi.'

Pwyso a mesur y geiriau wnaeth Mags gan synnu pa mor sydyn y trodd y ferf yn y presennol yn orffennol. Bu'n rhesymu'r cyfan. Roedd y siawns bod rhywbeth erchyll wedi digwydd i Cara yn fychan iawn a gyda'r nos, ar ôl cyrraedd adre ar ôl chwilio'r parciau, gwyddai ei bod hi'n dal yn rhywle. Yn gwybod, fel mae mam yn gwybod. Ym mêr ei hesgyrn. Yn ddwfn y tu mewn iddi… yn rhywle.

'Ma hi'n iawn,' ailadroddodd Mags eto. 'Rodd hi'n gwisgo'i thop newydd, yr un brynes i iddi. Rodd hi'n mynd i rywle. Dodd hi ddim fod i'w wisgo fe, dim tan ei phen-blwydd. 'Nes i brynu fe'n gynnar iddi. Odd cynllun 'da hi. Bydd hi'n iawn.'

Roedd yna ryw bendantrwydd yn llais Mags oedd yn anodd ei anwybyddu.

Syllodd Steve a Helen ar ei gilydd a chododd Helen ei haeliau. Edrychodd Mags ddim arnyn nhw, dim ond chwilio drwy'r papur yn ddiamynedd.

'Beth am ei ffôn hi?' gofynnodd Helen wrth ddechrau taclo'r llestri oedd yn bentwr yn y sinc.

'Rodd hi wedi'i droi e i ffwrdd pan adawodd hi'r tŷ. Yr alwad ddiwetha nath hi oedd i Casi… i ofyn iddi ddweud celwydd drosti,' meddai Steve.

Eisteddodd Steve unwaith eto nes i gnoc ar y drws dorri ar draws y tawelwch. Edrychodd y tri ar ei gilydd ac aeth Steve at y drws. Dilynodd Mags ef wrth iddi glywed sŵn lleisiau gwrywaidd.

Roedd yn ddrwg iawn ganddyn nhw dorri at eu traws, medden nhw. Ddrwg iawn. Ond roedd angen gwybodaeth arnyn nhw. Fe ddywedon nhw rywbeth am sicrwydd a chliwiau a rhywbeth arall. Roedden nhw'n gwybod bod pethau'n anodd a bod sefyllfaoedd fel hyn yn annifyr tu hwnt. Roedd un ohonyn nhw'n Swyddog Teuluol a fyddai'n gweithio'n glòs gyda nhw o hyn ymlaen. Ddrwg iawn gyda nhw, ond roedd natur yr ymchwiliad bellach wedi newid. Yn fwy difrifol erbyn hyn, a rhywbeth fel'ny. Ond yr unig beth a welai Mags oedd yr esgid. Yr esgid yn y cwdyn plastig clir. Dim ond un esgid. Ar ei phen ei hunan. A Steve yn cwympo ar ei bengliniau.

PENNOD 8

Safodd Mags y tu ôl i'r llenni'n syllu allan ar yr ardd o flaen y tŷ. Roedd ei llygaid yn galed ac yn llonydd wrth iddi wylio'r goleuadau bach yn dawnsio ar hyd y wal isel o flaen yr ardd. Roedd pobl wedi bod yn gadael canhwyllau yno drwy'r dydd, yn sefyllian am ychydig, cyn edrych ar y llenni caeedig a phenderfynu y byddai'n well peidio galw. Erbyn hyn, roedd rhes o oleuadau bychain yn serennu yn y gwyll.

Teimlodd ryw bresenoldeb y tu ôl iddi.

'Mags?'

Anwybyddodd Mags y llais.

'Ma'n rhaid i ti siarad, Mags. Gwed rywbeth.'

Syllu'n styfnig drwy'r ffenest wnaeth Mags a'i llygaid yn adlewyrchu'r fflamau gwantan ar y wal.

'Mags, paid â neud hyn, dim 'to.' Roedd llais Steve yn erfyn arni. 'Mags?'

Meddyliodd Steve am gydio ynddi, ond yn lle hynny camodd yn ôl a mynd i eistedd ar y soffa.

Roedd Helen yn rhoi Rhys yn ei wely i fyny'r grisiau a hwnnw'n dechrau sylweddoli erbyn hyn bod rhywbeth mawr o'i le. Aeth i'w wely heb fwyta'i swper ac fe fynnai fod Helen yn aros yn gwmni iddo nes iddo gwympo i gysgu.

Bu'r Swyddog Teuluol yn garedig iawn. Teimlodd Mags gorneli ei garden fusnes ym mhoced ei chardigan. Roedd e'n ddyn solet yr olwg, wedi'i hyfforddi gan yr heddlu i ddelio â sefyllfaoedd fel hyn. Ond, yn anffodus, doedd dim ffordd o ddelio â'r sefyllfa. Roedd yn rhaid aros mewn uffern ar y ddaear nes clywed newyddion. Canodd y ffôn a throdd Mags i weld Steve yn ei ateb.

'Do's 'da ni ddim byd i weud.'

Rhoddodd Steve y ffôn i lawr yn flinedig. ''Na'r pumed tro i'r rheina ffonio heddi.'

Roedd y papurau newydd wedi clywed am y stori ac yn awyddus i gael llun o'r teulu a'r esgid wag fel rhyw fath o stori Sinderela grotésg.

Rhwbiodd Steve ei dalcen a thynhaodd cyhyrau ei ên. 'Sa i'n gwbod pam na allen nhw adel i ni fod, er mwyn Duw,' meddai.

Cododd oddi ar y soffa cyn eistedd unwaith eto.

'Ddylet ti ddim fod wedi mynd lawr 'na... Wedon nhw...' meddai Steve.

'Wedon nhw lot o bethe,' meddai Mags o'r diwedd.

Ar ôl gweld yr esgid, fe fynnodd Mags fynd i'r parc i gael gweld lle cafwyd hyd iddi. Esboniodd y Swyddog Teuluol na fyddai hynny'n syniad da a chynigiodd fynd â hi'r diwrnod canlynol. Cytunodd Mags yn dawel cyn esgus ei bod hi'n mynd i fyny'r grisiau am eiliad. Roedd heddweision yn brysur yn tynnu ystafell Cara'n ddarnau ac roedd hi wedi treulio oriau'n barod yn gwylio dwylo dierth yn mynd drwy bob eitem o eiddo'i merch.

Cerddodd Mags at y drws ffrynt a heb yn wybod i neb fe redodd am y parc. Sgrialodd car i stop wrth iddi ruthro i ganol yr heol cyn croesi a cherdded allan o'r stad o dai. Roedd yr olwg ar ei hwyneb yn dangos ei bod yn benderfynol o gyrraedd y parc. Trodd i lawr ar bwys yr afon yng nghanol y dre, lle cerddai parau ifanc law yn llaw. Edrychodd ar y dŵr y byddai Cara wedi'i weld wrth basio heibio. Camodd ymlaen tua'r parc a'i hanadl yn fyr. Roedd y gatiau'n edrych yn anferth a'r llwyni bob ochr i'r llwybrau'n tywyllu'r ffordd.

Dilynodd y llwybr a'i chalon yn cyflymu o gam i gam. Ym mhen pella'r parc roedd presenoldeb yr heddlu'n amlwg. Codwyd y babell wen ar bwys y wal bella, ac roedd y fan lle cafwyd hyd i'r esgid wedi'i marcio.

Rhwystrwyd hi wrth gwrs rhag mynd yn agosach, ac edrychodd y swyddogion arni mewn syndod. Ei merch hi oedd ar goll, roedd hi'n ei hadnabod yn well na neb. Edrychai'r dynion arni dros eu masgiau gwyn a chydiodd rhywun yn ei braich i'w harwain at gar heddlu. Dechreuodd hi ymladd yn ôl wrth i'r breichiau cadarn ei symud oddi wrth y babell wen. Oddi wrth y lle y bu ei merch ddiwethaf. Cydiodd y breichiau'n dynnach ynddi nes iddi ddechrau gweiddi a sgrechian ar bawb i adael llonydd iddi. Roedd hi wedi'i chloi mewn breuddwyd. Breuddwyd lle roedd rhywun wedi esgus mynd â'i merch. Cyrhaeddodd Steve ymhen ychydig – roedd wedi sylweddoli ble'r aeth hi. Daliodd hi'n dynn yn ei freichiau, heb ddweud gair a hithau'n syllu ar y babell dros ei hysgwydd. Gwyliodd y Swyddog Teuluol y ddau cyn cynnig eu gyrru adref yn ei gar.

'Beth newn ni, Mags?' Torrodd llais Steve ar draws ei meddyliau. Roedd ei lygaid yn goch ac yn llaith.

'Mags?'

Doedd hithau ddim wedi dweud gair ers cyrraedd yn ôl o'r parc. Roedd ei hymennydd yn dweud wrthi y dylai dderbyn y posibilrwydd fod rhywbeth ofnadwy wedi digwydd i Cara, ond roedd ei chalon yn berffaith oer mewn gwrthgyferbyniad â dagrau poeth Steve.

'Ddylen i ddim fod wedi cwmpo mas 'da hi.'

Meddyliodd Mags am eiliad cyn troi i wynebu'i gŵr. 'Na ddylet.'

Doedd Mags ddim yn gwybod o ble daeth y geiriau.

Roedd rhywbeth, yn ddwfn y tu mewn iddi, yn ei gwneud hi'n ddidrugaredd.

Cododd Steve ei ben ac edrych arni. 'Wyt ti'n… ti'n fy meio i?' holodd.

'Achos *ti* aeth hi'n grac.' Doedd dim emosiwn o gwbwl yn llais Mags. Edrychodd ar ei gŵr wrth i anghrediniaeth ledu dros ei wyneb. 'Ti ise fi weud *nad* dy fai di oedd e? Y bydde hi wedi rhedeg bant beth bynnag… ti ise fi weud celwydd? Celwydd i neud i ti deimlo'n well?'

Roedd y llygaid a'i denodd flynyddoedd yn ôl yn edrych yn blentynnaidd iddi nawr. Roedd ei chalon hi mor drwm pan gwrddodd ag e'r tro cyntaf. Cafodd ei denu gan y modd y dywedai ei feddwl yn sioclyd o onest. Y tu allan i'r ysgol, o flaen pawb, y tro cyntaf iddyn nhw gyfarfod erioed, fe ddywedodd wrthi ei bod hi'n ei ddenu. Chwerthin ar ei ben wnaeth hi ar y pryd. Ond chafodd hynny ddim effaith arno. Dilynodd hi adre un tro a gofyn iddi fynd am goffi 'da fe. Dywedodd wrthi ei fod e ei heisiau hi, na fyddai neb arall yn gwneud y tro. Roedd Helen wedi'i rhybuddio ei bod hi a'i gŵr wedi bod yn caru am flynyddoedd cyn priodi, ac mai pwyll piau hi. Byddai'n dweud ei farn, yn gweiddi mewn theatr, yn neidio ar fainc mewn parc ac yn cyhoeddi ei fod e'n ei charu hi. Ar ôl blynyddoedd o frwydro ar ei phen ei hunan, fe'i denwyd hi gan ei ryddid ef.

Allai e ddim cysgu ar ôl dadlau; byddai'n mynnu codi pob crachen nes ei fod e'n hapus fod popeth wedi'i drin a'i drafod. Byddai'n yfed weithiau ar ôl iddyn nhw gael ffrae ac yn ei ffonio ganwaith nes iddi yn y diwedd ateb yr alwad. Roedd e'n fyrbwyll, yn lliwgar ac yn wahanol i bob dyn llwyd arall y bu hi erioed gyda nhw. Ond fe drodd ei onestrwydd yn fwrn arni. Roedd gonestrwydd yn brifo, pan ddywedai wrth

Cara yr holl bethau nad oedd hi am eu clywed. Roedd ei onestrwydd yn clipio Cara, fe sylwodd Mags ar hynny. Fel siswrn yn clipio coeden fach fe fyddai'n ei thorri hi weithiau. Byddai'n dadlau y gwnâi'r math yma o driniaeth Cara yn gryfach ond doedd Mags ddim mor siŵr erbyn hyn.

'Wi ddim yn galler credu bo ti'n... ' cychwynnodd Steve.

Chwarddodd Mags.

'Ti ise i fi weud celwydd? Ti wedi bod yn trio 'nghal i i fod yn onest... wel dyma fi'n bod yn onest, Steve. O dy achos di y gadawodd hi.'

Canodd y ffôn unwaith eto.

'Achos ti,' ailadroddodd hi.

Canodd y ffôn am amser hir cyn i Steve godi oddi ar y soffa a thynnu'r derbynnydd oddi ar y wal. Taflodd ef ar lawr.

'Er mwyn Duw, gadwch ni fod... '

Anadlai'n drwm wrth gicio'r ffôn i ben draw'r ystafell. Cydiodd yn ei got.

Roedd Mags yn gwybod yn union beth oedd ei fwriad. Fe âi allan, cerdded i'r dafarn ar y stryd fawr ac yfed. Fe yfai ac fe yfai ac wrth yfed byddai'n ei beio hi. Yn dweud wrtho'i hun pa mor afresymol oedd hi, a'i bod wedi'i gamddeall yn llwyr. Ac wrth yfed mwy byddai'n dechrau gwamalu, byddai'n meddwl amdani yn y tŷ ar ei phen ei hunan a byddai'n teimlo fel ffŵl am ei gadael ar adeg mor anodd. Ac oherwydd yr euogrwydd fe yfai ragor. Wedyn, pan na fedrai gofio dim, dim ond yr ysfa am fynd adre i'w wely, byddai'n cnocio ar y drws, yn crio ac yn llefen ac yn gweiddi. Yna, byddai Rhys yn dihuno ac fe fyddai hithau'n gorfod ei berswadio, drwy ei gusanu, mai'r soffa fyddai'r lle gorau iddo. Gwnâi hynny oherwydd mai Rhys oedd bwysica. Yna eisteddai ar y grisiau tan i'r wawr dorri trwy wydr cymylog y drws ffrynt.

'Wi'n mynd mas.'

Edrychodd Mags arno a hanner gwên ar ei gwefusau.

'Wrth gwrs dy fod di.'

Clywodd y drws yn cau'n drwm ar ei ôl.

PENNOD 9

Eisteddai Cara ar bwys Delo mewn ystafell aros arall, un lawer mwy moethus na'r un yn yr adeilad pren. Roedd yma baneli pren ar y waliau, a'r cadeiriau pren a chlustogau melfed coch arnynt yn llawer mwy cyfforddus. Pan ddihunodd doedd neb yn y tŷ ac fe welodd wrth godi fod rhywun wedi gadael pâr o esgidiau wrth droed y gwely a sbectol haul yng ngwddf un ohonyn nhw. Yn eu hymyl roedd afal. Cipiodd Cara ef a'i wasgu i'w cheg. Roedd e'n raenus a gwrid iach arno, ond siomwyd hi gan ei fod yn blasu fel dŵr. Ceisiodd beidio â meddwl am ei bol wrth iddi fwyta. Ar ôl cysgu mor hir roedd y diwrnod cynt yn teimlo fel petai wythnosau'n ôl, a hithau wedi llwyddo i wthio pob atgof amdano ymhell i gefn ei meddwl. Cydiodd yn yr esgidiau, esgidiau du syml heb sodlau, a'u gwisgo.

Galwodd Delo amdani ac fe ddilynodd ef allan i'r haul gan wisgo'i sbectol. Gwingai ei llygaid wrth gwrdd â'r bore llachar. Dilynodd ef ar hyd un stryd ar ôl y llall gan edrych i mewn i ffenestri'r siopau a'r busnesau lleol. Edrychodd i mewn i siop drin gwallt ar gornel a gweld rhes o ferched yn sefyll y tu ôl i res o gadeiriau, yn torri gwallt dan chwerthin. Roedd yr ystafell yn wag heblaw am res o bobl yn darllen cylchgronau ac ychydig o wallt ar lawr. Eisteddai hen fenyw yng nghornel yr ystafell yn pwyso'i gên ar ben brwsh ac yn smygu sigarét. Codai'n ffwdanus weithiau i sgubo'r llawr yn ara. Cafodd Cara gipolwg ar rywrai mewn swyddfa, yn plygu dros eu desgiau. Roedd un a'i gefn at y ffenest a safodd Cara am eiliad yn edrych arno'n teipio ar ei gyfrifiadur. Roedd e'n teipio'n gyflym ond sylwodd Cara nad oedd yr un llythyren yn ymddangos ar y sgrin o'i flaen. Prysurai pobl ar hyd y strydoedd, nifer ohonynt mewn parau, gydag un person mewn dillad cyffredin a'r llall mewn dillad glas golau fel dillad Delo.

Aeth y ddau i mewn i lobi'r adeilad rhyfedda a welsai Cara erioed. Roedd e'n hen ac yn dywyll, a'r waliau wedi'u gorchuddio â phaneli pren. Fel rhyw hen dŷ crand, roedd yno gerfluniau ymhob cornel a'r lloriau wedi'u gorchuddio â marmor. Tynnodd Cara'i sbectol haul er mwyn syllu ar y cerfluniau o farmor gwyn. Cerflun o gorff merch ifanc mewn un cornel. Cerflun o gorff dyn ifanc gyferbyn â hi mewn cornel arall. Yna, corff hen fenyw a hen ddyn i gyfateb yn y corneli eraill. Ceisiodd Cara beidio ag edrych arnynt, ond roedd eu cnawd yn edrych mor feddal nes y gallai hi dyngu eu bod yn fyw. Denwyd llygaid Cara at y patrymau ar y llawr. Yn y marmor, gorweddai menywod noeth ar welyau crand a melfed coch a glas wedi'i lapio dros eu crwyn gwyn. Dynion yn sefyll mewn gerddi gwyrddion a phob cyhyr yn eu cyrff yn amlwg. Roedd y Pensaer fel pe bai wedi'i swyno gan gyrff.

Tynnodd Delo'i sylw at y rhes hir o ddesgiau pren yn y lobi a rhesi o bobl yn ciwio o'u blaen. Sylwodd Cara fod llygaid pob un o'r bobl yn goch fel ei rhai hi. Yna diflannodd Delo i lawr rhyw goridor ac fe brysurodd hithau ar ei ôl. Dilynodd ef i lawr y coridor lle roedd rhesi o swyddfeydd, pob un ohonyn nhw'n llawn o lyfrau ac ynddynt bobl brysur yr olwg. Weithiau, fe glywai sŵn crio neu weiddi wrth basio heibio ambell ystafell; bryd hynny, closiai'n agosach at Delo. Safodd hwnnw, o'r diwedd, mewn ystafell aros lle roedd hen ddrws gwydr yn arwain i'r ystafell drws nesa.

Roedd dau arall yn aros yno hefyd. Bachgen tal, ychydig yn hŷn na hi yn darllen llyfr a hen fenyw mewn gwisg las golau fel Delo yn gwmni iddo. Yn ei dwylo roedd ganddi gylchgrawn a gwaith gwau. Roedd hi'n amlwg yn drwm ei chlyw gan ei bod yn gweiddi rhyw sylwadau am y tywydd wrth y bachgen bob nawr ac yn y man. Un peth rhyfedd am y bachgen oedd nad oedd ganddo flewyn ar ei ben. Roedd e'n hollol foel. Brwydrai Cara yn erbyn yr awydd i edrych arno, ond eto i gyd câi ei llygaid eu denu ato. Astudiodd ei hesgidiau newydd am ychydig cyn codi'i llygaid i edrych arno unwaith eto. Edrychodd yntau arni a gwenu. Trodd a chochi.

'Gei di edrych arna i, os wyt ti ise,' sibrydodd wrthi. Roedd yr hen fenyw'n dal i ddarllen heb glywed dim. Gwrandawai Cara ar Delo'n piffian chwerthin wrth ei hochr.

'Do'n i ddim yn… ' atebodd Cara'n gyflym gan bwtio Delo yn ei ochr.

Gwenodd y bachgen arni a syllodd Cara ar y llawr gan deimlo'n grac am ryw reswm.

'Cara?' daeth llais o'r drws. 'Cara Evans?'

Neidiodd Cara wrth glywed y llais. Safai dyn yn y drws yn gwisgo cot wen.

'I mewn fan hyn, os gwelwch chi fod yn dda.'

Cododd Cara.

'Cara?' meddai'r bachgen gan edrych arni. 'Enw neis.'

Edrychodd Cara arno am eiliad.

'Paid â phoeni, dyw e'n ddim byd,' meddai wedyn.

'Dim byd? Beth sy'n ddim byd?' gofynnodd yr hen fenyw ar ei bwys.

Gwenodd y bachgen ar Cara a cherddodd hithau at y drws.

Ystafell feddygol o ryw fath oedd hi, un fach a gwely yn erbyn un wal. Adnabu Cara lun o galon ar y wal, ond roedd y posteri eraill yn dangos rhyw orbiau o bob lliw a'r rheiny'n ddierth iddi. Ar un wal roedd silffoedd pren ac arnynt ddegau o boteli o bob lliw a llun, ambell un yn llawn o ryw hylif tywyll, ac ambell un arall fel pe bai'n llawn golau. Yn y cornel pella, roedd drych a hefyd sinc hen ffasiwn i molchi dwylo. O gwmpas y sinc, roedd teils lliwgar yn dangos gwahanol rannau'r corff.

'Cyn ichi eistedd, sefwch yn erbyn y wal, wnewch chi?'

Edrychodd y doctor arni dros ei sbectol. Roedd pren mesur hir ar y wal. Safodd Cara o'i flaen ac fe farciodd y doctor ei thaldra.

'Steddwch,' meddai wedyn. Roedd ganddo nodiadau o'i flaen. Sylwodd Cara fod ei henw arnyn nhw a'u bod yn drwchus fel pe bai hi wedi bod yma lawer gwaith o'r blaen.

'Cara Evans?' gofynnodd y doctor.

Nodiodd hithau.

Roedd ei lais yn llyfn ac roedd golwg garedig arno. Tua'r hanner cant oed, meddyliodd, gan fod ei wallt yn britho o gwmpas ei glustiau.

'Fe gymera i eich tymheredd chi nesa.'

Agorodd Cara'i cheg.

'Na, na, dim tymheredd eich corff... tymheredd eich llygaid chi.'

Caeodd Cara'i cheg ac edrych arno.

'Beth?'

'Edrychwch yn syth o'ch blaen.'

Syllodd Cara ac fe gododd yntau'r thermomedr o flaen ei llygaid. Sylwodd Cara fod golau bach ar flaen y teclyn. Gwnaeth y doctor nodyn cyn mesur tymheredd y llygad arall.

'Y llyged yn boenus?'

'Ydyn.'

'Fe fyddan nhw am ychydig. Fe ddewch chi i arfer â phethau wedi hynny. Popeth yn llachar?'

Nodiodd hithau.

'Cyffredin iawn... fe roia i'r moddion yma ichi,' meddai gan dynnu potel fach allan o ddrôr yn ei ddesg.

'Un dropyn ymhob llygad bob nos. Fe ddylai hynny eich helpu chi i weld yn gliriach.'

'Yn gliriach?'

'Yn well.'

Rhoddodd y botel iddi. 'Nawr... ' meddai gan edrych ar ei nodiadau unwaith eto. 'Unrhyw boen yn rhywle?'

Siglodd Cara'i phen.

'Unrhyw friwiau?'

Meddyliodd Cara am eiliad a siglo'i phen unwaith eto, yn arafach y tro hwn. Ceisiodd dynnu'i meddwl oddi ar ei bol rhag ofn i'r celwydd ddangos yn ei llygaid. Yn y llygaid roedd celwydd yn ymddangos bob tro.

'Chi'n siŵr?'

'Ydw.'

Edrychodd y doctor arni am ennyd. 'Yn ôl fy nodiadau i fan hyn, wi'n meddwl falle bod 'na friw ar eich bol chi.'

Symudodd Cara'i llaw at ei bol yn amddiffynnol a gwyddai wrth wneud hynny ei bod wedi datgelu'r gwir.

'Briw bach, falle,' meddai hi'n ofalus.

Cododd y doctor ac agor rholyn o bapur gwyn llydan. Torrodd ddarn digon mawr a'i roi dros y gwely.

'Tynnwch eich dillad... jest eich blowsen... bydd hynny'n iawn.'

Dyna air hen ffasiwn, meddyliodd hi am eiliad. Doedd neb

yn dweud 'blowsen' mwyach. Teimlai Cara'n ansicr.

'Dewch,' meddai'r doctor gan dapio'r gwely â chledr ei law.

Roedd ganddo lais awdurdodol. Rhesymodd Cara fod Delo, y bachgen a'r hen fenyw y tu allan a gallai hi weiddi arnyn nhw pe bai angen. Fyddai hi byth yn tynnu'i thop o flaen doctor os gallai hi osgoi hynny. Byddai hi'n casáu teimlo'r metel oer ar ei chnawd. Ond tynnodd ei thop ac eistedd yn gefnsyth ar y gwely heb edrych ar y briw ar ei bol. Gorweddodd ar ei chefn ar gais y doctor a theimlo'i ddwylo'n oer ar ei bol.

Ddywedodd y doctor ddim gair wrth iddo wasgu ei fysedd o gwmpas y clwy.

'Poen fan hyn?' holodd o'r diwedd.

Siglodd Cara'i phen. 'Na.'

'Fan hyn?'

'Na, mae e'n well, dim ond cwt bach yw e.'

Trodd yntau ei gefn a thynnu potel oddi ar y silff. Daeth yn ôl at y gwely ac agor y botel.

'Llaw allan,' gorchmynnodd a gollyngodd ddau neu dri diferyn ar flaenau ei bysedd.

'Rhwbiwch nhw ar y briw.'

'Fi?' gofynnodd Cara.

'Ie.'

Roedd yr hylif ar ei chroen yn drwchus ac yn dywyll fel triog.

'O's rhaid i fi?'

Nodiodd y doctor. Teimlodd y briw â'i bysedd a thynnu anadl siarp wrth iddi ddod o hyd iddo. Roedd yr hylif yn llosgi.

'Dylai hynna fod o help,' meddai'r doctor gan droi ei gefn a mynd at y ddesg. Gwisgodd Cara'i thop gan geisio osgoi ei ddwyno â'i bysedd.

Tynnodd y doctor ddarlun o'i bol ar ddarn o bapur. Marciodd y fan lle roedd y briw â chroes.

Trodd i edrych arni a thynnu'i sbectol. Roedd ganddo lygaid caredig – yn amlwg roedd e'n ddyn caredig ond prysur.

'Odych chi'n cofio rhywbeth?'

Edrychodd Cara arno.

'Fel beth?'

'Unrhyw beth?'

'Yr wyddor? Stwff fel'na?' Sythodd Cara'i chefn… 'Gweddi'r Arglwydd?' gofynnodd wedyn.

Cododd un o'i haeliau. Byddai hi wastad yn ymateb fel'na pan fyddai oedolion ar fin dweud rhywbeth wrthi nad oedd hi eisiau ei glywed. Gallai eu synhwyro'n ceisio dewis y geiriau, yn meddwl am eu brawddegau a byddai hi'n adweithio yn erbyn hynny bob tro.

'Na na.' Pwyllodd llais y doctor. 'Odych chi'n gwybod beth sy wedi digwydd i chi?'

Fflachiodd meddwl Cara'n ôl at y traeth, y clogwyn, golygfa o'r ddinas, y lleisiau'n ffraeo a'r bachgen yn yr ystafell aros.

'Cyn i chi gyrraedd y traeth,' meddai'r doctor.

Roedd Cara wedi bod yn ceisio osgoi meddwl am hynny. Roedd meddwl am y presennol gymaint yn haws rhywffordd.

'Cymrwch eich amser.'

'Wi'n cofio bod Mam… ' Wrth iddi ddweud ei henw'n

uchel, fe deimlodd ryw hiraeth ofnadwy yn dod drosti'n sydyn.

'Ie?'

'Dim.'

Edrychodd y doctor arni'n feddalach y tro hwn.

'Ma pawb yn dod i arfer â phethe'n wahanol. Meddyliwch eto.'

'Ma mam i ga'l 'da fi… prynodd hi dop newydd i fi. Hwn. Ond sarnes i fe.' Ffaelodd fynd ymhellach.

'Does dim ots,' meddai'r doctor yn garedig. 'Fe ddaw pethau'n ôl ichi. Efallai eich bod yn lwcus… '

'Lwcus?'

'Gwell bod y cof yn niwlog i ddechre.'

'Beth y'ch chi'n feddwl, "i ddechre"?'

Astudiodd y doctor ei hwyneb am ychydig.

'Ma'n ddrwg iawn 'da fi, ond dim briw bach yw hwnna ar eich bol… ' Oedodd y doctor am eiliad. Gallai Cara deimlo'i chalon yn curo yn erbyn esgyrn ei brest. 'Roedd y briw yna'n ddigon i'ch lladd chi. Ry'ch chi wedi cael eich saethu.'

Chwarddodd Cara. 'Beth?'

'Ma'n ddrwg 'da fi.'

Siglodd Cara'i phen â hanner gwên ar ei hwyneb. Roedd yn berffaith amlwg fod y doctor wedi colli'i bwyll yn llwyr.

'Na… '

'Ma'n iawn, peidiwch â phoeni. Ma pawb yn derbyn y pethau 'ma'n wahanol a llawer yn gwadu'r peth i ddechrau. Yn enwedig mewn achosion… ' edrychodd y doctor ar nodiadau Cara unwaith eto cyn cau'r ffolder papur, '… fel yma, ddwedwn i.'

'Chi'n... ' Cara oedd yn ymbalfalu am eiriau erbyn hyn. 'Chi'n treial gweud wrtha i, mod i ddim 'ma, mod i 'di... mai dychmygu'r lle 'ma dw i?'

'Nadw, ma'r lle 'ma'n hollol real, am nawr beth bynnag.'

Cododd Cara gan deimlo rhyw ddicter ofnadwy.

'Chi ddim yn gall!'

Safodd yn syllu arno am ychydig gan anadlu'n ddwfn. Chwiliodd wyneb y doctor am ryw newid, rhyw gysur, ond edrychai arni a'i lygaid yn llonydd.

'Efallai yr hoffech chi olchi'ch dwylo cyn gadael?' gofynnodd iddi yn y diwedd.

'Dwylo?'

'Golchwch eich dwylo yn y sinc o flaen y drych yn fan'na.'

Ciliodd Cara i gornel yr ystafell, yn falch o gael symud ymhellach oddi wrtho. Gallai hi ddianc wedyn. Rhedeg i ffwrdd oddi wrtho. Golchodd ei dwylo yn gyflym o dan y tap. Roedd llun o galon ar un o'r teils. Calon goch. Ysgyfaint ar un arall. Rhwbiodd yr hylif tywyll nes ei fod wedi diflannu gyda'r dŵr. Erbyn hynny roedd yntau wedi codi ar ei draed. Sychodd Cara ei dwylo ar dywel wrth ymyl y sinc.

'Beth am ichi chwythu ar y drych?' gofynnodd y doctor iddi. Safai y tu ôl iddi erbyn hyn.

'Chwythu?'

'Anadlu ar y drych.'

Gallai Cara weld adlewyrchiad ei hwyneb yn glir.

'Iawn!' meddai hi. 'Iawn! Ddangosa i i chi!'

Ac yna fe agorodd ei cheg ac anadlu. Anadlodd ac anadlodd, gan ddisgwyl i gwmwl ledu cyn lleihau'n ara bach ar y drych. Ond doedd yno ddim. Dim marcyn. Dim cwmwl. Dim byd. Llwydodd ei hwyneb yn y drych glân ac fe hyrddiodd ei stumog, gan wneud iddi chwydu'r afal a fwytodd y bore hwnnw i lawr y sinc.

PENNOD 10

Cododd Mags ei phen ac edrych ar ei hadlewyrchiad yn y drych. Roedd hi wedi bod yn sâl yn y sinc. Curai'r Swyddog Teuluol ar y drws.

'Mrs Evans? Ry'n ni'n barod i ddechrau.'

'Bydda i 'na nawr!'

Sychodd Mags ei cheg â darn o disw.

Dim ond ystafell gyfryngau gorsaf yr heddlu oedd yn ddigon mawr i gynnal yr apêl am wybodaeth. Dangoswyd cymaint o ddiddoreb gan y cyfryngau a'r papurau newydd fel y penderfynwyd y byddai apêl ar y teledu'n syniad da. Gallai atgoffa rhywun oedd yn digwydd cerdded heibio'r parc y noson honno, eu bod nhw wedi gweld rhywbeth. Gallai wneud i rywun oedd â gwybodaeth deimlo'n euog a chyffesu.

'Mags?' Tim eto.

'Wi'n dod! Jest rho funed i fi.'

Ceisiodd Mags olchi'r sinc yn lân â thamaid o disw yn ei dwylo crynedig. Daliai i anadlu'n drwm ar ôl bod yn sâl. Roedd hi wedi gorfodi'i hun i fwyta'r tost am fod Tim yn mynnu bod yn rhaid iddi gadw'n gryf.

Cyrhaeddodd Steve adre o'r dafarn yn y diwedd wrth gwrs a threuliodd y dyddiau diwetha'n eistedd yn amddifad yn yr ystafell fyw. Bu'n rhaid i'r ddau ohonyn nhw sgwrsio â'i gilydd wrth baratoi beth i'w ddweud yn yr apêl. Roedd pob gair y bwriadai Mags eu dweud yn swnio mor wag – roedden nhw'n ei charu hi, yn gweld ei heisiau hi. Os ydych chi'n gwybod rhywbeth, rhowch wybod. Gallwch chi wneud hynny'n ddienw. Mae'n rhaid bod rhywun yn gwybod rhywbeth...

Eisteddai gyferbyn â Steve, y papur gwag rhyngddyn nhw a'r ystrydebau'n ei thagu. Roedd hi'n caru ei merch, wrth gwrs, ond sut roedd dweud hynny? Sut gallai fynegi'r holl ffyrdd roedd hi'n ei charu hi mewn brawddeg neu ddwy? Weithiau, serch hynny, byddai'r ddwy'n gweiddi ar ei gilydd, a Mags yn ffaelu credu iddi erioed greu'r ferch a orweddai'n bwdlyd ar y soffa yn yr ystafell fyw. Byddai weithiau fel petai'n edrych ar ddieithryn. Yna, byddai'n troi'i phen, ac yn brwsio'i llaw ar hyd ei braich wrth iddi gerdded heibio. Y dwylo bach a grëwyd yn ei chnawd hi ac yna teimlai fel cydio ynddi wrth deimlo'r agosrwydd unwaith eto. Yr un agosrwydd ag a deimlai pan oedd Cara'n groten fach yn llefen yn y nos, a hithau'n sychu'r dagrau a mynd i hel y bwystfil o'r wardrob.

'Mags?'

'Bydda i 'na nawr!'

Bu'n rhaid i'r ddau gyfaddawdu, trwy ofyn am gopïau o'r math o beth roedd angen ei ddweud. Daeth Tim â chopïau iddyn nhw ac fe lenwon nhw'r manylion. Byddai'n rhaid canolbwyntio ar lefaru'r geiriau. Hi'n gyntaf a Steve wedyn. Ond roedd yr holl beth yn ofer, gwyddai hynny. Fe esboniodd i Tim ei bod hi'n gwybod bod Cara'n dal yno. Gwyddai â holl sicrwydd ei henaid nad oedd hi wedi diflannu. Edrychodd yntau arni heb ddweud gair ond roedd hi'n siŵr iddi weld rhyw dristwch yn ei lygaid. Tristwch a thrueni. Gallai ei weld yn ffurfio'i farn. Mam yn pallu derbyn diflaniad ei merch.

Sythodd ei siwmper a chwilio yn ei bag am finlliw. Gwasgodd y lliw ar ei gwefusau cyn sylweddoli ei fod yn gwneud i'w bochau edrych yn fwy llwyd. Estynnodd am disw arall o focs ar bwys y sinc a sychu'r minlliw i ffwrdd. Tynnodd anadl hir a datgloi'r drws.

'Ocê?' gofynnodd Tim. Nodiodd Mags.

Rhoddodd Tim ei fraich yn garedig am ei phenelin a'i harwain ar hyd y coridor. 'Wi'n gwbod nad wyt ti'n un am falu awyr,' meddai wrth gydgerdded â hi, 'ond o leia ma hyn yn rhywbeth positif. Ma siawns gewn ni rywbeth mas o hyn.'

Nodiodd hithau.

Arhosai Steve amdani ar waelod y coridor yn hollol fud. Doedd e ddim wedi dweud gair drwy'r bore, dim ond syllu'n syth o'i flaen cyn gwisgo ei siaced newydd. Wedyn fe eisteddodd yng nghefn y car yn syllu drwy'r ffenest. Arweiniwyd y ddau i ystafell gynnes â bwrdd ar un pen iddi yn llawn meicroffonau. Tu ôl i'r ddesg roedd baneri'r heddlu a'r geiriau, 'Rhyddid: Tegwch: Heddwch'.

Eisteddai rhyw hanner cant o bobl mewn rhesi, y rhan fwyaf ohonynt yn brysur yr olwg a'u ffonau symudol a'u camerâu'n amlwg. Roedd dyrnaid o gymdogion wedi dod hefyd i'w cefnogi, nifer ohonynt yn sefyllian yng nghefn yr ystafell. Roedd Mags yn adnabod ambell wyneb: Belinda, cymydog a thri o blant ganddi; Mandi, perchennog Caffi'r Glannau lle gweithiai Cara; dyn tal a chanddo wyneb cyfarwydd. Roedd ambell un iau yno hefyd, rhai mewn gwisg ysgol. Arweiniodd Tim y ddau at y bwrdd. Edrychai Steve ar y llawr. Gosododd Tim y papurau o'i flaen cyn annerch y gynulleidfa. 'Mae achos fel hyn yn anarferol,' meddai, 'yn enwedig mewn ardal fel hon. Y gymdeithas wedi cael sioc. Gwybodaeth i'w chael gan rywun. Ffonio. Dienw.' Gwrandawodd Mags arno. Roedd ei lais llyfn yn gyfarwydd iawn iddi erbyn hyn.

Yna, roedd yn bryd iddi hi siarad. Fflachiodd y camerâu gan wneud dolur i'w llygaid. Dawnsiai'r geiriau'n las ar y papur wrth iddi gydio yng ngwaelod y ddalen a'i llaw yn crynu. Eisteddai Steve yn rhy bell oddi wrthi i'w sadio ond fe gyffyrddodd Tim yn ei braich. Sylwodd fod ei llais yn swnio fel llais hen wraig. Llais wedi torri – nid ei llais hi. Roedd ganddi lais cryf pan fyddai'n canu yn y llofft neu'n gweiddi ar Rhys i ddod i mewn o'r ardd. Meddyliodd na fyddai Cara'n adnabod y llais hwn. Darllenodd y geiriau: Roedd hi'n amhrisiadwy. Roedden nhw'n meddwl y byd ohoni hi. Roedd yn rhaid bod rhywun yn gwybod rhywbeth. Teimlodd y geiriau'n tasgu o'i cheg ac yn cwympo fel cerrig ar y bwrdd o'i blaen. Doedd dim synnwyr ynddyn nhw, dim teimlad.

Roedd hi wedi gorffen. Pasiodd y papur i'w gŵr. Daliai hwnnw i syllu o'i flaen. Cydiodd yn ei fraich. Roedd y camerâu'n dal i fflachio.

'Steve?'

Tynnodd ar ei fraich eto.

'Steve…'

'Efallai y gallech chi gario mlaen i ddarllen, Mags?' cynigiodd Tim.

'Beth?'

'Darllen rhan Steve… '

Edrychodd ar wyneb Steve. Doedd dim mynegiant ar ei wyneb. Dim byd o gwbwl. Roedd e wedi'i gadael yn gyfan gwbwl ar ei phen ei hun mewn ystafell yn llawn dieithriaid.

Darllenodd y geiriau a fflachiadau'r camerâu yn goma fan hyn a fan draw. Wedi iddi orffen, rhoddodd y papur yn ôl ar y ddesg. Ac yna, fe ddaeth y cwestiynau. Un ar ôl y llall.

Doedd dim byd pellach i'w adrodd. Roedd hi'n amhosib dweud beth ddigwyddodd, ond roedd yr heddlu'n cymryd y mater o ddifri. Yn annog pobl ifanc i beidio â cherdded yn yr ardal fin nos. Eu hatgoffa i gymryd gofal.

Teimlodd Mags law Tim yn tynnu ar ei braich cyn sylwi bod yr ystafell wedi gwacáu mewn ychydig eiliadau. Roedd straeon eraill i'w casglu. Penawdau eraill i'w sodro ar bapur mewn du a gwyn. Cododd y tri a cherdded yn ara bach i gefn yr ystafell. Cydiodd Belinda ynddi a'i gwasgu.

'Dewn ni o hyd iddi,' meddai hi. 'Fe helpwn ni gyment ag y gallwn ni.'

Cydiodd amryw yn ei dwylo wrth iddyn nhw gerdded heibio. Syllodd Mandi ar y llawr mewn tawelwch. Siglodd y dyn tal ei llaw. Ac yna, daeth dau wyneb ati. Dyn ifanc a merch mewn gwisg ysgol.

'Casi,' meddai Mags yn uchel.

Roedd ffrind Cara wedi bod yn crio a'i llygaid wedi chwyddo. Sodrodd y bachgen ei lygaid ar y llawr.

'Wi... wi mor... mor sori,' dywedodd hi. 'Hi ofynnodd i fi weud... '

'Dweud celwydd?' gorffennodd Mags ei brawddeg drosti. Nodiodd Casi'i phen a'i llygaid yn llenwi â dagrau unwaith eto.

'Fe gollon ni amser...'

'Mags,' meddai Steve, gan dynnu ar ei braich, 'paid... '

Arweiniodd Steve hi oddi yno, ond ffaelodd Mags dynnu'i hwyneb oddi ar wyneb Casi wrth iddi ei gadael.

'Gollon ni amser,' meddai hi wedyn, wrth i Casi syllu ar y bachgen tal trwy'i dagrau a hwnnw'n rhoi llaw gysurlon ar ei hysgwydd.

Arweiniodd Tim y ddau at y car a arhosai amdanynt y tu allan. Gwyliodd y dyrfa wrth i'r car ddiflannu yn y traffig.

'Od on'd oedd e?' meddai cyd-weithiwr wrth Tim.

'Beth?'

'Methu siarad fel'na, rhewi.'

'Steve?'

Ystyriodd Tim ei eiriau am ychydig cyn tynnu anadl hir a throi'n ôl am orsaf yr heddlu.

Pennod 11

Dywedodd y doctor fod croeso iddi ddod 'nôl i siarad os dymunai ac y byddai'n rhaid iddo ei gweld eto, cyn hir, beth bynnag. Chlywodd Cara mo'i eiriau wrth iddi gerdded o'r ystafell heb edrych arno. Roedd Delo'n sefyll y tu allan i'r drws ac yn gwasgu'i drwyn yn erbyn y gwydr cymylog wrth aros amdani. Neidiodd pan agorodd hithau'r drws ac fe symudodd yn ôl a'i wyneb llwyd yn llawn gofid. Plethai ac ailblethai ei fysedd. Doedd dim golwg o'r bachgen a'r hen fenyw.

'Cara?'

Gwthiodd Cara heibio iddo. Brysiodd yntau i gerdded wrth ei hochr a cheisio gwthio'i law fach i mewn i'w llaw hi ond gwthiodd ei fysedd i ffwrdd a cherdded ar hyd y coridorau mewn tawelwch. Roedd tywyllwch y lle'n gwasgu arni a dyheai am fod allan yn yr awyr iach, yn yr haul a'r goleuni. Dechreuodd gerdded yn gyflymach. Roedd y teils du a gwyn yn fflachio dan ei thraed, ond ni fedrai feddwl am ddim ond am adael yr adeilad. Rhedeg i ffwrdd. Bu'n rhaid i Delo drotian er mwyn cydgerdded â hi. Allai hi ddim edrych ar lawr y lobi nac ar y cerfluniau. Y cnawd. Roedd y doctor newydd ddweud wrthi nad oedd ganddi gnawd rhagor. Doedd hi ddim yn bod. Roedd y lluniau ar y llawr ac ar y welydd fel pe baen nhw'n chwerthin ar ei phen, eu gwenau llonydd yn llawn rhyw sbeit dychrynllyd. Gorweddai'r menywod â'u crwyn melfedaidd ar y gwelyau'n hanner noeth, eu llygaid fel pe baen nhw'n brolio llawnder eu crwyn, eu bronnau a'u bochau. Atseiniai'r lobi o sŵn siarad a gweithwyr yn galw am enwau. Daliai Cara i deimlo'n sâl. Gwasgodd law at ei cheg a rhedeg am y drws, gan deimlo rhyddhad am eiliad wrth weld yr haul.

'Cara?'

Clywodd Delo y tu ôl iddi.

'Cara?'

'Gad fi fod! Gad fi fod!'

Penderfynodd redeg. Rhuthrodd i lawr y grisiau llydan ac ar hyd y strydoedd. Ceisiai Delo ei dilyn ond gallai glywed ei alwadau'n pellhau y tu ôl iddi erbyn hyn. Gwthiodd trwy brysurdeb y strydoedd a chroesi'r stryd o flaen hen gar a sgrialodd i stop. Er bod y lle mor ddierth, gallai dyngu iddi fod yno o'r blaen. Llefai rhywun a'i llygaid yn goch ar stepen drws rhyw siop gerllaw. Roedd pâr arall, un â llygaid cochion a'r llall yn gwisgo pyjamas glas golau'n ffraeo'n chwyrn ar ochr y stryd. Rhedodd, yn falch o'r awel a chwythai i'w hwyneb wrth iddi frysio. Doedd ganddi ddim syniad i ble roedd hi'n mynd, a doedd dim sôn yn unman am Delo. Roedd hynny'n rhyddhad.

Rhaid bod rhyw gamgymeriad wedi digwydd. Teimlai guriadau ei chalon yn gwthio yn erbyn ei hasennau wrth iddi gerdded. Teimlodd am y freichled ar ei garddwrn. Chafodd hi mo'i saethu. Roedd y peth yn amhosib. Yn chwerthinllyd. Doedd hi ddim yn adnabod neb a gawsai ei saethu. Siglodd ei phen. Roedd y briw ar ei bola wedi dechrau cosi'n barod ac yn teimlo'n boeth gan wneud iddi ysu am gael cyffwrdd ynddo. Doedd hi ddim eisiau ei deimlo. Ddim eisiau teimlo'r briw bach a fyddai'n ei hatgoffa bod rhywbeth mawr o'i le. Teimlodd ddicter yn codi o'r briw ac yn lledu ar hyd ei bol gan dynhau o gwmpas ei gwddf. Teimlai awydd sgrechian. Sgrechian a gweiddi nes bod dim llais ar ôl. Rhedodd a'i hysgyfaint yn dynn.

Edrychai pobl arni wrth iddi frysio heibio. Roedd hi'n ymwybodol o hynny, rhai â'u llygaid yn llawn tosturi, eraill â rhyw hanner gwên wybodus ar eu gwefusau. Roedd yr haul wedi sychu'r palmentydd a'r heolydd gan achosi i'r llwch godi. Aeth hwnnw i'w gwddf a theimlai fel pe bai hi'n tagu. Codai'r lleisiau, rhuai'r ceir ac roedd sŵn di-ben-draw'r bobl yn llenwi'i chlustiau. Aeth sŵn y ddinas yn ormod iddi. Roedd hi eisiau tawelwch, tawelwch i gael meddwl.

Trodd i lawr stryd dawelach yr olwg ac ar un ochr iddi gwelai barc, un gweddol gyffredin yr olwg a meinciau pren yn gylch o'i gwmpas. Arafodd ei cherddediad wrth i'r sŵn ddechrau distewi'r tu ôl iddi. Ar yr ochr dde roedd stryd o swyddfeydd gwag ac yno, yn y canol, safai eglwys anferthol. Sylwasai Cara ar fòsg rhyfedd ar y ffordd draw. Yma, er bod yr adeiladau bob ochr i'r eglwys yn solet, edrychai'r eglwys yn dryloyw. Fel pe bai hi'n rhyw atgof o adeilad yn hytrach nag yn adeilad go iawn. Dyma'r lle câi hi dawelwch.

Safodd Cara'n llonydd am ychydig, ei hysgyfaint yn tynnu, chwys ar ei thalcen a'r briw erbyn hyn yn llosgi'n sgald. Syllodd ar y cerfluniau prydferth wrth yr hen ddrws. Y Forwyn Fair â fêl denau dros ei hwyneb, ei chroen ifanc yn edrych mor glwyfadwy. Angel a'i adenydd pluog yn anwesu ei gefn. Dau blentyn yn gweddïo a'u dwylo ynghyd. Roedd eu cnawd yn iach, a'u hwynebau mor llonydd ac mor ddedwydd. Yn ddigon heddychlon i dorri calon. Roedd rhywbeth mor gyfarwydd yn eu cylch. Rhywbeth mor gysurlon. Camodd Cara tuag at y drws a chodi'i llaw. Ceisiodd glirio'r llwch yn ei gwddf cyn edrych ar y drws uchel. Yn ara, gosododd gledr ei llaw ar y pren, ond fe suddodd ei llaw yn y rhith. Doedd dim drws yno. Doedd dim ffordd i mewn. Ceisiodd gydio eto yn y ddolen haearn a oedd yn hofran fel niwl o'i blaen. Toddodd ei bysedd yn y metel.

'Gad... ' roedd ei llais yn fach. 'Gad fi i mewn!'

Ceisiodd eto, gan blannu ei dwylo i mewn i ysbryd yr eglwys.

'Gad fi i mewn! GAD FI I MEWN!'

Roedd hi'n beichio llefen erbyn hyn. Atseiniai ei gweiddi ar draws y stryd wag. Roedd ei dwylo'n crafangu yn yr aer heb obaith agor y drws. Dim ond llonydd roedd hi angen. Llonydd i eistedd. I deimlo cerrig yr eglwys yn falm amdani.

'GADWCH FI I MEWN!'

Ciciodd y drws a cheisio cyffwrdd yn yr wynebau o'i gwmpas. Roedd dagrau'n disgyn ar ei bochau. Yna, safodd a syllu ar yr wynebau llonydd. Ar y dechrau, credai eu bod yn edrych yn heddychlon, yn ddedwydd, ond nawr roedd eu hwynebau disymud yn galed. Yn gaeedig. Ymhell i ffwrdd. Camodd yn ôl, gan ddal i anadlu'n drwm a sefyll yng nghanol y ffordd am eiliad.

'Iawn! IAWN! Wi ddim ise bod 'ma beth bynnag!'

Roedd y dagrau'n oeri ei bochau a theimlai ei hysgwyddau'n disgyn. Safodd am eiliad cyn troi ei chefn a cherdded i eistedd ar fainc yn y parc. Eisteddodd yno am amser hir, yn gwylio cysgodion y prynhawn yn dechrau ymestyn ar hyd wyneb yr eglwys.

Ymhen ychydig oriau, a'r haul wedi suddo y tu ôl i adeiladau ucha'r ddinas, fe deimlodd ryw bresenoldeb ansicr y tu ôl iddi. Daeth Delo i eistedd wrth ei hochr. Roedd e wedi bod yn llefen ac roedd ei ruddiau'n wlyb. Safodd ac edrych arni. Sychodd ei drwyn â chefn ei law cyn eistedd heb ddweud gair.

'Wi, wi jest ddim yn deall,' meddai Cara'n dawel.

Nodio'i ben wnaeth Delo, cyn pwyso'i ben blinedig ar

ysgwydd Cara. Eisteddodd y ddau mewn tawelwch am ychydig, cyn dechrau cydgerdded yn ara am adre.

'Syrpréis!'

Edrychodd Cara ar yr hyn a edrychai fel bwnshyn o flodau anferth ac iddynt goesau. Roedd Beth yn chwerthin.

'Lili! Ti'n hôples!'

Roedd y bwnshyn o flodau bron yr un maint â'r ferch fach. Gwenodd Beth arni wrth i Cara gydio ynddyn nhw.

Gwenodd Cara'n wan. 'Ma nhw... nhw'n lyfli. Beth y'n nhw?'

Edrychodd Lili i gyfeiriad Beth. 'Beth y'n nhw?' holodd.

'Rhyw fath o lygad y dydd, wi'n meddwl,' meddai honno.

'Rhyw fath o lygad y dydd, wi'n meddwl,' ailadroddodd Lili'n ffyddlon gan wenu.

Sylwodd Cara ar Leusa'n gorwedd ar ei bync yn darllen cylchgrawn.

'A dyma Leusa... '

Edrychodd Cara arni a'i llygaid yn llonydd.

'Ni wedi cwrdd.'

Clywodd Cara sŵn traed y tu ôl iddi.

'Odw i wedi colli'r syrpréis?'

Trodd Cara ar ei sawdl. Edrychodd i fyny a chochi'n sydyn. Y bachgen o'r ystafell aros oedd e ac roedd ganddo lyfr o dan ei gesail.

'Cara yw hon,' meddai Beth y tu ôl iddi.

Gwenodd yntau arni.

'Ry'n ni wedi cwrdd,' meddai yntau. 'Ifan ydw i.'

Nodiodd Cara a chochi unwaith eto. Tynnodd Ifan law o'r tu ôl i'w gefn. Roedd ganddo blat papur yn dal teisennau bach ac eisin pinc arnyn nhw.

'Des i â'r rhain… syrpréis!' meddai a hanner gwên ar ei wyneb. 'Pwy sy ise un?'

Clywodd Cara dudalen cylchgrawn yn cael ei throi.

'Dim fi… ma nhw'n neud chi'n dew.' Roedd gwên eironig ar wyneb Leusa.

'Gymera i un, Leusa,' meddai Lili gan gymryd dwy gacen o ddwylo Ifan. Cynigiodd Ifan un i Beth ac un i Cara.

'Eistedd,' meddai wedyn gan setlo ar y bync gwaelod gyferbyn ag un Cara. Setlodd rhyw dawelwch rhyngddyn nhw wrth i bawb fwyta'r cacennau.

'Dyma'r croeso o't ti fod i ga'l, y noson gynta.' Teimlai Cara fod y geiriau wedi'u hanelu at Leusa. Ond gorwedd ar y gwely wnaeth honno, yn esgus darllen.

'Diolch,' meddai Cara a'i hwyneb yn caledu, 'ond o'n i'n iawn… '

Bwytodd y pedwar mewn tawelwch.

'Fuest ti'n gweld y doctor?' mentrodd Beth holi yn y diwedd. Nodiodd Cara. Roedd y briw yn dal i losgi.

'Ti'n gwbod nawr…?'

Doedd yr eisin ddim yn blasu hanner cystal ag roedd yn edrych.

'Wyt ti'n cofio unrhyw beth?' gofynnodd Leusa'n sydyn. Yn rhy sydyn, teimlai Cara. Siglodd ei phen.

'So,' Cara oedd yn mentro y tro yma. 'Ife'r nefoedd yw hwn?'

Piffian chwerthin wnaeth Leusa. Edrychodd Ifan a Beth ar ei gilydd.

'Na, na,' atebodd Ifan. 'Falle dylen ni fynd â ti i'r tŵr. Ti'n meddwl bod amser 'da ni?'

Edrychodd Beth dros ei hysgwydd ac allan drwy'r ffenest.

'Sa i'n gwbod... '

'Allwn ni ddim bod allan yn rhy hwyr ne fe fyddan nhw'n gwbod.'

'Pwy y'n "nhw"?' gofynnodd Cara.

'Jest "nhw",' atebodd Ifan.

'Fi lico'r tŵr!' meddai Lili a'i hwyneb yn goleuo. 'Ti'n galler clywed popeth o fan'na!' Sylwodd Cara fod eisin pinc o gwmpas ceg Lili.

Cododd Ifan gan wasgaru'r briwsion ar hyd y llawr. Cydiodd Beth yn ei chot. Cododd Cara a theimlodd law fach Lili yn ei llaw hithau.

'Fyddi di'n lyged i fi?' gofynnodd, gan edrych i wyneb Cara.

'Wrth gwrs,' meddai Cara.

'Ti'n dod, Leus?' gofynnodd Lili.

Edrychodd Beth ar Cara fel pe bai hi'n gofyn am ei chaniatâd drwy'r tawelwch. Nodiodd Cara arni.

'Ti'n dod?' gofynnodd Beth.

Edrychodd Leusa arnyn nhw am eiliad fel pe bai hi'n ceisio meddwl am rywbeth sarcastig i'w ddweud. Codi wnaeth hi o'r diwedd.

'Sdim byd arall 'da fi i neud.'

Cerddodd y pump allan o'r tŷ ac i lawr y stryd. Roedd pobl yn dal i loetran yng ngwres ola'r dydd, a'r tai'n edrych yn wynnach rhywffordd yn y golau melyn.

'Gwell i ni 'i siapo hi,' meddai Ifan.

Aethant i mewn i'r ddinas, a sylweddolodd Cara eu bod yn anelu at y gât yn y ffens weiren bigog. O'r diwedd, safai'r pump o flaen adeilad hardd, ar ei ben ei hunan mewn safle tawel rhwng y strydoedd prysur. Roedd y welydd a godwyd o risial yn dryloyw bron.

'Yr adeilad ucha yn y lle 'ma,' meddai Beth. 'Fan hyn ma Ifan yn gweithio.'

'Lle i wella anifeiliaid yw e,' meddai Lili, ei llygaid gwyrdd yn edrych i fyny ar Cara.

'Dy'n ni ddim fod 'ma a gweud y gwir, ond... ' Cododd Ifan ei ysgwyddau gan wthio'r drws uchel ar agor. Roedd y lobi'n anferth a chownteri hirion yn ymestyn ar ei hyd. Er bod pawb wedi gadael y gwaith roedd sŵn traed i'w glywed ar y llawr marmor.

'Watshiwch,' sibrydodd Ifan.

Cydiodd Beth ym mraich Cara a'i thynnu i guddio y tu ôl i gownter gerllaw wrth i ddyn mewn iwnifform gerdded heibio i sicrhau nad oedd neb yno. Gafaelodd Beth yn Lili a'i gwasgu ati a bu'n rhaid i Leusa guddio wrth eu hymyl. Roedd golwg annifyr arni wrth gael ei gorfodi i sefyll mor agos atynt. Gwrandawodd y pump ar sŵn traed y dyn yn cilio cyn i Ifan sbecian uwchben y cownter.

'Nawr,' sibrydodd ac fe gerddodd y pump ar flaenau'u traed heibio i'r cownteri ac i fyny'r grisiau marmor. Safodd Ifan yn ei unfan yn sydyn a bron i Cara fwrw yn ei erbyn. Roedd drws bach yn y wal hanner ffordd i fyny'r grisiau. Agorodd Ifan ef a chrymu'i ben cyn mynd drwyddo. Dilynodd y lleill a dod at droed rhes arall o risiau.

'Ma 'na dri chant wyth deg a saith ohonyn nhw... wi wedi cyfri,' meddai Lili gan wenu.

Dringodd y pump. Roedd Leusa'n loetran ychydig gamau

y tu ôl i bawb arall a sŵn ei sodlau'n atseinio'n swnllyd ar y stepiau cerrig. Dringodd y lleill yn dawel nes cyrraedd drws arall. Agorodd Ifan hwnnw a chamodd y criw allan ar falconi yn uchel uwchben y ddinas. Roedd y balconi'n gul a bar haearn ar un ochr iddo fel y gallent eistedd yn ddiogel a'u coesau'n hongian oddi ar yr adeilad anferth. Tynnodd Cara'i hanadl. Doedd hi'n dal ddim yn hoff o uchder.

'Beth ti'n feddwl?' gofynnodd Beth a gwên swil.

Roedd hi'n bosib gweld yr holl ddinas o'r fan hyn. Tynnodd Lili hi i eistedd ac eisteddodd Ifan a Lili bob ochr i Cara a Beth ar bwys Ifan. Eisteddai Leusa rhyw ddwy droedfedd oddi wrthynt a chynnodd sigarét arall. Sylwodd Cara eu bod nhw'n uwch hyd yn oed na'r adar.

'Weli di?' gofynnodd Ifan o'r diwedd.

Roedd yr haul yn machlud yn ara bach gan waedu'i liwiau dros yr awyr a bysedd y golau'n troi'r ddinas yn rhyw liw copor cynnes. Syllodd Cara'n fanylach. Gallai weld y ffens bigog o gwmpas y ddinas, a'r tu hwnt i honno roedd y ddaear fel pe bai wedi'i llosgi. Doedd dim gwyrddni yno, dim ond coed duon yn erbyn y gorwel. Gwelai'r llwybr hir tuag at y ddinas, yr un a ddilynodd Delo a hithau ar eu ffordd i lawr at y cwt pren wrth waelod y ffens. Roedd yna graciau yn y byd hefyd, craciau llydan o olau fan hyn a fan draw, tebyg i'r hafn y cerddodd hi a Delo drosto. Roedd gwres yr haul fel petai'n cymhlethu'r olygfa, a'r adeiladau'n edrych fel petaent yn symud rhyw ychydig. Dilynodd Ifan ei llygaid.

'Ma'r lle 'ma'n newid drwy'r amser, adeiladau'n mynd a dod… '

Meddyliodd Cara am yr eglwys a chochi wrth feddwl amdani hi'n gweiddi o flaen ei drysau. Gadawodd i'w llygaid grwydro ymhellach tuag at y gorwel, at y llwybr. Roedd hyd yn oed y clogwyn yn edrych yn fach o'r fan hyn. Ceisiodd Cara gyfri'r gwahanol biers a ymestynnai fel nadroedd ymhell allan i'r môr. Ac yna fe'u gwelodd nhw – cannoedd ohonyn nhw. Allan yn y môr. Yn codi oddi ar y traeth. Roedd yna filoedd yn dihuno ar y swnd, a channoedd yn cerdded y llwybrau at y lan. Cannoedd o bobl, a'r haul yn dallu eu llygaid, yn llifo i lawr y llwybr tuag at y cytiau bach a swatiai wrth waelod y ffens bigog. Roedd y lle'n orlawn.

'O... ond ... dim ond fi oedd 'na,' meddai hi'n dawel. 'Ro'n i'n ffaelu gweld... '

'Dim ond ar ôl i ti gau dy lyged rwyt ti'n dechre gweld,' meddai Ifan yn dawel.

Teimlai Cara'n unig, ac fel petai hi'n medru darllen ei meddwl, fe gydiodd Lili'n dynnach yn ei llaw.

'Be ddigwyddodd?' gofynnodd Cara.

'Fe fyddi di'n cofio,' cysurodd Beth hi. 'Ma'n well i ti beidio cofio gormod i ddechre...'

'Ond be ddigwyddodd? Ers pryd y'ch chi...?' Ceisiai Cara ddewis ei geiriau'n ofalus.

'Liwcemia,' meddai Ifan yn syml. Edrychodd Cara arno. Roedd ei wyneb yn edrych mor iach. Rhwbiodd ei ben moel â chledr ei law. 'Falle dylen i wisgo het,' ychwanegodd gan wenu.

'Na,' meddai Cara, gan edrych ar Beth. Synhwyrodd honno ei bod eisiau ateb.

''Nes i ymateb yn wael i'r feddyginiaeth 'ma, un siawns mewn miloedd. Stiwpid ontefe?' Roedd llygaid Beth yn llawn dagrau.

'Stiwpid,' meddai eto.

Roedd Lili'n gwrando ar y cyfan mewn tawelwch.

'Dim hwn yw'r nefoedd?'

Siglodd Ifan ei ben. 'Na. Byddwn ni 'ma am naw mis.'

'Naw mis?'

'Naw mis. Byddi di'n newid. Bydd pethe'n newid. Deith y cyfan yn gliriach i ti. Yr Arhosfyd yw hwn. Ma nhw'n edrych ar ein holau ni 'ma. Ein paratoi ni… '

'Nhw?'

'Y bachgen bach 'na oedd 'da ti, yr hen fenyw sy 'da fi. Y Gofalwyr. Ma un 'da ni i gyd, bron â bod. Ma nhw'n gweithio i rywun arall.'

'Ma nhw'n gwbod popeth amdanon ni, yn cadw llygad arnon ni,' meddai Beth, gan edrych tua'r gorwel.

'Delo?' gofynnodd iddi hi ei hun yn fwy nag i neb arall.

Eisteddodd pawb mewn tawelwch cyn i Lili ddechrau hymian rhyw gân o dan ei hanadl.

'Ond ein paratoi ni ar gyfer beth?'

'Symud mlân,' meddai Ifan yn dawel.

'Ond… dim 'na beth o'n i'n ddisgwl… ' cychwynnodd Cara.

'Beth o't ti'n ddisgwyl? Telynau? Angylion?' Roedd Cara wedi anghofio bod Leusa yno hefyd.

'Ac i ble ry'n ni'n mynd… i ble ry'n ni'n mynd wedyn?' gofynnodd Cara a'i llais mor fach ag un Lili.

'Pa mor lwcus wyt ti'n teimlo?' Gwenodd Leusa arni a'i llygaid yn fflachio wrth iddi ollwng llond ysgyfaint o fwg glas i'r hwyrddydd.

PENNOD 12

'Leus? Leus!'

Siglodd Cara Leusa a honno'n crio ac yn gwingo'n anesmwyth yn ei chwsg. Roedd y sŵn wedi dihuno Cara ac ni allai anwybyddu'r ebychiadau torcalonnus. Penderfynodd gamu heibio i Ifan a gysgai islaw iddi a cheisio dihuno Leusa. Roedd dagrau'n powlio i lawr wyneb Leusa a swniai fel pe câi drafferth i anadlu.

'Leus, dihuna!'

Agorodd ei llygaid yn sydyn a chydio yn ysgwyddau Cara. Roedd hi'n anadlu'n drwm.

'Shshsh... gest ti freuddwyd.' Ceisiodd Cara ei chysuro.

Edrychodd Leusa arni drwy'r tywyllwch am eiliad, fel petai hi'n trio gwneud synnwyr o bethau. Tynnodd ei dwylo oddi ar Cara'n sydyn a sychu'r dagrau ar ei hwyneb.

'Ti'n iawn?' gofynnodd Cara mewn llais tawel.

'Gad fi fod, 'nei di?' sibrydodd Leusa'n flin cyn troi i wynebu'r wal.

Edrychodd Cara ar ei chefn mewn syndod. Safodd yn ei hunfan am ychydig gan wrando ar anadlu trwm y lleill yn y tywyllwch cyn penderfynu mynd i eistedd y tu allan ar y fainc. Roedd ei llygaid wedi dechrau cosi'n ddychrynllyd erbyn hyn ac fe fyddai'n anodd peidio â'u crafu. Roedd y tywyllwch yn falm iddynt a doedd hi erioed wedi gweld tywyllwch mor ddwfn ag yn y lle yma. Eisteddodd gan dynnu'i phengliniau i fyny a gorffwys ei gên arnyn nhw. Roedd y stryd yn dawel heblaw am ambell berson yn symud fan hyn a fan draw yng ngolau'r sêr. Ai sêr go iawn oedden nhw, tybed, neu rith i wneud iddi deimlo'n gartrefol?

Roedd y pump wedi cerdded adre mewn tawelwch o'r tŵr ac roedd bwyd yn aros amdanyn nhw ar y ford pan gyrhaeddon nhw adre. Roedd pob pryd yn wahanol, ac at ddant pob unigolyn. Byddai Cara'n bwyta am ychydig fisoedd, meddai Ifan, ac yna byddai'r awydd yn diflannu'n ara bach. Esboniodd fod y meddwl yn dal i grefu am fwyd ar ôl yr holl flynyddoedd ar y ddaear. Ymhen amser, byddai'n anghofio a chwant bwyd yn diflannu. Ar ôl iddyn nhw fwyta, fe ddaeth y Gofalwyr i ddweud nos da wrthyn nhw. Galwodd yr hen fenyw, Mari, am baned gydag Ifan ac eisteddodd rhyw ddyn pengoch gweddol ifanc ar bwys Leusa mewn tawelwch. Hen ddyn â gwallt lliw arian oedd gyda Beth a sgyrsiai'n rhwydd gyda Mari wrth y bwrdd. Daeth Delo i eistedd wrth waelod gwely Cara am ychydig cyn ffarwelio a gadael.

Clywodd lais wrth ei hymyl.

'Ffaelu cysgu?'

Ifan oedd yno. Siglodd Cara'i phen. Gwisgai jîns a fest wen ac edrychai braidd yn denau, meddyliodd Cara wrth iddo eistedd.

'Rodd Leusa'n breuddwydio... A phawb arall yn cysgu fel... '

'... y meirw?' gorffennodd Ifan ei brawddeg gyda hanner gwên. Edrychodd allan i'r stryd am eiliad cyn edrych yn ôl ar Cara. 'Ma Leusa'n dechre cofio.'

'Cofio?'

'Cofio beth ddigwyddodd iddi.'

'Ond cyrhaeddodd y ddau ohonoch chi tua'r un pryd. Sut wyt ti'n gwbod?'

'Ges i amser i ddod i arfer â'r syniad. O'n i'n sâl am gyfnod hir ac wedi cael cyfle i baratoi.'

Tywyllodd llygaid Ifan wrth iddo gofio. 'Ma meddyliau

pawb yn niwlog i ddechre ond wi'n credu bod damweinie, pethe sy'n digwydd yn sydyn, yn cawlio pethe, gwneud yr anghofio'n waeth.' Edrychodd ar wyneb Cara am ychydig. 'Mae e'n lot i'w ystyried. Lot i feddwl amdano.'

Cytunodd Cara mewn tawelwch.

'Wi'n ffaelu cofio llawer,' meddai ar ôl ychydig. Roedd hi wedi dechrau oeri a rhwbiodd ei breichiau. 'Ma mam ... Ma mam i ga'l 'da fi. Wi'n cofio cwpwl o bethe bach.'

Teimlai Cara'n fychan ofnadwy yn sydyn, yn eistedd o dan y sêr di-ben-draw. 'Weithie, ma pethe fel 'sen nhw'n gyfarwydd, ond wedyn ma nhw'n diflannu.'

Nodiodd Ifan a gosod ei law yn ysgafn ar ei hysgwydd. Edrychodd Cara arno am eiliad.

'Wi jest ise gwbod. Cofio. Ond sdim byd alla i neud tan 'ny. Dim ond aros. Gobeitho. Beth os reda i mas o amser?'

''Nei di ddim. Fe gofi di yn y diwedd.'

Eisteddodd y ddau mewn tawelwch.

'Wedodd y doctor mod i wedi ca'l fy saethu.' Roedd y geiriau'n swnio mor hynod. 'Ond sa i'n credu bo fi di gweld gwn erioed.' Siglodd Cara'i phen. Roedd y syniad mor ddierth. 'Beth am Lil? Beth alle fod wedi digwydd i Lil?'

Cymylodd llygaid Ifan. 'Dy'n ni ddim yn gwbod. Ma Beth yn edrych ar ei hôl hi. Dyna beth oedd hi'n neud ar y ddaear, edrych ar ôl plant. Dyw hi ddim yn 'i gwthio hi. Falle bod y broses yn wahanol i blant. Ma hi'n derbyn y lle 'ma fel ma fe. Un fantais o fod yn ddiniwed, falle.'

Edrychodd Cara ar y patshyn o ardd o flaen y tŷ. Dilynodd Ifan ei llygaid.

'Ma Beth a Lil yn cynllunio rhyw ardd fach. Plannu blodau i roi rhywbeth i Lil neud, fi'n credu.'

'Ma Beth yn dda 'da hi, on'd yw hi? Naturiol.'

Nodiodd Ifan.

Teimlodd Cara ryw hiraeth dwfn y tu mewn iddi. Cerddodd hen ddyn i lawr ochr arall y stryd, heb godi'i olygon oddi ar y palmant. Roedd sawl un wedi pasio heibio ers iddi fod yn eistedd yno.

'Ble ti'n meddwl ma nhw'n mynd?' Dilynodd llygaid Cara yr hen ddyn i lawr y stryd.

'Sa i'n gwbod,' meddai Ifan. 'Bob dydd a bob nos ma nhw'n mynd i rywle… cerdded. Ma Mam-gu fel 'na.'

Edrychodd Cara arno.

'Alzheimers, cerdded ar hyd y lle. Meddwl 'i bod hi'n mynd i siopa. Yn siŵr 'i bod hi'n mynd i gwrdd â rhywun.'

'O'ch chi'n agos?'

'O'en,' atebodd Ifan. 'Ma'n ddoniol, on'd yw e?'

'Beth?'

'Wel, dyw hi ddim hyd yn oed yn gwbod mod i wedi mynd… '

Roedd gwên drist ar ei wyneb. Erbyn hyn roedd yr hen ddyn wedi diflannu.

''Smo nhw i gyd fel'na,' meddai Ifan. 'Hen bobl. Ma Mari, yr un sy'n edrych ar 'yn ôl i, yn gomig.'

Edrychodd Cara arno. 'A beth am Delo?'

'Ma e'n iawn, fel ma bechgyn yr oedran 'na.'

'Ma fe'n fy atgoffa i o rywun.'

'Pwy?'

Siglodd Cara'i phen a chodi'i hysgwyddau ychydig.

'Pam do's neb 'da Lil?' gofynnodd Cara wedyn. Roedd hi wedi sylwi bod gan bawb ei Ofalwr ond doedd hi ddim wedi gweld neb ar gyfyl Lili.

Tro Ifan oedd hi i godi'i ysgwyddau. 'Dy'n ni ddim yn gwbod, 'na pam ma Beth… wel… ry'n ni'n cadw llygad arni.'

Edrychodd Cara arno am eiliad. Derbyniai bethau'n llawer gwell na Cara ac roedd rhyw lonyddwch ynddo, rhyw sicrwydd na allai Cara ond breuddwydio amdano. Cododd ei llygaid at y sêr unwaith eto. 'Ma nhw'n llachar fan hyn.'

'Y sêr?'

'Ie,' meddai Cara. 'Odyn nhw'n rhai iawn?' gofynnodd wedyn. Edrychodd allan, heibio i'r tai gwynion yr ochr arall i'r stryd, tuag at y tyrau ucha yng nghanol y ddinas. 'Faint ohono fe sy'n bod go iawn?'

'Beth?'

'Y lle 'ma?'

'Sa i'n siŵr… '

'Pawb yn gweithio, bwyta, cario mlân fel se dim byd wedi digwydd… ffaelu cofio… 'Sa i'n gwbod, ond ti… ti'n disgwyl ca'l yr atebion… pam ti 'di… t'mod… '

'Marw?'

Gwenodd Cara arno. Roedd hi'n dal i ffaelu dweud y gair.

'Ie.'

'Ma'n rhaid i ti ymddiried yn y lle 'ma… Ma'n siŵr bod 'na bwrpas iddo fe.'

'Fel beth?'

Cododd Ifan ei ysgwyddau. 'Sa i'n gwbod 'to.'

Meddyliodd Cara am ei eiriau mewn tawelwch.

'Weles i eglwys heddi,' meddai hi o'r diwedd. Meddyliodd

eto am wyneb llonydd yr angel. Roedd hi'n dechrau crynu. 'Wi'n siŵr o fod wedi gneud rhywbeth ofnadwy.'

Edrychodd Ifan arni. Dewisodd Cara'i geiriau'n ofalus. Roedd ei bochau'n llosgi yn y tywyllwch. 'O'n i'n ffaelu mynd i mewn. Odd y dryse ar gau.' Edrychodd Cara ar y llawr. 'Ti'm yn gweld? Ma'n siŵr mod i 'di gneud rhywbeth ofnadw. O'n i'n ffaelu mynd i mewn.' Roedd ei llais yn torri.

Siglodd Ifan ei ben. 'Shshsh, na, na,' meddai, gan droi i'w hwynebu. Er nad oedd hi'n gwybod beth oedd hi'n ei neud fe gydiodd yn Ifan a gwasgu'i hwyneb i'w wddf. Daliodd yntau ynddi heb ddweud gair. Roedd yn rhyddhad cael cyffwrdd yn rhywun arall. Roedd ei gnawd yn gynnes ac yn teimlo mor solet.

'Does neb yn cael mynd i mewn i'r eglwys,' meddai wrthi yn y diwedd.

'Neb?' gofynnodd Cara a chryndod yn ei llais.

'Neb.' Gwenai Ifan arni a sychodd Cara'r dagrau o'i llygaid.

'Dim hwn yw'r nefoedd, cofia. Ma'r lle 'ma wedi newid, yn ôl Mari. Roedd e'n debyg i'r nefoedd ar un adeg. Pobl yn cael mynd a dod, a neb yn edrych dros ei ysgwydd. Pobl yn ca'l mynd i'r eglwys, i'r mosg, beth bynnag. Ond buodd 'na ryfel.'

'Rhyfel?' gofynnodd Cara'n anghrediniol. 'Fan hyn?'

Setlodd Ifan yn ôl ar y fainc. Sylwodd Cara fod ei dagrau wedi staenio ei fest wen.

'Odd pobl yn eithafol o grefyddol 'ma. Doedd y Cristnogion eithafol ddim yn disgwyl i'r Mwslemiaid fod 'ma, a'r rheiny ddim yn disgwyl gweld y Cristnogion – a'r cyfan yn creu pob math o drafferthion. Buon nhw'n ymladd. Sarnu'r byd. Sarnu popeth… '

Roedd ei lais yn llonydd ac yn llyfn – llais hyfryd, meddyliodd Cara.

'Ar un adeg, yn ôl Mari, rodd y ddinas yn llawer mwy nag yw hi nawr. Yna ymosodon nhw ar ei gilydd, gan losgi eglwysi, mosgiau ac addoldai.' Tynnodd Ifan anadl ddofn. 'Lladd ei gilydd.'

'Lladd?'

Nodiodd Ifan ei ben. 'Ie, wi'n gwbod,' meddai wrth weld penbleth Cara. 'Wi'm yn deall yn iawn 'yn hunan, ond dim ond ein cyrff sydd wedi'u lladd, dim, t'mod, 'yn hysbryd ni.'

Ceisiodd Cara ddeall. Roedd llygaid Ifan yn tywyllu a golwg bryderus arno.

'Fe ddaliodd y Gofalwyr bawb oedd wedi bod yn rhyfela, a'u taflu nhw allan o'r ddinas.'

'Tu ôl i'r ffens?' gofynnodd Cara.

Nodiodd Ifan. 'Ma 'na garchar ar eu cyfer nhw – y rhai fu'n creu drygioni.'

Cofiodd Cara pa mor aflonydd oedd Delo pan oedd y ddau y tu allan i'r ffens. Syllodd Cara.

'Ers hynny, ma adeiladau'r addoldai oedd ar ôl wedi bod yn diflannu.'

Meddyliodd Cara am adeilad tryloyw'r eglwys.

Cododd Ifan ei ysgwyddau. 'Sneb yn sôn am grefydd, pethe fel'na.' Yna, daeth golwg ddifrifol dros ei wyneb. 'Cara, jest bydd yn gall. Gwna'n siŵr bo ti adre bob nos pan ddaw Delo i chwilio amdanat ti. Glyna at y rheole.'

Meddyliodd Cara am yr eglwys oedd â'i chorff wedi diflannu. Meddyliodd Ifan am wres corff Cara wrth iddi gydio ynddo. Roedd Ifan yn dal i feddwl pan dorrodd Cara ar ei draws.

'Wi'n dal ddim yn meddwl 'i fod e'n iawn.'

'Beth?'

'Y lle 'ma. Anwybyddu pethe.'

''Na beth ma pobl wedi'i neud erioed. Gneud pethe'n haws i bobl.'

'Ond sut? Twyllo dy hunan!'

'Ond ma'n rhaid, er mwyn bod yn garedig.'

'Sa i'n gweld y pwynt,' meddai Cara.

'Nag wyt, ynta,' meddai Ifan gan godi. 'Dwyt ti heb ddechre cofio 'to.'

Meddyliodd Cara am ei eiriau ac fe ddechreuodd oeri drwyddi. Cerddodd Ifan yn ôl am y tŷ a gwyliodd Cara fe'n gadael a golau'r sêr yn sgleinio'n oeraidd ar ei war a'i ysgwyddau. Eisteddodd Cara nes i'r oerfel ddechrau cyrraedd mêr ei hesgyrn. Crynodd, cododd a throi am y tŷ.

Y tu ôl i wal yr ardd fe gododd Delo, gan ddal yn ei byjamas glas golau a syllu ar y tŷ am eiliad. Edrychodd ar gysgod Cara'n mynd i orwedd dan y ffenest yn y tywyllwch cyn troi ei gefn a cherddded yn ara i lawr y stryd.

PENNOD 13

Roedd y glaw'n disgyn yn ddiddiwedd. Eisteddai Mags yng Nghaffi'r Glannau a'r coffi o'i blaen wedi hen oeri. Roedd y ffenestri'n fwll o stêm a dagrau'r glaw yn casglu nerth ar y gwydr. Doedd neb yn medru gweld ei hwyneb o'r stryd ac fe gymerai Mags ychydig o gysur o hynny. Gwyliodd wrth i ambell hen wraig dynnu'i chap plastig am ei phen a phwyso'i chorff yn erbyn y glaw. Roedd y môr yn arw heddiw ac yn bwdlyd o ddu.

Allai hi ddim aros yn y tŷ funud yn hwy. Roedd Steve a hithau wedi bod yng ngyddfau'i gilydd ers ben bore. Bu Steve yn ceisio chwarae cardiau gyda Rhys, a hwnnw'n dal yn ei byjamas er ei bod hi'n brynhawn yn barod ond doedd amser yn golygu dim yn eu tŷ nhw bellach. Roedd Rhys wedi bod yn camfihafio drwy'r bore, a Mags heb fawr o amynedd ato. Fe daflodd ei frecwast ar lawr a gweiddi ei fod yn ei chasáu. Cydiodd Steve ynddo a'i dynnu o'r gegin gan awgrymu wrth Mags y byddai'n siarad ag e a cheisio esbonio pethau iddo. Rhythodd hithau arno a mynnu ei fod yn cadw'n dawel. Wedi'r cyfan, byddai Cara'n ôl adre cyn hir a doedd dim eisie codi ofn arno'n ddiangen. Setlodd rhyw dawelwch anghyfforddus rhyngddyn nhw.

Yna, fe benderfynodd Mags fynd ati i glirio'r blodau y tu allan i'r tŷ. Roedden nhw'n tagu'r llwybr erbyn hyn ac fe gyrhaeddai rhagor bob dydd. Rhai gan gyd-weithwyr Mags a nodyn i ddweud eu bod nhw'n meddwl amdani. Meddyliodd Mags eu bod nhw'n ffôl yn gwastraffu arian yr elusen trwy anfon bwnsied o flodau mor fawr â hynny'n ddiangen. Daeth bwnsied gan Belinda ac un gan bobl y stad. Bwnsied gan yr ysgol lle gweithiai Steve… roedd Mags wedi colli cyfri erbyn hyn ac roedden nhw'n blocio'r llwybr at y drws.

Doedd dim pwrpas iddyn nhw, felly penderfynodd Mags fynd â sach ddu allan a'u clirio. Eu clirio fel bod y lle'n edrych fel tŷ cyffredin unwaith eto. Roedd y blodau gwynion yn ei hatgoffa hi o flodau mewn mynwent, a'r rhai ar waelod y pentwr wedi dechrau pydru'n barod. Wrth godi'r blodau wedi gwywo i'r sach, a'u harogl sur yn codi i'w ffroenau, allai Mags ddim deall pam bod pobl yn creu gwaith i rywun fel hi oedd â digon o bethau eraill ar ei meddwl yn barod. Roedd hi wedi clirio rhyw draean o'r blodau cyn i Steve ei gweld. Roedd Mags wedi sylwi ar lenni'n symud yn rhai o'r tai cyfagos ac ambell lygad yn syllu arni drwy'r neting gwyn. Rhuthrodd Steve allan a chymryd y sach oddi arni gan ddadlau na ddylai symud y blodau, o barch. Gwaeddodd Mags y byddai Cara'n chwerthin pan welai hi nhw. Mynnodd Steve, trwy ei ddannedd, ei bod hi'n stopio a thaflodd Mags y cwdyn ar lawr cyn cerdded yn bwdlyd tuag at lan y môr.

Cerddodd i mewn i'r caffi, a bu'n eistedd yn y gadair blastig las am amser hir, yn chwarae â'r pecyn siwgr rhwng ei bysedd a'i falurio. Daeth ambell wyneb cyfarwydd i mewn, ond roedd pawb yn gwybod bod angen llonydd arni. Yn y gornel eisteddai'r dyn tal a welsai yn ystod apêl yr heddlu, yn yfed coffi du, un ar ôl y llall. Ceisiodd feddwl sut roedd hi'n ei adnabod. Roedd ei got yn frwnt – anorac werdd a'r elastig yn rhy dynn am ei arddyrnau. Roedd e ychydig dros bwysau hefyd. Ond ar y cwsmeriaid nad adwaenai hi o gwbwl yr edrychai Mags fwya. Y mamau a'r merched a gyrhaeddodd gyda'i gilydd i gael coffi ar ôl bore o siopa cyn ei throi hi am adre, neu'r dynion ifanc yn darllen eu papurau newydd gan anwybyddu'r stori am y ferch ar goll a throi at y canlyniadau pêl-droed. Eisteddai hi droedfeddi'n unig oddi wrthynt ond sylwodd neb arni wrth fwynhau eu paneidiau, cyn llithro'n ôl i'w bywydau'n llawn bwrlwm.

Meddyliodd Mags y byddai'n teimlo'n agos at Cara yn y fan hon, gan iddi weithio yma bob dydd Sadwrn. Roedd hi wedi protestio i ddechrau – doedd hi ddim eisiau gwastraffu ei phenwythnosau'n gweithio – ond pan dderbyniodd ei chyflog cyntaf newidiodd ei chân. Gallai Mags ei gweld hi nawr, yn cymryd yr archebion, yn hyderus ei bod hi'n weinyddes dda iawn. Yn gwneud i bobl deimlo'n bwysig. Yn esgus ei bod hi'n cofio'u hwynebau o'r naill wythnos i'r llall. Doedd hi ddim wrth gwrs. Gwyddai Mags hynny. Ond roedd hi'n dda iawn wrth holi, 'Sut y'ch chi?' a 'Sut ma pawb?' neu ryw gwestiynau eraill yr un mor annelwig. Byddai nifer o'r cwsmeriaid yn dychwelyd bob Sadwrn er mwyn iddi gael tynnu eu coes. Dyna beth oedd yn brifo Mags gymaint – gwyddai Cara'n iawn sut roedd ymddwyn pan fyddai angen.

Synhwyrai Mags fod rhywun yn sefyll wrth ei hymyl. Roedd dagrau yn llygaid y fenyw wrth iddi roi paned ffres o goffi i Mags.

'Mandi,' meddai Mags. 'Diolch…'

Eisteddodd Mandi ar y sedd gyferbyn â hi gan edrych ar ei dwylo. Gwisgai siwmper las golau a ffedog â streipiau nefi a gwyn arni. Roedd ei gwallt yn anniben ar ôl bod yn y gegin drwy'r bore, ei dwylo'n goch wedi iddynt fod mewn dŵr poeth.

'Wi ddim yn gwbod beth i weud… t'mod,' meddai hi wrth Mags o'r diwedd. 'Neb fan hyn yn galler coelio'r peth.'

Syllai Mags yn ddifynegiant.

'Unrhyw *news*?'

Siglodd Mags ei phen. 'Ma nhw'n chwilio am dystiolaeth

yn y parc. Roedd y camerâu yno wedi torri. Fandaliaid. Neb llawer yn pasio'r ochr 'na i'r dre yr amser 'na.'

Nodiodd Mandi'n dawel. 'Shwt ma Steve? A Rhys?'

'Ma Helen wedi bod yn helpu 'da Rhys. Ma Steve fel ma fe.'

'Ma pobl yn rili grac,' meddai Mandi. 'Rili grac… ma 'na sôn eu bod nhw'n mynd i logi'r neuadd.'

'Pwy?' gofynnodd Mags.

'Pobl ar y stad. Belinda a'r rheina. Agor swyddfa 'no. Paratoi posteri.'

'Posteri?'

'Ie. Neud *appeal*.'

Doedd Mags ddim yn gwybod beth i'w ddweud. Roedd Belinda wedi bod yn curo ar y drws droeon ond roedd hi wedi pallu ateb. Doedd hi ddim eisiau siarad â phobl am y byddai hynny'n gwneud i'r diflaniad deimlo'n anghyfforddus o real. Dim ond busnesa roedd y rhan fwyaf o bobl, beth bynnag. Hel clecs.

'Neud yn siŵr bod bobl yn cofio a meddwl… Ma nhw ise'ch helpu chi.'

'Yn y neuadd?' gofynnodd Mags.

Nodiodd Mandi. Cofiodd Mags fod Cara gyda hi y tro diwetha iddi fod yn y neuadd. Roedd y ddwy wedi mynd i weld rhyw arddangosfa gelf. Doedd Cara ddim eisiau mynd, wrth gwrs, ac fe bwdodd bron yr holl ffordd yno. Ond yn y diwedd roedd hi wedi mwynhau, fe wyddai Mags hynny. Gobeithiai y byddai hi'n dechrau tynnu lluniau neu wneud rhyw waith creadigol er mwyn mynegu'i hun. Rhywbeth i'w diddori. Roedd hi wedi bod mor ddidaro yn yr ysgol a honno'n flwyddyn bwysig iddi. Byddai ei hathrawon yn cysylltu, yn llawn consýrn ond ar yr eiliadau tyngedfennol byddai Cara'n llwyddo'n braf. Gwyddai ei mam fod y gallu ganddi i wneud yn dda, petai hi'n teimlo fel gwneud.

'Syniad da… falle,' meddai Mags o'r diwedd.

'Wi'n siŵr y dôn nhw o hyd iddi,' meddai Mandi wrth godi. 'Dim ond mater o amser yw hi… ma digon yn ei phen hi.'

Cwympodd y geiriau'n wag ar y bwrdd o flaen Mags, er iddi gynhesu ychydig wrth glywed tinc bositif yn llais rhywun arall. Doedd Cara ddim yn dwp, roedd digon yn ei phen hi. Estynnodd Mandi rywbeth o'i phoced a'i wthio at Mags. Amlen fach frown. Edrychodd Mags arni.

'Tips Cara. Ry'n ni'n eu rhannu nhw ar ddiwedd pob mis.'

Cydiodd Mags yn yr amlen am eiliad cyn tynnu ei bysedd yn ôl. 'Cadwa nhw iddi,' meddai wrth Mandi, gan godi ar ei thraed.

Teimlodd Mandi bwysau'r amlen yn ei bysedd. Nodiodd Mags ei ffarwél a gwyliodd Mandi hi'n agor y drws ac yn cerdded allan i'r glaw. Gwyliodd y dyn yn y cornel hi'n mynd hefyd. Gwthiodd Mandi'r amlen yn ôl i'w phoced a chasglu'r cwpanau oddi ar y ford. Cliriodd y cwdyn siwgwr oedd wedi'i falu a chario'r cyfan at y cownter. Trodd ac edrych ar y pegiau ar y wal lle roedd ffedogau'r staff yn hongian. Cydiodd yn yr un ar y peg canol. Roedd bathodyn arni, 'Cara'. Teimlodd Mandi'r defnydd yn ei dwylo, y dagrau'n llenwi'i llygaid, cyn tynnu'r amlen frown sgwâr o'i phoced a'i gosod yn ddiogel ym mhoced ffedog Cara.

PENNOD 14

Roedd drysau'r neuadd yn blastar o bosteri. Y tu allan safai merch ifanc mewn cot hir yn siarad i mewn i gamera a'r tu ôl iddi safai ambell blentyn ar feics yn busnesa. Cerddai nifer o bobl i mewn ac allan o'r neuadd yn cario copïau o bosteri a chynlluniau strydoedd. Roedd rhywun wedi llenwi wrn de'r neuadd i baratoi diodydd poeth i bawb cyn iddynt adael y neuadd a mynd allan i chwilio. Roedd rhai ohonynt am ganolbwyntio ar y dre, tra bod eraill am fentro ymhellach i'r caeau ac ar hyd glannau'r afonydd. Safai heddwas wrth y drws yn cadw llygad ar bethau.

Roedd Belinda wedi gadael nodyn i Mags dan y drws ben bore'n dweud y byddai croeso iddi ddod draw i'r neuadd. Wrth gerdded draw tynnodd Mags ei chot yn dynn amdani. Roedd yr oerfel wedi bod yn ei phoeni'n ddiweddar. Fyddai hi fel arfer yn meddwl dim am dywydd caled, ond fe wyddai na allai neb oroesi'n hir petaent allan yng nghrafangau'r oerfel drwy'r nos. Synnodd wrth weld y bwrlwm o gwmpas y neuadd ac aeth at y drws cefn gan osgoi'r ferch â'r camera.

Daeth Belinda i gwrdd â hi – roedd wedi bod yn ei disgwyl. Roedd Tomos, ei mab, gyda hi – bachgen ifanc â gwallt cochlyd. Byddai Tomos a Rhys yn chwarae yng nghwmni'i gilydd bron bob nos wrth gefn y tai. Roedd Mags a Belinda wedi bod yn agos ar un cyfnod hefyd, yn enwedig pan oedd eu meibion yn fach, ond wrth iddyn nhw dyfu fe sylweddolodd Mags mai dyna'r unig beth oedd gan y ddwy'n gyffredin ac fe dawelodd eu cyfeillgarwch, er y byddent yn sgwrsio wrth gasglu'r bechgyn o gartrefi'i gilydd. Cydiodd Belinda yn ei llaw.

'Gobeithio bod dim ots 'da ti. Ti, na Steve. O'n i'n teimlo bod rhaid i ni neud rhwbeth, fel cymuned. 'Nes i alw, ond...'

'Ry'n ni wedi bod yn fisi.'

'Wrth gwrs 'ny.'

Daeth menyw arall roedd Mags yn ei lled adnabod ati â chwpanaid o de yn ei llaw. Roedd ganddi un o'r wynebau llwydaidd hynny sy'n hawdd ei anghofio.

'Alla i ddim dychmygu beth y'ch chi'ch dou'n mynd drwyddo fe. Sen i'n colli golwg o Tom... '

'Ma lot o bobl wedi cynnig helpu,' meddai hi wedyn. 'Pawb ar y stad... ac ry'n ni wedi ca'l y newyddion 'ma.' Edrychodd Belinda ar Mags cyn cydio yn ei dwylo. 'O'n i'n gobeithio delet ti draw. Ni jest ise i ti wbod bo ti ddim ar dy ben dy hunan.'

Arweiniodd Belinda hi at y ddesg yng nghefn y neuadd ar bwys y drysau mawr. 'Ma wyth o bartïon 'da ni mas yn chwilio... a bydd rhagor mas fory. Ry'n ni'n chwilio ymhobman, a gweud y gwir, nid jest yn y mannau amlwg.'

Roedd gŵr Belinda'n pwyso dros rhyw fap gerllaw. Cydiodd yn dyner ynddi a theimlodd Mags ei bochau'n cochi. Doedd hi ddim yn disgwyl y fath ymateb.

'Ma Gerallt wedi bod yn mynd â phosteri mas, dros gant hyd yn hyn. Ry'n ni'n ca'l y plant 'ma i fynd â nhw...'

Doedd Mags erioed wedi bod yn ymwybodol iawn o gymdeithas yr ardal. Doedd 'na ddim llawer o sôn wedi bod am gymdeithas. Roedd grŵp o famau'n cwrdd tu allan i'r ysgol feithrin ac mewn ambell fore coffi, ond roedd hyn yn annisgwyl. Roedd y gymuned gyfan fel petai wedi ymateb yn bersonol i golli Cara.

Am y tro cyntaf ers ei diflaniad, teimlai Mags rywbeth heblaw trymder yr ansicrwydd. Teimlai'n ddiolchgar. Yn ddiolchgar bod rhywrai eraill yn cymryd y peth yn bersonol. Roedd Steve wedi sôn am ffawd, am anlwc, am bob math o bethau, ond doedd e ddim wedi cymryd y peth yn bersonol, fel Mags. Gwyddai Mags y deithen nhw o hyd i Cara a phwy bynnag oedd yn ei chadw hi. Weithiau, yn yr ychydig oriau o gwsg a gâi hi, byddai'n cael ffantasïau. Ffantasïau am ddial. Am ddial yn bersonol am ddwyn ei merch. Lleidr oedd e, pwy bynnag oedd e. Lleidr a oedd wedi dwyn y peth mwyaf gwerthfawr oedd ganddi, a phan gâi hi Cara'n ôl, allai hi byth droi'r foch arall, na gadael llonydd iddo.

'Wyt ti ise siarad? Ma nhw'n mynd i neud pwt… ar gyfer y newyddion.'

Siglodd Mags ei phen. 'Alla i ddim. Wyt ti'n fodlon?'

Nodiodd Belinda. 'Wrth gwrs.'

Sythodd hithau'r gadwyn am ei gwddf ac aeth allan i siarad â'r ferch yn y got hir. Wrth iddi fynd daeth wyth o gerddwyr i mewn, yn fechgyn ifanc ac yn ddynion hŷn. Roedd eu hesgidiau'n drwch o fwd, eu bochau'n goch a golwg oer ar bob un. Prysurodd Mags i baratoi cwpaned o de iddyn nhw, yn falch o gael gwneud rhywbeth. Yn falch o gael osgoi llygaid y menywod eraill a edrychai i'w chyfeiriad heb wybod beth i'w ddweud. Po fwya o bobl fyddai'n chwilio am Cara, y cyflyma y deithen nhw o hyd iddi, a dod â hi adre.

Croesodd Gerallt y llefydd lle buon nhw'n chwilio oddi ar y map a chynnig lle newydd iddyn nhw fynd cyn bod y golau'n darfod am y dydd. Estynnodd Mags gwpaned i hwn a'r llall a'r rhan fwyaf yn codi'u llygaid i edrych arni. Syllu ar y llawr wnaeth yr un ola – bachgen ifanc, yr un fu'n cysuro Casi yng ngorsaf yr heddlu ar ddiwrnod yr apêl.

'Mrs Evans?'

'Cai?' gofynnodd.

Nodiodd yntau. 'O'n i jest ise gweud pa mor sori dw i. Ym… ma Casi'n sori hefyd. Ma hi heb stopo llefen ers wythnos. Sdim byd allith neb neud na gweud wrthi.'

Ceisiodd Mags beidio â chymryd pleser yn y newyddion. Roedd golwg wedi blino arno.

'Weles i ddim golwg o Cara,' meddai.

Roedd dagrau yn ei lygaid a theimlai Mags dosturi drosto. Bachgen tal a oedd yn rhy hen i lefen.

'Ma hi'n meddwl y byd ohonot ti… dyna dw i'n clywed.'

'O'n i ddim yn gwbod. Ddim yn ei gweld hi… ddim yn meddwl amdan hi fel'na… '

Edrychodd Mags arno i weld beth welai ei merch ynddo. Roedd e'n dal, braidd yn rhy dal i'w ffrâm, er efallai mai lledu wnâi e yn ystod y blynyddoedd nesa. Roedd ei wallt tywyll wedi'i dorri'n fyr iawn a'i lygaid duon yn edrych yn nerfus yn ei wyneb cul.

'Ma hi'n beio ei hunan, chi'n gweld… Casi. *Wi'n* beio'n hunan, 'fyd.'

'O't ti ddim yn gwbod ei bod hi'n bwriadu dod i dy weld *di.*'

Siglodd Cai ei ben. 'Fe edrycha i amdani, nes dod o hyd iddi.'

Nodiodd Mags.

'Ond Mrs… Mrs Evans… Beth am Casi?'

Roedd breuder ieuenctid yn ei lygaid. Rhywbeth roedd Mags wedi'i hen golli. Llyncodd ei phoer.

'Wi'n siŵr ei bod hi'n meddwl ei bod hi'n gwneud y peth iawn ar y pryd,' meddai.

Teimlai Mags ei fod yn disgwyl mwy na hynna – maddeuant efallai – ond allai hi yn ei byw â chynnig hynny iddo. Edrychodd Cai i lawr unwaith eto a chydio yn y cwpan. Nodiodd a throi am y drws.

PENNOD 15

Roedd Delo wedi dod i'w chasglu ben bore a'i harwain yr holl ffordd i mewn i'r dre. Byddai'r strydoedd yn wag yr amser yma o'r bore a rhyw ffresni cynnar yn yr awyr, cyn y deuai gwres y dydd. Roedd hi'n oriau mân y bore cyn iddi gysgu a geiriau Ifan wedi troelli yn ei phen wrth iddi orwedd yn anesmwyth rhwng cwsg ac effro.

Clywodd leisiau'n siarad yn y gegin. Roedd Mari, Gofalwraig Ifan, yn barod i'w gerdded i'w waith, a Leusa a'r dyn pengoch wedi gadael yn barod. Roedd Lili'n chwarae yn yr ardd ac fe aeth Delo i chwarae gyda hi a gwneud iddi chwerthin dros y lle. Cadwai Beth ei llygad ar y ddau drwy'r ffenest, wrth iddi baratoi i fynd am dro gyda Lil a'r hen ddyn â gwallt lliw arian.

Esboniodd Delo wrth gerdded, fod pawb yn gweithio i ddechrau a'u bod wedi trefnu gwaith mewn caffi iddi gan ei bod hi'n gyfarwydd â'r gwaith. Ceisiodd hithau gofio ond bu'n rhaid iddi gymryd ei air. Llusgai amser yn araf yn y lle, ac felly roedd gweithio a gwneud y pethau arferol, fel mynd i'r caffi neu i'r parc, yn gysur mawr i bobl. Roedd Cara ar fin dweud wrtho fod hynny'n swnio fel ffordd dda o gadw pobl yn brysur, i'w rhwystro rhag meddwl am bethau ond fe gnodd ei thafod. Roedd e'n gweithio iddyn 'nhw', pwy bynnag oedden 'nhw', ac fe feddyliodd Cara efallai mai gorau po leiaf a ddywedai wrtho. Cofiodd i Ifan ddweud bod y Gofalwyr wedi corlannu pawb gwael, a'u gwthio y tu allan i'r ffens; er na allai ddychmygu hynny wrth edrych ar Delo yn ei byjamas, serch hynny, penderfynodd na fyddai'n dweud gormod wrtho.

Roedd y caffi'n un digon cyffredin a dwy ffenest fawr wydr bob ochr a drws rhyngddynt. Roedd y seddi wedi'u sodro i'r llawr – seddi cochion i ddau yn wynebu ei gilydd a lamp isel a golau oren uwchben pob ford fformeica. Roedd yn lle cyfleus i eistedd a chael sgwrs ddigon preifat. Roedd y llawr yn fwrdd draffts o sgwariau gwyn a du, a'r cownter yn syml ond wedi gweld dyddiau gwell. Dim ond hi a dau o staff eraill oedd yno ac fe gydiodd Cara yn y ffedog streipiog oddi ar y bachyn a'i gwisgo gan deimlo bod y weithred yn un gyfarwydd rhywffordd. Roedd Ifan yn gweithio gydag anifeiliaid sâl a ddeuai i'r Arhosfyd, yn eu cysuro a'u gwella. Edrych ar ôl Lili oedd gwaith Beth, tra byddai Leusa yn trin gwallt. 'Ma hwnnw'n dal i dyfu ar ôl i ni farw,' dywedodd â gwên dywyll ar ei hwyneb. ''Na beth ti'n galw *job for life*.'

Roedd cwsmeriaid yn aros wrth ddrws y caffi'n barod, rhai mewn dillad cyffredin, rhai mewn iwnifforms gwaith.

'Ry'n ni'n cynnig awyrgylch i ymlacio ynddo,' meddai Sadie, y ferch yng ngofal y caffi, gan wisgo'i chap â phig. Ceisiodd Cara wasgu gwên o'i hwyneb.

'Ma pobl yn dod yma i fwynhau... i anghofio. Gwasanaeth, gwasanaeth, gwasanaeth!'

Dangosodd Sadie i Cara beth oedd angen ei wneud. Roedd hi'n ffyrnig iawn am un mor eiddil. 'Rhaid eu cyfarch... gofyn sut maen nhw, a bod yn boléit.'

Roedd y bachgen a safai ar bwys Cara'n ceisio osgoi gwenu.

'Ma'r gwaith paratoi'n digwydd fan hyn.' Cerddodd Sadie i gefn y caffi gan annog Cara i'w dilyn. Roedd hi'n anhygoel o denau, meddyliodd Cara, yn enwedig o rywun oedd yn paratoi bwyd.

Nodiodd Cara yn y llefydd cywir, mewn ymgais i ddangos ei bod hi'n gwrando.

'Bara, menyn. Peiriannau coffi a the. Golchi llestri fan hyn. Til... wel... gofyn i Rich, a dyna ni.'

'Til?' gofynnodd Cara.

'Jest cer trwy'r mosiwns.'

Edrychodd Cara ar y bachgen mewn penbleth. Cerddodd Sadie i'r ystafell gefn i gyfri stoc gan godi clipbord glas wrth fynd.

'Til?' gofynnodd hi unwaith eto.

'Paid becso... jest... wel, *go with the flow.*'

Roedd Rich yn ei ugeiniau, yn fachgen sgwâr ond ysgwyddau meddal, braidd yn grwn, oedd yn gwneud iddo edrych ychydig yn lletchwith. Gwisgai ffedog dros siwt ddu. Syllodd Cara arno am ychydig – roedd e'n edrych braidd yn ffurfiol. Gwenodd Rich arni wrth sylwi ei bod hi'n llygadu ei siwt, cyn troi i bwyso botwm ar y peiriant coffi.

'Yn y siwt 'ma y ces i 'nghladdu. Bach yn posh, on'd yw hi?'

Gwenodd Cara cyn sylwi nad oedd gwallt o gwbwl ar gefn ei ben. Roedd y croen yn binc ac asgwrn ei benglog fel petai wedi'i wasgu.

'Odd Mam yn ffysi ambwti bod yn smart. Beth 'nei di â nhw, gwed? Gallen i ga'l dillad newydd 'ma, ond dodd dim calon 'da fi rhywffordd.'

Gwenodd Cara arno eto.

'Ti'n barod?' Edrychodd arni. Ceisiodd hithau anwybyddu'r hyn a welsai ar gefn ei ben.

'O... odw.'

'Mygiau fan hyn, cwpanau yn fan'na. Cofia ofyn. Ma pobl

yn galler bod yn ffysi. Papurau i bawb i'w darllen fan'na.'

Edrychodd Cara ar bentwr o bapurau ar y cownter. Papur newyddion am hwn a'r llall. Erthyglau am arddio. Posau.

'Pethe cyffredin sy fwya poblogaidd. *Comfort food.* Ti'n gyfarwydd â'r math 'ma o beth, wyt ti?'

'Odw.'

Dechreuodd Rich dynnu plateidiau o gacennau allan o ffrij anferth. Gosododd nhw ar y cownter o dan orchudd gwydr.

'Rich… ?'

'Ie?'

'O ble ma'r… o ble ma'r stoc yn dod?'

Cododd ei ysgwyddau. 'Ma fe 'ma bob bore.'

Edrychodd Cara o gwmpas. 'A ni'n defnyddio'r til ar gyfer arian?'

Siglodd Rich ei ben a chau'r gwydr dros y cacennau. 'Na, jest rho dy law mas, a rho "newid" iddyn nhw. Ma pobl yn lico 'na. Ry'n ni'n boblogedd iawn t'mod. Y lle mwya… mwya real yn y lle, cofia. Pobl yn teimlo'n gartrefol 'ma. 'Na'n job ni, chware'r gêm.'

'Y gêm?' gofynnodd Cara a'i phen yn dechrau troi.

'Y gêm,' meddai yntau eto wrth gerdded rhwng y seddi cochion. Cyrhaeddodd y drws a'i agor, gan droi'r arwydd 'Ar Gau' i 'Ar Agor' wrth wneud.

'Bore da!' meddai, wrth i'r cwsmeriaid gerdded i mewn, a sylwodd Cara ar wynebau pryderus nifer ohonynt yn ymlacio wrth iddyn nhw arogli arogl bendigedig y coffi ffres.

PENNOD 16

'Dim fi ath â nhw!'

'Wel pwy arall nath 'de?' Roedd Leusa'n gwthio Cara yn ei brest.

'Gwranda, sa i hyd yn oed yn smygu.'

'Paid rhoi 'na i fi. Gadawes i nhw fan hyn bore 'ma. Ti odd y cynta adre a ma nhw wedi mynd.'

'Dim fi odd e.'

'Dere â nhw 'ma, fi'n hwyr… bydd e'n 'y nisgwyl i!'

'Dy'n nhw ddim 'da fi!'

Roedd llais Cara wedi dechrau cryfhau a'i bochau wedi poethi. Bellach, roedd y diwrnodau wedi dechrau setlo i ryw fath o rythm. Galwai Delo amdani ben bore a cherddai'r ddau i'r caffi mewn tawelwch. Byddai'n ei gadael yno i dreulio'r diwrnod a Cara'n ceisio cofio rhywbeth am ei gorffennol. Byddai'n gweini ar y cwsmeriaid ac yn eistedd yn yr ystafell gefn, gan geisio taflu'i meddwl yn ôl at y môr a'r hyn a ddigwyddodd cyn hynny. Cerddai adre wedyn ar ei phen ei hunan gan ddisgwyl y lleill, ac fe fyddai Beth yn paratoi rhyw fwyd syml iddyn nhw. Byddai'n chwarae gyda Lili wedyn a Leusa, fel arfer, yn creu anghydfod am rywbeth neu'i gilydd.

'Odd popeth yn grêt cyn i ti ddod 'ma,' poerodd Leusa.

Edrychodd Cara arni a theimlodd ddicter yn codi yn ei brest. 'Gad fi fod, 'nei di?' gwaeddodd.

'Ie? Neu beth?'

Closiodd Cara at Leusa a'i llaw ar ei gwasg. 'Beth yw dy broblem di? Ti 'di bod am 'y ngwâd i byth ers i fi gyrradd 'ma.

Ddim yn lico rhywun yn ypseto dy rwtîn di, ife? Ddim yn lico'r gystadleuaeth?' Roedd Cara'n dechrau poethi drwyddi. 'A paid â meddwl mod i wedi anghofio'r tric bach 'na ar y noson gynta.'

'*So what*?'

''Na i gyd s'da ti i weud, ife? Jest watsha dy hunan… '

'O jest gad fi fod, 'nei di?'

Safai Cara wyneb yn wyneb â Leusa. Cipiodd llygaid honno dros ysgwydd Cara at y drws a lledodd ei llygaid mewn rhyw ffug ofn.

'Beth sy'n mynd mlân?' Safai Ifan wrth y drws.

'Cara'n mynd yn *psycho*… '

Edrychodd Cara ar Leusa a'i bochau'n llosgi. Gallai ddychmygu mai hi, i Ifan, oedd yr un ymosodol.

'Cara? Beth ti'n neud?'

Daeth Beth i'r drws a Lili'n gafael yn ei llaw. Roedd Beth yn canu nes iddi dawelu'n sydyn wrth weld yr olwg oedd ar wynebau pawb. Daliai Lili i hymian.

'Leusa oedd yn cyhuddo fi o ddwyn… ' meddai Cara, gan geisio rheoli'r emosiwn yn ei llais.

Edrychodd Ifan ar y ddwy ohonyn nhw a theimlai Cara gywilydd ei bod wedi ymladd 'nôl.

'Anghofia hi,' meddai Leusa a mynd i orwedd ar ei bync mewn tawelwch. Cilwenodd ar Cara wrth wthio heibio iddi. Berwodd y tymer ym mrest Cara nes ei bod yn teimlo y gallai fyrstio.

'Iawn,' meddai Cara, a cherddodd allan o'r tŷ ac i lawr y stryd.

Roedd hi'n hwyr y prynhawn a'r cysgodion yn dechrau ymestyn dros y ddinas o'r tŵr. Cerddodd ar hyd y strydoedd, un ar ôl y llall, heibio i'r rhesi o dai gwynion, pob un yn union yr un fath. Weithiau, byddai pot blodyn neu ryw baentiad ar y welydd tu allan ond ar y cyfan roedd pob stryd a ymestynnai o'i blaen yn debyg i'w gilydd. Gwyddai y byddai Delo'n galw cyn bo hir i wneud yn siŵr ei bod hi adre ac fe wyddai y byddai Ifan a Beth yn poeni amdani. Yn ofni beth ddigwyddai pe byddai'n torri'r rheolau. Ond doedd dim ots ganddi. Doedd hi ddim wedi dewis dod i'r lle 'ma, a doedd hi ddim eisiau bod yn rhan ohono. Cerddodd heibio i res hir o swyddfeydd. Roedd rhai pobl yn dal wrth eu desgiau, ac un yn rhwbio'i wyneb â'i ddwylo. Ffŵl, meddyliodd Cara, yn gwastraffu'i holl fywyd mewn swyddfa ac yna'n dod yma i wneud yr un peth. Blydi ffŵl. Croesodd y stryd heibio i res o gaffis a siopau. Roedd y rheiny'n cynnwys siopau dillad a siopau nwyddau, yn gwerthu popeth roedd ar rywun ei angen. Gwenodd Cara wrth feddwl am y gair 'angen'.

Cerddodd nes bod y cysgodion ar eu hiraf cyn i'r gwyll dewhau ac fe sylweddolodd nad oedd ganddi'r un man i fynd. Yn sydyn meddyliodd am y tŵr. Trodd i lawr prif stryd y ddinas a cherdded at yr adeilad gwydr. Roedd Ifan wrth ei fodd yn gweithio yno, yn astudio'r hyn a ddigwyddodd i'r anifeiliaid. Mae'n debyg eu bod yn dod i'r byd hwn drwy ryw ffyrdd eraill, a doedd hyd yn oed Ifan ddim wedi deall sut. Ond roedd anifeiliaid ymhobman – cŵn yn y parc a chathod yn sleifio rhwng y tai gwynion. Edrychodd Cara i fyny at y tŵr gwydr a symud tuag ato. Pasiodd griw o bobl ifanc yn sefyll ar gornel stryd, a gwaeddodd un ohonyn nhw arni. Hoffai petai wedi gwisgo'i siaced yn ogystal â'r top tenau oedd amdani. Roedd rhywun arall yn loetran yn y tywyllwch a dechreuodd deimlo rhyw ofn, gan fod y strydoedd yn ddierth. Cyflymodd ei chamau ac anelu at y tŵr.

O'r diwedd fe'i gwelodd wrth waelod y stryd a chroesodd

y sgwâr. Roedd hen fenyw yn bwydo adar ar y sgwâr ac fe ofynnodd i Cara a hoffai brynu dyrned o raean. Edrychodd Cara arni. Roedd hi'n hen, ei chefn yn grwm, a gwisgai fenig a gyrhaeddai at hanner ei bysedd. Cynigiodd gwpan bach papur yn llawn graean i Cara ac edrychodd Cara arni mewn penbleth cyn esgus rhoi arian yn ei llaw. Roedd yr adar yn drwch ar hyd y sgwâr gan godi i'r awyr bob nawr ac yn y man fel pe bai rhywbeth yn aflonyddu arnynt. Gwasgodd Cara'i bysedd i mewn i'r graean a'i daflu mewn cylch o'i chwmpas. Gwyliodd yr adar yn heidio'n agos ati. Gwenodd yr hen fenyw arni ac fe deimlodd Cara'i dicter yn diflannu. Doedd dim byd yn llygaid yr adar bach, dim ond greddf a threfn. Taflodd y graean yn nes ac yn nes at ei thraed er mwyn eu denu nhw'n agosach.

'Newydd gyrraedd wyt ti?' gofynnodd y fenyw.

Nodiodd hithau.

'Paid â phoeni. Mae e'n dod yn haws.'

Sylwodd Cara fod rhyw olau yn yr hen fenyw, ac er ei bod yn hen roedd ei chroen yn loyw, a rhyw wrid iachus arno. Trodd Cara ei chefn arni'n ara bach a cherdded at y tŵr. Cuddiodd y tu ôl i'r ddesg wrth i'r gard gerdded ar draws y lobi, cyn dewis ei hamser a rhedeg i waelod y grisiau. Dringodd y rheiny, bob yn ddwy, a'r ymdrech yn lleddfu'i thymer. Agorodd y drws ar dop y grisiau ac eistedd. Roedd hi'n nosi ac fe fyddai pawb yn eu gwelyau cyn bo hir.

Dechreuodd deimlo'n fwy ansicr. Yn y gwaith y diwrnod hwnnw, fe gofiodd mai glas oedd lliw'r seddi yn y caffi yr arferai weithio ynddo. Doedd hi ddim yn cofio llawer, ond weithiau, bob nawr ac yn y man, câi rhyw deimlad iddi fod mewn sefyllfa neu sgwrs debyg o'r blaen. Crychodd ei thalcen. Roedd hi wedi blino'n lân.

Ar y gorwel, gwelai fod pobl yn dal i gyrraedd – ton ar ôl ton o gyrff yn cyrraedd y glannau. Roedd eu gweld yn gwneud iddi deimlo'n sâl.

'O'n i'n meddwl mai fan hyn byddet ti.'

Trodd Cara mewn sioc a gweld Ifan yn sefyll y tu ôl iddi. Ddywedodd Cara 'run gair wrtho.

'Wi'n dod 'ma weithie i feddwl hefyd.'

Eisteddodd i lawr ar ei phwys ac fe deimlodd Cara'n ddiolchgar ei fod e yno er nad oedd eisiau dangos hynny iddo.

'Lili oedd wedi mynd â nhw… y sigaréts. Chwarae cwato.'

'O.'

'Ma hi 'di bod yn llefen ers hanner awr.'

Meddyliodd Cara am wyneb Leusa, yn llawn atgasedd pur.

'O't ti ddim yn swnio fel ti dy hunan gynne,' awgrymodd Ifan eto.

Meddyliodd Cara wedyn am y modd y lledodd Leusa'i llygaid mewn ffug ofn.

'Sut wyt ti'n gwbod? Ti'm yn nabod fi'n well nag wi'n nabod 'yn hunan.'

Rhwbiodd Cara'i phen a gorffwys ei gên ar y baryn a gadwai'r ddau'n saff yn y tŵr.

'Ma'n rhaid i ti beidio â gwrando ar Leusa.'

'Ond beth sy'n bod arni?'

'Fel'na ma pobl weithie. Ma hi'n delio 'da…'

'Gyda beth?'

'Wi'm yn gwbod. Ma hi'n grac, falle, am 'i bod hi 'ma…'

Ystyriodd Cara'i eiriau. 'Ie, wel, finne 'fyd.'

'Ti'n sylweddoli y bydd Delo'n chwilio amdanot ti cyn bo hir?'

'Wi'n gwbod.'

Meddyliodd Cara am Delo. Byddai'r ddau'n cerdded i'r gwaith bob bore mewn tawelwch. Doedd gan yr un o'r ddau ddim llawer i'w ddweud wrth ei gilydd gan mai dim ond plentyn oedd e.

'Pam ma fe'n dod?'

'Ma Mari'n gweud bod hi'n ffaelu cysgu cyn gweld mod i'n iawn.'

'Ond i bwy ma nhw'n gweitho?'

Tynnodd Ifan anadl hir. 'Y doctoried, y Gofalwyr. Ma nhw'n gweitho i rywun, ond wi ddim yn gwbod i bwy.'

'Fyddwn ni mewn trwbwl?'

'Dim os siapwn ni 'ddi. Ma Leusa'n chwarae 'da tân. Mynd mas bob nos.'

Roedd Cara am eistedd i wylio pelydrau olaf y golau dros y ddinas.

'Jest cofia fod pawb yn dod fan hyn.'

'Pawb?'

'Pob un, drwg a da.'

'Ond ma'r rhai gwael y tu fas i'r ffens?' holodd.

'Odyn, y rhai gwaetha, ond dyw e ddim yn lle saff.'

Syllodd y ddau i lawr ar y ddaear dywyll, sathredig, yr ochr arall i'r ffens.

'Fi'n siŵr mod i wedi gweld un ohonyn nhw unwaith,' meddai Ifan yn dawel trwy'r tywyllwch. 'O'n i'n cerdded adre o'r gwaith, a gweles i wyneb yn gwasgu lan yn erbyn y ffens ac yn edrych i mewn.'

Crynodd Cara wrth feddwl am y peth.

'Ifan?'

'Ie?'

Roedd cwestiwn wedi bod yn ei chorddi ers amser, yn gwasgu arni byth ers iddi feddwl am yr eglwys gaeedig, am freuddwydion Leusa ac am Lili'n chwarae yn yr ardd heb Ofalwr. Cwestiwn annifyr a oedd wedi tyfu ynddi nes nad oedd ganddi bellach le iddo yn ei pherfedd. Teimlodd ei chroen yn oeri wrth iddi ffurfio'r geiriau.

'Os… ' dechreuodd yn ara, 'os oes 'na Dduw, pam bydde fe'n ein gadel ni fan hyn ar ein pen ein hunen?'

Gwrandawodd Ifan ar ei geiriau yn y tawelwch. Roedd y machlud yn boddi yn y môr a'r bobl yn dal i stryffaglu ar y traeth yn y pellter. Cannoedd ar gannoedd o gyrff yn pesychu dŵr hallt o'u hysgyfaint ac yn crynu fel creaduriaid newydd-anedig ar y traethau. Syllodd Cara ac Ifan wrth iddynt gymryd eu camau ansicr cyntaf tuag at y lan.

'Sa i'n gwbod,' meddai Ifan yn syml, heb edrych arni. Cododd ac estyn ei law i Cara.

Pennod 17

'Nos da nawr 'te.'

'Ti'n mynd i aros 'da fi nes a' i gysgu?'

'Wrth gwrs.'

'A bydd gole ar y landin?'

Nodiodd Mags wrth wasgu'r cwrlid yn dynn o gwmpas ei mab. Roedd e wedi bodloni mynd i'r gwely yn y diwedd, wedi iddi dreulio awr yn siarad am Cara. Fe wisgodd ei byjamas Spiderman ac fe berswadiodd hithau ef i dynnu'r sgarff lliw enfys a'i chlymu'n saff am bostyn y gwely. Roedd ei wyneb yn welw a golau'r lamp yn ffaelu cynhesu'r ystafell. Caeodd ei lygaid. Gwrandawodd hithau arno'n anadlu am ychydig.

'Whare cwato ma hi.' Siaradai â'i lygaid ar gau. Teimlodd Mags ddagrau yn ei llygaid. 'Cwato mewn bocs, neu tu ôl i'r sgertin.'

Ystafell wely fechan oedd hon, yr un fath ag un Cara a dim ond lle i wely sengl ac ychydig deganau ar y llawr. Diffoddodd Mags y lamp ac eistedd ar erchwyn y gwely mewn tawelwch, yn gwrando ar anadlu ysgafn ei mab. Pan arafodd yr anadlu fe gododd a sylwi ar y sêr bach yn goleuo ar hyd y nenfwd. Cofiodd iddi brynu pecyn o sêr plastig i Rhys, rhai a oedd yn amsugno'r golau yn ystod y dydd ac yn goleuo am oriau yn y gwyll. Roedd darn gludiog ar gefn pob un, ac fe gofiodd am Cara a Rhys yn neidio i fyny ac i lawr ar y gwely wrth geisio cyrraedd y nenfwd a glynu'r sêr bach ar y to. Gwenodd wrth feddwl am y ddau'n chwerthin nerth eu pennau a gwyliodd olau'r sêr yn cryfhau wrth iddi dywyllu.

Syllodd drwy'r ffenest fach ar yr ardd ffrynt. Roedd

canhwyllau'n dal i oleuo'r wal fach a sylwodd Mags ar ddyn yn cynnau cannwyll arall. Cafodd gip ar ei wyneb yng ngolau'r fflam – y dyn tal o'r caffi oedd e. Safodd am eiliad cyn troi a cherdded yn ara i lawr y stryd. Bu hi'n gwylio pobl yn gadael canhwyllau drwy'r wythnos. Dwy ffrind ysgol yn gafael am ei gilydd. Cymdogion. A nawr y dyn tal o'r caffi yn gadael cannwyll arall. Pobl roedd Cara wedi cyffwrdd ynddyn nhw. Edrychodd Mags ar y papur plastig o amgylch y blodau'n disgleirio yng ngolau oren y stryd. Roedd pobl wedi gadael blodau yn y parc hefyd – pentwr ohonyn nhw.

Byddai Steve ar ei ffordd adre cyn bo hir. Bellach treuliai'r rhan fwyaf o'i nosweithiau yn y dafarn. Byddai'n edrych ar ôl Rhys yn ystod y dydd, gan eistedd heb siafio ar y soffa yn yr ystafell fyw. Roedd hi'n amhosib i Rhys fynd i'r ysgol gan fod plant mor greulon mewn sefyllfaoedd o'r fath. Daeth y brifathrawes i'w gweld wedi i blant gornelu Rhys ar yr iard a dweud wrtho fod Cara wedi marw. Bod rhywun wedi'i lladd. Gwingodd calon Mags wrth feddwl am wyneb diniwed ei mab yn syllu arnyn nhw. Roedd rhywbeth anifeilaidd am blant weithiau, meddyliodd. Fel petai'r ysfa i frifo ynddyn nhw o'r cychwyn cyntaf ac mai addysg oedd yn ei thawelu er na ddiflannai'n gyfan gwbwl. Cydiodd Mags yn siwmper Rhys a'i phlygu'n daclus.

Ni dderbyniwyd unrhyw wybodaeth newydd yn dilyn yr apêl. Ddaeth timoedd y neuadd a fu'n chwilio ddim o hyd i unrhyw beth, chwaith. Fe stopiodd yr heddlu bob car ar y ffordd i mewn i'r dre a holi'r gyrwyr ond doedd gan neb wybodaeth. Roedd fel petai Cara wedi diflannu'n gyfan gwbwl gan adael dim ond ei hesgid ac ychydig o waed ar ôl. Byddai Tim yn galw bob dydd ac edrychai Mags ymlaen at ei weld. Byddai'n ei chysuro, ac yn sôn am y camau nesaf. Doedd dim dwywaith mai'r oriau cyntaf ar ôl y diflaniad oedd y rhai pwysicaf. Ar ôl hynny, byddai'r dystiolaeth yn dirywio wrth i'r glaw a'r gwynt ei dileu a'r llwybrau'n cael eu sathru dan draed. Byddai'n rhaid edrych ar bob posibiliad. Mynd dros ei chamau diwethaf dro ar ôl tro. Doedd dim DNA dierth ar ei hesgid. Roedd olion ychydig bach o waed, ond roedd yn amhosib dweud a gafodd unrhyw arf ei defnyddio. Cawsai Cara ei symud o'r parc a damwain oedd gadael yr esgid ar ôl. Esboniodd Tim fod hynny'n awgrymu mai penderfyniad munud ola oedd ei chipio ac nad oedd cynllun wedi'i baratoi. Doedd Mags ddim yn siŵr a wnâi hynny iddi deimlo'n waeth neu'n well. Roedd mwy o siawns eu dal beth bynnag, meddai Tim, gan nad oedd ganddynt gynllun pendant a bod, felly, fwy o siawns iddynt wneud camgymeriadau. Cymerai Mags rywfaint o gysur o hynny.

O dan arweiniad Tim bu Steve a hithau'n ceisio meddwl am bobl a fyddai'n debygol o ddal dig yn eu herbyn. Ond doedd y ddau ddim wedi gallu meddwl am neb, er iddynt lunio rhestr. Steve yn enwi'i gyn-wraig. Mags yn enwi dyn a ofynnodd iddi fynd allan gyda fe sawl gwaith a hithau wedi gwrthod. Edrychwyd ar eu sefyllfa ariannol. Doedd dim byd o'i le yn y fan honno. Nid gwneud iddyn nhw deimlo'n euog oedd pwrpas y cyfweliadau, meddai Tim, ond sicrhau eu bod yn ystyried pob posibiliad. Roedd Mags wedi ymlâdd wedi i'r cyfweliad ddod i ben ac fe anfonodd hi Helen adre. Roedd hi eisiau tawelwch i feddwl. Cytunodd Helen ac addo dod 'nôl ben bore.

Chwaer fach Mags oedd Helen, er y gellid meddwl mai hi oedd yr hynaf. Bu'n caru am flynyddoedd, cyn priodi a chael llond tŷ o blant. Gweithiai ddau ddiwrnod yr wythnos mewn swyddfa yn y dre ac allai hi ddim mynd i'r gwely bob nos nes bod y tŷ'n hollol ddifrycheulyd. Byddai hi'n twt-twtio Mags dan ei hanadl a'i llygaid hi'n crwydro i bobman pan alwai, fel pe bai'n tynnu sylw at yr annibendod a'r pentyrrau o lyfrau ymhobman. Pan ddechreuodd Mags ddilyn cwrs arlunio yn y coleg, rowlio'i llygaid wnaeth Helen. Helen oedd y gyntaf i eni plentyn a phan anwyd Cara byddai'n dweud wrth Mags sut i wneud pob dim. Cafodd ei brawychu pan gyfaddefodd Mags fod babis yn ddiflas, a'i bod yn gweld y dyddiau'n hir yng nghwmni rhyw greadures fach nad oedd yn medru siarad â hi. Dadleuai Helen fod dod yn fam wedi trawsnewid ei byd ac wedi rhoi gwerth iddi fel unigolyn. Honnai nad oedd unrhyw un yn gwybod beth oedd gwir gariad nes bod ganddyn nhw blant. Credai Mags fod gwerth iddi hi, beth bynnag; ac fe wyddai ei bod hi wedi caru'n ddyfnach nag y gallasai Helen ei ddychmygu.

Roedd Cara'n fabi eithaf diddig ond penderfynol. Byddai'n frwydr rhyngddi hi a'i mam yn aml ac ewyllys un cyn gryfed ag ewyllys y llall. Pan oedd hi'n ferch fach, byddai'n penderfynu, a dyna ni. Byddai'n obsesiynol bron. Yn gwneud pob peth gyda ffrind, yn siarad â hi, yn tynnu lluniau iddi ac yna byddai'r ddwy'n cwmpo mas a Cara'n fôr o ddagrau. Fyddai hi byth yn siarad am y ffrind honno wedyn.

Fyddai Helen ddim yn galw mor aml ar ôl i Mags briodi Steve – doedd gan Steve a Pete, gŵr Helen, ddim llawer yn gyffredin. Gweithiai Pete mewn swyddfa ar stad ddiwydiannol y tu allan i'r dre; roedd yn berson a gynlluniai ei wyliau flwyddyn o flaen llaw, gan fapio pob diwrnod ar siart. Byddai Steve yn fwy tebygol o beidio â mynd i'r gwaith rhyw ddiwrnod, a'i throi hi am Ffrainc neu rywle a chwilio am swydd arall ar ôl cyrraedd adre. Doedd Helen ddim yn hapus eu bod wedi priodi mor gyflym gan fod Steve gymaint iau na Mags. Dadleuodd Mags ei fod yn ei deall hi, a'i fod yn ddigon aeddfed yn y pethau pwysig.

Tynnodd Mags anadl hir a throi i edrych ar Rhys. Roedd e'n cysgu'n sownd o'r diwedd.

'Cwato ma hi,' meddyliodd Mags. 'Tu ôl i'r sgertin.'

Roedd plant yn meddwl am bethau rhyfedd. Tu ôl i'r sgertin! Trodd Mags a chroesi'r landin i ystafell Cara. Cawsai'r ystafell ei thynnu'n ddarnau ac aed â'i chyfrifiadur oddi yno rhag ofn, ond doedd dim gwybodaeth yn yr e-byst. Roedd yr ystafell ben i waered a thynnodd Mags ryw focsys allan o'r ffordd er mwyn edrych ar y sgertin. Plygodd a rhedeg ei llaw ar hyd y pren. Dim byd. Gwenodd wên drist ac eistedd rhwng y bocsys ar y gwely am eiliad. Chwiliai am unrhyw beth erbyn hyn, unrhyw arwydd. Yna, drwy gornel ei llygaid gwelodd gysgod ar y sgertin. Roedd darn bach ohono'n rhydd, jest y tu ôl i'r drws. Amhosib ei weld heb chwilio amdano. Cododd rhyw gynnwrf ynddi, wrth iddi blygu i'w dynnu'n rhydd. Roedd gwagle, jest tu ôl iddo. Gwthiodd ei llaw grynedig i mewn a theimlodd bapur. Llyfrau. Tri. Pedwar. Roedd ei chalon yn curo'n drwm. Llyfrau nodiadau. Dyddiaduron. Agorodd nhw. Ysgrifen Cara. Ysgrifen Cara ymhobman. Ysgrifen Cara'n donnau ar hyd y tudalennau. Ysgrifen Cara'n gylchoedd mewn mannau. Ysgrifen Cara'n llythrennau bras powld. Ysgrifen Cara'n llythrennau bach distaw. Ei llais hi ar dudalen ar ôl tudalen. Eisteddodd Mags ar y llawr a dechrau llarpio'r geiriau. Llyncodd bob brawddeg, gan eistedd fel croten fach ar lawr, tra bod Rhys yn anadlu'n dawel ar draws y landin.

Pennod 18

Gwyddai Mags y byddai gan Tim ddiddordeb yn y dyddiaduron ond allai hi mo'i ffonio nes ei bod hi wedi eu darllen a'u sganio bob gair am gliwiau. Roedd Cara'n blodeuo o'i blaen gyda phob gair ac fe sylweddolodd Mags fod ganddi ddawn. Dawn arbennig i gyfleu pob math o bethau. Dawn y bu hi'n ei chuddio y tu ôl i'r atebion un gair a roddai i'w mam ac wrth weiddi ar Steve. Roedd ambell gerdd, ambell ddisgrifiad ond yn fwy na dim, roedd Cara'n mynegi ei gobeithion ynddynt a'r rheiny oedd yn creu'r syndod mwyaf i Mags.

Daeth Steve o hyd i Mags yn eistedd ar y llawr yn darllen. Sobrodd wrth weld yr holl ddyddiaduron ac ymunodd â Mags yn yr ystafell fyw i'w darllen. Er i Steve godi weithiau i wneud coffi du, ddywedodd yr un o'r ddau air wrth ei gilydd drwy'r nos.

Roedd Cara wedi dechrau ysgrifennu'r dyddiaduron pan oedd tua saith oed. Roedd y rhai cyntaf yn llawn digwyddiadau pob dydd – Steve yn mynd â hi i'r sw, Steve yn mynd â hi i'r parc. Roedd yna symbolau hefyd, wedi'u tynnu mewn pensil wrth ochr ambell ddiwrnod. Sgwâr fan hyn. Triongl fan draw. Seren. Symbolau ac iddynt ystyr, siŵr o fod, ond doedd dim allwedd. Edrychodd Mags yng nghefn y dyddiaduron ond doedd dim esboniad. Dyddiaduron bach plentynnaidd oedden nhw a'r awdur fel petai'n hanner ymwybodol y dylai ysgrifennu'n daclus rhag i rywun ddod o hyd iddynt. Gwenodd Steve wrth ddarllen am y tro y daeth y ddau o hyd i ddraenog yn yr ardd. Mynnodd Cara ei gadw ac fe fu Steve a hithau'n ei fwydo â bwyd cŵn ac yn ei gadw mewn bocs am amser hir. Un noson aeth 'Priglyn' ar goll a daethpwyd o hyd iddo y tu ôl i'r ffrij yn we pry cop drosto. Roedd hanes marwolaeth pysgodyn aur cyntaf Cara yno – llun bedd a chroes fawr, a'r llythrennau R.I.P. wedi'u hysgrifennu mewn llythrennau sigledig drosti. Yna, ceid manylion o'r hyn a gawsai Cara i swper, a marwolaeth y pysgodyn druan bellach yn hen hanes.

Chwiliodd Steve am ddyddiad geni Rhys. Roedd ei enw wedi'i ysgrifennu mewn llythrennau bras. Cofiodd Steve sut y byddai hi'n mynnu dal ei brawd bach. Gwnaeth garden i'w mam a'r babi newydd a byddai wrth ei bodd yn helpu Mags i ofalu amdano. Codai o'i gwely sawl gwaith y nos ar y dechrau, gan gripian i ystafell Mags a Steve a syllu i mewn i'r crud. Doedd hi ddim yn adweithio yn ei erbyn o gwbwl fel y byddai rhai plant yn ei wneud, na thynnu sylw ati hi ei hun drwy gamfihafio. Ond, ymhen ychydig wythnosau, roedd yna linell yn y dyddiadur a ddywedai'r cyfan. 'Ma hi bron â bod yn amser iddyn nhw fynd â Rhys 'nôl lle ffindion nhw fe.' Gwenodd Steve.

Roedd hanes mynd i'r ysgol ynddynt a'r diwrnod cyntaf yn yr ysgol fawr wedi'i gylchu â gwreichion coch. Roedd hi'n hoffi'r wisg ysgol ond doedd hi ddim yn hoffi'r ystafell ddosbarth. Roedd y plant eraill yn rhy fawr a hithau eisiau dod adre bob dydd am yr wythnos gyntaf. Gosodwyd enwau'r merched eraill yn y dosbarth yn frith dros y tudalennau cyn i'r rheiny brinhau wrth iddi wneud ffrindiau agos. Casi oedd un. Enw bach, mewn ysgrifen binc.

Meddyliodd Mags am Casi'n llefen yng nghefn stafell gynhadledd yr heddlu. Roedd Casi wedi amddiffyn Cara pan wnaeth un o'r bechgyn mawr ddwyn ei bag a thaflu'i llyfrau ar hyd y lle. Bu'r ddwy'n ffrindiau mawr byth ers hynny. Daliai Casi i'w hamddiffyn y noson y diflannodd hi, meddyliodd Mags.

Bellach roedd y wawr ar fin torri ac un o'r cymdogion a weithiai i'r swyddfa bost yn gadael y tŷ. Cododd Mags a gwneud rhagor o goffi. Daliai Steve i ddarllen heb ddweud gair ac fe gysurwyd y ddau wrth deimlo eu bod yn agosach at Cara nag y buon nhw ers blynyddoedd.

Hanes Cara a Casi'n mynd i'r sinema oedd gan Steve ar y pryd, a Casi'n taflu popcorn at grŵp o fechgyn o'u blaenau. Bu'n rhaid i'r ddwy adael y sinema a buon nhw'n crwydro'r dre tan i Steve eu casglu y tu allan i'r sinema am hanner awr wedi naw fel y trefnwyd. Doedd 'run o'r ddwy wedi sôn gair y noson honno. Siglodd Steve ei ben wrth feddwl amdanyn nhw'n crwydro ar eu pennau eu hunain a gwên ddiniwed yn dal ar eu hwynebau pan aeth i'w nôl. Gosododd Mags y myg o goffi ar y ford isel o flaen Steve. Roedd golwg wedi blino arno, ei wyneb yn denau a'i groen yn llwydach nag erioed. Teimlodd Mags ryw dosturi drosto a heb yn wybod iddi bron fe blygodd a'i gusanu ar ei dalcen fel petai'n plentyn.

Roedd y dyddiaduron diweddara'n fwy tywyll. Byddai wythnos neu ddwy yn mynd heibio weithiau a Cara heb ysgrifennu gair ynddyn nhw. Roedd mwy o gerddi hefyd a mwy o ddisgrifiadau nad oedd ganddynt fawr o gysylltiad â digwyddiadau'r diwrnod – ambell frawddeg wedi'i hysgrifennu ar draws y dudalen, fel pe bai hi'n herio llinellau cyson y papur. Roedd fel petai wedi dechrau ymbellhau oddi wrth y ddau. Doedd dim sôn am Steve, fel petai hi wedi'i ddileu o'i bywyd. Doedd dim llawer o sôn am Rhys chwaith, dim ond cyfeiriad yn dweud ei fod yn mynd ar ei nerfau. Codai enw ambell fachgen ar dudalen ar ôl tudalen cyn iddo ddiflannu yn ôl ei ffansi. Roedd Casi'n enw a ymddangosai'n gyson yn ogystal â rhai merched eraill roedd Mags yn lled gyfarwydd â nhw. Cymylodd wyneb Mags wrth iddi ddarllen. Roedd Cara'n gweld y bobl yn yr ysgol yn ffals a'r system yn ffals.

Beth oedd pwrpas gweithio'n galed yn yr ysgol er mwyn cael gwaith o naw tan bump mewn swyddfa ddiflas yn rhywle am weddill ei bywyd? Roedd ambell sgetsh… lluniau grotésg o ambell athro… llun grotésg o Steve.

Y diwrnod cyntaf yng nghaffi'r Glannau. Disgrifiad gweddol greulon o Mandi a'r merched eraill yn y caffi. Sôn am rywun o'r enw Meical a siaradai â hi weithiau. Y ddau'n deall ei gilydd. Y ddau'n teimlo eu bod nhw ar gyrion pethau. Y ddau'n siario jôc. Dim sôn amdano wedyn. Dweud ei bod hi'n ymddwyn yn ffals yn y gwaith. Bod pobl yn llyncu'r cyfan ac yn meddwl ei bod hi'n ferch neis. Hithau jest eisiau gweld eu cefnau nhw a'r jar tips yn llenwi.

Disgrifiad o Casi. Casi'n cysgu gyda bachgen yn sedd gefn ei gar. Fe'n tynnu lluniau ohoni ar ei ffôn ac yn eu hanfon at ei ffrindiau. Casi druan yn gorfod wynebu gwawd pawb am wythnosau. Y penwythnos pan aeth Casi a Cara i Ddinbych-y-pysgod i aros mewn carafán oedd yn eiddo i fodryb Casi. Y ddwy'n yfed fodca heb lemonêd. Bechgyn ar y traeth. Casi'n llosgi yn yr haul. Cara'n siarad tipyn â bachgen o'r enw Lee. Y ddwy ohonyn nhw'n yfed seidr cyn rhedeg nerth eu traed ar draws y swnd gan sgrechian yr holl ffordd. Y ddwy'n sgrechian a gweiddi nes cyrraedd y môr ac yn taflu eu hunain i'r tonnau a'u chwerthin yn uno â sŵn y gwylanod uwch eu pennau. A'r ddwy'n sefyll yno wrth i'r dŵr oeri eu cyrff a'r dillad gwlyb yn glynu wrth eu cluniau eiddil.

Yna, ymddangosodd enw Cai. Yr enw ar ei ben ei hunan, ar ganol tudalen. Un dudalen gyfan i enw mor fach. Ac ar y tudalennau wedyn, Cai a Cai a disgrifiad ohono. Petai Mags heb ei gyfarfod yn y neuadd fe fyddai hi wedi medru ei ddarlunio'n berffaith o'r disgrifiad. Roedd Cara'n medru tynnu lluniau â geiriau. Cai. Cai. Cai. Roedd yr athrawon yn ceisio'i helpu, medden nhw. Cai. Bydden nhw'n fodlon aros ar ôl yr ysgol i wneud y gwaith gyda hi. Dim problem. Cai. Doedd hi heb hyd yn oed siarad ag e. Cai. Dim ond ei weld o bell. Roedd yn rhaid astudio. Pasio rhyw brawf. Jest digon i'w tawelu nhw am ychydig.

Roedd hi eisiau gwneud rhywbeth a fyddai'n gwneud gwahaniaeth – dim gwaith papur mewn swyddfa. Gwneud rhywbeth o werth. Nyrs, efallai. Cael tŷ. Dyna'r peth. Byw ar ei phen ei hunan. Gwyliau. Darllenodd Mags y geiriau mewn syndod. Cael rhywun i'w charu, heb gwestiwn, heb amod. Plentyn, falle, dim ond un – dyna fyddai orau. Gwelai Mags wyneb Rhys yn ei meddwl wrth iddi ddarllen. Setlo. Cai. Roedd e wedi gwenu arni. Casi'n dweud ei fod e'n ei hoffi hi. Roedd e'n hŷn. Roedd ganddo gar. Bu Casi'n caru ag un o'i ffrindiau am ychydig, ond roedd hwnnw'n ffrindiau â chriw arall erbyn hyn. Winciodd hi ar Cara, a dweud pa mor beryglus oedd mynd i mewn i geir gyda bechgyn ond pwysleisio mor hyfryd oedd e hefyd. Cochodd Cara. Doedd hi ddim wedi cael profiadau Casi. Cai. Gwyddai beth oedd ei hoff gerddoriaeth. Gwyddai ei fod yn mynd i'r dafarn yr ochr draw i'r dre bob nos Sadwrn. Byddai ei ffrindiau'n ymgasglu yno. Gwyddai ei fod yn sengl. Cai. A dyna ni. Cododd Mags ei phen. Glaniodd deigryn o'i boch ar y dudalen gan gymylu'r inc ar y gair ola. Cododd Steve ei ben a dod i eistedd wrth ei hymyl. Roedd ei gyhyrau'n stiff ar ôl iddo eistedd yn yr un man am gyfnod hir. Gosododd ei fraich ar hyd cefn y soffa i gyfeiriad Mags, heb ei chyffwrdd.

'Dyfith hi byth lan,' meddai Steve. 'Dyna'r peth gwaetha – cwmpo mewn cariad go iawn. Priodi.'

Roedd gagendor o hiraeth yn agor o'i flaen ond gwrthododd Mags feddwl am y posibiliadau. Gwnâi'r dyddiaduron iddi deimlo mor agos at Cara a theimlai Mags ei phresenoldeb o'i hamgylch.

Roedd hi'n goleuo erbyn hyn a mwy o fynd a dod ar y stad wrth i'r cymdogion gyflawni eu busnes arferol. Clywodd Mags glinc wrth i'r dyn llaeth adael y poteli ar stepen y drws.

Syllai Steve yn wag i'r pellter. 'Prynu tŷ. Ca'l plentyn.'

Yr holl obeithion yn y dyddiaduron a'r cyfan yn ofer. Meddyliodd y ddau am ychydig yn y tawelwch.

'Beth os na ffindian nhw hi? Shwt allwn ni fyw fel hyn, Mags? Ma'n rhaid i ti ddechre ystyried y posibilrwydd, Mags.'

'Paid!'

'Ond Mags… '

'Paid!'

Doedd gan Steve ddim rhagor i'w ddweud. Symudodd at Mags a rhoi ei fraich amdani. Tynnodd hi tuag ato gan wasgu'i hwyneb at ei wddf. Dechreuodd yntau lefen. Llefen a llefen fel pe bai'n ddiwedd y byd. Syllu heibio iddo wnaeth Mags, a'i ddal yn dynn am amser hir nes bod ei lais yn stopio crynu. Gwyddai y byddai Rhys yn dihuno cyn hir. Arhosodd y ddau yno nes bod y dydd wedi gwawrio. Yna, tynnodd Steve oddi wrthi ac eistedd a syllu arni.

'Wi'n sori,' meddai.

Edrychodd Mags arno. Daeth cnoc ar y drws. Cododd Mags yn ara a cherdded i agor y drws ac un o'r dyddiaduron yn dal yn ei llaw. Tim a phlismon arall oedd yno.

'O'n i'n mynd i ffonio,' meddai Mags gan rwbio'i hwyneb â chledr ei llaw. 'Dewch i mewn, ry'n ni wedi ffindio… '

Roedd golwg anghyfforddus iawn ar Tim. 'Ma'n ddrwg iawn 'da ni.'

Oerodd calon Mags yn sydyn.

'Ry'n ni wedi cael ein hordyrs. Sdim byd arall y gallwn ni neud.'

Camodd Mags atynt. Roedd y ddau'n edrych ar Steve.

'Sdim byd allwch chi neud ynglŷn â beth?' gofynnodd Mags.

'Ma'n rhaid i ni fynd â chi i'r stesion, Steve.'

Edrychodd Mags arnyn nhw mewn syndod.

'I ateb cwestiynau ynglŷn â diflaniad Cara Evans.'

Sylwodd Mags ar y ffurfioldeb yn llais Tim. Ddywedodd Steve 'run gair. Dim ond syllu ar y llawr.

Pennod 19

Doedd Leusa ddim wedi ymddiheuro am gyhuddo Cara o ddwyn ei sigaréts, dim ond rhyw edrych arni mewn tawelwch. Daeth adre'n hwyr ac fe safodd y dyn pengoch, ei Gofalwr, y tu allan nes iddi gyrraedd. Bu'r ddau'n dadlau ac fe wrandawai Cara arnyn nhw wrth iddi syrthio i mewn ac allan o gwsg ysgafn.

Bu'r caffi'n dawel heddiw, a dim ond un neu ddau o gwsmeriaid ar y seddi cochion yn bwyta tost neu'n yfed coffi. Fe ddaeth y gwaith gweini'n hawdd a phan fyddai hi'n cymryd archeb neu'n helpu cwsmer cofiai iddi wneud hynny ganwaith o'r blaen. Byddai'n bwyta cinio yn y cefn gyda Rich, a'r ddau ohonyn nhw'n eistedd ar ben bareli o olew coginio.

Damwain motor-beic gafodd Rich pan sgrialodd i mewn i gar wedi i hwnnw stopio ar dro yn y ffordd. 'Nath e ddim cofio am gyfnod hir ond llifodd yr atgofion yn ôl iddo yn y diwedd. Doedd Sadie, y fenyw oedd yn rhedeg y caffi, byth yn eistedd gyda nhw; yn hytrach âi am dro am ryw hanner awr i'r parc cyfagos amser cinio.

Pwysodd Cara ar y cownter. Roedd yn ddigon hawdd anghofio yn y fan hyn a gallai ddeall pam bod pobl o bob oedran yn dod yno. Byddai grwpiau o bobl ifanc yn dod i mewn gyda'i gilydd ac archebu llaeth siocled. Roedden nhw'n amlwg yn byw gyda'i gilydd. Byddai un hen ddyn yn eistedd yno nes i'r caffi gau a byddai'n rhaid iddi hi neu Rich ddweud wrtho eu bod nhw am gau. Roedd Rich yn byw gyda grŵp o ferched, ac wedi dechrau carwriaeth ag un ohonyn nhw, ac âi'r ddau i fowlio deg bron bob nos ar ôl y gwaith. Roedd e'n giamster arni pan oedd e'n fyw, meddai.

Byddai Cara'n casáu pobl yn defnyddio'r geiriau 'pan o'n i'n fyw'.

Deuai Beth a Lili i gyfarfod â hi weithiau ar ôl i'r caffi gau a mynd â hi am dro er mwyn iddi ddod i adnabod yr ardal yn well. Edrychai ymlaen at dreulio ychydig o amser yn eu cwmni. Byddai mynd i unrhyw le gyda Lili'n bleser, beth bynnag, gan y byddai'n gofyn i Cara ddisgrifio popeth wrth iddyn nhw gerdded o le i le. Weithiau ar ôl i Cara ddisgrifio rhywbeth byddai'n gofyn i Lili ddyfalu beth roedd hi'n sôn amdano – disgrifiai deimlad pethau yn fwy na dim. Roedd Beth yn siŵr fod Lili'n ddall ers iddi gael ei geni, felly doedd dim pwynt disgrifio lliwiau na siapiau. Gwrandawai Beth ar eiriau Cara â gwên ar ei hwyneb ac fe fyddai Lili'n chwerthin nerth ei phen wrth ddyfalu, gan holi am ddisgrifiadau eraill un ar ôl y llall.

Ond weithiau byddai Cara'n cyrraedd adre i ffindio Beth yn gwylio Lili yn yr ardd. Byddai hi wedi bod yn bwyta cacen siocled a'i hôl yn frown ar ei bysedd. Sleifiai'r dagrau'n dawel i lawr ei bochau. Byddai Cara'n cyffwrdd â'i braich wrth eistedd ar ei phwys.

'Wi'm yn gwbod pam wi'n byta gyment...' meddai Beth wedyn. Rhwbiai ei bol wrth iddi deimlo'n anghyffyrddus. 'Ma'r byd mor greulon,' ailadroddai drosodd a throsodd. Cysurai Cara hi a rhoi ei braich amdani. Byddai Beth yn dawel wedi hynny ac fe adawai i Lili ddringo i mewn i'w bync a chwympai'r ddwy i gysgu a'u hwynebau'n agos at ei gilydd. Roedd y ddwy'n cynnig balm i'w gilydd a theimlai Cara ryw eiddigedd am eu bod nhw mor agos.

Roedd Rich wrthi'n mopio llawr yr ystafell gefn ac roedd hymian di-ben-draw y ffrij yn gwneud i Cara deimlo'n gysglyd. Teimlai'n flinedig ofnadwy, ond yn ôl Ifan, roedd hynny'n beth arferol yn yr Arhosfyd. Roedd ei llygaid yn well erbyn hyn a doedd dim rhaid iddi wisgo'r sbectol haul mor aml. Gallai ddyfalu pwy oedd newydd gyrraedd, yn ôl cochni eu llygaid. Wrth ymolchi'r noson cynt sylwodd fod y briw ar ei bol wedi lleihau ac wedi cau nes ei fod bellach yn debycach i fotwm bach o groen pinc. Teimlai Cara'n well wrth ei weld yn diflannu a fyddai hi ddim yn ofni bwrw'i bol yn erbyn pethau. Teimlodd Cara'i breichled ar ei garddwrn. Chwaraeai â hi drwy'r amser. Breichled aur drom oedd hi ac un ar bymtheg o swyndlysau bach yn hongian oddi arni. Teimlodd nhw rhwng ei bysedd. Calon fach aur drom. Pysgodyn aur. Bachgen bach. Goleudy... Byseddodd Cara nhw fesul un. Teimlent mor gyfarwydd dan ei bysedd ac erbyn hyn roedd Cara yn eu hystyried fel cliwiau i'w hen fywyd. Ond er iddi eu gwasgu rhwng ei bysedd, allai hi ddim yn ei byw â chofio. Â blaenau ei bysedd dilynodd amlinell y galon. Un peth roedd hi'n siŵr ohono oedd iddi gael ei charu.

'Ody hi'n neis yna?' Torrodd y llais ar ei myfyrdod. Edrychodd Cara ar y bachgen golygus a safai'n union o'i blaen hi. Daeth gwres i'w bochau'n sydyn. Safodd yn sythach ar ei thraed.

'B... Beth? Ble?'

'Ble bynnag oedd dy feddwl di.'

Gwenodd arni. Edrychodd Cara ar y cownter unwaith eto. Gwenodd wên swil.

'Ma hi'n freichled neis.'

Nodiodd Cara. Roedd ei lais yn isel ac yn llonydd. Roedd hi'n hoffi ei lais. Cododd ei llygaid i edrych arno ond allai hi ddim â chadw ei llygaid ar ei wyneb yn hir, roedden nhw'n sleidro yn ôl i'r cownter.

'Coffi?'

Gwenodd y bachgen arni. 'Dwi'n cymryd 'ych bod chi'n neud coffi 'ma?'

'Coffi?'

'Mae e'n gaffi... '

'Wrth gwrs!' Sythodd Cara'i chefn unwaith eto. 'Coffi. Ddo i â fe draw nawr. Dim probs.'

Gwenodd arni unwaith eto cyn troi ei gefn ac eistedd. Teimlai Cara'n ddychrynllyd o boeth yn sydyn a thynnodd anadl ddofn. 'Dim probs,' ailadroddodd yn ei meddwl. Dyna beth twp i'w ddweud.

Dewisodd y bachgen sedd yn wynebu'r cownter. Pam na fydde fe'n wynebu'r ffenest, fel pawb arall? Roedd e'n ei gwylio hi wrth iddi chwilio am gwpan. Damo. Anghofiodd hi ofyn ai cwpan neu fyg roedd e eisiau. Roedd Rich wedi dweud wrthi bod pobl yn medru bod yn ffysi ofnadwy. Meddyliodd am eiliad. Gallai hi gario hambwrdd â chwpan a myg, a phot o goffi arno, a chynnig y naill neu'r llall iddo. Dyna oedd y syniad gorau.

Wrth baratoi'r hambwrdd taflai Cara ambell gipolwg i gyfeiriad y bachgen. Roedd e wedi tynnu rhywbeth o'i boced ac yn ei ddarllen. Roedd e'n dal, ac yn llydan ei ysgwyddau, a'i wallt melyn trwchus wedi goleuo yn yr haul. Roedd ei jîns yn llac amdano a'i grys glas golau damaid ar agor gan ddangos mor frown oedd ei groen. Gwenodd arni a chochodd hithau'n fwy fyth wrth i'r pot o goffi orlifo.

Aeth â'r hambwrdd at y bwrdd. Gwyddai fod ei hwyneb yn goch ac roedd hi'n siŵr ei bod hi'n chwysu. Gobeithiai na fyddai'n sylwi. Symudodd yntau'n ôl yn ei sedd a chydio yn y papur roedd e'n ei ddarllen i wneud lle i'r hambwrdd. Syllai arni â'i lygaid tywyll a hanner gwên ar ei wyneb.

'Hoffi darllen?'

Doedd Cara ddim yn gwybod o ble daeth y geiriau.

'Rhywbeth fel'na,' atebodd yntau. Roedd hi'n methu dal ei lygaid yn iawn.

'Ma 'da fi ffrind. Ma fe'n hoffi darllen llyfrau.'

'Da iawn fe. Ond papurau sy o ddiddordeb i fi... Y gwirionedd t'mod... nid ffuglen.' Wrth siarad, gwthiodd y papur ymhellach o olwg Cara.

'Cwpan neu fyg?' gofynnodd hi heb edrych ar ei wyneb.

Roedd stêm y coffi'n codi i wyneb Cara.

'Mae e'n arogli'n lyfli,' meddai gan edrych ar Cara. Doedd honno ddim yn gwybod beth i'w ddweud. 'Pam nad eisteddi di? Cymera di'r cwpan ac fe gymera i'r myg,' meddai.

Doedd Cara ddim yn siŵr beth i'w wneud.

'Cara!' Daeth llais Rich o'r tu ôl iddi. 'Dere i helpu fi, 'nei di?'

Gan Rich roedd yr amseru gwaetha yn y byd.

'Well i fi beido, ond... d... diolch,' meddai Cara. Gosododd y myg o'i flaen a chrynai'i llaw wrth godi'r potyn coffi.

'Tro nesa, falle?' gofynnodd y bachgen.

'Falle,' atebodd Cara gan geisio achub unrhyw hunan-barch oedd ar ôl ganddi.

Trodd Cara a chario'r hambwrdd i'r gegin cyn sylweddoli ei bod hi wedi anghofio gofyn ei enw. 'Damo!' sibrydodd wrth helpu Rich i glirio'r ystafell gefn a chlywodd gloch y drws yn canu tu ôl iddi wrth i'r bachgen ifanc adael.

Roedd rhywbeth cynnes yn tyfu y tu mewn iddi. Rhyw deimlad roedd hi'n gyfarwydd ag ef. Teimlad peryglus braf a doedd hi ddim wedi cael llawer o'r rheiny ers cyrraedd y lle 'ma.

'Dere i ni gael bennu'r rhain,' meddai gan wenu ar Rich.

'Beth ddiawl sy'n bod arnot ti?' atebodd yntau a golwg chwareus ar ei wyneb wrth basio bocs iddi.

'Dim,' atebodd hithau, a'i meddwl wedi'i sodro ar y llygaid tywyll.

Pennod 20

Curai Cai'n ffyrnig ar ddrws y tŷ ac agorwyd e gan fam Casi. Roedd golwg bryderus arni. Gwthiodd Cai heibio iddi ac aeth i fyny'r grisiau i ystafell wely Casi. Daliai honno i orwedd yn y gwely er ei bod hi'n hanner awr wedi deg y bore.

'Ma nhw wedi arestio Steve...'

Cododd Casi mewn braw a thynnu'r cwrlid dros ei hysgwyddau rhag i Cai ei gweld yn ei phyjamas.

'Beth?'

'Ma nhw'n holi Steve am ddiflaniad Cara.'

Clywsai Cai ben bore a bu'n gwrando ar bob bwletin newyddion ar ôl hynny gan ei wneud yn hwyr i'r gwaith. Gwaeddodd ei fam arno wrth iddi gael ei 'ffag cyn brecwast' ar y soffa yn yr ystafell fyw. Ar ôl iddo fod yn ddi-waith am fisoedd roedd y garej wedi cynnig prentisiaeth iddo. Er bod y tâl yn uffernol, roedd yn gyfle. Tynnodd Cai ei oferôls amdano a chydio yn ei fag cyn gyrru ar draws y dre i dŷ Casi. Roedd honno wedi bod yn pallu mynd i'r ysgol ac yn gorwedd drwy'r dydd yn ei phyjamas yn syllu ar y teledu bach ar y wal yn ei hystafell wely.

Roedd newyddion Cai yn sioc iddi. 'Ond pam?' gofynnodd.

Symudai Cai ei bwysau o'r naill droed i'r llall. Roedd rhyw egni gwyllt ynddo a hwnnw fel petai'n brwydro i ddianc. Clywodd Casi ei mam yn dringo hanner ffordd i fyny'r grisiau a stopio er mwyn clustfeinio.

'Ma fform i ga'l 'da fe.'

'Beth?'

'Dim byd *official* ond pan odd e'n dysgu yn ei ysgol gynta ar ôl gadel coleg, ga'th e affêr 'da un o'r merched hyna.'

'Wir?'

'Nath hi ddim neud *complaint* yn ei erbyn e. Ffaelon nhw fynd â fe mlân na dim byd, felly sdim record i ga'l 'da fe... O'n nhw'n gweud bod y ferch yn ei garu fe. Newidiodd e ysgol wedyn. Symud mlân.'

'Odd Cara'n gweud nad odd e byth yn aros yn rhy hir yn yr un swydd.'

'Dim ein bai ni odd e, ti'n gweld?' meddai Cai. 'Rodd Steve a Cara 'di cwmpo mas. A'th e mas o'r tŷ wedyn a sneb yn gwbod i ble. I gerdded wedodd e, er na welodd neb e. Aeth Cara mas nes mlân a diflannu.'

'Odd hi wastad yn gweud ei fod e bach yn nyts, yn wyllt.'

'Ac yn yfed,' ychwanegodd Cai.

Sylwodd Casi fod ei oferôls yn rhy fawr iddo ac yntau'n gorfod troi'i lewys i fyny'i freichiau. Roedd ei wallt yn wlyb ar ôl bod mas yn y glaw mân. Edrychodd y ddau ar ei gilydd a sodrodd Cai ei lygaid ar y llawr.

'Dim 'yn bai ni oedd e,' meddai wedyn.

Nodiodd Casi. Daeth y naill yn ymwybodol yn sydyn o bresenoldeb y llall. Edrychodd y ddau ar ei gilydd.

'Dyle fe... ' dechreuodd Casi.

'Drycha... ' dechreuodd Cai 'run pryd.

Syrthiodd y ddau yn ôl i'r tawelwch. Tynnodd Casi anadl hir.

'Ddyle fe ddim fod wedi digwydd.'

'Gallwn ni anghofio fe nawr,' meddai Cai.

Cytunodd Casi. Roedd hi wedi bod yn trio anghofio am y peth ers iddo fe ddigwydd. Byddai pwysau'n gwasgu arni bob tro y byddai'n meddwl am y noson.

'Ti'n meddwl ei bod hi'n gwbod?' gofynnodd Cai eto.

'Nag odd, wi'n siŵr bod hi ddim.'

Gwyddai Casi fod Cara'n hoffi Cai. Ond roedd Cara'n un o'r rheiny a fyddai'n meddwl am y peth am fisoedd heb ddweud gair. Syllai arno fe o bell, yn ei hoffi fe mewn ffordd wahanol i Casi. Bu Cara'n ddall i'r edrychiadau cyflym a fu rhwng Cai a Casi. Doedd Casi erioed wedi meddwl y byddai Cara'n ddigon o ddifri i fynd a dweud wrtho sut roedd hi'n teimlo. Neu fyddai'r ddau byth wedi...

Wrth iddyn nhw syllu ar ei gilydd trodd meddyliau'r ddau yn ôl i sedd gefn ei gar, ryw wythnos cyn diflaniad Cara. Yr anadlu poeth... hithau yn ei gôl. Doedden nhw ddim yn adnabod ei gilydd yn dda, er i Casi fynd allan gydag un o hen ffrindiau Cai am ychydig. Gwelsai Cai mewn tafarnau ac mewn llefydd eraill lle na ddylai hi fod.

Teimlai Cai'n euog ofnadwy am ei fod wedi tynnu Cara allan ar noson dywyll heb yn wybod iddo a byddai Cara'n ail-fyw ei chelwydd ar y ffôn i Steve bob nos yn ei hunllefau.

Tra byddai Cai'n ceisio ymroi i'w waith, doedd Casi ddim wedi medru gwneud dim. Er i blant yr ysgol gyfan gael sioc o glywed am ddiflaniad Cara, doedd neb wedi'i heffeithio gymaint â Casi. Pan gafodd hi'r newyddion, gwrthodai gredu am amser hir. Roedd hi'n pallu credu y byddai Cara'n ei gadael heb ddweud gair. Roedd y ddwy mor agos. Prin bod un yn anadlu heb ddweud wrth y llall.

Yn nes ymlaen cerddodd i'r parc a sefyll wrth y goeden lle cafwyd hyd i esgid Cara. Dyna lle y daeth Cai o hyd iddi. Roedd yr heddlu wedi bod yn cwestiynu'r ddau a gofyn iddynt am restr o'u ffrindiau. Rhestrau o rifau ffôn. Bu Casi ar ddihun am oriau yn dyfalu beth allai fod wedi digwydd.

Roedd hi'n rhannu popeth â Cara. Pob teimlad, pob atgof, ers blynyddoedd – nawr, a Cara wedi mynd, roedd hanner ohoni hithau wedi diflannu hefyd. Hanner ei hanes. Hanner ei jôcs. Hanner popeth.

Pan gynhaliwyd gwasanaeth arbennig yn y neuadd wedi diflaniad Cara, teimlai Casi'n benysgafn gan nad oedd wedi bwyta'n iawn ers i'w ffrind ddiflannu. Rhedodd o'r neuadd ac o'r ysgol yn ei dryswch ac roedd hi'n methu meddwl am unrhyw un i'w ffonio. Yn y diwedd, ffoniodd Cai ac fe ddaeth i'w nôl a'i gyrru o gwmpas y dre am amser hir.

Methodd Casi fynd yn ôl i'r ysgol wedyn. Erfyniodd ei mam arni sawl tro ond heb lwyddiant. Aeth y ddau i'r apêl gan obeithio cael rhyw atebion, ond fe ddrylliwyd Casi gan lygaid oer Mags. Llygaid a oedd cyn hynny wedi gwenu arni wrth gario siocled poeth i fyny'r grisiau i'r ddwy pan fyddai hi'n aros gyda Cara. Byddent yn gosod matras wynt ar y llawr ond châi'r ddwy 'run winc o gwsg wrth rannu sibrydion a phoenydio Rhys. Ceisiodd ei mam ffonio Mags ond wnaeth Mags ddim hyd yn oed ateb y ffôn. Bu Cai a hithau'n helpu yn y neuadd adeg y chwilio ond cuddiodd Casi pan ddaeth Mags yno.

Roedd y newyddion hyn am Steve yn ddigon i lorio unrhyw un.

'Beth ti'n feddwl?' gofynnodd Casi.

'Sa i'n gwbod,' atebodd Cai, 'ond welest ti fe yn yr apêl 'na. Gweud dim byd. Ma nhw'n gweud mai aelodau o'r teulu sy'n gyfrifol am ladd y rhan fwya o bobl.'

Meddyliodd Casi am ei eiriau am ychydig. 'Ond Steve?'

Meddyliodd amdano'n ei ffonio hi. Yn ffonio gan wybod iddo wneud rhywbeth i Cara. Meddyliodd am ei lais yn swnio'n llawn pryder.

Cofiodd am Steve yn mynd â nhw fan hyn a fan draw yn ei gar. Steve yn gwneud yn siŵr ei bod hi'n cyrraedd adre'n saff ar ôl bod draw yn chwarae gyda Cara pan oedden nhw'n ifancach. Doedd yr holl beth ddim yn gwneud synnwyr.

'O'n i ddim yn 'i nabod e,' meddai Cai'n dawel. 'Ond do'n nhw ddim yn dod mlân. Wedodd Cara 'na wrthot ti… '

Meddyliodd Casi fel y byddai Cara'n difrïo Steve. Efallai ei fod e wedi cael llond bola. Wedi meddwl, byddai ei fywyd yn haws hebddi. Fel y tyfai, câi Cara fwyfwy o effaith ar y teulu. Efallai nad oedd lle iddi yn ei deulu bach.

'Ond Steve?' gofynnodd Casi eto mewn anghrediniaeth.

'Dere,' meddai Cai gan godi. Bachodd ei fag am ei ysgwydd. 'Cer i newid.'

'I beth?'

'I ni gael mynd am sbin. I feddwl… '

Nodiodd Casi, a chlywodd y ddau sŵn traed ei mam yn diflannu i lawr y grisiau ac i'r gegin. Caeodd Cai'r drws ar ei ôl a mynd i aros amdani ar y wal isel o flaen y tŷ. Cafodd Casi gawod a gwisgo, a'i meddwl yn gorlifo o feddyliau am Cara a Steve a pha mor erchyll oedd yr holl beth. Roedd ei mam ar y ffôn yn siarad â'i chymdogion yn barod, yn lledaenu'r newyddion.

PENNOD 21

Roedd yr haul yn ffyrnig a Leusa wedi gadael y tŷ'n barod. Roedd hi'n cyfarfod â rhywun, meddai, ac fe adawodd heb godi gwrychyn gormod o bobl. Roedd Beth wedi paratoi picnic ar y ford ac wedi perswadio'r lleill i gerdded i barc ymhellach i ffwrdd, am ei fod yn un mor arbennig.

Cariodd Ifan Lili ar ei gefn a chychwynnodd y pedwar i lawr y stryd. Canai Lili ar gefn Ifan a hwnnw'n disgrifio'r olygfa wrth iddyn nhw gerdded o flaen Beth a Cara.

'Ma'n ddrwg 'da fi fod mor dawel yn ddiweddar,' meddai Beth yn annisgwyl.

'Ti ddim... '

'Na, wi wedi bod. Wi jest ychydig bach yn drist weithie.'

'Wi'n credu bod pawb yn gallu deall 'ny, Beth.'

Gwenodd Beth arni a'i thrwyn yn crychu oherwydd ffyrnigrwydd yr haul. Roedd tipyn o bobl ar hyd y lle heddiw a'r awyrgylch ychydig yn ysgafnach wrth i bobl eistedd y tu allan i gaffis. Roedd Cara wedi gweithio'n galed ers diwrnodau ac fe roddodd Sadie ddiwrnod bant iddi. Siomwyd Cara a gobeithiai na ddeuai'r bachgen tal yn ôl a hithau ddim yno.

'Wi'n difaru ambell waith na... '

Edrychodd Cara arni. Roedd Beth y math o berson na ellid dychymygu bod ganddi lawer i ddifaru yn ei gylch.

'Difaru na ches i amser i ddweud ffarwél. Diolch iddyn nhw. Odd y cwbwl mor sydyn. Mor annisgwyl. Stiwpid.'

'Wi'n credu bod Ifan yn lwcus fel'na. O leia gath e amser i weud, i siarad.'

Nodiodd Beth. Cydiodd Cara ym mraich y fasged rhwng y ddwy, i rannu'r baich.

'Ti'n edrych yn well,' meddai.

'Odw, dod i arfer.'

'Fi'n falch. Ti'n dod i ben â phethe'n well na Leus.'

Tynhaodd gên Cara wrth i Beth enwi Leus. Allai hi ddim deall y ferch. Roedd ganddi ryw atgasedd at bawb, a byddai hyd yn oed Lili yn cael amser caled ganddi weithiau.

'Druan â hi,' meddai Beth yn dawel.

Synnodd Cara wrth glywed y geiriau. 'Druan â hi? Dyw hi ddim gwahanol i neb arall yn y lle 'ma,' atebodd Cara gan edrych ar y palmant.

'Ond ma pawb yn dod i ben â phethe mewn ffyrdd gwahanol.'

Doedd Cara ddim eisiau siarad am Leusa rhag iddi darfu ar eu diwrnod. Roedd Leusa wedi bod yn breuddwydio neithiwr eto ond fe adawodd Cara iddi fod y tro hwn a thrio mynd yn ôl i gysgu. Roedd y dôn oddefol yn llais Beth wrth siarad amdani yn mynd o dan groen Cara. Methai'n lân â theimlo'n garedig tuag ati.

Erbyn hyn roedden nhw wedi bod yn cerdded ers amser ac Ifan wedi blino cario Lili. Cerddai honno wrth ei ochr gan gydio yn ei law. Roedd y strydoedd yn lletach y pen yma i'r dre, a theimlad mwy gwledig i'r ardal. Roedd llai o frys ar bobl, ac eisteddai rhai y tu allan i'w tai'n gwylio pobl yn cerdded heibio.

'Odd 'da ti chwaer neu frawd?' gofynnodd Cara.

Lledaenodd gwên ar draws wyneb Beth.

'Chwaer fach.'

Methai Cara'n deg â chofio a oedd ganddi hithau un, ond

bu'n byseddu'r freichled yn amlach yn ddiweddar, yn enwedig ffigwr y bachgen bach aur. Bachgen bach nid annhebyg i Delo.

'Oeddech chi'n ffrindiau?'

Nodiodd Beth. Allai neb gwympo mas 'da Beth, meddyliodd Cara, hyd yn oed pe bydden nhw'n trio.

'Dyna sy'n neud y peth mor anodd… '

Meddyliodd Cara am ferch ifanc yn eistedd adre ar ei phen ei hun. Efallai eu bod yn rhannu ystafell hyd yn oed. Hithau'n teimlo mor unig heb ei chwaer fawr. Stopiodd Cara'n sydyn, a chan fod y ddwy'n cydio yn y fasged bu'n rhaid i Beth stopio hefyd.

Roedd y parc yn ymestyn yn hir o'u blaenau. Roedd yna lynnoedd a chylchoedd o goed o'u hamgylch. Disgleiriai'r dŵr yn llachar yn yr haul. Roedd yno barau'n taflu ffrisbi tra gorweddai grwpiau o bobl eraill yn mwynhau'r haul.

'Mae e'n lyfli on'd yw e?' gofynnodd Beth.

'Paradwys,' gwenodd Cara'n ôl.

Roedd Ifan a Lili'n rhedeg am y giatiau'n barod. Chwarddodd Beth a Cara gan ddilyn y ddau cyn gyflymed ag y gallent.

Gosododd Beth y flanced ar y borfa ac fe dynnodd Ifan ei fest a gorwedd â'r haul ar ei gefn. Rhannodd Beth y brechdanau a'r lemonêd. Aeth Lili ati ar unwaith i chwilio am y bêl ar waelod y fasged fwyd. Byddai hi'n ei thaflu ac yna'n gwrando lle byddai'n glanio cyn ei nôl â gwên fawr ar ei hwyneb. Rhoesai Ifan swp o lyfrau yng ngwaelod y fasged. Doedd dim rhyfedd ei bod hi mor drwm, meddyliodd Cara. Cydiodd yn un ohonyn nhw ac edrychodd Ifan arni o gornel ei lygaid.

'Watsha di. Ma nhw'n cnoi,' meddai o'r diwedd.

'Ha ha.'

Llyfr glas oedd e, a dim byd ond enw ar ei glawr.

'John M Wilcox,' darllenodd Cara cyn agor clawr y llyfr trwm. Gwyliodd Ifan hi'n dawel. Roedd hi'n boeth ac fe hoffai Cara fod wedi tynnu'i thop hefyd pe na bai Ifan yno. Edrychodd ar y geiriau. Roedd y rheiny'n dawnsio ar y tudalennau oherwydd y golau llachar. Ffliciodd drwy'r tudalennau.

'Wi wastad yn mynd at y diwedd, hefyd,' meddai Beth gan wenu arni.

Ffliciodd Cara i'r dudalen ola, ond wrth iddi edrych arni fe ymddangosodd tudalen arall. Edrychodd ar honno, ac ymddangosodd tudalen ar ôl tudalen. Roedd y llyfr yn ddiddiwedd. Edrychodd ar Ifan mewn penbleth.

'Mae e'n llyfr hir,' meddai wrthi â hanner gwên.

'Diddiwedd,' atebodd Cara.

'Dim yn ddiddiwedd. Wi bron â'i orffen e, ond bydde fe'n llawer rhy drwm i'w gario fel arall.'

Edrychodd Cara ar dudalen arall yn ymddangos. 'John M Wilcox,' ailadroddodd.

'Hen hen dad-cu i fi.'

'Odd e'n sgwennu llyfrau?' gofynnodd Cara.

Cododd Ifan ar ei benelin ac edrych ar Cara. Siglodd ei ben. 'Ma popeth nath e feddwl amdano i mewn fan'na.'

'Erioed?

Nodiodd Ifan. 'Mae pob un sy'n pasio trwy fan hyn yn gadel un o'r rheina ar ei ôl. Ei holl fywyd o fewn y cloriau 'na.'

Caeodd Cara'r llyfr unwaith eto. Syllodd ar y clawr. 'Pob peth?'

'A' i â ti i'r llyfrgell fory,' meddai Ifan gan bwyso'n ôl i orwedd. Rhoddodd ei fest dros ei wyneb er mwyn cysgodi rhag yr haul.

Gwyliodd Cara'i frest yn anadlu. Roedd olion cleisiau ar ei gorff, yn enwedig lle bu'r nodwyddau'n tyllu ym mhlygion ei freichiau. Ond roedden nhw'n gwella, a'i groen fel petai'n troi'n lliw iachach yn yr haul. Weithiau, roedd hi'n siŵr fod ganddo wallt newydd yn tyfu, gan fod rhyw wrid tywyll ar ei ben. Sylwodd Cara fod ei ddwylo'n fawr ac yn llydan, a bod ganddo freichled arian fel bandyn am un o'i arddyrnau.

Gorweddodd Cara am ychydig a gadael i'r haul ei chynhesu. Clywodd sŵn Lili'n dod i eistedd a Beth yn ei helpu i fwyta. Clywodd hi'n sipian yn swnllyd o fyg hefyd. Aeth y ddwy am dro wedyn, a gorweddodd Cara yng nghwmni tawel Ifan yn gwrando ar y gwenyn yn hymian yn ddiog o'u cwmpas. Roedd hi'n braf teimlo'r gwres. Cofiodd iddi deimlo'r gwres ar ei chroen o'r blaen. Am eiliad fe glywodd sŵn y môr unwaith eto. Sŵn y môr a sŵn chwerthin. Roedd hi'n siŵr ei bod hi'n breuddwydio. Dwy ferch. Ffrindiau. Gwres yr haul yn bywiogi pob nerf. Dwy ferch yn chwerthin ac yn sgrechian ac yn rhedeg nerth eu traed at y môr. Carreg ateb o atgof. Gorweddodd Cara a'i braich bron yn cyffwrdd â braich Ifan.

'Oi!'

Roedd Lili wedi gollwng llond myg o ddŵr ar ei hwyneb. Cododd ar ei heistedd. Roedd Lili'n wan gan chwerthin ac yn rhedeg i ffwrdd cyn gynted ag y gallai'r coesau bach ei chario. Agorodd Ifan ei lygaid a chodi ar ei eistedd gan chwerthin yn uchel. Roedd Lili wedi llenwi'r myg â dŵr o'r llyn a'i gario'n ôl yn ofalus. Neidiodd Cara ar ei thraed.

'Reit, Lili! Dere 'ma i fi gael gafel ynddot ti! Gewn ni weld wedyn oes goglais arnot ti!'

Gwyliodd Ifan a Beth nhw'n mynd, a gwenu wrth i Cara estyn ei breichiau allan i ddal y ferch fach. Rhedodd ar ei hôl, a honno'n rhedeg o gwmpas y coed nes daeth y ddwy at wal y parc. Roedd hi'n dywyllach yn y fan honno a doedd dim golwg o Lili. Safodd Cara am eiliad i gael ei gwynt yn ôl gan edrych ar goeden anferth a dyfai ar bwys y wal. Wrth syllu arni anghofiodd y cyfan am y gwres a'r parc. Roedd hi'n goeden dywyll a wal y parc yn edrych mor gyfarwydd. Teimlodd ei phen yn dechrau troi a rhyw ofn yn tyfu y tu mewn iddi a dechrau llenwi pob modfedd ohoni. Ceisiodd redeg ond roedd ei thraed yn sownd yn y ddaear. Roedd hi eisiau sgrechian a gweiddi, ond teimlodd ryw ddwylo anweledig yn gwasgu'i gwddf. Dechreuodd grio, gan mai dyna'r unig beth y medrai hi wneud.

Clywodd sŵn y tu ôl iddi a throdd Cara i edrych. Roedd Lili'n ddiogel ym mreichiau Beth, ac Ifan yn cerdded tuag ati.

'Cara?'

Stopiodd yn stond pan welodd ei dagrau.

'Beth sy?'

Edrychodd Cara ar y goeden ac yna'n ôl ar Ifan.

'Cara?'

Sylwodd Ifan fod ei hwyneb hi'n llwyd. Estynnodd ei law ati, ond cerddodd yn gyflym heibio iddo.

'Wi jest ise mynd adre,' meddai, a'i holl gorff yn crynu.

PENNOD 22

Bu'r straeon yn blastar ar hyd y papurau. Allai Mags ddim credu eu bod nhw'n medru enwi Steve a dim byd wedi'i brofi yn ei erbyn. Fe dreuliodd hi'r dydd yn eistedd yn ystafell aros gorsaf yr heddlu. Cariai rhyw blismones fach ifanc baneidiau o de iddi gan addo y câi hi ei weld e'n fuan ond daeth yn ôl yn y diwedd a dweud eu bod nhw wedi newid eu meddwl. Allai Mags ddim gadael drwy brif ddrws gorsaf yr heddlu a gyrrwyd hi adref mewn car plaen o'r drws cefn. Diffoddodd y gyrrwr y radio wrth i'r newyddion lleol ddechrau sôn am yr achos.

Cyrhaeddodd adre fel roedd Helen yn dod i lawr y grisiau wedi bod yn rhoi dillad glân i gadw. Safodd am eiliad ac edrych ar Mags. Cododd honno'i hysgwyddau cyn taflu'i bag ar y soffa yn yr ystafell fyw a mynd i'r gegin. Agorodd gwpwrdd a chydio mewn potelaid o win coch – potelaid ddrud a gadwasai Steve a hithau ar gyfer achlysur arbennig. Roedd Helen yn pwyso ar ffrâm drws y gegin.

'Bach yn gynnar,' meddai hi.

Arllwysodd Mags y gwin i wydryn.

'Dw't ti ddim ise un, 'de? Gwd,' meddai gan wasgu'r corcyn yn ôl i dop y botel. 'Mwy i fi.'

Gwthiodd heibio i Helen gan gario'r gwin a mynd i eistedd yn yr ystafell fyw.

Byth ers i Steve gael ei gymryd i'r ddalfa roedd Helen wedi bod draw bob dydd ac er ei bod hi'n llawer o help gyda Rhys roedd rhyw awgrym o 'ddwedes i' ym mhob edrychiad. Eisteddodd gyferbyn â Mags.

'Rili wedi neud cawlach o beth, on'd dw i?' gofynnodd

Mags ar ôl cymryd dracht o win. 'Hapus nawr?' gofynnodd wedyn.

Tynnodd Helen anadl hir a phwyllo. 'Dim gobeth ei ga'l e mas heno?'

Siglodd Mags ei phen. 'Wi ddim yn deall pam na fyse fe wedi gweud wrtha i.'

Edrychodd Helen ar y llawr. 'Wel, dyw e ddim yn rhywbeth w't ti'n weud wrth fenyw hŷn… w't ti newydd gwrdd ac ise'i phriodi hi, ody e?'

Gallai Mags synhwyro dau gyhuddiad yng ngeiriau ei chwaer. Un oedd bod Steve yn anaeddfed ac yn rhy ifanc iddi, a'r llall oedd eu bod wedi priodi ar ormod o frys.

'Dim fe nath, Helen,' syllodd Mags arni.

Nodiodd honno.

'Dim fe nath!' Cododd ei llais y tro hwn ac roedd ei llaw'n crynu. Rhythodd ar ei chwaer am ychydig cyn cymryd llwnc arall o win.

'Wi'n gwbod,' meddai honno o'r diwedd.

'Ma nhw'n desbret i ddod o hyd i unrhyw un. Ma'r papure ac ymgyrch y neuadd yn rhoi pwyse arnyn nhw.'

Cytunodd Helen mewn tawelwch. Eisteddodd y ddwy am eiliad, a Mags yn chwyrlïo'r gwin o gwmpas y gwydryn yn ddiamynedd.

''Se fe jest wedi gweud wrtha i, Helen. Gallen ni fod wedi gweud wrthon nhw mod i'n gwbod. Bod dim cyfrinache. Odd gas 'da fe gyfrinache ac wedyn ma fe'n neud hyn. Ma fe'n edrych yn wael, on'd yw e?'

'Lle a'th e, 'te? Y nosweth 'ny?'

'Cerdded oedd e!'

'Ie, ond yn lle 'te?'

‘Sa i’n gwbod, ond wi *yn* gwbod, neithe fe ddim byd fel’na!’

Cymerodd Mags lwnc arall o win. Plethodd Helen ei bysedd fel pe bai’n mynd i weud rhywbeth. Gwyliodd Mags hi, a’r gwin coch yn dechrau llacio’i hysgwyddau. Fyddai hi ddim yn yfed rhyw lawer fel arfer a doedd hi heb fwyta drwy’r dydd. Aeth y gwin yn syth i’w phen.

‘Ma’r neuadd… ma pawb yn neud eu gore.’

Nodiodd Helen.

‘Cadw’r stori yn y newyddion. Rhai ohonyn nhw’n protestio tu fas i orsaf yr heddlu, achos Steve. Nabod e.’

‘Gwranda, Mags,’ meddai Helen yn ansicr. ‘Wi’n gwbod bod hi ddim yn amser da, ond ma’n rhaid i fi weud er lles…’

‘Beth?’ gofynnodd Mags, gan adnabod yr olwg ar wyneb ei chwaer.

‘Wi’n becso am Rhys… dyw e ddim yn byta, Mags.’

‘Ody, mae e.’

‘Nadi. Ffindies i ei swper e dan y gwely. A sawl swper arall yn llwydo.’

Edrychodd Mags arni mewn syndod. Roedd ei chwaer yn medru gwneud wyneb ‘dyletswydd’ yn dda.

‘Mae e’n llwyd ac yn dene.’

‘A finne ’fyd,’ meddai Mags.

‘Ond mae e’n fach ac yn eiddil, Mags,’ meddai hi wedyn. ‘Wi’n meddwl falle bod ise help arno fe. Gweld rhywun, falle.’

‘Shrinc?’ gofynnodd Mags mewn anghrediniaeth.

‘Dyw e ddim yn iawn… ’

‘Bydd e’n iawn!’ meddai Mags gan godi ar ei thraed.

‘Mae e ’di cael sioc. Ry’n ni i gyd wedi cael sioc. ’Se fe ddim yn ypset bydde rhywbeth mawr yn bod.’

‘Ond y byta ’ma… ’

‘Mae e wastad ’di bod yn fytwr ffysi.’

Meddyliodd Mags y gallai Rhys gael ei gymryd oddi arni a saethodd rhyw ofn drwyddi. Symudodd at ochr y soffa, yn agosach at Helen.

‘Plis, Helen, bydd e’n iawn. Plis paid â neud ffys. Ry’n ni’n iawn. Paid â ’ngadel i ar ’y mhen ’yn hunan. Sneb ’da fi, Hels… Fe edrycha i ar ’i ôl e, neud yn siŵr ’i fod e’n byta. Iste ’da fe.’

Roedd Helen yn astudio wyneb ei chwaer. Syllodd arni cyn nodio’i chytundeb o’r diwedd.

‘Jest watshia fe, ’na i gyd… ’ rhybuddiodd Helen eto. Cododd yn flinedig o’r gadair a chwilio am ei chot. ‘Ma cyngerdd ’da’r plant heno… yn yr ysgol.’

‘Cer di, bydda i’n iawn.’

Casglodd Helen ei chot mewn tawelwch, agor y drws a diflannu. Arllwysodd Mags wydraid arall o win. Roedd llythyron heb eu hagor yn bentwr ar y bwrdd o’i blaen. Llythyron. Cardiau. Doedd ganddi mo’r galon i ddechrau eu hagor, er y gwyddai fod biliau heb eu talu. Ond roedd delio â phethau felly, fel cyfaddef bod yn rhaid troi’n ôl at fywyd cyffredin.

Daeth cnoc ysgafn ar y drws. Aeth Mags i’w ateb. Tim oedd yn sefyll yno a dilynodd hi i’r ystafell. Edrychodd arni am eiliad fel pe bai’n ceisio darllen y sefyllfa. Roedd e’n amlwg ar y ffordd adre o’r gwaith.

‘Gymri di un?’ gofynnodd Mags gan bwyntio at y botel. Teimlodd yntau’n ansicr am eiliad cyn rhesymu nad oedd bellach ar ddyletswydd.

'Pam lai?' meddai. Aeth Mags i'r cwpwrdd, estyn gwydryn arall, ac arllwys gwin iddo. Eisteddodd yntau lle bu Helen yn eistedd.

'Dim ond galw i weld sut ma pethe o'n i... ar y ffordd adre.'

Eisteddodd Mags ar y soffa a'r gwin yn dechrau'i chynhesu.

'O'n i jest ise dod draw i weud 'yn bod ni'n ailedrych ar rai enwau yn y dyddiadur. Ma 'da ni uned yn cadw llygad ar Meical Morgan.'

'Y dyn o'r caffi?' Neidiodd calon Mags.

Nodiodd Tim. 'Odd e'n dangos diddordeb yn yr achos, ac ma hynna'n galler bod yn arwydd.'

'Doth e i'r apêl... weles i fe yn y caffi... doth e 'ma i gynnau cannwyll.' Roedd meddwl Mags ar rhuthr.

'Ni'n gwbod. Paid codi gormod ar dy obeithion. Ond mae'n werth ei gadw mewn golwg, wi'n meddwl... '

Nodiodd Mags. 'O leia ma rhywbeth yn digwydd,' meddai hi.

'Sdim prawf 'da ni na dim 'to, ond byddwn ni'n cadw llygad ar 'i symudiade, 'i wylio fe. Wi ddim ond yn gweud rhag ofn i ti fynd ar gyfyl y boi. Deall?'

Nodiodd Mags.

'Dy'n ni ddim ise iddo fe ga'l unrhyw gliw 'yn bod ni'n cadw llygad arno fe. Wi ddim yn credu bydd Steve i mewn yn hir... '

Edrychodd Mags ar y gwin o'i blaen. Meddyliodd am Steve ac am Meical. Meical a'i wyneb yn llawn tosturi. Steve a'i wyneb yn llawn ofn a galar. Edrychodd Mags ar Tim a'i holi.

'Wyt ti'n briod, Tim?'

Cafodd syndod iddi ofyn y cwestiwn mor uniongyrchol. 'Na. Ddim wedi cwrdd â'r fenyw iawn, siŵr o fod,' meddai gan edrych ar y gwin.

Edrychai fel petai yn ei bedwardegau ond roedd ganddo wyneb ifanc. Roedd e'n dal ac yn sgwâr a golwg solet arno. Meddyliodd Mags y gwnâi ŵr da i rywun.

Slaciodd ei dei ychydig trwy fachu bys o dan ei goler.

'Ma'n perthynas ni wedi'i selio ar wirionedd, ti'n gweld,' meddai Mags wedyn.

Edrychodd Tim braidd yn anghyfforddus.

'Ond ar fy rhan i oedd hynny, wi'n meddwl. Nath e fynnu mod i'n hollol onest tra odd e'n cuddio'i gyfrinachau'i hun. Merch ysgol!'

Roedd Mags yn brwydro yn erbyn yr awydd i chwerthin. Rhwbiodd ei phen wrth i'r gwin gymylu ei meddwl.

'Ma nhw'n mynd i'w gadw fe mewn am ychydig bach. Ma rhagor o gwestiyne 'da fe i'w hateb a wedyn wi'n siŵr y ceith e ei ryddhau.'

Nodiodd Mags. 'Mor blydi anaeddfed,' meddai hi, 'yn wahanol i'r gwin 'ma.' Symudodd Mags ei phwysau yn agosach at ochr y soffa. Agorodd ei llygaid yn lletach. 'Wi'n gwbod ei bod hi'n dal 'ma, Tim... '

'Pwy?'

'Cara. Wi'n gwbod bo ti ddim yn 'y nghredu i ond dyw hi ddim wedi mynd. Wi'n galler teimlo 'ny... '

'Mags... '

'Wi'n gwbod beth ti'n mynd i weud, ond... '

'Ma'n well peido meddwl am bethe fel'na, Mags... '

Gwyliodd Mags ef yn cymryd llwnc arall o'r gwydryn yn ei ddwylo.

'Ti'n gwbod, ar ôl yr holl flynydde. Wi ddim yn gwbod pam ma'r pethe ma'n digwydd,' meddai yntau'n dawel. Sleifiodd cysgodion tu ôl i'w lygaid. Yr holl farwolaethau, yr holl ddiflaniadau.

'Na fi,' cytunodd Mags gan arllwys gweddill y botel i'w gwydryn hi. Rhoddodd yntau ei law dros geg ei wydryn ef.

'Dreifio,' meddai'n dawel. 'A sut ma Rhys?'

Meddyliodd Mags am eiriau Helen.

'Iawn, wel… fel mae e,' meddai hi. 'Ma'n anodd gwbod beth i weud wrtho fe.'

'Roedd hi'n galler ysgrifennu'n dda, on'd oedd hi?' meddai Tim ar ei thraws. 'Cara.'

Meddyliodd Mags am y cerddi a'r disgrifiadau. 'Oedd.'

'O'ch chi siŵr o fod yn browd iawn ohoni.'

Edrychodd Mags arno gan orffen y gwydred o win. 'Ti'n gwbod beth, Tim? Do'n i ddim yn gwbod.'

'Beth?'

''I bod hi'n sgrifennu.' Syllodd arno a holl flinder a straen yr wythnosau diwethaf yn eglur ar ei hwyneb. 'A dweud y gwir, fi'n dechre ame erbyn hyn ydw i'n nabod unrhyw un o gwbwl… '

PENNOD 23

'Ti'n barod 'te?' gofynnodd Ifan a'r llyfr glas dan ei gesail.

Roedd Cara wedi bod yn gwylio Lili a Beth yn chwynnu yn yr ardd drwy'r bore. Doedd hi ddim wedi cysgu llawer a bu'n breuddwydio am y goeden dywyll a'r parc.

'Dere mlân… '

Roedd Ifan wedi addo mynd â hi i'r llyfrgell ond doedd arni ddim llawer o chwant mynd. Byddai'n well ganddi eistedd yn gwylio'r merched yn clirio'r ardd. Bu Lili a Beth yn cynllunio beth i'w blannu am amser hir a bu'r ddwy'n dewis hadau addas i greu border lliwgar. Roedd Lili wedi gofyn i Cara ddisgrifio'r lluniau ar amlenni bach yr hadau ac fe soniodd Cara hefyd am fylbiau daliahs lliwgar a lilis. Er bod Lili'n penglinio yn y pridd, doedd ei gŵn nos gwyn ddim yn dwyno dim a chydiodd Beth yn ei dwylo bach er mwyn ei harwain hi at y lle roedd angen tyllu â'r trywel. Doedd Cara ddim wedi sylwi rhyw lawer ar y tymhorau. Roedd fel petai hi'n haf tragwyddol yma ac roedd y ddwy'n plannu heb gwestiynu a fydden nhw'n tyfu. Edrychai'r ddwy mor fodlon, ac fe gododd Cara gan feddwl y byddai'n well iddi eu gadael i fwynhau'r diwrnod heb ei phresenoldeb tywyll hi ar y fainc.

Yng nghanol y dre roedd y llyfrgell ac er y disgwyliai Cara adeilad tywyll fel lle'r doctor roedd hwn yn olau a chynnes, rhyfeddol o brysur. Wrth y fynedfa roedd bwa anferth o garreg olau, a llyfrau aur yn hofran ychydig fodfeddi'n is na'r nenfwd fel adar yn ymestyn eu hadenydd. Allai Cara ddim gweld unrhyw gysylltiad rhyngddyn nhw a'r nenfwd, wrth i'r llyfrau grynu fel petaent yn fyw. Gwenodd Ifan arni a'i harwain o gwmpas grŵp anferth o hen bobl yn eu sgidiau rhedeg gwynion a'u capiau pig. O'u blaenau cerddai merch ifanc yn cario baner liwgar er mwyn i'r hen bobl wybod pa arweinydd i'w ddilyn.

'O'n i'n meddwl bod llyfrgelloedd i fod yn llefydd tawel,' meddai Cara.

Tynnodd Ifan hi gerfydd ei llaw, a'i hwyneb fel petai'n ymlacio wrth groesi'r trothwy. Roedd yn rhaid i bawb gael carden darllenydd ac eisteddai merch ifanc tu ôl i ddesg yn cynnig ffurflenni i bawb. Llenwodd Cara'i henw a'i chyfeiriad a sefyll gyferbyn â desg y weinyddes. Daeth fflach ac fe brintiwyd llun ohoni. Gwasgodd y weinyddes ef ar gerdyn darllenydd a'i roi i Cara.

'Llun neis,' meddai Ifan a gwên sych.

'Bydd ddistaw, 'nei di?' meddai hithau gan edrych ar ei garden yntau. 'Dw't ti ddim yn *god's gift* dy hunan yn y llun 'na.'

Edrychai Ifan yn llwydach yn y llun ar y garden nag oedd e erbyn hyn. Roedd yr haul wedi rhoi lliw ar ei groen, a'i ysgwyddau fel pe baen nhw wedi lledu.

Arweiniai'r grisiau tryloyw at lawr cyntaf y llyfrgell ac roedd lifftiau di-ri yn y lobi agored a'i lawr o farmor patrymog moethus. Syllodd Cara ar y drysau hudolus. Ar yr un agosa roedd hieroglyffau cywrain wedi'u peintio mewn aur ac arian. Roedd lliwiau'r Aifft o oren a chopor o'u cwmpas a llythrennau, na ddeallai hi, yn sgleinio. Weithiau fe fyddai'r symbolau'n diflannu a rhai gwahanol yn ailymddangos ar y drws. Ar y drws arall roedd symbolau Tseinïaidd – drws o lacyr du a llythrennau coch cryfion yn swatio mewn rhesi. Dilynodd Cara Ifan gan astudio drws ar ôl drws, pob un â sgript wahanol arno. Gwnâi'r gwahanol lythrennau a symbolau i'r lle edrych yn lliwgar a symudiad y llythrennau ar y drysau'n gwneud i'r adeilad ymddangos fel pe bai'n cyfathrebu â phawb. Doedd y llyfrau a ddarllenasai Cara o'r blaen ddim wedi edrych fel hyn, na'u llythrennau wedi disgleirio fel cerrig gwerthfawr. Du a gwyn oedd y tudalennau, nid porffor, sgarlad na'r du melfedaidd oedd ar y drysau.

'Dere mlân,' clywodd lais Ifan yn galw o'r pellter.

Roedd ar un drws sgript Ladin o liw nefi tywyll a'r llythrennau o aur. Pob llythyren yn daclus mewn llinell a'r artist fel petai wedi ymroi i'r gwaith – wedi cael pleser wrth anwesu ochrau'r llythrennau â'i frws paent, gan rwbio'r aur ar y siapiau lluniaidd nes eu bod yn sgleinio. Tra safai Cara i edrych, gwasgodd Ifan fotwm y lifft. Trodd Cara i edrych ar y drws nesa yn y coridor. Roedd hwnnw'n brydferthach byth a lluniau o lynnoedd a chaeau ac ynddynt y blodau rhyfedda a welsai Cara erioed. Yn y cefndir roedd mynydd yn codi ac adar lliwgar yn cylchu'r awyr. Roedd yno enfys hefyd, a'i liwiau o borffor, coch a melyn wedi'u hadlewyrchu yn nŵr y llyn. Wrth ymyl y dŵr, roedd dyn a menyw hollol noeth – hi'n wyn ei chroen ac yntau'n dywyll a'r ddau'n sefyll gan edrych ar eu hadlewyrchiad yn y dŵr. Roedd eu gwenau'n ddedwydd a'r ddau wedi ymgolli.

Sylwodd Ifan arni'n syllu.

'Ewn ni fan'na tro nesa. Drws i bobl sy'n defnyddio iaith mewn ffyrdd gwahanol – adrodd straeon, breuddwydion yr aborigini, barddoniaeth, a chwedle plant bach, pethe fel'na…'

Roedd noethni'r dyn a'r fenyw yn denu'i llygaid a'u hwynebau'n hapus ac yn loyw. Sylwodd Cara fod y coridor yn newid i wydr a hwnnw'n nadreddu ymhell i ffwrdd nes dod at dŵr ym mhen pella'r llyfrgell lle roedd drws aur ar siâp llyfr. Ymestynnai waliau o farmor gwyn i fyny i'r awyr.

'Beth sy lawr fan'na?'

Edrychodd Ifan dros ei hysgwydd. 'Dw i ddim yn siŵr – dim ond y Gofalwyr sy'n cael mynd 'na.'

Sylwodd Cara mai dim ond pobl mewn siwtiau glas golau a anelai at y drws hwnnw. Crychodd ei thalcen. Sibrydodd Ifan yn ei chlust.

'Wedodd rhywun wrtha i mai coeden sy 'na.'

'Coeden?'

'Coeden anferth sy'n tyfu ers cyn co. Yn dangos sut mae pawb yn perthyn i'w gilydd.' Winciodd Ifan arni cyn dechrau chwerthin a chodi'i ysgwyddau. Roedd drws y lifft wedi agor. 'Dere.'

Camodd y ddau i mewn i'r lifft. Roedd botymau di-ri ar y wal a phob iaith a ddefnyddiai'r sgript Ladin wedi'u nodi ar bwys pob botwm. Gwenodd Ifan arni wrth wasgu'r botwm Cymraeg.

'Dy'n nhw ddim yn rhannu pobl yn ôl eu gwledydd,' meddai Ifan, 'dim ond yn ôl y sgript ma nhw'n ei defnyddio i fynegi ei hunain.'

Nodiodd Cara gan ddal i syllu ar yr addurniadau o'i chwmpas a'r llythrennau'n denu ei llygaid.

Agorodd drysau'r lifft. Roedd y llawr yn llawn o ddesgiau a phobl yn pori drwy lyfrau. Edrychai ambell un allan drwy'r ffenestri gwydr dros y ddinas islaw.

Ar ochrau'r ystafell roedd silffoedd hanner crwn, un ar gyfer pob llythyren o'r wyddor, a'r rheiny'n troi fel olwynion a hanner ohonynt yn diflannu i mewn i'r welydd wrth iddyn nhw droi.

Ar y wal wrth eu hymyl roedd rhifau o un i ddeg a

llythyren aur ar y wal uwchben pob silff. Edrychodd Ifan ar y llyfr yn ei law ac arwain Cara at y silff â'r llythyren W uwch ei phen. Gwasgodd ei garden darllenydd ar banel uwchben y rhifau a dechrau gwasgu'r rhifau ar y wal. Dechreuodd y silff symud mewn cylch. Roedd y llyfrau'n cymylu yn un rhes wrth i'r silff droi, a'r symudiad yn creu awel ar wyneb Cara. Yna stopiodd y silff ac fe osododd Ifan y llyfr yn ôl arni.

'Galli di ga'l unrhyw lyfr.'

'Unrhyw un?' gofynnodd Cara.

'Dim ond i ti chwilio amdanyn nhw yn y llyfrau 'na fan'na – cofrestr y meirw… '

Pwyntiodd Ifan at y bwrdd lle roedd y llyfrau mawrion ar agor. 'Chwilia am y DM,' meddai wrthi.

'DM?' Edrychodd Cara dros ei hysgwydd arno.

'Dyddiad Marw, a rhoi'r rhif yn y wal.'

'Unrhyw un?' gofynnodd Cara eto.

'Wel, unrhyw un sydd wedi marw. Perthynas. Ffrind. Elvis. Cofia, ti'n gorfod bwcio'r enwogion. Ma rhestr aros hir amdanyn nhw.'

Dangosodd Ifan y llyfrau iddi – roedden nhw'n ddu ac yn drwm ac yn ddiddiwedd fel llyfr tad-cu Ifan. Agorodd Cara dudalennau un llyfr. Roedd enwau wedi'u rhestru ar un ochr i'r dudalen a'r rheiny'n symud pan ymddangosai enw arall o rywle. Byddai'r enwau'n gwneud lle i'r enw newydd a'r inc yn cryfhau nes bod enw solet arall ar y dudalen.

Gwenodd Ifan arni. 'Un arall wedi cyrraedd.'

Edrychodd Cara ar y dudalen mewn syndod.

'Iesu, fe sy â'r rhestr aros fwya. Wedyn Hitler. Einstein. Cleopatra. Owain Glyndŵr.'

Teimlodd Cara rhyw gynnwrf ynddi. 'Iesu? Ti'n jocan?'

Siglodd Ifan ei ben.

'Y Beibl?'

'Na, llyfr o feddyliau Iesu yw hwn. Ffeithie, hanes ei fywyd bob dydd. Llyfr o straeon yw'r Beibl.'

'Y rhai Cymraeg sy fan hyn, wrth gwrs. Ma'n rhaid i ti fynd i'r lloriau eraill i chwilio am y lleill. Ma cyfieithwyr i ga'l hefyd ar y llawr isa. Ti jest yn rhoi llyfr iddyn nhw ac fe ddôn nhw â chyfieithiad i ti erbyn y diwrnod wedyn. Wi wedi mynd trwy 'nheulu i gyd bron. Hen dad-cu. Galli di neud pan… '

Edrychodd Cara arno'n sydyn. 'Pan ddechreua i gofio?'

Gwenodd y ddau ar ei gilydd am eiliad. Crwydrodd meddwl Cara'n ôl at yr adeg pan gyrhaeddodd yr Arhosfyd. Yn ôl at y cwt pren a swatiai ar waelod y ffens weiren bigog o amgylch y ddinas. Cofiodd, yn y niwl, i Delo ddangos llyfr i'r dyn tu ôl i'r cownter.

'P… pan ddes i 'ma, rodd llyfr 'da Delo. Dangosodd e'r llyfr i'r dyn y tu ôl i'r cownter. Rhoddodd hwnnw stamp arno fe.'

'Dy lyfr di.'

'Ond lle ma fe nawr? 'Da Delo?'

'Dyw'r llyfr heb ei orffen 'to, ma'r rhan bwysica ar ôl.'

Edrychodd Cara arno.

'Dy fywyd di fan hyn.' Teimlodd Ifan gorneli'r llyfrau anferth o'i flaen â'i fysedd. 'Ma'n rhaid i ti fennu'r llyfr gynta. Pan fyddi di'n gadel fan hyn, bydd y llyfr yn ymddangos.'

Meddyliodd Cara. Ei llyfr hi ei hun.

'Popeth ynddyn nhw? Popeth dw i wedi meddwl amdano erioed?' gofynnodd.

'Bydd… '

'Ond ma pawb yn dechre fel plant. Fyddet ti'n sgipio dros y darne cynta, siŵr o fod.'

Siglodd Ifan ei ben.

'Synnet ti faint o ddylanwad mae digwyddiade cynnar yn 'i gael ar bobl pan fyddan nhw'n hŷn – rhaid i ti fod yn ofalus pa rai rwyt ti'n eu dewis. Wi'n lico ystafell y llunie a'r geirie mewn llunie lawr stâr.'

Meddyliodd Cara am y drws a lluniau'r dyn a'r fenyw noeth arno.

'Ond beth yw'r pwynt? Straeon… barddoniaeth, pethe fel'na?'

Roedd hanner gwên ar wyneb Ifan.

'Wel, ma lot o lyfre fel'ny yn trio dadansoddi bywyd.'

Edrychodd Cara o'i chwmpas.

'Ond ma'r gwirionedd fan hyn. Ffeithie.'

'Falle,' meddai Ifan yn ara.

'Eniwe. Beth ti am ddarllen nesa 'te?' gofynnodd Cara a chau'r llyfr o'i blaen.

'Wel,' meddai Ifan a'i lygaid yn goleuo. 'Ro'n i'n meddwl am gapten y *Mary Rose*.'

'Y *Mary Rose*?'

'Llong oedd hi. Diflannodd y criw a'r capten. *Mystery* llwyr. Wi bron â marw ise gwbod beth ddigwyddodd iddyn nhw.'

'*Geek*,' meddai Cara.

Gwenodd Ifan arni. 'Awn ni i'r llawr Saesneg?' gofynnodd.

'Ie!'

Bu'r ddau ar y llawr Saesneg am amser hir. Roedd y llawr hwnnw'n brysurach a'r silffoedd yn llawer mwy. Roedden nhw'n troi'n ddi-stop a phobol yn sefyll mewn ciwiau er mwyn gwasgu'r rhifau aur ar y welydd. Arhosodd Ifan ei dro gan edrych dros ei ysgwydd ar Cara bob nawr ac yn y man. Eisteddai honno ar bwys y wal wydr yn edrych allan dros brif fynedfa'r llyfrgell. Roedd Ifan am gasglu llyfr i Beth hefyd. Roedd honno eisiau darllen am ei mam-gu.

Roedd yr haul yn tywynnu drwy'r ffenest ac yn ei chynhesu. Eisteddai pobl y tu allan yn darllen, rhai ar eu pennau'u hunain ac eraill mewn grwpiau. Syllodd Cara ar eu hwynebau nes iddi sylwi ar ffigwr cyfarwydd yn camu o'r brif fynedfa a sawl llyfr trwchus o dan ei gesail. Neidiodd calon Cara. Roedd ei grys yn olau a'i gerddediad yn bendant wrth iddo anelu at ganol y dre. Roedd ei wallt wedi goleuo hefyd ac fe gododd awydd sydyn arni i guro ar y gwydr a cheisio tynnu'i sylw ond doedd hi ddim hyd yn oed yn gwybod enw'r bachgen o'r caffi. Gwyliodd ei gefn yn diflannu, a gwyddai iddi golli cyfle am ei hi bod yn y llyfrgell ddwl 'ma'n aros am Ifan.

Daeth Ifan ati a dau lyfr o dan ei gesail. 'Barod?' meddai â gwên.

'Edrych fel 'ny on'd yw hi?' atebodd hithau'n swrth, gan gerdded allan heb hyd yn oed edrych ar y drysau hardd. Dilynodd Ifan hi mewn penbleth.

PENNOD 24

Gan fod y tywydd mor braf roedd galw mawr am bicnics yn y caffi ac roedd Cara a Rich wedi bod yn paratoi basgedi drwy'r bore. Roedd Sadie'n cael diwrnod rhydd ac roedd y caffi ei hun yn weddol dawel.

'Rich?'

'Ie?' atebodd hwnnw gan daflu llond dwrn o grystiau i gwdyn gerllaw. Byddai Rich yn mynd â nhw 'da fe bob nos ac yn eu bwydo i'r adar.

'Wyt ti'n darllen weithie?'

Trodd Rich i'w hwynebu gan wenu. 'Darllen?' Cododd ei aeliau gan rwbio'r briwsion oddi ar ei ddwylo. 'Beth ti'n feddwl? *Magazines*? Pethe fel'na?'

'Na.' Doedd Cara ddim hyd yn oed yn gwybod pam roedd hi'n gofyn y fath gwestiwn. 'Llyfre.'

Chwarddodd Rich. 'Rhy brysur, wedi bod erioed. Eniwe, o'n i'n crap ar neud pethe fel'na yn rysgol. Sa i'n credu y gallen i ddarllen llyfr cyfan.'

'Ond, t'mod... ti'm yn meddwl ambell waith, yn enwedig gan 'yn bod ni fan hyn... '

'*What will be, will be*, Cara fach. Alla i neud dim byd ambwtu'r peth nawr. Ti 'di bennu'r fasged 'na 'de?'

'O... odw.'

'Ma ise clirio fan hyn a rhoi'r diodydd i mewn.'

Nodiodd Cara ac agor y ffrij. Teimlodd yr oerfel ar ei bochau. Cydiodd mewn hambwrdd yn llawn bocsys bach o sudd a'i gario at y bwrdd. Roedd Rich yn gwasgu menyn ar ddarnau o gacen erbyn hyn.

'Sut… sut dechreuest ti gofio, 'de?'

'Ti'n dechre cofio beth ddigwyddodd, w't ti?'

'Na… wel. Darne. Dim byd… pendant. Dim ond y lle 'ma yn y parc a wi'n siŵr… wi bron yn siŵr bod cariad wedi bod 'da fi.'

Roedd Cara wedi sylweddoli bod ei theimladau am y bachgen a ddath i mewn i'r caffi'n ei hatgoffa o rywbeth. O rywun.

'Fel'na ddigwyddodd e 'da fi 'fyd,' meddai Rich. 'Ca'l fy atgoffa o rywbeth fan hyn a fan draw. Jest paid â brwydro yn 'i erbyn e. *Go with the flow.*'

Dyna oedd hoff ddywediad Rich – byddai'n ei ailadrodd o leiaf chwe gwaith y dydd. Gwyddai Cara fod y sgwrs ar ben pan ganodd cloch y cownter. Sychodd ei dwylo yn ei ffedog cyn cerdded at y cownter.

'Ie?'

''Na beth yw *customer service*!'

Edrychodd Cara arno. Gwenodd e arni. Tynnodd Cara anadl siarp. Roedd e hyd yn oed yn fwy golygus nag oedd e'r tro cynt!

'Beth am i ni ddechre 'to?' meddai wrthi. Roedd ganddo fe ffeil dan ei gesail.

'Coffi?' cynigiodd Cara.

'Grêt,' atebodd yntau. Gwenodd y ddau ar ei gilydd.

'Seimon,' meddai.

'Cara,' atebodd hithau wrth arllwys y coffi.

'O'n i'n meddwl bo ti ddim yn hoffi darllen llyfre,' meddai Cara.

'Wi ddim,' atebodd yntau.

'Weles i ti yn y llyfrgell,' meddai wrth roi'r coffi o'i flaen.

'Wi ddim yn darllen llawer. Neud ymchwil ar gyfer gwaith.'

'O'n i 'na 'da Ifan… '

'Ifan?'

'Yr un sy'n hoffi darllen.'

'O.'

Teimlodd Cara y gwres yn codi i'w bochau. 'Hynny yw, o'n i 'na yn 'i gwmni fe. Odd e ise dangos y lle i fi. Ond do'n i ddim 'na *'da* fe.'

Gwenodd Seimon arni.

'Ffrindie y'n ni.'

'A beth o't ti'n feddwl o'r lle?'

'Odd e'n wahanol i unrhyw lyfrgell arall… '

O gornel ei llygaid gwelai Cara rywun yn dod at ddrws y caffi, cyn newid ei feddwl a throi oddi yno.

'A lle ti'n gweithio?'

'Wi'n sgrifennu i bapur… '

'O, ry'n ni'n cadw papurau newydd yma i bobl ddarllen…'

'Dim y math yna o rybish.'

'O… ' Doedd Cara ddim yn gwybod beth i'w ddweud nesa.

'Papur go iawn.'

Rhoddodd Seimon lwyaid o siwgr o fowlen ar y cownter a'i roi yn ei goffi. Gwyliodd Cara ef yn troi'r coffi â'i lwy gan feddwl am y papurau roedd hi wedi'u darllen ar adegau tawel yn y caffi – yn llawn erthyglau am fyd natur, coginio a garddio. Bu'n eu darllen nhw, neu'n sganio'r penawdau o leiaf, ond doedd dim gwybodaeth bwysig ynddyn nhw. Dim erthyglau am yr Arhosfyd nac am y ddaear. Doedd y cyfan ddim yn gwneud llawer o synnwyr i Cara.

'Ry'n ni'n sgwennu am bethe ma pobl ise gwybod amdanyn nhw,' meddai Seimon fel pe bai'n medru darllen ei meddwl. 'Ond sdim pawb yn cael darllen y papur, cofia. Fydde pawb ddim ise beth bynnag. Osgoi meddwl am bethe ma'r rhan fwya.'

Teimlodd Cara'i chalon yn dechrau cyflymu. 'Fel 'nes i. Alla i ddim credu mod i wedi… jest cario mlân… heb feddwl.'

Cochodd wrth gyfaddef y fath beth.

'Dyw pawb ddim ise'r gwir… wel, dim nes eu bod nhw'n barod.'

'A lle ma rhywun yn galler ca'l y papur 'ma?' gofynnodd Cara ar dân eisiau ei darllen.

'Dim ond i rai ma fe ar ga'l,' meddai gan wenu wrth gydio yn ei gwpan coffi a mynd i eistedd.

Aeth Cara yn ôl at ei gwaith. Cymerai gipolwg ar Seimon bob hyn a hyn – roedd e'n brysur yn gwneud rhyw nodiadau. Yna fe glywodd Cara fe'n codi o'i sedd. Meddyliodd y deuai i ffarwelio â hi o leiaf, ac fe geisiodd edrych yn brysur tan iddo gyrraedd y cownter. Ond mynd yn syth am y drws wnaeth e. Suddodd calon Cara a throdd yn ddiamynedd at yr hen ddyn a fyddai'n eistedd yno bob nos nes y byddai'n rhaid i Rich a Cara ddweud wrtho fod y caffi'n cau.

Aeth Cara i glirio cwpan Seimon a sychu'r fformeica cyn sylwi ar gornel papur ar y sedd. Edrychodd eto. Roedd e wedi gadael rhywbeth ar y sedd. Papur. Papur newydd. Dechreuodd perfedd Cara grynu wrth gydio ynddo. Roedd ei ysgrifen arno. *Paid â dangos hwn i neb. 246 Stryd Gwyn, nos Iau, am 7.00. Seimon x.*

PENNOD 25

'Protest?'

Nodiodd Belinda. Edrychodd Mags ar y tair a eisteddai wrth fwrdd y gegin.

'I ddangos ein cefnogaeth,' meddai Belinda.

Safodd Mags uwchben y tegyl gan aros iddo ferwi. Bu'n rhaid iddi olchi pedwar cwpan yn syth o'r pentwr yn y sinc. Doedd ganddi ddim bisgedi i'w cynnig iddyn nhw.

'Wi… wi ddim yn gwbod beth i weud,' meddai Mags wedyn.

'Sdim ise i chi weud dim.'

'O'n ni'n meddwl cerdded drwy'r dre mewn tawelwch, yn cario lluniau o Cara.'

Cariodd Mags y cwpanau at y ford ac arllwys y te'n grynedig i'r cwpanau.

'Rhoi pwysau ar yr heddlu,' meddai'r ail fenyw a gyflwynodd ei hun fel Linda. Adnabu Mags hi fel yr un a roddodd gwpaned o de iddi yn y neuadd.

'Dy'n ni ddim yn mynd i adael iddyn nhw anghofio,' meddai Linda, 'ac ry'n ni'n gwbod bod lot 'da chi ar eich plat.'

Roedd Mags wedi clirio'r papurau oddi ar ford y gegin rhag i Rhys eu gweld, a lluniau o Steve yn blastar ynddyn nhw.

'Do's dim synnwyr eu bod nhw'n 'i holi fe,' meddai'r drydedd fenyw. Roedd Mags yn methu'n deg â rhoi enw i wyneb honno o gwbwl.

'Ma diflaniad Cara'n ymosodiad arnon ni i gyd. Sdim un o ni'n fodlon gadel y plant allan i chwarae. Ma meddwl bod rhywun fel'na mas 'na'n rhywle...' methodd Belinda orffen y frawddeg.

'Wi'n ddiolchgar iawn,' meddai Mags. Eisteddodd wrth y bwrdd. Roedd ei phen hi'n dal i deimlo'n drwm ar ôl y gwin coch. Roedd Rhys yn gwylio DVD yn y lolfa a chododd Mags eto a chau'r drws rhag iddo glywed. Gofynnai am ei dad yn ddi-baid a bu'n rhaid i Mags ddweud yn y diwedd ei fod wedi mynd i helpu'r heddlu i chwilio am Cara. Roedd hynny wedi'i dwyllo am ychydig, a bu'n rhaid iddi wneud yn siŵr nad oedd yn gwrando ar newyddion y radio na'r teledu, ond roedd cuddio'r papurau newydd yn her anoddach.

'Mae Steve yn athro ar 'y merch i,' meddai Jen y drydedd fenyw. 'Mae hi wedi ypseto'n lân, a nifer o'r disgyblion erill 'fyd.'

'Ry'n ni ise ichi wbod eich bod chi ddim ar eich pen eich hunan,' ailadroddodd hi.

'Wrth gwrs,' meddai Mags.

'Rodd hon yn ardal dda ar un adeg. Ond ma pethe wedi mynd... ' arafodd Belinda wrth feddwl am y geiriau, '*down hill*'. Pobl o bob lliw a llun yn symud i mewn. Dynion od yn hongian ar hyd y lle. Dy'n ni ddim yn teimlo'n saff. Ma'n bryd i bobl sefyll dros eu hardaloedd.'

Cytunodd y ddwy arall â Belinda. 'Wi'n credu galle unrhyw un ohonon ni feddwl am sawl person y dylai'r heddlu fod yn eu holi cyn Steve.'

Doedd Mags ddim yn gwybod sut i ymateb.

'Gwastraffu amser ac arian fel'na... '

Roedd Tim wedi dweud wrthi fod yna system ar waith.

Proses. Roedd yn rhaid dilyn y broses o gam i gam ac ymddiried ynddi.

'Do's dim synnwyr yn y peth,' meddai Jen, 'Ma nhw'n gweud naw gwaith mas o bob deg taw pobl yr ardal sy'n dyfalu pwy sy'n gyfrifol, ymhell cyn yr heddlu.'

'Ma'r dynion yn clywed pethe lawr yn y dafarn. Ma gyment o deuluoedd od ar y stad 'ma, heb sôn am weddill y dre. Sdim ise ichi edrych ymhellach na'r caffi lle roedd Cara'n gweithio,' meddai Belinda.

Edrychodd Mags arni. Roedd hithau wedi bod yn eistedd yn y caffi am oriau. Doedd hi ddim wedi gweld neb y byddai hi'n ystyried yn fygythiad.

'Y Meical 'na… ' meddai Belinda gan estyn am ei bag.

'Meical?' ailadroddodd Mags. Curai ei chalon ychydig yn drymach. Roedd sôn ar hyd yr ardal felly – yn amlwg roedd amheuon gan bobl. Bob tro byddai hi'n clywed ei enw codai rhyw ddicter ffyrnig yn ei gwddf.

'Ie, 'na un od i ti. Neb yn gwbod o ble mae e wedi dod nac yn gwbod dim o'i hanes e. A chi'n gwbod 'u bod nhw'n symud pobl od 'ma heb weud gair wrth neb!'

'Ry'n ni wedi bod yn holi pobl,' meddai Belinda wrth godi'i bag oddi ar y bwrdd. 'Ma 'na ddiddordeb mawr yn y brotest. Mae Gerallt wedi cysylltu â'r cyfryngau a bydd sawl criw ffilmio yno.'

Tynnodd Belinda ribyn o nodiadau o'i bag. Roedd hi'n amlwg wedi treulio oriau wrth y gwaith. Dangosodd rhyw fap syml roedd hi wedi'i gynllunio ar ddarn o bapur.

'Ry'n ni'n meddwl cwrdd ar sgwâr y dre, yna cerdded ar hyd y Stryd Fawr a gorffen wrth… yn… yn y parc.' Dilynodd Mags y daith â'i bys.

'Yn y parc?' gofynnodd Mags yn dawel.

'Gobeithio bod dim ots 'da chi. Rhyw weithred symbolaidd...'

Doedd Mags ddim yn siŵr. Doedd hi ddim eisiau mynd yno eto. Daliai i weld y babell wen yn ei hunllefau, er bod honno wedi hen fynd erbyn hyn a dim ond ychydig o flodau oedd ar ôl yn pydru yn y pridd.

'Does dim rhaid ichi ddod 'da ni, ond ro'n ni am ddangos y cynllunie i chi,' meddai Jen.

'Ma lot o bobl grac mas 'na. Pawb ise'ch cefnogi chi. Dy'n ni fel cymuned ddim yn mynd i gymryd hyn.'

Roedd y tair yn llawn brwdfrydedd wrth siarad am eu cymuned. Gan fod y teulu wedi symud bob ychydig flynyddoedd doedd Mags ddim wedi perthyn i gymuned cyn symud yno.

'Oes rhagor o luniau ohoni 'da chi?'

Roedd meddwl Mags ymhell. 'O Cara? Lluniau? O, oes.'

Roedd hi wedi bod yn edrych drwy hen luniau y noson cynt. Llun o Cara'n groten fach yn y bath. Cara'n eistedd ar lan y môr a'i gên yn drwch o hufen iâ. Llun o Cara'n eistedd yng nghanol trwch o glychau'r gog gyda ffrind. Llun o Cara'n edrych yn swil wrth i Steve gydio ynddi. Llun o Cara'n eistedd ar y soffa gyda'i breichiau am Rhys yn fabi bach a phengliniau ei theits bach trwchus yn faw i gyd. Y llun ola dynnodd Steve ohoni â'i gamera newydd ychydig ddyddiau cyn parti penblwydd Rhys. Syllu arnyn nhw wnaeth Mags, a Cara'n edrych mor ddierth yn rhai ohonyn nhw. Weithiau, yn nyfnderoedd y nos, byddai Mags yn dihuno ac yn methu cofio wyneb ei merch. Byddai hi'n cynnau'r golau wedyn ac yn mynd i'w hystafell ac edrych ar y llun wrth ochr ei gwely.

Meddyliodd pa lun i'w roi iddyn nhw, un na fyddai'n

datgelu eu cyfrinachau fel teulu. Doedd hi ddim am i bawb ei gweld yn eistedd wrth fwrdd y gegin, Cara â choron bapur am ei phen, a Rhys a'r goeden Nadolig yn y cefndir. Doedd hi ddim am rannu'r eiliadau preifat hynny. Dewisodd un – llun o Cara'n eistedd a'i chefn yn erbyn wal y gegin. Llun a chefndir plaen iddo. Doedd dim gormod o gliwiau yn hwn, dim gormod o emosiwn. Yn y gegin roedd y tair ar eu traed yn disgwyl amdani a rhoddodd Mags y llun i Belinda.

'Falle ddei di draw?' gofynnodd Belinda ar ôl diolch am y llun.

'Falle…' meddai Mags gan wylio'r tair yn gadael.

Syllodd ar eu siapiau niwlog yn diflannu drwy wydr cymylog y drws cyn troi ac edrych ar Rhys a oedd yn syllu ar y teledu.

Pennod 26

Roedd Mags wedi bod yn clirio'r tŷ ers oriau ac wedi coginio hoff swper Rhys erbyn iddo ddod adre o dŷ Helen. Diffoddodd y teledu yn y wal ac eistedd wrth fwrdd y gegin i gael ei swper. Sylweddolodd Mags nad oedden nhw wedi eistedd wrth y bwrdd ers wythnosau. Roedd geiriau Helen wedi effeithio arni. Edrychodd ar ei mab; doedd ganddo fe ddim egni. Roedd ei wyneb yn llwyd a'i drowser yn edrych yn llac am ei ganol. Eisteddai erbyn hyn yn pocro'r bwyd â'i fforc gan hymian.

'Sdim ise bwyd arnot ti?'

Anwybyddodd Rhys hi. Cododd Mags y swper i'w phlat ac eistedd gyferbyn ag ef wrth y bwrdd. Dechreuodd yntau fwyta ychydig wrth i Mags wneud. Bwytodd hanner y bwyd a Mags yn ceisio'i gorau i beidio â syllu arno na gwneud gormod o ffys wrth iddo fwyta.

'Ma hi wedi marw, on'd yw hi?' gofynnodd Rhys gan osod y fforc i lawr wrth ei blat yn bwyllog.

Doedd Mags ddim yn barod am y fath gwestiwn. Tynnodd anadl hir. 'Dy'n ni ddim yn gwbod dim ar hyn o bryd.'

Edrychodd ar ei fam fel petai wedi paratoi ei hun i beidio â chredu gair a ddwedai. 'Ma hi wedi... ma pawb yn gweud 'ny... 'i bod hi 'di marw ers wythnose.'

Slamiodd Mags ei fforc i lawr ar y bwrdd a gweiddi, 'Bydd ddistaw!'

Neidiodd Rhys a disgynnodd ei lygaid. Meddalodd Mags wrth weld yr olwg druenus arno. 'Dy'n ni ddim yn gwbod, Rhys, wi'n gweud y gwir wrthot ti. Ni'n dal i obeithio'r gore.'

'Wedodd Dadi 'i bod hi 'di marw.'

Roedd Steve wedi addo peidio â dweud gair, nes eu bod nhw'n siŵr. Anwybyddodd Mags ei eiriau. 'Bwyta nawr 'te.'

Edrychodd Rhys ar y ford a dagrau'n llenwi ei lygaid.

'Ma ise i ni edrych ar ôl ein gilydd a gobeithio y bydd popeth yn iawn.'

Roedd ei law yn dal ar y bwrdd ac estynnodd Mags ei llaw ato nes bod eu bysedd yn cwrdd. Roedd ei law mor fach, ei groen mor dorcalonnus o feddal.

'Ma nhw'n meddwl mai Dadi nath.'

Lloriwyd Mags gan y geiriau. Roedd hi wedi bod mor ofalus.

'Wi ddim yn dwp, Mam.'

Pwyllodd Mags cyn ateb. 'Na, ma Mam yn gwbod 'ny, ond bydd Dad adre cyn hir. Helpu drwy ateb cwestiyne ma fe. Treial 'u helpu nhw i ffindio Cara.'

Roedd y celwydd yn hawdd ei ddweud gan fod Mags, am unwaith, yn credu ei geiriau ei hun. 'Bwyta dy swper nawr 'te.'

Ailgydiodd Rhys yn y fforc a bwytodd y ddau'n ara am ychydig nes clywed sŵn allwedd yn y drws. Tynhaodd brest Mags. Gollyngodd Rhys ei fforc a rhedeg at y drws. Cerddodd Mags yn ara at ddrws y gegin.

'Rhysi!' Roedd Steve ar ei bengliniau yn cydio'n dynn yn Rhys. Roedd golwg wyllt arno, heb siafio a chylchoedd tywyll o dan ei lygaid.

'Wi adre nawr. Sdim ise becso, oes e?'

'A Cara fydd adre nesa, dyna wedodd Mami,' atebodd ei fab a rhyw olau rhyfedd yn ei lygaid. Edrychodd Steve dros ei ysgwydd at Mags.

‘’Na fe.... Cer di lan i’r gwely. Ddo i i ddarllen stori i ti wedyn.’

Rhedodd Rhys am y grisiau. Syllodd Steve ar Mags.

‘Ddylet ti ddim gweud pethe fel’na wrtho fe,’ meddai wrthi.

‘Wedes i ddim ond y gwir.’ Trodd Mags ei chefn a cherdded i’r gegin i ferwi’r tegyl. Wrth y drws gwyliodd Steve Mags yn tynnu dau fyg o’r cwpwrdd. Roedd bwyd Mags a Rhys yn oeri.

‘Dodd dim tystiolaeth ’da nhw... ’ cychwynnodd Steve. ‘Sdim rhaid i fi fynd ’nôl.’

Arllwys y coffi wnaeth Mags.

‘Mags? Dy’n nhw ddim ise siarad â fi ’to. Wi’n rhydd!’

‘Wel gwed rhywbeth ’te!’

‘Ti ise llath?’ gofynnodd Mags gan gerdded at y ffrij.

Syllodd Steve arni mewn anghrediniaeth. ‘Blydi hel, Mags, anghofia’r blydi coffi, ’nei di?’ Cydiodd yn ei braich.

‘Gad fi fod, Steve, gad fi’n rhydd!’ Gwthiodd heibio iddo a rhoi llaeth yn y cwpanau.

‘Ti... ti’n dal yn meddwl bo ’da fi rywbeth i neud â’r peth... y gallen i neud rhywbeth fel ’na?’

‘Paid â bod mor blydi blentynnaidd!’ Roedd llygaid Mags ar dân.

‘Beth?’

‘Wrth gwrs bo fi ddim yn meddwl dy fod ti wedi neud rhywbeth iddi! Dim am blydi eiliad!’

Cydiodd Steve yn ei breichiau. ‘Ond beth sy’n bod ’te? Wi adre. Bydd popeth yn iawn!’

‘Fydd popeth *byth* yn iawn, Steve! Er mwyn Duw!’

Rhyddhaodd ei hun o'i freichiau. 'Wi wedi gorfod bod ar 'y mhen 'yn hunan, Steve! Achos ti a dy blydi *amateur dramatics*, anaeddfed!'

Syllodd Steve arni ddim yn siŵr sut i ymateb. 'Y ferch 'na, ti'n feddwl?'

Tro Mags oedd hi nawr i siglo'i phen mewn anghrediniaeth.

'Nage! Nage!' Roedd Mags yn berwi. 'Dim y blydi ferch. Sdim ots 'da fi am y blydi ferch ond ddylet ti fod 'di gweud wrtha i, Steve. Bod yn onest! Bydden ni wedi galler wynebu hyn 'da'n gilydd. Ond ti wedi gneud pethe'n waeth!'

'Do'dd e ddim yn bwysig. 'Nes i ddim meddwl.'

'Na! A 'na'r broblem ti'n gweld. Ti jest ddim yn meddwl! Neidio i mewn a mas o bethe heb blydi feddwl!'

Camodd Steve yn ôl mewn sioc.

'Ti'n mynd i neud pethe'n well nawr, wyt ti? Symud 'nôl fan hyn. Yfed bob nos. Gadael fi ar 'y mhen 'yn hunan 'to? Os nad wyt ti wedi sylwi, ma 'da fi un plentyn bach i edrych ar ei ôl e'n barod.'

'Ond... ma ise help arnot ti.'

'Ma hi'n haws 'ma hebddot ti... '

'Ond beth am Rhys?'

'Gei di 'i weld e. Jest rho le i ni, Steve. Llonydd. Alla i ddim meddwl amdanat ti ar hyn o bryd. Sdim lle 'da fi yn 'y mhen.'

Sylwodd Mags ei bod hi'n anadlu'n drwm a bod ei brest wedi tynhau.

'Ond i ble a' i?'

'Sdim ots 'da fi... '

'Beth ti ise fi neud?'

'Cer lan y stâr, darllena'r stori i Rhys, a chasgla cwpwl o bethe. Ffonia i di nes mlân.'

Syllodd Steve arni mewn sioc cyn cerdded yn ara at y grisiau. Pwysodd Mags yn erbyn cownter y gegin wedi blino'n lân. Gwrandawodd ar y lleisiau isel i fyny'r grisiau, yna clywodd gamau Steve yn dod i lawr y grisiau ac yn cau'r drws ffrynt yn drwm ar ei ôl.

Pennod 27

'Beth s'da ti fan'na?'

Cuddiodd Cara'r papur y tu ôl i'w chefn.

'Dim.'

'Dere mlân.'

'Syrpréis yw e... ' meddai Cara'n ansicr. Doedd hi ddim yn hoffi dweud celwydd.

Edrychodd Ifan arni. 'Gwed ti,' meddai ac ymlaciodd ysgwyddau Cara damaid.

'O'n i'n meddwl eithen ni i'r tŵr am dro – Beth, Lili a fi. Ti'n dod?'

Siglodd Cara'i phen. 'Na, fi'n iawn diolch.'

Edrychodd Ifan arni. 'Na fe, 'te' meddai. 'Ti'n siŵr bod ti'n iawn?'

'Y-hy.'

Arhosodd Cara nes bod pawb wedi mynd cyn mentro tynnu'r papur allan unwaith eto. Roedd hi wedi bod yn ei ddarllen yn ddi-dor ers iddi gyrraedd adre o'r gwaith. Roedd y prynhawn wedi llusgo ac fe gaeodd Cara ychydig funudau'n gynnar. Bu hi'n eitha siarp efo'r hen ddyn a dweud wrtho bod brys arni. Gobeithiai Cara na fyddai'n cwyno wrth Sadie neu fe fyddai honno'n fyr ei hamynedd tuag ati'r diwrnod wedyn.

Agorodd y papur unwaith eto – roedd e'n bapur anhygoel. Fel cyffur, allai Cara ddim meddwl am ddim arall nes ei bod wedi'i ddarllen unwaith eto o glawr i glawr. Chwiliodd am enw Seimon ar ddiwedd yr erthyglau.

Fe ddywedodd mai ysgrifennu am bethau roedd pobl eisiau darllen amdanyn nhw roedd e, ac roedd e'n iawn.

Dim ond ychydig dudalennau oedd e mewn gwirionedd. Ynddo roedd lluniau o bobl oedd wedi 'diflannu' oddi ar y ddaear. Daeth Seimon o hyd iddyn nhw yn yr Arhosfyd a chynnwys eu lluniau yn y papur. Darllenodd am yr actores enwog a oedd newydd gyrraedd yr Arhosfyd, a'i llun yn dangos yn glir mai cyflawni hunanladdiad a wnaeth hi, er bod papurau ar y ddaear yn honni mai salwch a gawsai. Yr erthygl a fwynhaodd Cara fwya oedd erthygl a honnai nad oedd yr Arhosfyd yn bodoli o gwbwl a bod pawb yno wedi cymryd rhyw gyffur ac felly'n dychmygu 'run pethau. Neilltuwyd y dudalen ola ar gyfer cyfweliadau.

Sylwodd Cara ar y dudalen mewn syndod wrth weld llun o wyneb cyfarwydd. Cofiodd iddi ei weld o'r blaen. Cofiodd fod ganddi boster ohono. Poster ar wal yr ystafell wely. Cofiodd yr ystafell wely. Un fach a dim ond lle i wely sengl. Actor golygus oedd e a gymerodd gyffuriau ychydig fisoedd ynghynt. Yn yr erthygl câi ei holi am y digwyddiad. Yn y llun eisteddai ar draws cadair mewn jîns glas a chrys-t gwyn a sgidiau cowboi, yn dal i edrych yn rhywiol. Yng nghefn y papur roedd rhestr hir o enwau pobl yn chwilio am gymdogion neu ffrindiau a rhai'n chwilio am wybodaeth bellach. Sylweddolodd Cara petai rhywun yn ymddangos yn yr Arhosfyd ar ei hôl hi, efallai y bydden nhw gwybod beth ddigwyddodd iddi. Byddai'n rhaid iddi holi Seimon.

Aeth Cara'n ôl at y dudalen flaen unwaith eto. O'r diwedd, roedd rhywun yn ceisio dod o hyd i atebion, dod o hyd i'r gwirionedd. Rhywun oedd yn fodlon siarad am bethau. Roedd e'n edrych fel papur gweddol newydd, ond fyddai Ifan ddim yn ei hoffi, gwyddai hynny. Roedd y naws yn rhy "boblogaidd" iddo fe ond roedd hi'n siŵr y byddai eraill wrth eu boddau.

Clywodd Cara leisiau. Cododd ei phen a gweld Leusa'n sefyll ar waelod y stryd. Plygodd y papur ac eistedd arno er mwyn ei guddio. Roedd Leusa'n gweiddi ar ryw fenyw a honno'n ei hwynebu gan geisio dal ei braich. Tynnodd Leusa'n rhydd a cherdded yn gyflym at y tŷ gan weiddi ar y fenyw i beidio â'i dilyn. Safodd Leusa o flaen y tŷ wrth weld Cara.

'Ar beth ti'n edrych?'

Sylwodd Cara fod dagrau yn ei llygaid. 'Dim… '

'Gwd,' meddai Leusa'n ansicr wrth gerdded ar hyd llwybr yr ardd. 'Welest ti ddim o 'na, reit?' meddai.

Cododd Cara'i hysgwyddau gan gymryd cyngor Ifan a pheidio â gwneud sylw ohoni. Edrychodd y ddwy yn ôl i lawr y stryd. Roedd y fenyw wedi diflannu. Crynai dwylo Leusa ac roedd ei brest yn dynn.

'Bydde mwy o anadl 'da ti 'set ti'n smygu llai,' meddai Cara.

Gwenodd Leusa wên sarcastig ac er y disgwyliai Cara iddi ddiflannu i'r tŷ fe edrychodd arni fel pe bai hi am eistedd. Closiodd Leusa ati a symudodd Cara draw gan godi'r papur heb i Lesa sylwi a'i osod y tu ôl i'w chefn.

'Beth s'da ti fan'na?' Roedd Leusa'n cynnu sigarét a'i dwylo'n crynu.

'Dim… '

Tynnodd Leusa ar ei sigarét a chwythu'r mwg allan yn ara. 'Ie, reit, gwed ti.'

Doedd Cara ddim yn gwybod beth i'w ddweud wrthi.

Syllodd y ddwy i waelod yr ardd. Roedd hi'n siŵr bod

ychydig wyrddni i'w weld yno. Roedd Beth a Lili wedi plannu llawer gormod o flodau. Ond doedd dim ots, meddai Beth, bydden nhw'n medru eu rhannu ag eraill.

'Ble ma'r lleill?' gofynnodd Leusa o'r diwedd.

'Wedi mynd i'r tŵr,' atebodd Cara. 'Fyddan nhw 'nôl mewn munud. O'n i'n meddwl tacluso tipyn. Neis ca'l *chat*...' Dechreuodd Cara godi.

'Ti 'di dechre cofio 'to?' holodd Leusa a'i llygaid ar y stryd lle bu'n dadlau â'r wraig.

'Bach... '

'Dim breuddwydion?'

Siglodd Cara'i phen. 'Dim llawer.'

'Ma'r lleill yn cofio.'

'Pawb ond Lili.'

'Falle'i fod e'n wahanol i blant.'

'Falle.'

Tynnodd Leusa ei siaced amdani. Doedd Cara heb weld y siaced honno o'r blaen. Roedd hi'n llawer yn rhy fawr iddi ac yn dod i lawr i'r un lefel â'i sgert denim. Siaced bachgen meddyliodd Cara.

'Odyn nhw'n hela ofn arnot ti?'

'Na'dyn.' Roedd gan Leusa ffordd o wthio'i gên allan pan fyddai hi'n dweud celwydd neu pan na fyddai eisiau cyfaddef rhywbeth. 'Byddi di'n dechre cofio cyn hir. Ers faint ti 'di bod 'ma?'

'Sa i'n gwbod... ' Roedd Cara o ddifri. Roedd pob diwrnod yn teimlo 'run peth.

'Mis a hanner? Dau? Fyddi di ddim yn hir.'

Roedd Leusa fel petai'n mwynhau dweud hynna wrth

Cara, fel petai hi'n falch y byddai rhywun arall yn gorfod mynd trwy'r un boen â hithau.

'Ma'r lleill yn lwcus.'

Nodiodd Cara. Daliai Leusa i eistedd, ac roedd fel petai hi'n gyndyn o weld Cara'n gadael. Fel petai hi eisiau ei chadw hi yno'n gwmni iddi. Gwasgodd y sigarét i mewn i'r fainc ar ôl ychydig a chodi.

'Wel, 'da fi bethe gwell i neud na siarad â ti.'

Cododd Cara'i haeliau wrth edrych arni'n gadael. Gallai Cara glywed lleisiau Ifan, Lili a Beth yn dod i fyny'r stryd. Roedd hi'n nosi'n gyflym a byddai Delo'n dod i ddweud nos da wrthi cyn hir. Byddai'n sefyll tu allan i'w ffenest ac yn edrych i mewn fel arfer, ond weithiau deuai i eistedd ar waelod ei gwely. Fyddai e ddim yn siarad am ddim byd arbennig er holai hi am hyn a'r llall. Pwy oedd hi wedi'i weld? Oedd hi'n hapusach? Oedd hi wedi dechrau breuddwydio? Cydiodd Cara yn y papur a'i wthio i boced ei jîns. Meddyliodd am nos Iau. Meddyliodd am Seimon. Meddyliodd am y gusan ar ddiwedd y neges. Meddyliodd am ei eiriau yn y papur a'i lawysgrifen. Cerddodd yn araf i mewn i'r tŷ.

PENNOD 28

Roedd Delo wedi galw ben bore a mynd i eistedd ar y wal y tu allan i'r tŷ. Gwisgodd Cara'n ara, yn ymwybodol ei fod yntau eisiau cyrraedd y doctor mewn pryd. Roedd hi wedi meddwl am bob esgus i beidio â mynd yn ôl at y doctor; roedd hi'n teimlo'n iawn; byddai hi'n gwastraffu'i amser. Ond roedd Delo wedi cyrraedd yn gynnar a hithau heb lawer o ddewis ond ei ddilyn. Roedd ei stumog yn corddi wrth feddwl am yr ystafell fach gul dywyll a'r sinc yn y cornel. Sylwodd Ifan ar ei phryder a dywedodd wrthi yr âi â hi yn y prynhawn i rywle a wnâi iddi deimlo'n well.

Roedd yr ystafell aros yn wag heblaw am Delo a hithau. Sylwodd Cara fod Delo'n anghysurus. Eisteddai wrth ei hymyl a'i fysedd yn gwynnu wrth gydio mor dynn yn ochrau ei sedd. Byddai'n cicio coes ei sedd yn ddi-baid ac yn hymian rhywbeth cyn stopio ac ailddechrau. Ceisiodd Cara'i anwybyddu. Bu'n meddwl am y papur drwy'r nos. Roedd hwnnw'n cynnig atebion, yn holi cwestiynau, a bu Cara'n ystyried yr erthyglau ers iddi godi'r bore. Efallai mai ar gyffuriau oedd hi ac efallai byddai hi'n dihuno. Efallai nad oedd y lle 'ma'n real o gwbwl. Efallai mai rhyw fath o arbrawf oedd yr holl beth. Efallai ei bod hi mewn rhyw fath o goma.

Byseddai'r swyndlysau ar ei breichled bob yn un. Roedd ei hanes hi ynddynt, yr hyn ddigwyddodd cyn iddi fod yn y môr. Petai hi ond yn medru defnyddio hwnnw i sbarduno'i meddwl, yna efallai gallai gofio am bob un o'r swyndlysau. Roedd hi'n ymwybodol ei bod hi'n lwcus iawn gan na fyddai gan y rhan fwyaf o bobl yr Arhosfyd unrhyw gliwiau i'w dilyn. Gallai hi feddwl fel newyddiadurwr. Chwilio am gliwiau.

Chwilio am y gwirionedd. Roedd Delo'n dal yn aflonydd.

'Beth sy'n bod arnot ti?' gofynnodd Cara iddo gan gydio yn ei fraich. Syllodd arni a cheisio eistedd yn fwy llonydd.

Roedd cymaint o gwestiynau ganddi i Seimon am natur y lle 'ma. Roedd Seimon ac Ifan mor wahanol. Seimon yn fodlon mentro, yn fodlon holi a chwestiynu. Ifan yn derbyn popeth yn ddall. Byddai ei chalon yn cyflymu bob tro meddyliai hi am Seimon. Ei wallt golau. Ei wên. Byddai'r oriau rhwng nawr a nos Iau yn llusgo, meddyliodd.

'Cara Evans,'

Neidiodd Cara a Delo. Roedd y ddau'n ddwfn yn eu meddyliau. Yr un doctor oedd yno ac fe geisiodd Cara beidio ag edrych arno wrth gerdded i mewn i'r ystafell dywyll. Camodd Delo at y drws gan sefyll yno a golwg betrusgar ar ei wyneb. Edrychodd Cara arno, fel petai'n ei fygwth i sefyll lle'r oedd e. Caewyd y drws yn ei wyneb.

Pwyntiodd y doctor at y wal a safodd Cara a'i chefn at y pren mesur heb ddweud gair. Safodd y doctor drosti gan farcio'i thaldra ar y wal. Safodd am eiliad, cyn ailfesur. Siglodd ei ben cyn gwneud rhyw nodiadau yn ffeil Cara a oedd ar agor ar y ddesg.

'Stedda... ' meddai a'i feddwl fel petai'n bell i ffwrdd. Cydiodd yn ei thermomedr a'i ddal wrth lygaid Cara. Cododd ei aeliau ychydig er mwyn edrych dros ei sbectol hanner lleuad i ddarllen y canlyniad.

'Reit, rwy'n gweld.' Pesychodd ychydig cyn gwneud rhagor o nodiadau. 'Llygaid yn well o ran cochni,' meddai. 'Ar y gwely, os gwelwch yn dda.'

Cododd Cara a gorwedd ar y gwely.

'Codwch eich blowsen,' meddai. Roedd Cara wedi amau y byddai'n edrych ar ei briw. Cododd y dilledyn a throi'i phen i ffwrdd. Er bod y briw wedi gwella ac yn ddim ond craith binc erbyn hyn, fyddai Cara byth yn edrych ar ei hadlewyrchiad yn y drych. Teimlodd fysedd oer y doctor ar ei chroen. Roedd e'n gwasgu'r cnawd bob ochr i'r briw.

'Poen fan hyn?'

Siglodd Cara'i phen.

'Fan hyn?'

Siglodd Cara'i phen unwaith eto.

'Da iawn, reit, steddwch,' meddai gan droi ei gefn ac aros i Cara ailwisgo.

'Reit, ma'r clwy'n well,' meddai gan edrych arni â'i lygaid llonydd, 'ond dw i braidd yn betrusgar am eich mesuriadau.'

'Mesuriadau?'

Cliriodd y doctor ei wddf. 'Ie.' Edrychodd ar y ffigurau ar y papur unwaith eto. 'Mae'n edrych yn debyg eich bod chi'n dal i dyfu. Yn ôl y siart, beth bynnag.'

Crychodd Cara'i thalcen. Dim ond mis neu ddau oedd hi wedi bod yma. 'Tyfu?'

'Ac mae gwres eich llygaid chi'n uchel. Dwi wedi gorfod gwneud nodyn o'r peth ac fe fydd y canlyniadau'n cael eu trosglwyddo.'

'At bwy?'

Siglodd y doctor ei ben. 'Dim ots.'

'Mae'r rhan fwyaf o bobl yn gorffen tyfu yn yr Arhosfyd, a thymheredd eu llygaid yn disgyn. Mae hon yn sefyllfa anarferol. A sut ydych chi'n teimlo'n gyffredinol?'

Cododd Cara'i hysgwyddau. 'Iawn. Am wn i.'

'Wedi setlo?'

'Wrth gwrs. Ond sut ma hi'n bosib i dyfu, ar ôl... ch'mod.'

'Marw?' gofynnodd y doctor. 'Byddech chi'n meddwl bod y pethau hyn yn amhosib on'd byddech chi? Ond mae e'n digwydd.' Cododd a mynd i dwrio yn ei silff lyfrau. Agorodd lyfr. 'Anarferol iawn.'

Daeth â'r llyfr yn ôl at y bwrdd a dechrau darllen fel pe bai'n chwilio am wybodaeth. 'Dwi ddim wedi gweld llawer fel chi er pan dw i 'ma. A dw i wedi bod yma nawr – wel, ma'n teimlo fel petai ers cyn co,' meddai a hanner gwên ar ei wyneb.

Dechreuodd meddwl Cara garlamu. Doedd hi ddim eisiau bod yn wahanol i bawb arall. Roedd hyn yn rhywbeth arall i boeni amdano.

Trodd y doctor i ryw dudalen a'i hastudio'n ofalus. Gallai Cara glywed ei anadlu trwm wrth iddo ganolbwyntio. Caeodd y llyfr yn ddisymwth, tynnu'i sbectol a'i gosod ar y bwrdd.

'Ry'ch chi *yn* sylweddoli eich bod chi wedi marw?'

Nodiodd Cara.

'Ry'ch chi'n dod ymlaen yn iawn 'da'ch teulu newydd?'

Meddyliodd Cara am bwy roedd e'n sôn. Ifan a Beth ma'n siŵr. Ceisiodd osgoi meddwl am Leusa. 'Ydw.'

'A beth am eich Gofalwr? Ydych chi'n cytuno â'ch gilydd? Yn ffrindiau?'

Edrychodd Cara ar ei llaw cyn ateb. 'Ydyn.'

Gwasgai'r doctor fysedd ei ddwylo yn erbyn ei gilydd gan nodio wrth glywed atebion Cara.

'Reit,' meddai, gan gau ei ffolder. 'Does dim byd y galla i neud ichi nawr, ond fe fydd yn rhaid i fi gadw llygad arnoch chi.'

'Beth? 'Na ni?' gofynnodd Cara. Teimlai'n ddiamynedd yn sydyn.

'Am heddi.' Edrychodd y doctor dros ei hysgwydd a gweld cysgod Delo'n aros amdani tu ôl i'r drws gwydr. 'Wi'n meddwl bod eich Gofalwr yn aros amdanoch chi.'

'Wel diolch,' meddai Cara, heb feddwl yr un gair. 'Diolch yn fawr.'

Agorodd y drws, gan wneud i Delo neidio am yr eildro a brysio allan i'r stryd.

Roedd Ifan yn aros amdani pan gyrhaeddodd hi adre. Roedd Cara wedi anghofio ei bod wedi addo mynd am dro gyda fe, tan iddi ei weld ar y fainc o flaen y tŷ. Cerddai Delo ychydig gamau y tu ôl iddi, ac fe drodd yn ôl wrth weld bod Cara'n saff ac Ifan yn aros amdani. Cerddodd Cara i fyny'r llwybr at y tŷ.

'Beth oedd yn bod arno fe?' gofynnodd Ifan gan wylio cefn Delo'n diflannu i lawr y stryd.

Syllodd Cara ar ei ôl. Roedd Delo wedi bod yn holi cwestiynau iddi yr holl ffordd adre. Beth oedd wedi digwydd? Oedd ganddi rywbeth i'w ddweud wrtho fe? Aeth dan groen Cara a cherddodd adref mewn tawelwch llwyr. Fe bwdodd Delo yn y diwedd a gwthio'i wefus isa allan fel babi. Collodd Cara'i hamynedd yn llwyr wedyn, gan osgoi edrych ar ei wyneb gwenwynllyd rhag ofn iddi ddweud rhywbeth na ddylai.

Roedd rhywbeth mor gyfarwydd mewn teimlo'n ddiamynedd wrth rywun fel Delo. Yn ddwfn y tu mewn iddi credai'n sicr ei bod hi'n iawn.

'Cara?'

Roedd Ifan yn dal i edrych arni. 'Shwd a'th hi?'

Ystyriodd Cara ddweud y cyfan wrtho. Edrychodd i'w

lygaid. Roedd e eisiau gwybod. Roedd ganddo fe ddiddordeb. Meddyliodd am sôn wrtho, am y tymheredd a'r tyfu, ond wedyn roedd y doctor wedi dweud ei fod e'n rhywbeth anarferol. Doedd hi ddim eisiau teimlo'n wahanol i bawb. Gwenodd arno.

'Iawn.'

'Da iawn, dere 'de.'

'I ble?' gofynnodd Cara.

'Gei di weld,' meddai yntau gan wenu.

Cydgerddodd y ddau drwy'r strydoedd gweigion. Roedd diwrnod rhydd gan Ifan, a Cara wedi cael amser i ymweld â'r doctor. Roedd pawb yn eu gwaith a'r ddinas yn weddol dawel. Teimlodd Cara'r gwres ar ei hysgwyddau a dechreuodd ymlacio ychydig. Doedd arni fawr o awydd mynd am dro, ond byddai'n cadw'i meddwl oddi ar Seimon a'r doctor. Roedd ei chamau'n dechrau llacio'i chorff a'i thafod, ac fe ddechreuodd y ddau sgwrsio'n rhwydd am hyn a'r llall. Wrth gyrraedd canol y ddinas, er mawr syndod i Cara fe drodd Ifan am y tŵr.

'I'r tŵr ry'n ni'n mynd?' gofynnodd Cara wrth i Ifan wthio'r drws gwydr anferth ar agor.

Tapiodd Ifan ei fys ar ochr ei drwyn. 'Meindia dy fusnes.'

Cododd Ifan ei law ar ferch ifanc oedd yn eistedd y tu ôl i un o'r desgiau yn y lobi. Cochodd honno ond sylwodd Ifan ddim. Edrychodd Cara arni a gwenu, gan sylweddoli ei bod hi'n ceisio ymddangos yn brysur fel na fyddai'n codi'i hwyneb i edrych ar Ifan. Gwasgodd Ifan ryw gerdyn ar banel y drws yng nghefn y lobi a thynnu Cara ar ei ôl.

Chwarddodd. 'I ble ni'n mynd, 'te? Dy waith di?'

Nodiodd Ifan ar hwn a'r llall wrth gerdded ar hyd y

coridorau. Siâp crwn oedd i'r adeilad yma, a'r lloriau'n codi o'r naill lefel i'r llall heb risiau. Fel helter sgelter, fe godai'r llawr ac âi'r adeilad yn gulach wrth iddynt gyrraedd y top, a hwnnw'n gwbwl agored i'r awyr.

'Dyma ni,' meddai Ifan a'i lygaid yn disgleirio. Gwthiodd ddrws bychan yn y wal a phlygu'i ben i gerdded trwyddo. Dilynodd Cara ef. Roedd hi'n dywyll yn yr ystafell ac yn glòs. Teimlodd Cara law Ifan yn cydio ynddi. Dechreuodd siapiau ffurfio yn y gwyll wrth i lygaid Cara gynefino â'r tywyllwch. Ystafell fach oedd hi heb ffenest. Mewn un cornel roedd desg, a gyferbyn â honno roedd caetsh anferth o wydr. Arweiniodd Ifan hi i sefyll o flaen y drych. Syllodd Cara cyn tynnu anadl yn gyflym.

Yno, yn y gwyll, roedd tylluan wen a'i llygaid du'n gloywi yn y tywyllwch. Symudodd Cara'n agosach at y gwydr. Roedd y dylluan yn llai na'r disgwyl, ac ymwthiai un o'i hadenydd ar ongl rhyfedd. Cawsai ei hanafu, ac roedd Ifan yn edrych ar ei hôl nes y byddai'n barod i hedfan. Swynwyd Cara ganddi, ei gwynder a'i llonyddwch. Meddyliodd am yr wynebau llonydd wrth ddrws yr eglwys. Roedd hi bron yn dryloyw, fel yr eglwys ei hun. Syllodd Ifan ar wallt Cara'n sgleinio'n dywyll yn y golau isel a'i llygaid glas wedi'u sodro ar yr aderyn. Yr hyn a hoffai Ifan fwyaf amdani oedd yr hanner gwên ar ei gwefusau bron yn barhaol. Byddai'n dawel weithiau, yn ddwfn yn ei meddyliau.

'Fydd hi'n iawn?' Roedd trwyn Cara bron yn cyffwrdd â'r gwydr.

Dal i syllu ar Cara wnâi Ifan. 'Bydd, siŵr o fod.'

Tynnodd Ifan y ddolen oedd ar dop y caetsh. Agorodd y gwydr ac fe gamodd Cara o'r ffordd. Tynnodd Ifan ei siwmper a theimlodd Cara wres ei gorff yn agos ati. Lapiodd y defnydd am ei fraich a'i hymestyn at y dylluan. Edrychodd honno ar Ifan am ychydig gan gau ac agor ei llygaid yn y tywyllwch. Yna, ag un naid, fe laniodd ar ei fraich. Gwenodd Cara ac Ifan ar ei gilydd.

'Cymer… '

Siglodd Cara'i phen.

'Dere, neith hi ymddiried ynddot ti os 'nei di ymddiried ynddi hi.'

Tynnodd Cara'i siaced ddu lac a'i lapio am ei braich fel y gwnaeth Ifan. Cydiodd Ifan yn ei llaw a safodd y ddau yn y tywyllwch a'u breichiau wedi'u plethu, yn syllu ar yr ysbryd gwyn rhyngddyn nhw. Arhosodd y ddau, yn gwbwl lonydd a phrin yn anadlu o gwbwl gan aros i'r dylluan symud. Symud wnaeth hi, yn y diwedd. Agorodd ei llygaid yn lletach cyn ymestyn ei hadenydd a neidio ar fraich Cara. Edrychodd y ddau i mewn i lygaid ei gilydd ac fe deimlodd Cara ryw heddwch eithriadol yn golchi drosti. Roedd Ifan yn dal i gydio yn ei braich ac fe safodd y ddau yn y tywyllwch am amser hir.

PENNOD 29

Roedd hi'n un ar ddeg o'r gloch y bore a Tim yn gyrru Mags i waelod y stryd fawr. Roedd e wedi galw ben bore i gynnig ei gefnogaeth am fod y brotest ar fin dechrau yn y dre ac yntau'n ymwybodol y gallai hynny fod yn anodd i'r teulu. Esboniodd Mags sefyllfa Steve dros baned o goffi du. Sylwodd Mags ei fod yn meddwl yn ddwys, fel petai'n ceisio dewis ei eiriau'n ofalus.

'Mas â fe,' meddai Mags. Roedd hi'n ei adnabod yn ddigon da erbyn hyn.

'Wyt ti wedi ystyried... wel...?' Roedd e'n amlwg yn teimlo'n anghysurus. 'Falle bydd rhai bobl, wrth glywed am Steve yn gadel ei gartre, yn ei weld fel cadarnhad ei fod e rhywffordd yn euog?'

Yn ei dicter a'i phenbleth, doedd Mags heb feddwl am hyn.

'Ac efallai y byddai cartre sefydlog yn bwysig i Rhys?'

Tarodd y geiriau Mags ac edrychodd ar y coffi'n oeri o'i blaen.

'Drycha, ma pethe'n haws hebddo fe,' meddai gan godi a mynd i chwilio am ei bag.

'Iawn, jest rhywbeth i ti feddwl amdano,' meddai Tim, wrth ei dilyn am y drws.

Roedd y ddau wedi gyrru mewn tawelwch i'r brotest yn y Stryd Fawr. Cyn cyrraedd, gallai Mags glywed llais ar uchelseinydd. Roedd trydan yn yr aer, rhyw deimlad peryglus a geir mewn protest.

Roedd Belinda, Mags a'r heddlu wedi methu rhag-weld

faint o bobl fyddai yno. Roedd y Stryd Fawr yn orlawn ac fe syfrdanwyd Mags gan y torfeydd yn sefyllian ar y sgwâr. Wrth iddi edrych, dim ond un wyneb a welai. Wyneb ar faner, wyneb ar fwrdd mawr, wyneb wedi'i bastio ar gardfwrdd. Wyneb Cara. Tynnodd Mags ei hanadl yn sydyn a chydiodd Tim yn ei phenelin wrth ei harwain drwy'r dorf. Edrychai o'i gwmpas yn ddi-baid, yn teimlo'n anghyfforddus.

'Dyle hyn fod wedi cael ei drefnu'n well,' meddai o dan ei anadl. Roedd gormod o gyrff gyda'i gilydd heb unman i ffoi. Roedd yr heddlu yn bresennol wrth gwrs, ac yn sefyll mewn rhes yn gwylio'r dorf.

'Gobeithio y bydd gan Steve ddigon o synnwyr cyffredin i aros gartre heddi,' meddai Tim wrth Mags wrth i'r ddau wthio drwy'r bobl tuag at y platfform yr ochr arall i'r stryd.

'Ond mae e'n glir.'

'*Wi'n* gwbod 'ny, ond odyn *nhw'n* gwbod?' meddai Tim. 'Ma pobol yn galler bod yn fyrbwyll, yn wyllt, mewn sefyllfaoedd fel hyn.'

Gwelai un wyneb yn codi ar ôl y llall – wynebau ifanc, wynebau hen, rhai myfyrwyr a mamau a thadau lleol. Daeth Mags a Tim at fariwn a oedd yn rhannu'r dorf oddi wrth y platfform simsan. Yno roedd Belinda a Gerallt ei gŵr a'r rhan fwya o bwyllgor y neuadd. Siaradai Gerallt â menyw o'r orsaf radio leol ac roedd chwech neu saith o newyddiadurwyr yn tynnu lluniau o'r dorf. Fflachiodd y camerâu i'w chyfeiriad hithau.

'Ma'n grêt bo ti 'di dod,' meddai Belinda a'i llais yn torri.

Nodiodd Mags gan dynnu'n ôl oddi wrthi. 'Jest ise rhoi cefnogaeth.'

'Ma pawb wrth eu bodd bo ti 'ma.'

Sylwodd Mags fod rhuban melyn o gwmpas garddwrn

Belinda a nifer o'r rhai eraill. Sylwodd Mags ar Jen yn rhoi posteri i hwn a'r llall, a Linda'n clymu balŵns melyn i'r bariwns.

'Ry'n ni ar fin dechre.'

Teimlai Mags yn wan, a'r egni yn yr awyr yn sugno'i holl nerth.

'Ti ise gweud rhywbeth?'

'Na,' atebodd Mags, 'dim diolch. Ond... ond o'n i'n meddwl mai protest dawel oedd hon i fod?'

'Protest dawel fydd hi, er ti'n methu gorfodi bobl, wyt ti?'

'Na, na. Falle bo ti'n iawn.'

Ar y platfform, roedd Gerallt wedi codi ar ei draed. 'Ry'n ni 'ma heddi i roi pwyse ar yr heddlu i ddod o hyd i Cara Evans. Merch ifanc o'n cymuned ni a ddiflannodd rai misoedd yn ôl.'

Roedd y dorf yn gweiddi cymeradwyaeth.

'Mae ein cymuned ni dan warchae. Roedd y dre 'ma'n arfer bod yn lle saff i fyw ynddo, ond dim rhagor. Mae'n rhaid amddiffyn ein cymunedau. Codi ein lleisiau.'

Cytunai'r dorf. Tynnodd Mags ei chot yn dynnach amdani. Roedd hi wastad yn oer, a doedd dim ots beth bynnag a wnâi hi, allai hi ddim cynhesu. Roedd ei dillad yn hongian amdani erbyn hyn gan iddi golli gymaint o bwysau. Byddai hi'n gorfod llenwi'r bath weithiau ac eistedd yn y dŵr porpoeth er mwyn cynhesu. Gorweddai yn y gwely fin nos yn meddwl am wyneb Meical. Am y modd y siglodd e law â hi yn apêl yr heddlu. Meical yn yfed un coffi du ar ôl y llall yng nghaffi'r Glannau. Cofiodd amdano'n gadael cannwyll tu allan i'r tŷ. Roedd Tim wedi cynghori Mags i gadw o'r dre i osgoi cyfarfod ag ef, rhag ofn iddi fethu rheoli'i hun.

'Ry'n ni'n mynnu ein cymunedau'n ôl!'

Gwaeddai Gerallt erbyn hyn a'r baneri'n chwifio yn y dorf.

'Pam ma'r ffŵl yn eu weindo nhw lan?' meddai Tim wrth ei hochr.

Methodd Mags wrando ar weddill yr araith. Doedd hi ddim yn adnabod fawr neb yn y dorf, a phe byddai gweld dieithriaid yn cydymdeimlo â hi wedi rhoi pleser iddi cynt, doedd hi ddim mor siŵr erbyn hyn. Sganiodd yr wynebau unwaith eto. Yn ddiweddar, bob tro y gwelai ferch ifanc â gwallt hir tywyll byddai ei chalon yn curo'n anghyfforddus wrth iddi ei gwylio'n troi'i phen. Dim Cara fyddai hi byth, ond byddai rhywbeth greddfol yn Mags yn gwneud iddi obeithio bob tro. Roedd Gerallt wedi bod yn siarad ers rhai munudau a'r dorf yn dechrau aflonyddu. Clywodd y geiriau – mewnfudo, dieithriaid i'r gymuned, a rhywbeth am greu cymuned saff. Yr unig beth a synhwyrai Mags, oedd na soniodd Gerallt am Cara o gwbwl wedi'r geiriau agoriadol.

Yn sydyn, clywyd chwiban a rhywun yng nghefn y dorf yn taro drwm. Dechreuodd y dorf symud drwy'r dre, yn ara i ddechrau ac yna'n gyflymach. Arweiniwyd hwy gan Belinda a phwyllgor y neuadd a thynnodd y camerâu luniau o'u hwynebau penderfynol. Cymuned yn galaru. Cymuned ar goll.

Dywedodd Mags nad oedd hi eisiau cerdded, ac y byddai mynd yn ôl i'r parc yn ormod iddi. Gwyliodd wyneb ei merch yn diflannu i fyny'r Stryd Fawr ar ysgwydd hwn a'r llall. Dechreuodd rhai yng nghefn y dorf gicio caniau ar y stryd, ac ambell un yn amlwg wedi meddwi.

'Protest dawel oedd hi i fod,' meddai Mags wrth Tim wedi

i bwysau'r dorf lacio o'u cwmpas. Dilynai'r heddweision y brotest o bell.

'Wi'n gwbod,' meddai Tim, gan gyffwrdd yn ei braich. Ar ôl gwylio'r rhai ola'n troi'r cornel ar dop y Stryd Fawr dyma Mags yn clywed ei lais yn gofyn,

'Adre?'

Nodiodd Mags a dilynodd Tim yn ôl i'w gar.

Ymdeithiodd y brotest ymlaen, gan gasglu rhagor o bobl ar y ffordd a chwyddo'r dorf. Gwaeddai rhai, tra bod eraill yn canu. Roedd yno famau'n gwthio'u pramiau, a bechgyn ifanc mewn gangiau wrth gefn y protestwyr, wedi ymuno i weld beth fyddai'n digwydd. Teimlai Belinda a'i chriw'n falch fod gymaint wedi dod i gefnogi. Roedd 'na deimlad cryf o gymuned, yr awydd i wella'r lle. Ymlwybrodd y brotest ar hyd glan yr afon ac ar draws yr hewl at y parc.

Dechreuodd ambell un yn y dorf weiddi ar yr heddweision y dylen nhw fod mas yn chwilio am Cara yn hytrach na'u gwylio nhw'n protestio. Dechreuodd rhyw gang yng nghefn y dorf wneud synau moch a chafodd can diod ei daflu gan arwain at sgarmes rhwng yr heddlu a'r bobl ifanc. Galwyd am fan heddlu ychwanegol ac fe ddechreuodd y gweiddi gynyddu. Roedd y bobl wedi cael digon, esboniodd Gerallt wrth ohebydd radio. Roedd angen newid. A beth am Cara? gofynnodd y gohebydd. Byddai'n rhaid dod o hyd i honno hefyd wrth gwrs, meddai Gerallt.

Yn gwylio o bell, ond heb ymuno â'r brotest, roedd Cai a Casi. Er i'r ddau chwilio am Cara fel rhan o griw'r neuadd, doedden nhw ddim yn gweld fawr o bwrpas i'r brotest. Gwyliodd y ddau'r dorf yn sefyll wrth y wal yn y parc, yn sathru'r darn tir lle daethpwyd o hyd i esgid Cara.

Pennod 30

Er y dylai'r brotest fod wedi dod i ben ers oriau, daliai rhai i sefyllian o gwmpas y dre. Roedd y llwyfan bach lle safai Gerallt arno'n llawn caniau erbyn hyn a nifer o bobl yn dal i yfed ar y sgwâr. Doedd 'run ohonyn nhw'n awyddus i loetran yn y parc yn rhy hir ac fe benderfynodd Gerallt a rhai o'r lleill y byddai'n well bwrw'n ôl am un o dafarndai'r dref. Roedd sbwriel ymhobman, a degau o arwyddion ac wyneb Cara wedi'i bastio arnyn nhw wedi'u taflu o gwmpas y llwyfan.

Yn y dafarn, trafodai'r bobl y brotest a'r gymuned. O beint i beint cynyddai'r protestiadau a sawl un yn anfodlon bod dau neu dri o fechgyn ifanc yn y ddalfa am iddyn nhw ymuno â'r brotest. Cytunodd y landlord, gan dynnu rhagor o ddiodydd iddyn nhw. Doedd dim gwaith yn yr ardal, yn enwedig yn y gaeaf. Rhaid aros nes i'r bobl ddod o'r trefi a'u pocedi'n llawn o arian. Lle glan y môr oedd hwn, lle i anfon pobl a chanddynt broblemau. *Wasters* y cafodd y trefi mawr wared arnynt. Pobl od. Pobl o bob lliw. Pobl yn dod â chyffuriau i mewn i'r ardal. Ailgartrefu pedoffiliaid.

Wnâi'r heddlu ddim byd, heblaw eistedd ar eu penolau mewn faniau yn dal pobl am deithio ar dri deg pedwar milltir yr awr. *Wasters* oedd y rheiny hefyd, yn dod am jobsys mewn trefi glan môr fel hyn er mwyn ca'l bywyd tawel a phensiwn da. Roedd arnyn nhw ofn mynd ar gyfyl rhai stadau tai. Ar ôl y cwrw, fe ddilynodd y wisgi ac anfonwyd un o'r dynion allan i'r tywyllwch i gasglu ychydig o bethau o'i gartref. Cytunodd y lleill ei gyfarfod yng nghefn y dafarn mewn hanner awr. Yfwyd rhagor.

Am hanner awr wedi deuddeg, a'r lle'n wag heblaw am

ambell wylan unig yn camu'n ara ar hyd y Stryd Fawr yn y gobaith o damaid o fwyd, fe gwrddodd y grŵp o ddynion tu ôl i'r dafarn. Roedd hi'n amlwg beth oedd wedi ddigwydd i'r ferch. Pawb yn gwybod mai fe oedd yn gyfrifol. Wedi ei weld ar hyd y lle. Edrych ar blant. Ar bobl ifanc. Cerddodd y dynion drwy'r strydoedd cefn gan osgoi'r camerâu CCTV. Roedd y wisgi a'r cwrw wedi cynhesu eu gwaed ac roedd ganddyn nhw ddewis o arfau – hen fat pêl-fas, baryn metel a dyrnau. O gam i gam fe gynyddai'r adrenalin, a'u cyhyrau wedi'u hymestyn yn dynn. Trodd y grŵp at y stryd lle roedd Steve yn byw. Roedd hi'n dywyll a goleuadau'r tai wedi'u diffodd bron i gyd. Cerddon nhw heibio i'r tŷ lle roedd Steve yn lletya ac anelu at fyngalo bach ar gyrion y parc.

Yn y byngalo, roedd Meical newydd fynd i gysgu. Byddai'n dilyn yr un drefn bob nos. Hanner awr wedi saith, gwrando ar y newyddion. Cymryd ei dabledi. Mynd at y drws cefn i alw am y gath. Wedyn, bwyta'i swper o flaen y tân trydan a ffonio'i fam. Awr neu ddwy o ddarllen wedyn cyn mynd i'r gwely.

Wnaeth y dynion ddim cnocio, dim ond taflu bricsen drwy'r gwydr ac estyn i agor y clo. Roedd y byngalo'n ddigon pell o bob man. Dihunodd Meical mewn ofn ac eistedd i fyny yn ei wely. Gwaeddodd am y gath, gan feddwl mai honno oedd wedi torri rhywbeth. Estynnodd am ei sbectol ond fe gwmpodd honno i'r llawr yn y tywyllwch. Ceisiodd chwilio amdani ond roedd hi'n rhy hwyr – roedd y dynion yn y tŷ eisoes yn chwalu popeth â'r bar metel. Teimlodd Meical rywun yn cydio yn ei goler a'i guro'n ddidrugaredd. Teimlodd waed cynnes yn pistyllo o'i ben a thros y dillad y gwely. Dechreuodd Meical lefen. Chwalwyd pob ystafell gan gynnwys yr ornaments gwydr a gasglodd dros y blynyddoedd. Tynnwyd ei lyfrau oddi ar y silffoedd a'u taflu ar lawr.

Gwacawyd pob drôr a chwalwyd pob dodrefnyn.

'Beth 'nest di iddi hi'r ffycar?'

Disgynnai'r dyrnau'n ddidrugaredd.

'Ffycin pedo! Paid meddwl bod pobl ddim yn gwbod beth wyt ti. Y mochyn diawl!'

Roedd y dyrnau'n dal i ddisgyn ar ben Meical.

'Rhacs fel ti sy'n achosi ffycin probleme.'

Cydiodd un o'r dynion ym mraich yr ymosodwr. 'HEI! Gad e fod, ma fe 'di ca'l digon. Ti'm ise'i ladd e.'

'Nadw i?' gofynnodd y llall gan anadlu'n drwm.

Syllodd y ddau ar ei gilydd drwy'r tylle yn eu balaclafas.

'Nag wyt! Jest gad e!'

Dechreuodd rhai o'r lleill gytuno.

'Oi! O 'ma'n glou!'

Trodd y dynion a gwrando. Gollyngwyd Meical yn anymwybodol 'nôl ar y gwely a'r gwaed yn llifo o'i geg.

'Dewch!'

Rhuthrodd y dynion allan i'r tywyllwch ac i'r parc. Gan ei bod hi'n dywyll, amhosib fyddai dod o hyd iddyn nhw. Gwahanodd y grŵp a mynd am adref, gan dorri ffenestri siop y gornel ar eu ffordd. Fyddai neb yn sôn iddynt adael y dafarn yn gynnar. Roedd 'na reolau. Byddai'r landlord, a'r yfwyr eraill yn honni iddynt fod yno drwy'r nos. Roedd pobl wedi cael digon. Roedd yn rhaid i rywun neud rhywbeth. Diflannodd y dynion i'r tywyllwch gan adael Meical yn brwydro am ei fywyd ar wely oedd yn dywyll gan waed.

Pennod 31

'Sa i'n credu mod i'n gyfarwydd â'r gân 'na.'

Trodd Cara i weld Ifan yn sefyll y tu ôl iddi yn nrws yr ystafell molchi. Cochodd. Roedd hi wedi bod yn canu allan o diwn wrth baratoi i fynd allan.

'O'n i ddim yn gwbod bo ti 'na.'

Gwenodd Ifan arni. Roedd Cara wedi golchi'i gwallt y noson cynt ac wedi'i blethu a'i adael i sychu. Dim ond datod y blethen oedd angen wedyn ac fe fyddai ei gwallt yn cwympo'n donnau du. Safai o flaen y drych.

'Edrych yn neis.'

'Mynd mas.'

'Piti... o'n i'n meddwl falle gallen ni fynd am dro i'r llyfrgell i weld y drws a'r llunie.'

'Sori.'

'Rhywbryd 'to, falle.'

Sylwodd Beth ar y siom ar wyneb Ifan. Roedd hi yn y gegin, Lili'n cwyno am rywbeth a hithau'n ceisio'i thawelu.

'Gawn ni fynd i'r parc fory 'to, Lil,' meddai.

Cododd Beth ei haeliau'n flinedig ar Cara ac aeth Lili i bwdu ar ei bync. Aeth Cara at y ford a chydio mewn paced o bensiliau lliw a llyfr bach. Byddai Cara'n pasio siop gelf bob bore ar y ffordd i'r gwaith a chafodd ei denu i mewn gan holl liwiau'r enfys. Edrychodd Cara ar y paent, y papurau lliw, a'r clai di-ben-draw cyn dewis pecyn o bensiliau i Lili. Cerddodd at fync Lili.

'Teimla'r rhain, Lili.'

Saethodd ei dwylo bach allan a dechreuodd gwên lenwi ei hwyneb.

'Beth y'n nhw?' gofynnodd Lili.

'Pensiliau a phapur i ti ga'l tynnu llunie.'

'Pwy sy'n cael ei sbwylo?'

Beth oedd yno y tu ôl iddi'n gwenu.

'Grêt, Cara, dod â pensilie a phapur i ferch ddall!'

Doedd neb wedi clywed Leusa'n dod i mewn. Cochodd Cara mewn dicter wrth weld wyneb bach Lili'n dechre aflonyddu a dagrau'n chwyddo yn ei llygaid.

'Paid â gwrando arni, Lili,' meddai Cara. 'Wi'n meddwl y galli di dynnu'r llunie gore yn y byd.'

'Fi 'fyd,' meddai Beth.

Dechreuodd y wên fach gyfarwydd sleifio'n ôl i wyneb Lili.

'Fi ise tynnu llun nawr,' meddai gan wthio'i phen-ôl bach i ochr y gwely a chydio'n dynn yn y llyfr. Estynnodd Beth ei braich a chodi Lili i eistedd wrth y bwrdd. Diolchodd Beth i Cara dan ei hanadl fel na fedrai Lili glywed.

'Glywes i 'na,' meddai honno wedyn gan wneud i Beth wenu.

Roedd Leusa wedi sleifio i'w bync ucha i beintio'i hewinedd. Roedd hi'n cnoi gwm yn ddigon uchel i bawb allu ei chlywed. Edrychodd Cara arni am eiliad cyn codi.

'Reit, wela i chi wedyn.'

Saethodd Leusa edrychiad i'w chyfeiriad. 'Lle *ti'n* mynd?' holodd.

Roedd gan Leusa ffordd o wneud i bob cwestiwn swnio fel cyhuddiad.

'Yn ddigon pell oddi wrthot ti,' meddai Cara gan godi un ael arni a cherddded am y drws. Winciodd ar Ifan wrth gerdded heibio iddo. Gwenodd hwnnw arni.

Roedd Cara ar goll. Edrychai'r tai yr ochr yma i'r dre'n union fel y rhai yn ei stryd hi. Roedd rhifau ar byst ar waelod y strydoedd, ond nid ar y tai, felly fe fyddai'n rhaid iddi rifo'r tai gan obeithio y byddai'n curo ar y drws cywir. Bwriadai fod ychydig yn hwyr. Doedd hi ddim eisiau ymddangos yn rhy awyddus ond ar y llaw arall, doedd hi ddim eisiau i Seimon feddwl na fyddai'n dod, a'i golli efallai. Cerddodd i fyny'r stryd nesa gan geisio rhifo'r tai. Oedd e wedi paratoi bwyd neu ddiod iddi? Fyddai e'n aros amdani wrth y drws?

Bu'n meddwl llawer am y papur newydd. Byddai gan y ddau ddigon i'w ddweud wrth ei gilydd, ond gallai hi drafod y papur petai'r sgwrsio'n sychu. Hoffai wybod beth ddigwyddodd iddo yn y byd arall. Doedd dim cliwiau yn ei edrychiad, dim clwyfau na chreithiau, wel, nid ar y darnau ohono roedd hi wedi'u gweld. Fflachiodd ei bochau'n gynnes wrth feddwl am y rhannau doedd hi heb eu gweld. Roedd e'n edrych yn holliach. Meddyliodd efallai ei fod e fel Ifan, wedi edrych yn sâl i ddechrau cyn gwella yn yr Arhosfyd.

Roedd Cara wedi cyfrif nes cyrraedd rhif 245. Ma'n siŵr mai dyma'r tŷ. Edrychai'n union fel tŷ Cara, gardd fach yn y blaen a waliau gwyn. Yn yr ardd, roedd cadeiriau isel, fel pe baent yn hoffi treulio'u hamser yn sgwrsio yn yr ardd. Gallai Cara deimlo'i thop yn glynu i'w chefn gan chwys.

Roedd ei chalon yn curo wrth feddwl amdano. Wrth gnocio, clywodd fiwsig ysgafn yn dod o'r tŷ ac yna clywodd ôl traed. Cilagorodd y drws. Gwthiodd Seimon ei ben heibio'r drws. Gwenodd arni a thoddodd hithau.

'O'n i'n meddwl na chyrhaeddet ti byth.'

Cochodd Cara eto. 'O'n i... es i ar goll. Ma'r llefydd 'ma mor...'

'Ma'n olreit, t'mod.' Winciodd arni ac ymlaciodd ysgwyddau Cara. 'Ma'n neis dy weld di.'

Roedd e'n gwisgo crys-t gwyn a hwnnw'n dynn amdano. Roedd ei groen wedi tywyllu yn yr haul gan wneud i ddefnydd y crys-t ymddangos yn llachar.

'A ti... ' atebodd Cara. Disgwyliai iddo ddweud rhywbeth arall ond wnaeth e ddim, dim ond syllu arni. Roedd e'n amlwg yn falch o'i gweld. Osgoi ei lygaid wnaeth hi gan deimlo'r gwres yn lledu dros ei bochau. Gobeithio nad oedd hi'n cochi gormod.

'Der i mewn,' meddai ac agor y drws.

Y tu ôl iddo roedd ystafell gul hir, a thri o bobl yn gweithio'n brysur wrth eu cyfrifiaduron. Cwympodd calon Cara.

'Cara, co pawb, pawb, 'ma Cara.'

Chymerodd y rheiny fawr o sylw ohoni dim ond codi eu haeliau am ychydig eiliadau, lled-wenu arni a throi yn ôl at eu cyfrifiaduron.

'Jeff, Kate, Louise,' cyflwynodd Seimon y tri. 'Ma nhw'n gweithio i'r papur.'

'O,' meddai Cara wrth weld ei ffantasi o swper bach tawel gyda'i gilydd yn diflannu. Teimlai braidd yn ddwl am iddi gymryd amser i dwtio'i gwallt. 'O fan hyn ma'r papur yn cael ei redeg 'te,' meddai Cara er mwyn dweud rhywbeth.

'Ie.'

Arweiniodd Seimon hi i gefn yr ystafell lle roedd bwrdd gwyn yn union fel yr un yn nhŷ Cara.

'Stedda.'

'Diolch,' atebodd Cara a'r tap-tapian cyson ar y bysellfyrddau yn yr ystafell yn dechrau mynd ar ei nerfau'n barod. Roedd yna ddau wydraid o win ar y bwrdd. Cododd Seimon un a'i osod o flaen Cara. Gwenodd arni a theimlodd Cara'i siom yn dechrau toddi. Eisteddodd gyferbyn â hi a chymrodd lymaid o win. Roedd e'n sur.

'Paid â becso, 'nei di ddim meddwi fan hyn.' Roedd llygaid Seimon yn disgleirio. 'Y corff sy'n meddwi a do's dim un 'da ni rhagor.'

Ceisiodd Cara beidio ag edrych arno pan ddywedodd e'r gair 'corff'. Roedd hi'n amhosib meddwl nad oedd corff ganddo. Roedd ei ysgwyddau a'i gnawd yn edrych mor real iddi. Sylweddolodd Cara'i fod yn syllu arni. Gwenodd yn ôl arno.

'Beth o't ti'n feddwl o'r papur 'de?' gofynnodd Seimon o'r diwedd.

'Briliant. Ro'n i'n ffaelu ei roi fe i lawr.'

'Wir?' Edrychodd Seimon arni a gwên ar ei wyneb.

'Wir... 'Nes i fwynhau'r darn am y cyffurie er falle y galle fe fod wedi mynd i mewn i bethe'n ddyfnach. Ond nath e i fi feddwl. Ac rodd y cyfweliad yn grêt... ro'n i'n rili lico hwnna.'

Edrychai Seimon arni'n eiddgar fel pe bai'n ysu am glywed rhagor.

'O'n i'n lico'r horosgop hefyd... a do'n i ddim wedi meddwl y galle pobol sy'n cyrraedd ar ein hôl ni roi gwybodeth o'r hyn sy 'di digwydd i ni.'

'Ry'n ni'n delio tipyn 'da 'na, ond ma rhaid bod yn ofalus, cofia.'

Cytunodd Cara'n dawel cyn gofyn, 'Allith unrhyw un roi ei enw yn y papur?'

'Gallan, ond, ma'n rhaid i ni drio peidio ag ymyrryd gormod â'r broses naturiol o gofio hefyd. Ry'n ni'n tueddu i ddim ond rhoi enwau'r rheiny sy'n chwilio am deulu neu ffrindie...'

Meddyliodd Cara y byddai'n braf cael bod yn yr Arhosfyd gyda rhywun roedd hi'n nabod.

'Ni'n trio osgoi creu probleme, t'mod.'

Roedd Cara ar fin holi am ei hamgylchiadau hi ond gallai weld mai am y papur roedd Seimon am siarad.

'Wi'n falch bo ti'n 'i lico fe... achos, ma ise newyddiadurwr arall arnon ni.'

Eisteddodd Cara'n ôl. 'Sgwennwr?'

Nodiodd Seimon.

'Ma un o'n rhai ni wedi symud mlân.'

'O...'

'Licen i i ti gymryd y swydd... os wyt ti ise. Rw't ti'n amlwg yn lico llyfre ac ma 'na rywbeth ambwtu ti.'

'Fi?'

Meddyliodd Cara am eiliad. Wrth dderbyn y cynnig byddai hi'n gweithio fan hyn weithiau a gweld Seimon yn aml.

'Allet ti ddod â stori i fi?' holodd Seimon. 'Jest rhywbeth i ni ga'l gweld sut wyt ti'n sgwennu?'

'Iawn... ' Doedd Cara ddim yn gwybod o ble daeth y gair, ond fe hedfanodd allan o'i cheg. Cododd Seimon a symud ati. Cododd hithau i siglo'i law ac fe gydiodd ef ynddi a'i gwasgu am eiliad. Pwysodd ei phen ar ei ysgwydd ac fe deimlodd yn benysgafn yn sydyn. Gallai arogli rhywbeth... rhywbeth cyfarwydd. Arogl aftershêf...

Gollyngodd hi ac edrych arni. 'Diolch, Cara,' meddai eto.

'Iawn, Cai.'

'Cai?' gofynnodd. 'Seimon dw i.'

''Na beth wedes i, Seimon!'

Syllodd Seimon arni am eiliad cyn gwenu.

'Fydd e'n ddim problem. Wi'n gwbod bo fi'n galler sgwennu.' Wyddai Cara mo hynny o gwbwl, ond fe wnâi unrhyw beth i gael ei gwasgu gan Seimon unwaith eto.

'Ma Cara am ymuno â ni!' gwaeddodd Seimon ar y lleill.

'Gwell i ni ddangos i ti beth sy ise mewn stori, 'te?'

Nodiodd Cara a'i ddilyn at ei ddesg. Roedd ei siaced yn hongian ar gefn y sedd ac ar y ddesg roedd cyfrifiadur a llond lle o bapurach. Roedd llyfrau ar y llawr, ac enwau ar y cloriau. Lled-adnabyddodd rai o'r enwau a gwrandawodd ar Seimon yn siarad yn frwdfrydig am ei bapur a'i lygaid glas yn dawnsio wrth wneud. Wrth wrando roedd rhywbeth yn ei phoeni ond allai hi ddim yn ei byw feddwl beth oedd e. Doedd hi erioed wedi teimlo mor angerddol dros unrhyw beth ag a wnâi Seimon am ei bapur. Erioed wedi dod o hyd i rywbeth oedd yn ei chyffroi gymaint. Roedd ei egni'n ei chyffroi hithau a gwrandawodd arno heb ddweud gair. Wrth adael trefnodd y ddau gyfarfod cyn hir i drafod y stori.

'Wnei di mo ngadel i lawr, 'nei di?' holodd Seimon.

Siglodd Cara'i phen. 'Addo,'

'Gwd,' meddai yntau.

Safodd Cara am ychydig ar stepen y drws. Pwysodd Seimon tuag ati a chyffwrdd yn ei braich. Teimlodd Cara binnau bach yn codi o dan ei bysedd ac yn symud yr holl ffordd ar draws ei chorff. Bywiogodd. Gwenodd yntau a chau'r drws.

Trodd hithau a cherdded i lawr y llwybr cyn iddi sylweddoli beth oedd yn ei phoeni. Y siaced ddenim hir yn eiddo i fachgen. Yr un ar gefn ei gadair. Cofiodd am Leusa'n cynnu ei sigarét a'r siaced ddenim amdani. Safodd Cara ar ganol y llwybr a theimlodd yr oerfel yn ei hamgylchynu.

PENNOD 32

Roedd Cara'n eistedd ar y fainc o flaen y tŷ yn darllen un o gylchgronau Leusa. Syllodd ar y modelau yn eu dillad ac ar dudalen yn egluro sut i goluro. Gwenodd Cara wrth sylweddoli mor ddibwys oedd hyn o'i gymharu â phapur Seimon. Slapiwyd y cylchgrawn o'i dwylo i'r llawr. Roedd Leusa'n sefyll drosti yn ei sgert denim ac yn tapian ei throed.

'Beth ti'n meddwl ti'n neud?'

Roedd ei llygaid yn galetach nag erioed. Doedd Leusa ddim yn hoffi pobl yn ymhél â'i chylchgronau mae'n debyg.

'Sori?'

'Byddi di'n sori 'fyd, os na adewi di lonydd i Seimon. Beth ti'n neud yn craco mlân iddo fe? Est di draw ato fe neithwr.'

'O.' Suddodd calon Cara wrth sylweddoli ei bod hi wedi dyfalu'n iawn ond roedd y ffaith iddi wasgu ar nerf Leusa'n rhoddi hyder iddi.

'Fe ofynnodd i fi fynd draw.'

Syllodd Leusa arni, yn amlwg yn ansicr sut i ymateb.

'Bydda i draw 'na'n amlach o hyn mlân achos bydda i'n gweithio 'da fe ar y papur.'

'Shyt yp am y papur, 'nei di? Wedodd e ddim wrthot ti bod hwnna'n *secret*?'

Cochodd Cara. Roedd hi wedi bod ychydig yn fyrbwyll ond doedd neb arall yn y tŷ yn medru clywed.

'Ise ti weithio iddo fe ma Seimon,' poerodd Leusa'r geiriau at Cara a theimlodd Cara nhw i'r byw.

'Gweithio 'da fe'n agos iawn, treulio orie 'da fe... ' Llifodd y geiriau o geg Cara. Pwyllodd dros y gair 'orie'. Roedd hi'n dyfalu na fyddai Leusa'n medru ysgrifennu, felly byddai ganddi fantais drosti.

'Ody Ifan yn gwbod beth ti'n neud? Wi'm yn credu y bydden nhw mewn fan'na'n lico'r papur.'

Cododd Cara'i haeliau.

'Ody pawb yn gwbod am y fenyw 'na o't ti'n rhedeg oddi wrthi pwynosweth fel babi bach?'

Doedd gan Cara ddim syniad am beth roedd hi'n sôn ond gwyddai fod Leusa'n ofnus y noson honno ac fe allai hi fanteisio ar hynny. Cydiodd Leusa yn ei braich a chododd Cara i'w hwynebu.

'Paid ti byth â siarad am hynna wrth neb, ti'n deall?'

Tynnodd Cara'i braich yn ôl. Clywodd y swyndlysau ar ei breichled yn canu fel clychau o bell.

'*Ditto* am y papur 'de… '

Roedd wynebau'r ddwy'n agos iawn at ei gilydd.

'Jest cadwa dy ddwylo off Seimon… ' meddai hi wedyn.

'Wrth gwrs…' Sylwodd Cara fod ysgwyddau Leusa wedi llacio ychydig, '… ond sai'n addo y gallith e gadw'i ddwylo off fi.'

Fflachiodd llygaid Leusa ac fe agorodd ei cheg i ddweud rhywbeth cyn ailfeddwl.

'Cara!' Safai Lili yn y drws yn dal ei llyfr tynnu lluniau. 'Wi 'di neud llun ohonot ti!'

Gwenodd Cara a gwthio heibio i Leusa a chydio yn y llyfr – llun lliwgar yn llawn cylchoedd o bensel lliwgar. 'Briliant! A gweud y gwir, hwnna yw'r llun gore ohona i wi erioed wedi'i weld.'

Gwenodd Lili a'i dwylo bach yn estyn i gael y llyfr yn ôl.

'Beth ti'n weud, Leusa?' gofynnodd Cara.

'Rial mès on'd yw e? Edrych yn gwmws fel ti,' meddai hithau a gwthio heibio i'r ddwy a mynd i mewn i'r tŷ.

Cerddodd Cara i waelod yr ardd gyda Lili. Roedd rhai o'r hadau wedi dechrau egino ac yn gwthio'u pennau drwy'r pridd. Byddai angen eu dyfrhau bob nos ac fe fyddai Cara neu Beth yn ei helpu. Gwyliodd Cara hi'n cario'r can dyfrio. Roedd Lili mor fach nes bod yn rhaid iddi ei gario rhwng ei choesau a phwysau'r dŵr yn ei symud o un ochr i'r llall. Edrychai fel pe bai hi am syrthio unrhyw eiliad. Ond, doedd hi'n ofni dim – byddai'n rhedeg nerth ei thraed yn y parc, heb ofni cwympo ar ei hwyneb. Byddai'n garddio neu'n chwarae ac yn siarad â'i hunan yn gysurus bob dydd a byddai Cara wrth ei bodd yn gwrando ar ei llais.

Aeth Cara 'nôl i eistedd ar y fainc. Byddai'n rhaid iddi greu stori. Stori wych ar gyfer y papur. Doedd ganddi ddim syniad beth i ysgrifennu amdano a dechreuodd deimlo'n ansicr, wedi addo gwneud rhywbeth nad oedd hi o ddifri yn gwybod y gallai ei gyflawni. Edrychodd ar Lili ac fe sylweddolodd y byddai modd iddi wneud rhywbeth. Meddyliodd am lygaid sbeitlyd Leusa. Byddai'n rhaid iddi feddwl am rywbeth gwych er mwyn cael y gwaith. Yna, gallai glosio at Seimon. Roedd hi'n adnabod Leusa'n ddigon da i wybod y byddai hi wedi dweud wrthi petai rhywbeth rhyngddi hi a Seimon. Ond cynyddai ansicrwydd Cara wrth feddwl am y gystadleuaeth.

Sylwodd Cara fod Ifan wedi ymuno â hi. Roedd e'n yfed rhywbeth a edrychai fel gwin.

'Ti'n gwbod na cheith e ddim effaith arnot ti.'

Gwenodd yntau ac eistedd. 'Wi'n gwbod, ond mae e'n neis. Galwodd Delo'r bore 'ma 'fyd. Ise dy weld ti.'

Meddyliodd Cara am y doctor. Cofiodd fod hwnnw'n

mynd i basio'r canlyniadau 'ymlaen' – beth bynnag roedd hynny'n ei feddwl.

'Wela i e heno, ynta... ' meddai Cara'n gelwyddog. Fel arfer byddai'n ceisio gwneud yn siŵr ei bod hi yn ei gwely ymhell cyn i Delo gyrraedd. Ni allai e wneud dim wedyn, ond eistedd ar y wal tu allan i'r tŷ a gadael yn dawel bach. Sylwodd Ifan ar y llyfr ar y fainc a'r llun lliwgar oedd arno.

'Llun o beth yw hwn?' holodd.

Gwenodd Cara. 'Fi.'

'A! Wi'n gweld y tebygrwydd nawr!'

Chwarddodd Cara. 'Druan â hi... ' Sythodd gwên Cara ychydig. Roedd ei chalon yn gwaedu dros Lili weithiau. Mor ddiniwed. Mor hawdd ei chlwyfo.

Sylwodd Cara fod Ifan yn gwenu wrth wylio Lili'n ceisio codi'r can dyfrio unwaith eto. Roedd hi'n chwerthin ar ei phen ei hun wrth iddi faglu.

'Beth sy'n mynd i ddigwydd iddi?' holodd Cara.

'Bydd hi'n iawn,' atebodd Ifan.

'Wi jest ise gwbod nawr, wi wedi blino aros. Wi jest ise gwbod beth ddigwyddodd. Rh odden i unrhyw beth...'

'Wi'n gwbod,' atebodd Ifan yn llawn cydymdeimlad.

Roedd Cara wedi bod yn meddwl drwy'r dydd am gofio, am dymheredd ei llygaid ac am Delo.

'I ble ry'n ni'n mynd wedyn, ar ôl cyrradd y traeth?'

Cymerodd Ifan lwnc arall o'r gwin. 'Sa i'n gwbod.'

Edrychodd Cara arno. ''Na'r broblem 'da'r lle 'ma, sneb yn gwbod dim byd.'

Roedd yr haul yn aeddfed erbyn hyn a'i olau'n tywynnu ar wyneb Ifan. Wrth iddo ymestyn ei fraich ar hyd cefn y fainc, roedd ei fysedd fodfedd neu ddwy oddi wrth wallt Cara.

'Ti ise mynd am dro nos fory? Licen i siarad â ti am rywbeth.'

Meddyliodd Cara am yr erthygl. Roedd yn *rhaid* iddi ddechrau sgrifennu.

'Dim nos fory, sori ma 'da fi rywbeth i neud.'

Tynnodd Ifan ei fysedd yn ôl ychydig. Doedd Cara heb sylwi. Cododd hithau.

'Dere nawr Lili fach,' galwodd hi. 'Amser swper.'

Rhedodd yr un fach ati gan bron â chwympo dros ei thraed ei hun. Estynnodd ei breichiau at Cara a chael ei chodi'n grwn oddi ar y llawr. Chwarddodd wrth i Cara droi yn ei hunfan gan wneud i Lili sgrechian chwerthin. Cerddodd y ddwy i'r tŷ gan adael Ifan yn edrych ar y llun lliwgar a orweddai ar y fainc ar ei bwys.

PENNOD 33

Roedd Casi wrthi'n casglu ychydig o bethau i focs cardfwrdd pan glywodd hi gorn car y tu allan. Roedd Cara wedi gadael llwyth o bethau ar ôl yn ei hystafell wely. Cydiodd Casi yn siwmper Cara a'i gwasgu i'w hwyneb – roedd ei phersawr yn dal arni. Roedd yna golur yma hefyd. Byddai'r ddwy'n paratoi i fynd allan gyda'i gilydd yn aml, ac wedi i Cara adael byddai Casi'n ddi-ffael yn dod o hyd i rywbeth a adawodd ar ei hôl. Gosododd y cyfan yn y bocs cardfwrdd – y minlliw pinc tywyll a siâp ei gwefusau wedi'i fowldio'n bigyn arno, a'r paent ewinedd tywyll. Syllodd Casi ar y bocs am ychydig wrth chwarae â'r neclas o gwmpas ei gwddf. Roedd y ddwy wedi prynu dau dlws yr un pryd yn y ffair cyn y Nadolig –tlws â dwy C gefn wrth gefn. Byddai pawb yn adnabod y symbol fel motiff un o'r prif dai ffasiwn mwyaf ond roedd y ddwy C yn golygu rhywbeth gwahanol i Cara a Casi. Priflythrennau eu henwau wedi'u clymu am byth. Roedd Cara'n gwisgo ei thlws hi ar y freichled a wisgai bob amser, ac roedd un Casi ar ddarn o ledr am ei gwddf.

Syllodd Casi allan drwy'r ffenest a gweld Cai'n eistedd yn ei gar tu allan. Gwnaeth arwydd arno drwy'r ffenest cyn gwisgo'i chot a rhedeg i lawr y grisiau. Roedd ei mam ar bigau'r drain y diwrnodau yma a Casi'n dal heb fynd yn ôl i'r ysgol. Roedd y cownsilor wedi galw yn y tŷ, ond roedd hi wedi gwrthod ei weld. Cytunodd i wneud rhywfaint o waith cartre ond teimlai'n sâl wrth feddwl am gamu'n ôl dros drothwy'r ysgol. Gwaeddodd ei mam arni gan ofyn i ble roedd hi'n mynd, ond fe gaeodd Casi'r drws heb ateb a rhedeg i lawr y llwybr tuag at gar Cai. Gwenodd arni a neidiodd hithau i sedd y pasinjer.

Gyrrodd y ddau i ochr arall y dref. Roedd hi'n ddeg o'r gloch y nos a fawr neb o gwmpas ond ambell un yn cerdded ei gi. Ychydig iawn o blant oedd allan y dyddiau hyn am fod eu rhieni'n teimlo nad oedd unman yn saff nes deuai'r heddlu o hyd i Cara a phwy bynnag gipiodd hi. Arafodd Cai'r car wrth agosáu at y parc a diffodd golau'r car. Edrychodd Casi arno'n syn.

'Dy'n ni ddim ise tynnu sylw, odyn ni?' meddai wrthi. Parciodd y car o flaen y byngalo bach. Roedd byrddau pren wedi'u hoelio ar y ffenestri a thros y drws.

'Mae e wedi gadel,' meddai Cai'n dawel. 'Glywes i nhw yn y gwaith heddi. Dath e mas o'r sbyty, casglu'i bethe a diflannu.'

'Meical?'

Nodiodd Cai.

'Hela ti i feddwl fod 'da fe rywbeth i neud â'r peth.'

'Ble aeth e?'

Cododd Cai ei ysgwyddau. 'Sneb yn gwbod,' meddai.

'Wedi ca'l llond twll o ofan, siŵr o fod.'

'Ti'n dod 'de?' Roedd Cai'n syllu arni drwy'r tywyllwch.

'Mewn fan'na? Ti off dy ben?'

'Meddylia am y peth – os odd 'da fe rywbeth i neud â Cara, falle bod 'na gliwie yn y tŷ.'

'A so ti'n meddwl bydde'r cops wedi meddwl am 'na?'

'Bydden, ond dy'n nhw ddim yn nabod Cara cystel â ti. Falle'u bod nhw 'di miso rhywbeth.'

Meddyliodd Casi am eiliad. Roedd ei chorff wedi oeri. Roedd y stryd yn dywyll a'r coed y tu ôl i'r byngalo bach yn uchel ac yn fygythiol.

'Sa i'n gwbod.'

'Ma Cara'n haeddu hyn.'

Teimlodd Casi'r ddwy C am ei gwddf â'i bysedd. 'Ocê,' meddai o'r diwedd.

Agorodd Cai'r gist fach o flaen sedd Casi a thynnu tortsh oddi yno. Daeth â chrowbar o'r gwaith hefyd. Gwasgodd Cai y crowbar tu ôl i'r drws a'i dynnu'n rhydd, a'r hoelion yn crafu o'u tyllau. Camodd y ddau i dywyllwch y byngalo. Rhwbiodd Casi'i breichiau i geisio cynhesu. Neidiodd ei chalon wrth i'r ddau gamu ar ddarnau o wydr a'r rheiny'n crafu'n wichlyd ar hyd y llawr teils. Cydiodd Casi ym mraich Cai wrth gerdded i mewn yng ngolau'r tortsh.

Roedd popeth yn y byngalo ben i waered. Stafell fyw oedd hi ar un adeg ond doedd dim llawer o ôl hynny arni erbyn hyn. Roedd yr heddlu wedi bod yn archwilio a gadael powdwr gwyn ar hyd y lle. Bu'r fandaliaid yno hefyd, cyn i'r cyngor hoelio'r byrddau ar y drysau a'r ffenestri. Torrwyd cadeiriau a thynnwyd y lluniau o gathod oddi ar y welydd a'u sathru dan draed. Yn y gegin, roedd platiau ar lawr a rhywun wedi defnyddio erosol i beintio sloganau ar y cownteri. Closiodd Casi at Cai, yn saffach wrth deimlo gwres ei gorff.

'Weli di rywbeth?' sibrydodd Cai.

Siglodd Casi'i phen. Welai hi ddim byd anarferol.

Camodd y ddau i'r ystafell ola. Tynnodd Casi ar fraich Cai. 'Mewn fan'na gath e'i fwrw?' holodd.

'Ie, a mewn fan'na bydde fe'n cadw'i ffilth siŵr o fod, yr hen byrf.'

Roedd Casi wedi oeri'n ofnadwy erbyn hyn. Doedd hi ddim yn un am gredu mewn pethau rhyfedd, fel arfer, ond roedd hi'n credu mewn egni. Yn aml, fe âi i mewn i ryw dŷ a gwybod bod egni gwael yno. Byddai hi'n ffaelu'n deg â chysgu mewn rhai stafelloedd oherwydd hynny. Doedd hi ddim yn hoffi'r byngalo o gwbwl – roedd rhywbeth sinistr am y lle. Doedd y teimlad ddim yn dod o'r tamprwydd, na'r arogl, na'r annibendod, ond o rywbeth dyfnach ynddi hi ei hun, ym mêr ei hesgyrn.

Gwthiodd Cai drws yr ystafell wely ar agor. Roedd y fandaliaid wedi bod yn y fan honno hefyd a phaent wedi'i daflu dros y gwely. Doedd dim cynfasau na matras ar y gwely, ond roedd ôl gwaed wedi socian trwyddo i'r ffrâm bren. Bu Meical yn bur wael yn yr ysbyty a chafodd drallwysiad gwaed a phwythau yn ei ben a'i dalcen. Gadawodd yr ysbyty o'i wirfodd, a methodd yr heddlu ei gadw dan glo am nad oedd tystiolaeth ganddynt. Gofynnwyd iddo beidio â gadael yr ardal, ond fe baciodd ychydig bethau yn ei fag a diflannu gan adael y drws ffrynt led y pen ar agor.

Agorodd Cai ddroriau'r cwpwrdd bach ar bwys ei wely. Roedd ynddo dabledi, casyn sbectol a hen gylchgronau garddio – dim byd o bwys. Plygodd Cai a chwilio o dan y gwely yng ngolau'r tortsh. Dim byd.

'Dere, Cai,' meddai Casi. 'Wi'm yn lico'r lle 'ma.'

'Un funud.' Chwifiodd Cai'r tortsh o gwmpas yr ystafell am y tro ola cyn i'r golau ddod o hyd i rywbeth wedi'i beintio ar y wal â phaent erosol. Symbol. Rhyw fath o aderyn. Aderyn ysglyfaethus mewn cylch.

'Graffiti,' meddai Casi. 'Edrych fel deryn o ryw fath.'

'Ti 'di 'i weld e o'r blân?'

Syllodd Casi arno. 'Wi ddim yn siŵr.'

Culhaodd Cai'i lygaid wrth edrych ar y llun. 'Naddo?' holodd.

Cododd Casi'i hysgwyddau. 'Ffaelu meddwl.'

'Na fi,' atebodd yntau, gan ddiffodd y tortsh.

Teimlai Casi ei bresenoldeb yn y tywyllwch.

'Ti'n ocê?' gofynnodd Cai iddi.

'Odw.' Roedd llais Casi'n fach a theimlai wres ei anadl wrth ei thalcen. Roedd eu cyrff yn agos.

'O'dd e'n werth siòt, on'd oedd e?' gofynnodd hi.

'Oedd,' atebodd yntau.

Teimlodd Casi law Cai'n cydio yn ei llaw a'i harwain allan. Cydiodd Cai yn y crowbar a adawodd ar bwys y drws a gwthio'r drws ar agor. Camodd Casi allan i'r awyr iach, yn falch o gael gwared ar yr aer stêl yn ei hysgyfaint. Cerddodd y ddau'n araf at y car.

Yr ochr draw i'r hewl, roedd pâr o lygaid yn gwylio'r ddau. Safai ffigwr tywyll yn y llwyni wrth ochr yr hewl. Gwyliodd y ddau'n cau drysau'r car a thynnodd anadl hir cyn troi ei gefn a diflannu i mewn i'r parc.

PENNOD 34

'Dwy frechdan gaws a dou goffi.'

Roedd Cara'n malu cornel pecyn bach o siwgr yn ei dwylo.

'Oi! Dwy frechdan gaws a dou goffi!'

Neidiodd Cara wrth weld Rich yn edrych arni'n ddiamynedd.

'Beth sy'n bod arnot ti heddi?'

Sychodd Cara'i dwylo yn ei ffedog ac aeth i'r cefn i dorri bara. Doedd hi heb gysgu llawer. Roedd hi wedi codi cyn bod Delo'n galw amdani gan fynd i eistedd ar y wal o flaen y tŷ. Doedd dim awydd brecwast arni. A dweud y gwir, doedd dim blas ar ddim y diwrnodau hyn. Roedd Ifan wedi dweud wrthi ei fod yntau'n teimlo yr un fath ers tro. Byddai gwneud bwyd i bobl eraill, hyd yn oed, yn troi stumog Cara a byddai'n rhaid iddi geisio dal ei hanadl wrth wneud coffi rhag iddi fynd yn sâl. Llenwodd y ddwy frechdan â chaws a'u cario at Rich a oedd yn esgus cymryd arian oddi wrth rhyw fenyw. Roedd llygaid y fenyw yn goch – yn amlwg newydd gyrraedd.

Roedd hi'n dawel yn y caffi heddiw; dim ond yr hen ddyn a eisteddai ar bwys y ffenest fel bob amser, a'r fenyw a chymar iddi oedd yno. Syllodd Cara ar y fenyw am ychydig a sylwi bod ei chymar tua'r un oedran â hi a bod ei lygaid yntau'n rhedeg hefyd. Gwisgai'r ddau fodrwyon priodas, ond roedd rhywbeth clòs am y ddau, rhy glòs. Eisteddai'r ddau ar bwys ei gilydd a'u pennau'n agos wrth iddynt sgwrsio. Pan fyddai'r caffi'n dawel byddai hi a Rich yn ceisio dyfalu beth ddigwyddodd i'r bobl a ddeuai i mewn.

'Damwain car,' sibrydodd Rich dan ei anadl. 'A weden i mai esgid o bob pâr y'n nhw.'

'Ti'n siŵr o fod yn iawn – affêr yn bendant. Cwestiyne 'da pobl yn holi beth o'n nhw'n neud yn y car 'da'i gilydd.'

'Ti wastad yn mynd am y pethe dramatig, on'd wyt ti?'

Gwenodd Cara arno.

'Gormod o ddychymyg,' meddai Rich eto.

'Trueni na fyse fe... ' atebodd hithau cyn mynd i'r ystafell gefn i roi'r caead ar y menyn.

Roedd sawl reswm pam na fedrai gysgu – Seimon a Leusa wrth gwrs, a bod rhaid iddi ysgrifennu erthygl. Ond roedd rhywbeth mwy na hynny yn ei phoeni. Bob dydd, byddai'n synhwyro fod yna rywbeth reit o'i blaen hi a hithau'n ffaelu'n deg â'i weld. Byddai'n dihuno weithiau ac yn gwasgu'i hewinedd i mewn i'w llaw, gwasgu a gwasgu gan geisio tynnu gwaed. Doedd y gwaed byth yn rhedeg ac fe fyddai hi'n gorwedd yno a dagrau yn ei llygaid. Roedd hi eisiau teimlo rhywbeth, unrhyw beth! Fe deimlai gyffro yng nghwmni Seimon, yn gysurus gydag Ifan ac yn hapus gyda Lili – ond roedd angen mwy arni. Er sylweddolai y gallai dechrau cofio fod yn brofiad erchyll.

Roedd Delo bellach yn holi cwestynau'n fwy taer iddi bob bore. Oedd hi'n dechrau cofio? Beth oedd hi wedi bod yn ei wneud? Dweud iddo alw amdani weithiau a hithau ddim yno. Pwy oedd ei ffrind newydd? Neidiodd calon Cara pan glywodd y cwestiwn hwnnw, rhag ofn ei fod wedi'i dilyn, ond wedi clywed gan Ifan a Beth, wnaeth e iddi gwrdd â ffrind newydd. Siglodd Cara'i phen. Dim ond rhywun o'r caffi, meddai hi. Doedd e ddim yn fusnes iddo ef, ac yn sicr fyddai hi ddim eisiau iddo wybod am y papur. Byddai'n rhaid iddi greu ffrind, efallai, gan y byddai Ifan a Beth hefyd yn dechrau holi cwestiynau cyn bo hir.

'Cara?' Neidiodd Cara wrth i Rich dorri ar draws ei myfyrdodau.

Roedd ei wyneb yn goch ac edrychai braidd yn ansicr. Gwenodd Cara arno gan ei fod e'n edrych yn nerfus.

'Beth?' gofynnodd Cara.

'Ga i ofyn ffafr?'

'Beth ti ise?' gofynnodd Cara.

Doedd Rich ddim wedi bod fel fe'i hunan yn ystod y diwrnodau diwethaf chwaith. Byddai'n cawlio'r archebion a Sadie wedi gwylltio'n llwyr gydag e sawl gwaith. Edrychai honno'n llwyd iawn hefyd a Rich yn awgrymu iddi fod yno ymhell o'u blaenau nhw..

'Ise help i neud picnic mawr.'

'Reit. Ti'n gwbod mai 'na 'ngwaith i.'

'Na, ddim i'r gwaith mae e. Ma Flo a fi'n mynd i briodi.'

Wedi iddo ddweud y geiriau, roedd fel petai pwysau mawr wedi codi oddi ar ei ysgwyddau.

'Priodi?'

Nodiodd Rich ei ben. 'Wi ddim yn un o'r rhai mwya, t'mod, rhamantus, ond wi'n caru hi.'

Neidiodd Cara amdano a chydio ynddo. 'Wrth gwrs g'naf i dy helpu di! Ma hynna'n briliant!'

Gwenodd yntau'n swil. 'Dim ond cwpwl o ffrindie fydd 'na yn y parc.'

'Wrth y llynnoedd?'

'Ie!' meddai yntau.

'Perffeth!' atebodd hi.

'Odd Mam wastad yn gobeithio y gneithen i briodi,' meddai'n ddistaw.

'Bydd hi'n gwbod.'

'Ti'n meddwl 'ny?'

'Wrth gwrs y bydd hi.'

'Bydd,' cytunodd yntau, 'ac o leia geith y siwt posh 'ma iws!' Chwarddodd Cara.

'Mewn mis ry'n ni'n meddwl. Bydd bach o amser wedyn am *honeymoon*.' Winciodd Rich a gwenodd Cara arno.

Treuliodd y ddau'r prynhawn yn cymhennu'r ystafell gefn. Erbyn hyn roedd yr awyrgylch yn y caffi wedi ysgafnhau'n sylweddol. Roedd Ifan wedi dweud ei fod am fynd â Cara am dro ar ôl gwaith ac fe feddyliodd hi efallai y byddai'n rhaid iddi ohirio, er mwyn cael siawns i feddwl am stori i Seimon. Tawel iawn fu hi yn y caffi er bod Cara'n hanner gobeithio y deuai Seimon i'w gweld. Erbyn diwedd y prynhawn, dim ond yr hen ddyn oedd ar ôl yn ceisio gwneud i'w goffi bara cyn hired â phosib. Brwsiodd Cara'r llawr yn y cefn.

'Sa i'n gwbod beth sydd ar y boi 'na,' meddai Cara, gan nodio at yr hen ddyn wrth y ffenest. 'Sdim byd gwell 'da fe i neud?'

Ychydig amser yn ôl byddai Cara wedi chwerthin ar yr eironi yn ei brawddeg ond, a'r byd yma mor real erbyn hyn, roedd hi'n ei feddwl e. Hymiai Rich wrtho'i hun wrth glirio'r bwydydd i mewn i'r rhewgell. 'Mae e'n un od,' meddai Rich a'i feddwl ar fwydlen ei briodas.

'Beth ti'n feddwl?'

'Wel, odd e'n sôn ffor hyn pwyddwrnod ei fod e'n seicic… t'mod, yn galler cysylltu â'r byw.'

'Â'r byw?' Edrychodd Cara arno mewn penbleth.

'Ie! Wedes i 'i fod e'n od.'

Cliciodd rhywbeth ym meddwl Cara. Cysylltu â'r byw. Petai hi'n medru gwneud hynny, gallai ddarganfod beth oedd wedi digwydd iddi. Edrychodd ar y dyn yn ei got hir, dywyll. Byddai'n gwneud stori dda hefyd, rhywbeth y byddai gan Seimon ddiddordeb ynddo.

Nodiodd Rich gan gau drws y rhewgell a thynnu'i ffedog.

'Reit,' meddai Rich, 'weda i wrtho fe am fynd nawr.'

'Na, aros.'

Dechreuodd meddwl Cara weithio. Roedd Rich yn amlwg yn awyddus i gael mynd adre at ei ddarpar wraig. Byddai'n dawel yn y caffi ar ôl i Rich adael, a neb ar gyfyl y lle. Amser perffaith i gael sgwrs dawel.

'Cer di, gloia i… '

PENNOD 35

'Coffi arall?' gofynnodd Cara.

Edrychodd yr hen ddyn yn ddrwgdybus arni.

'Am ddim,' ychwanegodd Cara.

Ar ôl i Rich adael bu'n trio magu hyder i fynd i siarad â'r hen ddyn. Daliai'r potyn coffi yn ei llaw.

'Dim hast cael 'y ngwared i heno, 'te?' gofynnodd yntau a'i lygaid llonydd yn edrych arni.

Cynhesodd bochau Cara ychydig a difarodd iddi fod mor ddiamynedd yn y gorffennol. 'Wel, na,' atebodd. Daliai i edrych arni cyn gwthio'i gwpan tuag ati Cara i'w lenwi.

Doedd Cara ddim wedi edrych arno'n fanwl o'r blaen. Roedd ganddo wallt tywyll tenau, ychydig yn rhy hir, yn gwthio heibio'i glustiau o dan yr het hen ffasiwn. Y got a wnâi iddo edrych yn hen, mewn gwirionedd, meddyliodd Cara, ond ei lygaid oedd y peth mwyaf rhyfedd yn ei gylch. Roedden nhw'n gwibio i bob cyfeiriad wrth iddo siarad, fel pe baen nhw'n medru gweld o gwmpas corneli.

'Wyt ti eisiau gofyn rhywbeth i fi?' gofynnodd, gan dorri ar draws myfyrdodau Cara. Doedd hi ddim yn disgwyl cwestiwn mor uniongyrchol.

'Dim… wel… ' Ymbalfalai am y geiriau wrth osod y potyn coffi i lawr ar y bwrdd.

'Edrych, cariad, fel arfer rwyt ti'n ffaelu ca'l 'y ngwared i'n ddigon clou ond heno rwyt ti'n hofran fan hyn fel… fel… pryfyn.'

Crychodd ei drwyn arni a gwenu'n grwca. Gwenodd Cara'n ôl. Doedd hi ddim wedi cael cyfle i baratoi'i hunan ar gyfer hyn ac yn sydyn fe ddaeth hi'n ymwybodol o wacter y caffi a'r tywyllwch oedd yn casglu y tu allan i'r ffenest. Daeth geiriau Ifan yn ôl i'w meddwl: 'Cofia, Cara, dyw'r lle 'ma ddim yn ddiogel.' Camodd yn ôl.

'Rich odd yn gweud 'ych bod chi'n seicic... ' meddai mewn llais bychan.

Cododd y dyn ei aeliau. 'Oedd e nawr? A ma 'da ti ddiddordeb mewn pethe fel'ny, oes e, Cara?'

Gwyddai ei henw felly.

'Wedodd Rich 'ych bod chi'n galler siarad â'r... â'r... '

'Byw?'

Lledodd pinnau bach ar hyd croen Cara. 'Wel, ie... '

Chwarddodd yntau arni a theimlai Cara'n wan. Syllodd arni ac roedd ei lygaid fel pe baen nhw'n ei hudo. Casglai perlau o chwys ar ei thalcen.

'Dim ond weithiau – anamal ma nhw'n gwrando arna i.' Closiodd ei wyneb tuag ati gan ychwanegu, 'ma nhw'n fwy byddar na'r meirw.'

'O'n i wedi bod yn meddwl pryd byddet ti'n gofyn.'

'Beth?'

'Dwi wedi bod yn aros, ers misoedd... '

Chwarddodd Cara'n ansicr, ond chymerodd e ddim sylw.

'Wi'n sgrifennu erthygl i bapur newydd. Meddwl o'n i y gallen i gymryd nodiade.' Tynnodd Cara'i llyfr archebion a phensil allan o boced ei ffedog.

'O, fydde 'da papur newydd ddim diddordeb mewn stori fel f'un i.'

'Ma hwn yn bapur gwahanol. Math newydd... un i neud i bobl feddwl. Odych chi'n meindio os gofynna i ambell gwestiwn?'

Cododd y dyn ei ysgwyddau.

Roedd yna fachlud ffyrnig heno. Doedd Cara ddim wedi gweld machlud erioed fel yr un yn yr Arhosfyd. Roedd yn gynnes yno, a'r gwres yn effeithio ar liwiau'r wybren. Byddai'r gwaedu'n cymryd oriau, gan lenwi'r ffurfafen a'r lliwiau mwyaf rhyfeddol. Yn wahanol i fachlud ar y ddaear, byddai'r machlud hwn yn ymestyn i gylchu'r holl ffordd o gwmpas y ddinas, a'r lliwiau'n cynhesu'r awyr i bob cyfeiriad. Yna byddai'r golau'n pylu a'r tywyllwch perffeithiaf erioed yn setlo dros y ddinas.

Dechreuodd Cara holi, a dysgu mai Abel oedd ei enw a seicic oedd ei waith ar y ddaear. Roedd e wedi bod yn clywed lleisiau yn ei ben ers ei ddyddiau ysgol. Byddai'n dweud straeon wrth ei dad am hwn a'r llall. Ddywedai ei dad 'run gair, heblaw ei rybuddio i beidio â dweud y fath gelwyddau am bobl. Weithiai byddai'n tynnu'i felt lledr ac yn chwipio'r bachgen nes bod croen ei gefn yn gwaedu. Pan wireddwyd rhai o'r straeon a adroddodd Abel, credai ei dad yn sicr fod y diafol yn ei fab ac fe ballodd hyd yn oed edrych arno.

Gwyddai Abel nad oedd dyfodol iddo wrth aros adref ac aeth i weithio mewn ffair leol gan ddweud ffortiwn pobl mewn carafán i ennill bywoliaeth. Doedd dweud y gwir wrth bobl, cyfaddefodd wrth bwyso'n gyfrinachol tuag at Cara, ddim wastad yn ei wneud yn berson poblogaidd. Byddai'r rhan fwyaf o bobl yn dweud mai dyfalu roedd e ond gwyddai ef yn well, gan deimlo bod ganddo gysylltiad â rhyw wybodaeth uwch. Llenwodd nodiadau Cara dudalennau'r llyfr archebion.

'Ond beth ddigwyddodd pan ddaethoch chi fan hyn?' holodd.

'Ar y dechrau, dim byd – damwain car oedd hi.'

'Ond weloch chi mohoni'n dod?' gofynnodd Cara gan hanner gwenu. Edrychodd arni'n hynod ddifrifol. 'Dyw seicic byth yn gweld ei ddyfodol ei hunan,' meddai.

'O… '

'Do'n i'n cofio dim i ddechre, ond wedyn daeth y lleisiau'n ôl, lleisiau'r byw y tro hyn. Galla i eu clywed nhw o 'nghwmpas i drwy'r amser. Mae'r ffin rhwng y byd yma a'r byd diwetha'n un denau… '

'Sut?'

'Fel ma carreg ateb yn gweithio, ma lleisiau a theimladau'n cario o'r naill fyd i'r llall. Ma rhai pobl fel fi'n galler bod yn agored i dderbyn teimladau pobl fan hyn a phobl ar y ddaear.'

'Y'ch chi'n galler anfon negeseuon atyn nhw?'

Roedd Cara wedi bod yn teimlo rhyw oerfel yn gafael ynddi byth er pan ddechreuodd Abel sôn am y lleisiau o'r ddaear. Roedd meddwl am y peth yn codi rhyw gynnwrf ynddi – rhywbeth nad oedd hi wedi'i deimlo ers peth amser. Rhyw gyffro'n blodeuo yn ei pherfedd.

'Ydych chi wedi anfon neges i'r ddaear?' gofynnodd, a'i meddwl yn gwibio i bobman.

'Wel, awgrymiadau yn fwy na negeseuon, falle.'

'Lwyddoch chi?'

'Wrth gwrs. Ond dim ond dros 'yn hunan, cofiwch. Dyw e ddim yn rhywbeth i'w neud ar chwarae bach ac ma'n rhaid cael rheswm da dros fynd i'r afael â rhywbeth fel'na. Mae cysylltu â rhywun yn medru newid eu bywydau nhw. Gwneud iddyn nhw feddwl pethau. Weithiau, dyw e ddim yn gweithio fel ry'ch chi'n ei rag-weld.'

Rhoddodd Cara'i phensil i lawr. Syllodd yntau arni.

'Beth sy?'

'Rhyfedd, on'd yw e?'

'Beth?'

'Dy'n ni jest ddim yn gwrando, ar y byw na'r meirw… '

'Ddim eisiau cydnabod dim byd,' meddai Abel yn ddistaw. 'Haws eistedd mewn caffis, esgus yfed coffi.' Edrychodd yn drist arni. 'Wi wedi bod yn aros i ti ofyn am hyn, Cara.'

Edrychodd Cara arno mewn penbleth. Roedd ei lygaid yn llonydd o'r diwedd.

'Ma 'na rywbeth… rhywbeth amdanot ti,' meddai.

Symudodd Cara'n anghyfforddus ar y sedd. 'Beth?' gofynnodd.

'O'n i'n gwbod o'r foment y gweles i ti,' meddai wrthi, 'ond dwi wedi bod yn chwilio am yr arwydd, ti'n gweld.'

'Yr arwydd?'

'Dyna pam dw i wedi bod yn dod yma yr holl amser. Doeddet ti ddim yn sylweddoli, Cara?'

Siglodd Cara'i phen. Roedd ei lygaid yn tywyllu'n ffyrnig erbyn hyn a'r awel o'i gwmpas fel pe bai'n goleuo. Roedd y caffi yn hollol dawel a chysgodion wedi dechrau ymddangos ar y waliau. Gallai glywed eu hanadl, hyd yn oed. Bron na allai glywed ei chalon yn curo. Teimlai Cara awydd i godi. Cerdded, rhedeg oddi wrtho. Yn sydyn, cydiodd yn un o'i dwylo. Neidiodd Cara mewn ofn.

'Beth?'

Tynnodd ei llaw yn ôl ond roedd ei afael yn gryf. Gwasgodd ei breichled i mewn i'w chroen a thorrodd y swyndlysau'n boenus i mewn i'w garddwrn.

'Ma f'amser i'n dod i ben 'ma, Cara, a dw i wedi methu…'

Edrychodd Cara arno mewn ofn. 'Methu beth?' holodd yn grynedig.

Dyna pam roedd e'n edrych yn ifancach nag erioed, meddyliodd Cara, roedd yna rhyw oleuni yn ei groen e. Yr un gwrid iachus ag roedd ar groen yr hen fenyw a werthai'r graean ar gyfer yr adar beth amser yn ôl. Golau'r diwedd.

'Bydda i'n gadael cyn hir. Wi wedi bod 'ma ers amser. Do's neb 'ma 'da fi… neb wedi bod â diddordeb… '

Ceisiodd Cara dynnu'i llaw yn ôl eto, ond roedd ei ewinedd wedi'u plannu'n dynn yn ei chroen.

'Wi wedi bod yn cael breuddwydion rhyfedd, yn gweld pethe, Cara. Pethe anhygoel!' Roedd ei lygaid yn wyllt. Crychodd Cara'i thalcen. Curai ei chalon yn drwm a lledai panig trwy ei brest.

'Wyt ti'n ddigon cryf, Cara?'

'I beth, Abel?'

Tynnodd Cara'i llaw yn rhydd o'r diwedd ac edrychodd ar ei garddwrn. Roedd siapiau'r swyndlysau i'w gweld yn blaen ar ei chroen.

'Ma'n ddrwg 'da fi, Cara ond ma'n rhaid i ti addo… addo peidio â gweud wrth neb. Ti'n addo?'

Cytunodd Cara drwy nodio'i phen.

'Ma'n rhaid i rywun gael gwbod cyn i fi fynd, ti'n gweld.'

'Gwbod beth?'

'Ti yw'r arwydd… '

'Fi?'

'Ie, rwyt ti wedi dy anfon ata i. Wi'n gadael y byd 'ma fory, Cara. Symud ymlaen. A heno rwyt ti'n dod ata i.'

Syllodd Cara arno mewn syndod.

'Dwi wedi gweld llyfr,' meddai wrthi.

Suddodd calon Cara. Llyfr? Ai dyna oedd y gyfrinach?

'Ond mae e'n llyfr arbennig, Cara, y llyfr pwysica yn y byd diwetha a hwn.'

Lledaenodd llygaid Cara. Roedd ei lygaid yn pefrio a dafnau o boer yn casglu o gwmpas corneli ei geg.

'Llyfr yr Arwyddion,' meddai ac yngan y geiriau'n ara.

'Llyfr yr Arwyddion?' ailadroddodd Cara. 'Ond beth yw...?'

Oedodd Abel cyn tynnu anadl hir. 'Mae'n bosib mynd yn ôl, Cara... '

Saethodd pinnau bach i fyny asgwrn cefn Cara a theimlodd y blew mân ar gefn ei gwddf yn codi. Syllodd arno a'i llygaid yn llawn ofn.

'Teithio'n ôl i'r ddaear, cyfathrebu â nhw, a gadael arwyddion i ddangos dy fod wedi bod yno. Galli di ddewis arwydd. Arogl dy bersawr, cynnau a ddiffodd y golau, gollwng plufen lle rwyt ti wedi bod yn sefyll. Mae'r cwbwl yn y Llyfr!'

Siglodd Cara'i phen. Roedd y cyfan yn swnio'n amhosib. Doedd hi ddim eisiau clywed. Ddim eisiau gadael i'w eiriau oglais ei chlustiau. Cododd rhyw ofn dyfnach ynddi. Roedd ei eiriau'n beryglus, gallai hi synhwyro hynny. Roedd Beth wedi dweud wrthi mai'r peth diwetha dylech chi ei wneud oedd gadael i'r meddwl grwydro'n ôl.

'Ond ma 'na fwy,' meddai, a'i lygaid wedi'u sodro ar ei rhai hithau. 'Dwi wedi gweld pethau dychrynllyd, Cara. Ma 'na rywun... rhywrai'n mynd i gael gafael yn y Llyfr. Ei ddefnyddio fe. Cyfathrebu'n ôl â'r byd. Byddan nhw eisiau'r Llyfr. Bydd 'na ryfel arall, Cara. Mwy o ddifrod y tro 'ma.

Fe beryglan nhw'r lle 'ma wrth i bobl geisio rhoi gwbod i'r ddaear am yr Arhosfyd, am y sefyllfa sydd yma, am y rhyfel fuodd yma. Alli di ddychmygu pa effaith gaiff hynny ar y byd?'

Daeth cysgodion y tu ôl i lygaid Abel, rhyw ofn dychrynllyd. Synhwyrai ei fod wedi gweld pethau anesboniadwy.

'Chwilia am y Llyfr, Cara, a chofia mai dim ond yr un sy'n ei ddal sy'n medru ei ddefnyddio. Paid â'i ddefnyddio fe, a chofia gael gwared arno fe, neu bydd y ffin rhwng y byd yma a'r byd diwetha'n chwalu... '

'Ond sut? Odych chi wedi...?'

Nodiodd yntau. 'Fe weles i goeden mewn llyfrgell yn fy mreuddwydion.'

Cofiodd Cara am eiriau Ifan, ond tynnu'i choes oedd hwnnw'n ei wneud, ma'n siŵr.

'Des o hyd i wisg las Gofalwr, dwyn carden mynediad ac fe weles i hi.'

'Y goeden?'

Nodiodd Abel. 'Y goeden brydfertha welest ti erioed.' Roedd golwg bell yn ei lygaid. 'Coeden aur, wedi'i phlannu mewn aer a'i gwreiddiau'n ymestyn i lawr cyn belled ag roedd ei changhennau'n ymestyn i fyny, a map...'

Roedd dwylo Abel yn crynu wrth iddo estyn i mewn i boced fewnol ei got a thynnu map wedi'i blygu'n fach allan ohoni. 'Fydden i ddim yn rhoi hwn i ti, heblaw mod i'n gadel... '

Siglodd Cara'i phen yn ffyrnig. 'Na, na....'

Cydiodd Abel yn ei llaw unwaith eto a gwasgu'r map i'w chledr. Edrychodd Cara arno mewn ofn. 'Ges i'r map, ond dyw e'n gwneud dim synnwyr i fi, ar ôl wythnosau, misoedd o chwilio a cherdded bob dydd cyn dod i'r fan hyn bob nos i gael coffi, a dim byd.'

Roedd y map o ddefnydd brau lliw brown a rhyw linellau drosto.

'Ti yw'r arwydd. Wi am i ti addo yr ei di a gwneud hyn, ond paid â defnyddio'r Llyfr, Cara. Addawa hynny i fi.' Roedd e'n cydio yn nwy law Cara erbyn hyn. 'Ti'n addo?'

'Addo.'

Sylwodd Cara fod ei ddwylo'n crynu. Roedd holl bosibiliadau Llyfr yr Arwyddion yn dechrau agor o'i blaen.

'Alla i ddim dechrau dweud wrthot ti pa mor bwysig yw hyn.' Roedd ei lygaid yn erfyn arni. Teimlodd Cara rhyw bwysau'n setlo ar ei hysgwyddau. 'A dim gair wrth neb, ti'n clywed?'

'Wrth gwrs.'

'Alli di ddim ag ymddiried yn unrhyw un fan hyn. Hyd yn oed y Gofalwyr. Dy'n nhw ddim i'w trystio, ti'n clywed?'

'Wrth gwrs,' ailadroddodd Cara eto.

'Da iawn... da iawn... ' meddai yntau'n dawel, 'a chofia, cer i'r llyfrgell fory i moyn fy llyfr i. Bydd e'n ymddangos yno ar ôl i fi adael. Cofia fynd i'w fenthyg e'n syth. Bydd y cyfan dw i wedi'i weld ynddo fe rhwng ei gloriau. Os daw rhywun arall o hyd iddo fe...'

Doedd Cara heb feddwl am hyn. Petai rhywun yn mynd â'r Llyfr cyn iddi hi gael gafael ynddo, gallai ddod o hyd i'r gyfrinach. Cymerodd Abel y pensil o'i dwylo ac ysgrifennu'i enw'n sigledig ar ei llyfr nodiadau – Abel Jeremia Llwyd.

'Does neb sy'n perthyn imi 'ma, felly dw i'n amau a fydd gan unrhyw un ddiddordeb ond byddai'n well i ti fynd yn syth.'

Cytunodd Cara. Rhoddodd Abel y pensil i lawr. Edrychodd ar ei gwpan coffi gwag a'i ddwylo'n dal i grynu.

'Wi'n teimlo'n well nawr,' meddai. 'Galla i fynd... yn dawel fy meddwl.'

Eisteddodd y ddau mewn tawelwch am ychydig a doedd Cara ddim am fentro edrych hyd yn oed ar y map yn ei dwylo. Gwthiodd ef i boced ei jîns.

Gwibiai 'Llyfr yr Arwyddion' trwy feddwl Cara.

'Wi'n credu bod ise coffi arna *i* nawr,' meddai Cara gan godi'n ara. Syllodd Abel arni. 'Diolch,' meddai.

'Am beth?' gofynnodd hithau.

'Am roi tawelwch meddwl i fi.'

Meddyliodd Abel yn ôl dros yr holl flynyddoedd a dreuliodd ar y ddaear. Yr holl atgasedd a ddangoswyd tuag ato am fod ganddo ddawn na allai eraill ei deall. Roedd e wedi blino, wedi blino'n lân, pan gyrhaeddodd yr Arhosfyd. Ac wedyn, dyma'r breuddwydion a'r lleisiau'n dechrau eto. Ond yn awr, a'r map wedi'i drosglwyddo i Cara, teimlai'n dawel ei feddwl.

'Wi'n barod nawr,' meddai'n syml. 'A Cara, pan gei di wared ar y Llyfr, anghofia amdano, a phaid â gwastraffu eiliad. Ma amser yn mynd mor gyflym 'ma.'

Nodiodd Cara cyn cerdded at y cownter i baratoi rhagor o goffi. Meddyliodd y byddai Delo'n aros amdani ac Ifan yn siŵr o boeni lle roedd hi wedi mynd. Byddai'n rhaid iddi feddwl am esgus, ond allai Cara feddwl am ddim heblaw am Lyfr yr Arwyddion, a sut y câi hi afael arno. Meddyliodd am ei theulu. Fyddai hi'n medru anfon arwydd atyn nhw? Ceisiodd ddileu'r syniad o'i phen. Deffrwyd hi o'i meddyliai gan sŵn cloch drws y caffi'n canu y tu ôl iddi. Trodd i edrych.

'Abel?' gwaeddodd ond roedd e wedi gadael, a'i got dywyll yn ysgubo'r llawr yn y tywyllwch.

Pennod 36

Syllodd Mags ar Rhys yn cysgu. Roedd ei wyneb mor wyn â'r gobennydd a'i anadlu'n llesg. Bu'n ymddwyn yn od ers diwrnodau a phan ddaeth hi'n ôl o'r siop, fe waeddodd arno. Chafodd hi ddim ateb ac fe sgrialodd Mags ar hyd y tŷ'n gweiddi ac yn chwilio amdano. Roedd hi allan o wynt yn llwyr, a'r panig mwya dychrynllyd yn dechrau codi yn ei brest. Daeth o hyd iddo yn y diwedd yn cuddio yn y wardrob yn ei ystafell. Roedd e'n wyn fel y galchen ac yn pallu siarad. Cydiodd Mags ynddo a'i gofleidio a'r dagrau'n llenwi'i llygaid. Roedd fel petai e eisiau diflannu. Weithiau byddai hithau'n teimlo 'run fath. Eisiau i'r holl beth ddod i ben. Eisiau i ryw ddüwch ddod, a mynd â'r boen a'r ansicrwydd i ffwrdd am funud er mwyn cael osgoi teimlo am ychydig bach.

Weithiai byddai'n codi yn y bore, ar ôl rhai oriau o gwsg, a hithau wedi anghofio am ddiflaniad Cara. Yna, ymhen eiliadau, fe fyddai'r trymder mwyaf dychrynllyd yn llifo'n ôl i'w chorff a hithau bron yn methu symud o dan ei ddylanwad. Gosododd Rhys yn y gwely a gorwedd wrth ei ochr i gysgu am ychydig oriau. Ceisiodd ei fwydo ag ychydig o gawl tun wedyn ond gwrthododd hwnnw ac fe adawodd iddo gysgu gan obeithio y byddai'n fodlon bwyta wedyn.

Roedd y gwydryn gwin yn ei llaw a'r hylif coch wedi mynd i'w phen gan nad oedd wedi bwyta swper. Cymerodd ragor o win gan bwyso ar ffrâm ei hystafell wely a sylwi ar ei hadlewyrchiad yn y ffenest yr ochr draw i wely Rhys. Roedd hi'n denau erbyn hyn a'i dillad yn hongian yn llac amdani. Syllodd ar ei hwyneb dierth. Fuodd hi erioed yn brydferth iawn, hyd yn oed pan oedd hi'n ifanc. Roedd ganddi groen glân, gwallt brown tywyll a llygaid mawr ond roedd ei haeliau braidd yn drwm a'i gwallt yn afreolus. Roedd gan Cara yr un croen glân ond roedd ei gwallt hi o natur wahanol – yn sidanaidd a gwrid iach arno'n sgleinio'n ddu las. Roedd Rhys yr un ffunud â Steve. Yr un gwallt golau, yr un natur yn union. Roedd Rhys yn gweld ei eisiau'n ofnadwy ond er i Steve alw draw ben bore, dywedodd wrtho nad oedd Rhys am ei weld. Fyddai hi ddim am iddo weld ei fab yn y cyflwr hwn. Gofynnodd iddo alw eto ymhen ychydig ddyddiau pan fyddai Rhys wedi gwella a thamaid mwy o liw ar ei ruddiau. Rhedodd Mags ei bysedd trwy ei gwallt a throi at y landin.

Roedd pentwr o ddillad brwnt ar lawr y landin a doedd hithau heb ymolchi'n iawn ers dyddiau. Bu Helen heibio bob nos ers wythnos yn curo ond ddangosodd Mags ddim ei bod hi adre. Allai hi ddim stumogi rhagor o'i chonsýrn ffug. Gwisgai hen bâr o drowsus llac a hen dop cotwm llwyd, a hwnnw angen ei smwddio. Yn nhraed ei sanau aeth i lawr y grisiau ac eistedd ar y soffa yn y gegin. O'i blaen, roedd papurau'r wythnos heb eu hagor. Yfodd ragor o'r gwin. Gan ei bod bron â gorffen y botel, cydiodd mewn potelaid arall. Agorodd hi yng nghanol y llestri brwnt a'i chario yn ôl at y bwrdd. Cymerodd ddracht arall o win cyn agor papur newydd. Ar yr ail dudalen, roedd adroddiad am y brotest. Lluniau o ddynion ifanc yn taflu caniau at yr heddlu. Llun o Gerallt yn siarad ar y platfform a'i ddwrn yn yr awyr. Y dudalen nesaf yn dangos llun o fyngalo Meical. Lluniau ohono yntau.

Pôl piniwn wedyn am agweddau pobl at eu hardal. Gwleidydd yn dweud y byddai'n fodlon taclo'r problemau lleol petai'n cael ei ethol. Hen fenyw yn sôn am yr ymosodiadau ar ei gardd yn ystod y flwyddyn ddiwethaf. Cydiodd Mags mewn papur arall. Llun arall o'r brotest. Erthygl am achos

Meical. Lle gallai e fod? Pwy ymosododd arno? Erthygl am *gung ho justice*. Taflodd y papur ar lawr ac agor yr un nesaf. Yr un peth. Sganiodd llygaid Mags bob papur. Pob colofn. Yna, taflodd y papurau ar y llawr un ar ôl y llall – doedd dim sôn am enw Cara, dim ond yn fach, fach ar ddechrau'r erthyglau. Dim ond sôn am gymuned yn brwydro'n ôl a phobl yn sefyll o blaid eu hardal. Dim ond am ddynion ifanc, caș yr olwg, yn gwrthdaro yn erbyn yr heddlu a lluniau ohonynt allan ar fechnïaeth. Lluniau o Meical. Roedd dwylo Mags yn crynu a'r gwin wedi cymylu ei meddwl.

Clywodd gnoc ar y drws gan chwalu'r tawelwch a gwneud i'w hysgwyddau dynhau. Roedd dagrau yn ei llygaid wrth iddi roi'r gwydryn gwin ar y bwrdd a rhedeg ei llaw trwy ei gwallt.

Camodd Tim i mewn i'r tŷ ac edrychodd ar Mags cyn i'w lygaid wibio at y botel wag a'r botel newydd ei hagor.

'Sori mod i'n galw mor hwyr.'

Cynhesodd bochau Mags wrth feddwl am y poteli gwin a throdd oddi wrtho heb ei wahodd i mewn. Sylwodd Tim ar y llestri brwnt ar bwys y soffa ac ar y papurau a daflwyd driphlith draphlith ar lawr. Roedd y llenni ar gau, gan wneud i'r lle deimlo'n drwm ac yn dywyll.

Cliriodd Mags ei gwddf. 'Isdedd.'

Symudodd Tim flanced oddi ar y gadair gyferbyn â'r soffa.

'Coffi?' gofynnodd Mags. Ceisiodd beidio â gadael i'w meddwdod a'i blinder ddangos yn ei llais.

'Na, dim diolch. Falle dylet ti...'

Syllodd Mags arno.

'Wi'n iawn diolch.'

Roedd hi'n gwybod bod Tim yn werth y byd, ond doedd

hi ddim am ei weld yn dod i'w chartref a dweud wrthi beth i'w wneud. Fel pe bai hi'n ei herio, fe yfodd ragor o win.

'Shwt ma Rhys?' holodd.

'Iawn.' Sylweddolodd Mags ei bod hi wedi ymateb braidd yn gyflym. 'Yn y gwely.' Gwthiodd ei gwallt yn ôl oddi ar ei hwyneb.

'Ydy e'n ca'l brêc o'r tŷ weithie?'

Syllodd Mags ar Tim. Roedd rhywbeth anghyfforddus ynghylch y ffordd roedd e'n eistedd.

'Mae e'n iawn,' meddai Mags unwaith eto gan bwysleisio pob gair.

'Ma'n bwysig ei fod e'n deall.'

'Aros funud.' Er bod y gwin coch yn cymylu ei meddwl gallai ddeall at beth roedd yn anelu. Cododd ar ei thraed. 'Blydi Helen, ife? O'n i'n gwbod na alle hi gadw'i blydi trwyn mas o bethe.'

'Mags, gofyn i fi ddod draw nath hi… Isdedd, wir.'

'Na! 'Na i ddim blydi isdedd! Gad i fi ddyfalu – ma hi'n gweud nad ydw i'n edrych ar ôl Rhys, ody hi?'

'Nadi!' Ceisiai swnio'n rhesymol ac osgoi ymddangos yn fygythiol. 'Jest ise gwneud yn siŵr – ti byth yn ateb y drws.'

'Falle mod i ddim moyn ei gweld hi… ' gwthiodd Mags ei gên allan gan chwyrlïo gwin o gwmpas y gwydryn wrth bwyntio'i bys at Tim.

'Do's dim ots 'te os a' i lan ato fe am eiliad, o's e?' meddai Tim.

Teimlodd Mags ei brest yn tynhau. 'Mae e'n cysgu.'

'Welith e mohona i wedyn 'te.'

'Dyw e ddim yn cysgu lot – ma'n bwysig iddo fe ga'l llonydd.'

Cliriodd Tim ei wddf. 'Gwranda, Mags, wi ddim ise neud dim byd yn dy erbyn di, ond ma'n rhaid i ni edrych ar ei ôl e. Os na alla i weld e heno bydda i'n ôl fory. Wi'n 'i feddwl e.'

'Drycha, fydde fe ddim yn blydi well i ti fusnesa am y blydi Meical 'na yn lle 'y nhrin i fel blydi criminal?'

Llifai'r geiriau allan drwy'r gwin. Meddyliodd Mags am luniau Meical yn y papur. Meddyliodd am Rhys yn crynu yn y wardrob. Roedd y cwbwl yn gymaint o fês. 'Gei di weld e fory, a 'na ni,' meddai

'Iawn,' meddai Tim yn dawel. 'Ma'n ddrwg 'da ni am Meical,' ychwanegodd. Tawelodd Mags ychydig.

'Pam na fyse rhywun yn 'i wylio fe?'

'Odd e wedi bod adre am ddau ddiwrnod, ac i fod galw yn y stesion bob dydd. Feddyliodd neb y diflanne fe yn y stad rodd e ynddo.'

'Gadawoch chi iddo fe i jest diflannu ganol nos?' Roedd blinder yn dechrau cydio yn Mags unwaith eto.

'Ma cyllid yn brin a ma...'

'Paid â rhoi'r shit 'na i fi, Tim.'

Edrychodd hwnnw ar y carped am eiliad. 'Ma'n ddrwg 'da fi... Drycha, falle ddo i'n ôl fory.' Symudodd Tim fel pe bai am godi.

'A pwy nath ymosod arno fe?'

'Ry'n ni'n holi un bachan lleol... gwisgo balaclafa... Rhywun o'r gymuned, ni'n credu.'

'Y gymuned?'

Nodiodd Tim. 'Ry'n ni'n trial dod o hyd i Meical. Aethon ni trwy ei bethe fe, ei gysylltiade. Dyle fe fod yn hawdd ei ffindio, gan fod cyment o gleisie ar ei wyneb, ond mae e'n fater o arian a staff. Rodd y tŷ mewn yffach o stad, dim llawer galle *forensics* neud.'

Sylwodd Mags ar olau car yn goleuo'r llenni.

'Shwt alle pobl fod mor dwp ag ymosod arno fe?'

Cododd Tim ei ysgwyddau. 'Ma ise amser. Proses ydy hi, dy'n nhw ddim yn deall.'

Roedd gwaed Mags yn berwi, yn berwi wrth feddwl amdanyn nhw. Daliwyd ei llygaid gan y lluniau yn y papurau ar y llawr. Dim un llun o Cara. Cerddodd at y ffenest i weld pwy oedd yno. Culhaodd ei llygaid wrth weld dau ffigwr yn dod allan o'r car – dau oedd wedi bod allan yn mwynhau ac yn yfed. Roedd hi'n nos Wener, wrth gwrs. Gerallt a Belinda. Fflachiodd dicter dansierus ym mrest Mags, agorodd y drws a dechrau gweiddi.

'Beth yffach chi'n neud?'

Safodd Gerallt a Belinda yn stond ar bwys y tacsi. Cerddai Mags tuag atynt gan daflu'r gwydryn gwin i'r clawdd wrth ruthro i lawr llwybr yr ardd. Aeth Tim ar ei hôl.

'Chi wedi hela Meical o 'ma! Sarnu popeth! Odych chi'n deall beth chi 'di neud?' Roedd ei llygaid yn llosgi'n goch, a rhyw ddyfnder dychrynllyd wedi dod i'w llais. Edrychai'r ddau yn syn arni.

'O'ch chi ddim hyd yn oed yn 'i nabod hi! DDIM YN 'I BLYDI NABOD HI – A NAWR CHI'N SARNU POPETH!'

Roedd Belinda wedi cilio y tu ôl i Gerallt. Teimlodd Mags law Tim yn cydio yn ei hysgwyddau.

'Pam? PAM?'

Daeth golau i ambell ffenest ar y stad a syllai ambell bâr o lygaid drwy'r llenni. Holai Mags yr un cwestiwn dro ar ôl tro.

'Pam? Pam? Pam?!'

Safodd yno, y dagrau'n fflamio'i llygaid ac angerdd y misoedd diwethaf wedi cronni yn yr un cwestiwn byr. Cydiodd Tim ynddi, a theimlodd hithau gysur yn ei freichiau cryfion wrth iddo'i thynnu'n ôl i fyny'r llwybr. Caeodd y drws ar eu holau a chydio yn ei hysgwyddau. Roedd Mags yn dal i udo llefen, a'r sŵn yn dod yn ddwfn o fewn ei henaid. Fe deimlodd ychydig o'r oerfel y tu mewn iddi'n toddi. Yr holl wythnosau. Yr holl aros. Yr holl obeithio. Fe gododd y cwestiwn roedd hi wedi bod yn ei wasgu i lawr yn ei pherfedd i'w cheg. Prin y gallai yngan y geiriau.

'Beth... ?' Edrychodd i fyw llygaid Tim ac fe welodd hwnnw ryw wylltineb yn ei llygaid na welsai cyn hyn.

'Beth... os yw hi wedi mynd, Tim? Beth os oes rhywun wedi lladd fy merch fach i?' Roedd ei chorff yn crynu.

'Dere, newn ni'n gore, wi'n addo, wi'n addo.'

Gwasgodd Tim hi tuag ato. Dyma beth roedd hi am i Steve ei wneud. Cydio ynddi yn gadarn. Syllodd Mags ar Tim trwy ei dagrau ac yn sydyn fe gydiodd ynddo a'i gusanu. Tynnodd yntau'n ôl mewn sioc.

'Na, na,' meddai'n dawel.

Gwasgodd hi i'w frest a suddodd hithau ar ei phengliniau mewn dagrau. Cydiodd ynddi, a bu'r ddau ar lawr y lobi am amser hir, nes iddynt glywed llefen tawel Rhys o'i ystafell wely.

PENNOD 37

Cododd Cara'n gynnar er mwyn mynd i'r llyfrgell y peth cynta yn y bore. Fe wthiodd y map i mewn i'w bra. Allai hi ddim mentro ei adael yn y tŷ rhag ofn i rywun gael gafael ynddo, a dyna'r unig le saff y gallai feddwl amdano. Doedd hi ddim wedi edrych ar y map – doedd hi ddim am fentro'i astudio nes y byddai mewn lle saffach.

Treuliodd oriau mân y bore'n meddwl efallai fod Abel wedi drysu. Ond roedd rhywbeth yn y ffordd roedd e'n siarad a wnâi iddi gredu ynddo. Ceisiodd orwedd yn llonydd rhag ofn i Ifan neu Beth ddihuno a dechrau holi cwestiynau. Arhosodd nes i Delo gyrraedd ben bore cyn dweud ei bod hi wedi addo cyfarfod â Rich i wneud cynlluniau ar gyfer ei wledd briodas yn y parc. Nodiodd pawb wrth iddi adael y tŷ ond fe sylwodd Beth sut y dilynai llygaid Ifan hi bob cam drwy'r drws.

Gallai hi aros am lyfr Abel yn y llyfrgell. Gwneud yn siŵr mai hi fyddai'r cyntaf i'w fenthyg. Câi lonydd yn y fan honno i feddwl hefyd. Cerddodd yn haul y bore ar hyd y strydoedd a chodi'i llaw'n achlysurol er mwyn gwasgu'r defnydd brau ar groen ei brest i sicrhau fod y map yn dal yno.

Er na allai sôn am y map wrth Seimon, roedd hi wedi penderfynu ysgrifennu am Abel. Gallai newid ei enw, wrth gwrs, a sôn am ei honiadau y medrai gysylltu â'r byw, fel byddai seicics ar y ddaear yn honni eu bod yn medru cysylltu â'r meirw. Byddai'n erthygl ddiddorol, beth bynnag, ac fe allai ei defnyddio i gael y gwaith ar y papur. Gallai gadw mewn cysylltiad â Seimon wedyn ac efallai dysgu mwy am yr Arhosfyd yn ei gwmni. Meddyliodd am Abel. Lle roedd e erbyn hyn, tybed? Edrychai'n llawer hapusach ar ôl rhannu'i gyfrinach a'r ofn yn ei lygaid yn diflannu wrth iddo siarad.

Croesodd y stryd wrth nesu at y llyfrgell. Newydd agor oedd hi a dim ond ychydig o bobl oedd yno'n sefyllian ar y stepiau neu'n sgwrsio â'i gilydd. Roedd Gofalwyr yno, wrth gwrs, wrth eu gwaith yn sortio ac yn trefnu'r llyfrau. Camodd Cara allan o'r haul ac aeth i'r siop fach ar bwys y fynedfa i ddewis pensiliau a phapur. Cariodd y cyfan i fyny'r grisiau ac i'r lobi lle roedd drysau'r lifftiau bendigedig. Ceisiodd beidio ag edrych i lawr y coridor gwydr hir lle roedd y goeden aur. Gwasgodd y botwm a chamodd i mewn heb edrych rhyw lawer ar y lluniau na'r llythrennau fel y gwnaeth hi'r tro cynt. Agorodd y drws ac roedd llawr yr adran Gymraeg yn wag. Cerddodd at y bwrdd yng nghanol yr ystafell ac agor un o'r llyfrau mawr. Ceisiodd chwilio am enw Abel, ei enw llawn. Rhedodd ei bys i lawr colofn o enwau. Doedd dim sôn amdano, naill ai doedd e heb fynd eto, neu doedd y llyfr heb ymddangos.

Llaciodd ei hysgwyddau ychydig ac aeth i eistedd ar bwys y ffenest fawr yn edrych i lawr ar lobi'r llyfrgell. Edrychodd o gwmpas a phenderfynu y gallai fentro edrych ar y map gan fod y lle'n dawel ac yn wag. Edrychodd y tu ôl iddi, rhag ofn bod rhywun yn ei gwylio, cyn estyn i mewn i'w thop a thynnu'r defnydd oddi yno. Roedd e'n ffitio yng nghledr ei llaw. Agorodd y sgwaryn yn ofalus ar y ddesg. Mewn mannau, roedd y map wedi'i fathru ar ôl blynyddoedd lawer o gael ei fyseddu gan rywun. Roedd llinellau duon arno a lluniau o dirlun. O gwmpas ei forder brau roedd rhifau aur yn dangos pwyntiau ar y map: 338 558. Culhaodd Cara'i llygaid er mwyn ceisio'i ddarllen. Roedd yna fynyddoedd, gallai hi weld hynny, ac yna rhesi o goed. Ar bwys yr afon roedd dyffryn a llyn ac uwchben y llyn roedd darlun o lyfr. Edrychodd Cara arno. Roedd e'n fach, o liw arian, a symbolau ar y tu blaen. Craffodd Cara arnyn nhw gan geisio gwneud rhyw synnwyr o'u siapiau, ond roedd hi'n amhosib. Dim rhyfedd bod Abel wedi methu. Doedd hi erioed wedi gweld y fath symbolau o'r blaen. Cydiodd yn y map eto a'i astudio'n fanylach. Roedd pwythau yn y defnydd hefyd, pwythau o'r un lliw â'r defnydd yn batrwm ar hyd y map. Roedd y rheiny wedi crebachu mewn mannau gan fod y defnydd wedi'i dynnu braidd yn dynn.

Clywodd Cara ddrysau'r lifft yn agor. Teimlodd ei chorff yn tynhau ac ailblygodd y map a'i wthio'n ôl i lawr ei thop. Trodd i edrych pwy oedd yno, a'i chalon yn cyflymu. Hen fenyw yn defnyddio ffon i gerdded oedd yno. Gwenodd y ddwy ar ei gilydd a gobeithiai Cara na ddeuai ati i sgwrsio. Sylwodd fod pobl yn tueddi i wneud hynny ar y llawr Cymraeg. Pawb yn hel achau pawb arall, hyd yn oed yn yr Arhosfyd. Tynnodd anadl hir ac edrych ar y papur gwag o'i blaen. Aeth yr hen fenyw i edrych ar Gofrestr y Meirwon yng nghanol yr ystafell.

Doedd Cara erioed wedi ysgrifennu erthygl o'r blaen, er nad oedd eistedd o flaen dalennau gwag yn meddwl sut i'w llenwi ddim yn deimlad mor ddierth â hynny, chwaith. Roedd hi'n siŵr ei bod hi'n medru ysgrifennu. Mor siŵr ag roedd hi o unrhyw beth y diwrnodau hyn. Tynnodd ei llyfr archebion allan o boced ei jîns ac edrych ar y nodiadau a wnaeth y noson cynt. Roedd ei hysgrifen yn llenwi'r tudalennau bach. Darllenodd y cyfan cyn dechrau nodi'r ffeithiau ar y papur gwag i ddechrau. Cefndir Abel, y modd y sylweddolodd fod ganddo ryw ddawn arbennig. Treuliodd Cara'r bore'n ceisio gosod geiriau wrth ei gilydd ac er nad oedd hi wedi ysgrifennu ers amser dechreuodd y geiriau ystwytho o dan ei dwylo ac fe lifodd y llythrennau drwy'r pensil.

Cododd ei phen. Roedd yr haul yn uchel yn yr awyr, felly roedd yn siŵr o fod yn anelu at hanner dydd. Roedd y llyfrgell wedi prysuro hefyd, heb iddi sylwi, a degau o bobl yn mynd o gwmpas eu busnes o'i hamgylch. Cododd am ychydig ac ymestyn ei chefn ar ôl bod yn eistedd mor hir. Penderfynodd edrych eto yn y llyfr mawr. Gwyddai lle i edrych y tro hwn, a sylwodd fod yr enw uwchben lle dylai enw Abel ymddangos a'r un oddi tano wedi dechrau gwahanu, fel pe baen nhw'n gwneud lle i enw newydd. Caeodd Cara'i llygaid a'u hagor unwaith eto i wneud yn siŵr ei bod hi'n gweld yn iawn. Oedd, roedd llythrennau llwyd golau'n dechrau ffurfio, er eu bod nhw'n wan iawn. Prin y gellid eu gweld ond roedd Cara'n siŵr eu bod nhw yno. Caeodd y llyfr am ychydig. Byddai'n rhaid iddi aros am beth amser eto cyn i'r llythrennau ymddangos yn iawn.

Cerddodd yn ôl at y bwrdd a pharhau â'r erthygl. Roedd ei hanner yn gyflawn, a dim ond sôn am brofiadau Abel yn yr Arhosfyd oedd ar ôl. Yn amlwg allai hi ddim dweud gormod, ond fe allai sôn am ymdrechion Abel i gysylltu â'r ddaear. Byddai hynny'n hawdd. Meddyliodd am Seimon wrth iddi ysgrifennu. Byddai'n siŵr o fwynhau'r erthygl gan y byddai'n debygol o apelio at bobl. Rhywbeth i godi cwestiynau – i godi crachen, efallai, ond yn ddigon diniwed hefyd i anghrediniwr.

'Cara? Beth ti'n neud fan hyn?' Ifan oedd yno'n gwenu arni. 'O'n i'n meddwl dy fod ti'n cwrdd â Rich heddi.'

Roedd meddwl Cara'n dal ar goll yn ei herthygl. Methodd feddwl am ateb.

'Ers pryd wyt ti'n dod fan hyn yn wirfoddol?' Roedd Ifan yn gwenu'n ddireidus arni.

Gwenodd hithau'n ôl gan geisio rheoli'r edrychiad yn ei llygaid. 'Wel, ma 'na lot o bethe ti ddim yn 'u gwbod amdana i.'

Trodd Ifan ei ben i edrych ar ei gwaith ysgrifennu. 'Beth s'da ti fan'na 'de?'

Cuddiodd hithau'r gwaith â'i breichiau. 'Jest treial syniade am fwydlen i Rich, t'mod.'

'Yn y llyfrgell?'

Nodiodd Cara'n ansicr. 'Dyma'r unig le y galla i ga'l llonydd, ontefe. Dim Lil. Dim Leusa.'

'O'n i'n meddwl falle bo ti'n rhyw sgwennwr mawr ar y slei.'

Chwerthin wnaeth Cara. 'Be ti'n neud 'ma, beth bynnag?' gofynnodd gan geisio troi'r sgwrs yn ôl tuag ato fe.

'Chwilio am lyfr. Y dyn 'ma, T I Williams. Roedd e'n cynnig help i adar, tylluanod yn benodol. Eu gwella nhw ac edrych ar eu hôl. Licen i weld beth fydde fe'n neud â 'nhylluan i.'

Meddyliodd Cara am yr aderyn bach gwyn. 'Ody hi'n iawn?'

'Ma hi'n ocê. Dylet ti ddod i'w gweld hi 'to. Falle gallen ni fynd…'

'Ma rhaid i fi fennu hwn gynta,' torrodd Cara ar ei draws.

'Wrth gwrs,' meddai yntau cyn troi i fynd i archwilio'r llyfrau mawr ar ganol yr ystafell. Er siom i Cara, daeth â'r llyfr yn ôl ac eistedd gyferbyn â hi. Roedd y llyfrgell yn llawn erbyn hyn. Roedd pobl yn hoffi dod ar ddechrau'r prynhawn a threulio rhai oriau yno cyn bwrw'n ôl erbyn amser swper. Ceisiodd Cara ganolbwyntio ar ei hysgrifennu, ond allai hi ddim dal ati rhag ofn i Ifan edrych draw a sylwi ar ei gwaith. Esgusodd wneud nodiadau, ond roedd y cyfan yn ddiwerth. Fe benderfynodd ddechrau ar dudalen lân a gweithio ar fwydlen Rich fel y dwedodd wrth Ifan. Roedd angen ei pharatoi, beth bynnag, a byddai hynny'n well nag eistedd yn gwneud dim wrth aros i Ifan adael. Edrychai Ifan arni dros ei lyfr bob nawr ac yn y man. Aeth hanner awr, yna awr heibio. Weithiau byddai'r ddau'n dal llygaid ei gilydd ar draws y bwrdd a gwenu cyn sodro'u llygaid ar eu gwaith unwaith eto. Roedd hi'n cynhesu hefyd rhwng gwres yr haul a gwres cyrff y bobl a lifai i'r llyfrgell. Gobeithiai Cara y byddai Ifan yn gadael cyn hir. Allai hi ddim chwilio am lyfr Abel nes ei fod wedi mynd. Sut y gallai hi esbonio pwy oedd Abel? Gwyddai Ifan nad oedd yn cofio am ei theulu eto, a doedd Abel ddim yn enwog nac yn berson roedd ganddi unrhyw gysylltiad ag ef. Ymhen rhyw ddwy awr, sylwodd fod Ifan wedi cau ei llyfr. Cododd o'r diwedd.

'Ti 'di gorffen?' gofynnodd Cara gan geisio osgoi swnio'n obeithiol.

'Odw.'

'Unrhyw help?'

'Gawn ni weld...' atebodd yntau. 'Wyt ti am i fi dy gerdded di adre?'

Cododd ei aeliau ac edrych arni. Roedd e'n dal i wenu. Sylwodd Cara fod ei wallt yn bendant yn tyfu'n ôl, ac roedd yna wrid tywyll ar ei wyneb gan ei fod angen siafio.

'Arhosa i fan hyn am ychydig bach i fennu hwn,' meddai Cara gan wenu'n ôl arno.

'Yffarn o fwydlen hir,' meddai Ifan.

'Wel, wi ise iddi hi fod yn iawn,' atebodd Cara a'r celwydd a'r gwres yn yr ystafell yn cochi ei bochau.

Gwyliodd Ifan yn ailosod ei lyfr yn ei le cyn cerdded am y lifft.

'Cara?'

Roedd e'n sefyll uwch ei phen unwaith eto.

'Y-hy?'

'Ti'n iawn, on'd wyt ti? Wedet ti wrtha i se rhywbeth yn dy boeni di, 'yn nethet ti?'

Roedd ei wyneb yn agored a golwg mwy difrifol arno.

'Wrth gwrs,' nodiodd Cara a rhoi gwên ychydig yn rhy lydan iddo. Teimlodd yr euogrwydd yn lledu trwy ei chalon. Roedd Ifan wedi bod yn gymaint o ffrind iddi. Gallai ymddiried ynddo fe, gwyddai hynny, ond roedd hi'n gwybod na fyddai'n hapus pe gwyddai am y map a'r papur newydd. Roedd pethau wedi mynd yn rhy gymhleth.

Daliodd Cara i edrych arno wrth iddo gamu i mewn i'r lifft. Arhosodd nes bod y drysau ynghau cyn codi a cherdded at y bwrdd. Yn y fan honno roedd hen ddyn bach yn edrych ar y gofrestr roedd hi am ei gweld. Roedd yr ystafell yn gwasgu ar Cara erbyn hyn a phob eiliad yn teimlo fel awr. Yna, galwodd yr hen ddyn ei ffrind draw a bu'r ddau'n edrych yn ara drwy'r colofnau. O'r diwedd, ar ôl rhyw ugain munud fe ddaethon nhw o hyd i'r enw roedden nhw wedi bod yn chwilio amdano ac aethon nhw draw at y silff i'w 'nôl. Cydiodd Cara yn y llyfr yn gyflym a throi i'r dudalen iawn. Roedd enw Abel yno, yn ddu ac yn eglur. Wrth iddi redeg ei bysedd dros y llythrennau, fe sylwodd fod yr inc yn wlyb er na adawodd farc ar ei chroen.

Cerddodd yn syth at y silff a'r llythyren L uwch ei phen. Gwasgodd ei charden ddarllen ar y panel cyn teipio'r rhifau cywir i mewn ac aros wrth i'r silff ddechrau troelli. Arafodd y silff yn y man cywir a gwibiodd llygaid Cara ar draws y llyfrau at yr union fan lle dylai'r llyfr fod. Yna fe edrychodd eto. Doedd dim llyfr yno. Dim ond gwagle. Gwagle a cherdyn bach coch i ddweud bod y llyfr wedi'i fenthyca. Teimlodd Cara'i chorff yn gwanhau. Roedd hynny'n amhosib. Yn amhosib! Roedd 'na gamgymeriad wedi bod, roedd hi'n siŵr o hynny. Cydiodd yn y cerdyn bach coch. Dim ond y geiriau Abel Jeremia Llwyd oedd wedi'u hysgrifennu yno, a'r ddau air, 'Ar fenthyg'.

Doedd dim enw. Gosododd Cara'r cerdyn yn ôl yn ei le ac edrych ar y llyfrau cyfagos rhag ofn. Llyfrau dierth oedd y rheiny. Roedd rhywun yn mynd i ddarllen llyfr Abel, yn mynd i ddarllen y gyfrinach. Roedd rhywun yn mynd i ddod i wybod am Lyfr yr Arwyddion a byddai'n darganfod mai ganddi hi roedd y map.

Dechreuodd Cara deimlo'n benysgafn ac fe lithrodd i'w phengliniau. Daeth y ddau hen ŵr ati'n syth a'i helpu i gerdded at un o'r byrddau ar bwys y ffenest. Roedd eu lleisiau'n ceisio eu chysuro ac un ohonyn nhw wedi mynd i nôl dŵr iddi. Yn y lobi roedd yna gannoedd o bobl yn cronni fel morgrug, a'u lleisiau'n cario trwy'r llyfrgell. Gallai unrhyw un fod wedi mynd â'r llyfr. Roedd pobl eraill yn yr ystafell wedi troi i edrych arni, ond allai Cara ddim meddwl am unrhyw beth ond am y gwagle dychrynllyd ar y silff.

PENNOD 38

Eisteddai Ifan a Mari ei Ofalwraig wrth y bwrdd brecwast a cherddai Beth yn ôl ac ymlaen i gadw llygad ar Lili yn yr ardd. Roedd y planhigion ar waelod yr ardd wedi dechrau gwthio'u pennau drwy'r pridd a'r dail bellach yn hollti'r ddaear ac ymestyn allan. Âi Lili lawr i waelod yr ardd bob bore i'w teimlo, gan wenu. Roedd Beth wedi gwahodd Delo i mewn hefyd; roedd yn yfed llaeth a hwnnw'n glynu wrth ei wefus ucha. Byddai Beth yn twmblo'i wallt â'i bysedd bob tro y cerddai heibio iddo.

Prin fod unrhyw sgwrs rhyngddyn nhw ers dyddiau, heblaw trafod erthygl a ymddangosodd mewn rhyw bapur am ddyn a honnai ei fod yn medru cysylltu â'r byw. Condemniodd Mari'r peth yn syth a chytunai Ifan â hi. Codi'i hysgwyddau wnaeth Beth gan ddweud bod gan bawb yr hawl i'w barn, ond bod yn well gadael pethau fel'ny i fod. Cytunodd Alun, y dyn â'r gwallt arian, â hi gan nodio'i ben yn dawel. Câi'r stori ei thrafod yn y caffi hefyd, ond roedd Rich yn rhy brysur gyda chynlluniau'r briodas i feddwl bod Abel yn gysylltiedig â'r stori. Daliodd Cara Leusa'n syllu arni o dro i dro a theimlai ei bod wedi dyfalu mai ei gwaith hi oedd yr erthygl.

'Beth y'ch chi'n feddwl?' Torrodd Mari ar draws myfyrdod Cara.

'Wel, wi'm yn gwbod... ' atebodd Cara gan falu'r tost o'i blaen rhwng ei bysedd. Dalia i fethu bwyta ac roedd hi'n blino. Gwthiodd y plat i ffwrdd.

'Na, dere mlân Cara, ni bron â *marw* eisie gwbod beth ti'n feddwl,' meddai Leusa.

Edrychodd Cara arni'n heriol. 'Ma lle i drafod pethe fel'na, weden i,' meddai.

'Ti'n meddwl?' Cododd Leusa'i haeliau. 'Bod yn onest, ife?'

'Rhywbeth fel'na, Leusa,' atebodd Cara gan godi. 'Ma'n rhaid i fi fynd i'r gwaith.'

Diflannodd y plat oddi ar y bwrdd wrth iddi godi ac edrychodd Beth yn syn arni. Roedd Cara wedi addo cyfarfod â Seimon cyn mynd i'r gwaith ac roedd hi'n hwyr yn barod.

'Wela i chi wedyn,' atebodd Cara cyn troi am y drws.

Cododd Ifan ei ben o'i lyfr a'i gwylio hi'n gadael.

'Bydd hi'n ôl heno, t'mod… ' meddai Mari'n ddrygionus. Cochodd Ifan a chladdu ei ben yn ôl yn ei lyfr. Gwenodd Mari'n slei ar Beth.

Methai Cara gredu'r ymateb a fu i'r erthygl. Roedd Seimon wedi cynnig y gwaith iddi'n syth gan roi ychydig wythnosau iddi i feddwl am stori newydd.

'Cara! Cara!'

Trodd Cara ar ei sawdl. Roedd Beth yn rhedeg i lawr y stryd ar ei hôl.

''Nes i anghofio dweud wrthot ti bod Lili ise ca'l parti heno.'

'Parti?'

'Wel, dy'n ni ddim yn gwbod pryd ma'i phen-blwydd hi ond ma hi ise parti beth bynnag, i ddathlu bod y blode'n dechre tyfu,' meddai Beth gan wenu.

'Reit…'

'Dim ond parti bach fydd e. Ma hi'n edrych mlân yn ofnadwy.'

'Iawn.'

'Cara? Wyt ti'n iawn?' holodd Beth a golwg bryderus arni. Gwenodd Cara arni.

'Wrth gwrs mod i.'

'Ti ddim wedi bod fel ti dy hunan yn ddiweddar, a wedodd Ifan...'

'Beth wedodd Ifan?'

'Jest bo ti'n edrych fel tase lot o bethe ar dy feddwl di.'

Teimlodd Cara'i hun yn corddi. 'Wel, falle dyle Ifan feindio'i fusnes.'

Wedi iddi ynganu'r geiriau roedd Cara'n difaru.

'Paid â gweud pethe fel'na, Cara, mae e'n poeni amdanat ti.'

Roedd yr olwg yn llygaid Beth yn ddigon i'w thoddi.

'Sori, ond wi'n iawn.'

'Ac ma Delo'n iawn?'

Cododd Cara'i hysgwyddau.

'Dylech chi siarad mwy, a dylet ti ddod â fe i mewn i'r tŷ yn lle ei fod e'n eistedd ar y wal tu fas.'

'Ei ddewis e yw hynny.'

'Dim ond bachgen bach yw e, Cara, fawr hŷn na Lili.'

Doedd Cara ddim wedi meddwl am hynny o'r blaen. Teimlodd hi'r gwres cyfarwydd yn gwrido'i bochau. Yr euogrwydd oedd yn gwmpeini dyddiol iddi erbyn hyn.

'Jest siarada â fe,' meddai Beth unwaith eto.

'Iawn, fe dria i,' meddai Cara cyn troi ei chefn unwaith eto.

Roedd Cara wedi bod yn ôl yn y llyfrgell bob dydd ers wythnos. Doedd dim sôn am y llyfr ac roedd hi ar bigau'r drain. Bob tro y deuai rhywun dierth neu newydd i'r caffi cadwai lygaid arnyn nhw drwy'r amser. Roedd hi'n ffaelu ymlacio a heb gysgu'n iawn ers nosweithiau. Roedd yn amlwg bellach fod rhywun arall yn aros am y llyfr yr un fath â hithau. Pam bydden nhw wedi dewis llyfr Abel yn syth? Yn ôl Abel doedd dim teulu na pherthnasau ganddo fe. Byddai Cara'n meddwl weithiau bod rhywun yn mynd i gnocio ar ei drws rhyw ddiwrnod neu'n waeth fyth, yn mynd i geisio dod o hyd i Lyfr yr Arwyddion o'i blaen hi. Yna, ar ôl pendroni am oriau, cysurodd ei hun wrth feddwl efallai fod rhywun bob amser yn darllen y llyfrau mwyaf newydd ac y bydden nhw'n meddwl nad oedd Abel yn ei iawn bwyll ac yn anwybyddu'r holl beth. Dyna wnâi hi petai'n darllen ei stori heb ei adnabod. Penderfynodd anwybyddu'r peth am ychydig a chanolbwyntio ar yr Arhosfyd, yn union fel y dywedodd y doctor wrthi am wneud. Byddai pwy bynnag oedden nhw yn cysylltu cyn hir pe baen nhw eisiau gwybod rhywbeth, neu câi'r llyfr ei ddychwelyd i'r llyfrgell. Beth bynnag, roedd y map ganddi hi a byddai'n amhosib iddyn nhw ddod o hyd i Lyfr yr Arwyddion hebddo.

Serch hynny, aeth i'r tŵr ar ei phen ei hun sawl noswaith, er mwyn edrych ar y map. Byddai Ifan a Beth yn cynnig dod efo hi weithiau ond byddai hi'n gwneud esgus ac yn dweud bod ganddi ben tost ac angen ychydig o lonydd. Yna, byddai'n astudio'r llinellau duon wrth edrych ar y ddinas am gliwiau. Doedd dim sôn am y bont, dim sôn am y dyffryn. Edrychai'r tirlun yn hollol ddierth a chan fod Ifan ei hun wedi dweud bod yr Arhosfyd yn newid drwy'r amser, roedd yn amhosib dod o hyd i unrhyw gysylltiad rhwng y map a'r ddinas o'i blaen. Treuliodd oriau'n syllu nes bod y golau'n gwanhau. Trueni na allai rannu'r baich â rhywun, trafod y peth. Byddai pethau'n llawer haws wedyn. Roedd hi wedi meddwl sôn wrth Seimon – dim y manylion, ond am y theori, gan fod ei feddwl yn agored i syniadau felly. Gallai hi sôn am y peth fel petai hi'n chwilio am syniad ar gyfer erthygl newydd.

Roedd hi'n agosáu at y llyfrgell a byddai Seimon yn aros amdani. Efallai y gallai hi sôn am y peth heddiw ac efallai fod ffordd arall o gysylltu'n ôl â'r ddaear heblaw drwy gyfrwng seicic.

Eisteddai Seimon a'i ben mewn llyfr, ag un droed i fyny ar y fainc a'i law'n chwarae â'i wallt tu ôl i'w war. Safodd Cara ac edrych arno heb iddo sylwi arni. Gwisgai'r siaced a welsai Leusa'n ei gwisgo. Doedd hi heb ddarganfod eto beth oedd y cysylltiad rhyngddynt a chodai hynny amheuon ynglŷn ag ymddiried ynddo. Clywodd Seimon sŵn ei thraed a chododd ei ben. Cododd a chydio ynddi.

'Haia, seren y papur, ti'n iawn?' meddai gan afael ym mreichiau Cara a gwenu. 'Gerdda i di i'r gwaith,' awgrymodd.

Cytunodd hithau ac fe cydgerddodd y ddau i gyfeiriad y caffi.

'Ma'r ymateb i'r erthygl yn dal i ddod,' meddai Seimon. 'Alla i ddim credu faint o bobl sy wedi gofyn am y papur, ac ry'n ni wedi gorfod printo dwywaith gyment yr wythnos 'ma. Ma pobol wedi bod yn trio ffindio mas pwy yw e.'

Stopiodd Cara yn ei hunfan. 'Pwy?'

'Y seicic! Weda i wrthot ti, bydd e'n *busy bloke* pan geith pobol afel arno fe.'

'Beth ti'n feddwl, gafel ynddo fe?'

'Ma pobol ar dân ise gwbod pwy yw e.'

Llyncodd Cara'i phoer. Doedd dim enw 'da nhw ac roedd Abel yn saff allan o'r ffordd. Roedd hynny'n rhywbeth.

'Ry'n ni hyd yn oed wedi ca'l rhai'n cysylltu yn gweud 'u

bod nhw hefyd yn seicics.'

'Ti'n jocan?'

Siglodd Seimon ei ben. 'Ti'n ca'l *hoaxers*, hyd yn oed yn y byd 'ma.'

Meddyliodd Cara am eiriau Seimon. Doedd hi ddim wedi rhag-weld maint y diddordeb. Fyddai hi ddim wedi defnyddio'r stori petai hi wedi sylweddoli beth fyddai ymateb y bobl.

'Wel, am ferch sy newydd sgwennu stori sy wedi lledu fel tân gwyllt ar draws yr Arhosfyd, dwyt ti ddim yn edrych yn hapus iawn.'

Dechreuodd Cara gerdded eto. 'Ydw, ydw wrth gwrs mod i.'

'Wel, beth am i ti adel i fi fynd â ti mas heno, 'de? Beth ti'n weud?'

Wrth iddo edrych ar Cara fe sylwodd hithau ei fod yn edrych yn reit swil. Gwenodd arno. Roedden nhw wedi cyrraedd y caffi erbyn hyn.

'Ocê, ie iawn,' atebodd hi.

'Grêt. Gwrdda i â ti tu fas i'r llyfrgell am chwech.'

Nodiodd Cara ac fe gusanodd Seimon hi ar ei boch cyn troi ar ei sawdl. Gwyliodd Cara fe'n cerdded i lawr y stryd ac fe allai dyngu bod ei gerddediad yn ysgafnach rhywffordd. Syllodd arno, cyn iddi glywed rhywun yn cnocio ar wydr ffenest y caffi – Rich yn edrych ar ei wats, a'i wyneb fel storom dywyll.

PENNOD 39

Rhedodd Mags ar hyd y stryd. Roedd hi'n dywyll, a'r dail yn chwipio ar hyd y palmant oer. Cyflymodd ei chamau wrth iddi groesi'r bont. Roedd y dŵr yn ddu heno ac yn troelli'n ara dan olau gwan y lleuad. Trodd ei phen a gweld ffigwr yn cerdded oddi wrthi yn y pellter gan anelu am y parc. Cyflymodd Mags eto a'i hysgyfaint yn tynnu wrth iddi redeg. Gwisgai got hir a chydiai'r gwynt oer ynddi. Cerddai'r ffigwr cyfarwydd o'i blaen drwy giatiau'r parc wrth i Mags agosáu ato. Gwelodd y ffigwr eiddil yn dilyn y llwybr yn syth drwy'r parc wrth iddi sleifio i mewn ar ei ôl drwy'r gatiau. Roedd sŵn y gwynt yn cuddio'i chamau.

Arafodd y ffigwr am ychydig, fel petai'n gwrando ar y gwynt. Stopiodd Mags a dal ei hanadl cyn ymlacio wrth ei weld yn prysuro ymlaen. O gornel ei llygaid, sylwodd Mags arno. Rhyw bresenoldeb tywyll, casgliad o gysgodion yn cuddio tu ôl i'r goeden ucha, yr ochr draw i'r parc. Teimlodd Mags y pinnau bach yn ymledu'n ara ar hyd ei chorff. Daliai'r ffigwr i gerdded ar hyd y llwybr yn hollol anymwybodol o neb arall. Cerddodd Mags yn gyflymach hyd nes oedd ond ychydig gamau y tu ôl iddo. Yna camodd y bwystfil allan o'r llwyni, yn syth o flaen y ffigwr gan gydio ynddi, a'i grafangau tywyll yn estyn dros ei breichiau gwan.

'Cara! CARA!'

Cydiodd Mags yn y gyllell yn ei phoced a rhedeg at y bwystfil a gwanu'r gyllell i mewn i'w berfedd. Cwympodd ar ei bengliniau ac yna, o flaen llygaid Mags a Cara, fe ddiflannodd. Edrychodd y ddwy ar ei gilydd ac fe gydiodd Mags ynddi a'i gwasgu'n dynn dynn a hithau, yn ei thop newydd, yn edrych yn syn ar ei mam. Roedd hi wedi'i hachub. Wedi ei hachub.

'Mags? Mags!'

Teimlodd Mags rywun yn pwtio'i hysgwydd.

'Mags?'

Agorodd ei llygaid. Roedd yr ystafell yn dywyll a phopeth yn aneglur. Syllai wyneb Tim arni.

'Mags, mae e ar ddihun,' meddai wrthi.

Edrychodd Mags ar Tim eto mewn penbleth. Daeth sŵn y peiriannau i'w chlustiau. Peiriannau meddygol. Eisteddai Mags mewn cadair yn ystafell Rhys yn yr ysbyty. Wedi i Mags weiddi ar Belinda a Gerallt ar y stryd, fe glywodd y ddau Rhys yn crio i fyny'r grisiau. Gan nad oedd Tim yn hapus â'i gyflwr, fe lapiodd ef mewn blanced a'i gario i lawr y grisiau a Mags yn syllu'n fud. Aethpwyd ag ef i'r ysbyty ac fe ddarganfuwyd ei fod e'n dioddef o ddiffyg maeth a blinder. Wrth iddyn nhw esbonio ei gyflwr iddi fe deimlai Mags yn euog. Bu'n hunanol, yn meddwl gormod am ei theimladau hi ei hunan a heb roi digon o ofal i'w mab. Esboniodd Tim na fyddai unrhyw gyhuddiad yn cael ei dwyn yn ei herbyn am fod y sefyllfa'n un mor unigryw ond fe danlinellodd y byddai'n rhaid iddi dderbyn help cyson pan ddeuai Rhys adre. Cytunodd Mags heb ddadlau.

'Mae e ar ddihun?'

Edrychodd Mags ar Rhys a gweld fod ei wyneb yn ofnadwy o lwyd. Yn ei fraich roedd nodwydd yn bwydo maeth i'w gorff. Rhywffordd, roedd e'n edrych yn llai yn y gwely yma – yn blentyn bach a'i wallt golau'n ffluwch o gwmpas ei wyneb. Teimlodd Mags bresenoldeb Tim y tu ôl iddi'n gosod cadair ar bwys y gwely er mwyn iddi gael eistedd.

'Helô,' meddai Mags yn ddistaw, gan wenu ar Rhys wrth iddo wthio'i wallt yn ôl oddi ar ei wyneb.

Roedd ei lygaid yn ddifrifol. 'Ble ti 'di bod?'

Edrychai ei wyneb yn angylaidd dan y golau a orweddai'n gylch ar ei obennydd. Cusanodd Mags ef ar ei dalcen a thynnu'i arogl i'w ffroenau.

'Odw i yn y nefoedd?' holodd Rhys mewn llais gwan gan syllu'n ddiniwed ar wyneb ei fam.

Gwenodd Mags arno a'r dagrau'n cronni yn ei llygaid. 'Nag wyt, yn y sbyty wyt ti.'

'Lle ma... ?' Roedd e'n ceisio edrych o'i gwmpas.

'Ma dy sgarff di fan hyn, yn saff.'

Dangosodd Mags y sgarff lliwiau'r enfys iddo ac edrychai'r bychan ychydig yn hapusach wedyn.

'Bydd Dadi 'ma i dy weld di yn y bore. Buodd e 'ma ond ro't ti'n cysgu. Dodd e ddim ise dy ddihuno di.'

Gwrandawodd Mags ar anadlu cyson ei mab. Bu'r ddau'n dawel am ychydig a llygaid trist Rhys yn syllu ar wyneb ei fam.

'Bai fi yw e... ' meddai Rhys o'r diwedd a'r dagrau'n powlio i lawr ei fochau.

'Beth?' meddai Mags mewn anghrediniaeth.

'Bai fi yw e.'

Roedd e'n llefen, a rhyw henaint yn ei lygaid yn ogystal â blinder dychrynllyd. Cydiodd Mags ynddo a theimlodd ei holl angerdd yn crynu yn erbyn ei chorff. Ceisiai ynganu rhyw eiriau ond methai. Gorweddodd Mags wrth ei ymyl gan gydio'n dynn ynddo. Ceisiai Rhys yngan rhyw eiriau a oedd wedi cronni ynddo a chynyddu yn eu maint, nes eu bod yn rhy fawr i'w gwthio allan drwy ei geg.

'Bai fi yw e.'

'Paid byth â gweud 'na.' Tynnodd Mags ei hun oddi wrtho a chydio yn ei wyneb. 'Paid ti byth â gweud 'na. Dyw e ddim yn fai ar neb.'

'Ond yn y parti... parti pen-blwydd fi. Odd Dadi a Cara wedi bod yn cwmpo mas drwy'r amser.'

Fflachiodd atgofion o'r ddau yn cweryla i gof Mags ac edrychodd arno mewn penbleth.

'A wedodd Dadi y gallen i ofyn am unrhyw beth o'n i ise cyn hwthu'r canhwylle.'

Chwiliodd Mags am ryw ateb yn wyneb ei mab. Cofiodd am Steve yn gofyn iddo beth oedd ei ddymuniad wrth chwythu'r canhwyllau. Erbyn hyn roedd Rhys yn beichio crio nes ei fod yn cael trafferth i yngan y geiriau.

'Ro'n i 'di gobeithio... y bydde Cara'n diflannu.'

Syllodd Mags ar ei mab mewn sioc gan deimlo rhyw euogrwydd yn gafael ynddi. Euogrwydd am fethu gweld yr hyn oedd mor amlwg.

'Wedyn ro'n i'n gobeithio diflannu 'fyd,' sibrydodd, 'achos mod i wedi lladd Cara. Ond wi'n dal 'ma.'

Gwibiodd meddwl Mags yn ôl i'r diwrnod hwnnw pan ddaeth o hyd i Rhys yn cuddio yn y cwpwrdd tywyll. Roedd e'n diflannu, yn diflannu o flaen ei llygaid a hithau heb sylwi hyd yn oed. Cydiodd Mags yn dynn yn ei freichiau eiddil. Roedd ei llais yn gadarn.

'Nawr, gwranda 'ma... dim dy fai di yw hyn o gwbwl, ti'n deall? Smo Mam yn gwbod pam ddigwyddodd e ond doedd e'n ddim byd i neud â ti. Se ti ond yn gwbod faint o weithie ro'n inne wedi gobeithio y bydde hi'n diflannu!' Gwenodd Mags arno trwy ei dagrau, 'ond do'n i ddim yn 'i feddwl e o gwbwl, a ma rhywun lan fan'na yn gwbod 'ny. 'Nes i obeithio y byddwn i'n filionêr pan ges i 'mhen-blwydd dwetha i ond dyw hynny ddim wedi digwydd, ody fe?'

Daeth gwên wan i wyneb Rhys.

'Ond y peth pwysica i ni nawr yw dy fod ti'n gwella, ti'n clywed? A lle bynnag ma Cara, 'na beth fydde hi ise 'fyd.'

Nodiodd Rhys, a phwysau'r byd fel petai wedi'i godi oddi ar ei ysgwyddau brau. Cusanodd Mags ef ar ei dalcen. Roedd gwres ei gorff wedi dechrau gostwng yn barod, fel pe bai gollwng y gyfrinach wedi lleihau'r storom oddi mewn iddo. Roedd ei lygaid yn fwy llonydd hefyd. Lapiodd Mags y cwrlid yn dynn am ei gorff a'i gusanu eto.

'Nawr cysga, Rhys bach… ' meddai hi'n dawel. 'Cysga'n sownd tan y bore.'

Roedd ei lygaid wedi cau bron cyn iddi ddiffodd y golau.

''Nei di aros 'da fi nes a' i gysgu?'

Eisteddodd Mags a chydio yn ei law. Arhosodd yno gan wrando ar dician ara'r cloc nes bod y coridorau y tu allan i'r ystafell yn tawelu. Byddai goleuadau'r ysbyty yn pylu yr adeg yma o'r nos, a gwahanol nyrsys yn sgwrsio'n dawel mewn clystyrau wrth gyfnewid nodiadau'r cleifion.

Pan oedd Rhys yn cysgu'n sownd cerddodd Mags allan i'r coridor at y peiriant coffi. Wrth iddi gerdded sylwodd fod rhywun yn glanhau un o'r stafelloedd cyfagos. Byd rhwng nos a dydd oedd hwn, meddyliodd Mags. Rhwng byw a marw bron. Byddai trychinebau a gorfoledd yn digwydd yma'n ddyddiol a rhywun dros nos yn glanhau'r cyfan yn lân. Cydiodd Mags mewn cwpan blastig a'i wthio i'r peiriant coffi. Aeth i'r ystafell aros ac agor pecyn o laeth powdwr a'i wylio'n glynu'n styfnig ar dop y te.

Doedden nhw'n dal heb ddod o hyd i Meical, a'r heddlu

heb syniad mewn gwirionedd lle'r oedd e. Roedd y cliwiau'n lleihau, ac ar ôl tri mis a hanner o chwilio roedd yr achos yn pylu. Gwyddai Mags y câi'r achos lai o gyllid ac adnoddau cyn bo hir, a byddai llai o siawns dod o hyd i'r euog.

Eisteddodd gan ystyried hyn cyn clywed sŵn traed. Agorodd y drws a daeth Tim i eistedd ar ei phwys.

'Do'n i ddim yn sylweddoli beth o'n i'n neud iddo fe.'

'Shshsh.'

'Na, ma'n wir.'

Syllodd y ddau ar y baned yn oeri o'u blaen.

'Ma hi wedi mynd on'd yw hi?' meddai Mags. 'O'n i mor siŵr. Mor siŵr, lawr yn ddwfn yn rhywle y deithe hi'n ôl.'

Teimlodd law Tim ar ei braich.

'Falle bod 'na bach o obeth 'to, cofia.'

'Na, na. Mae'n bryd derbyn,' meddai Mags gan siglo'i phen. 'Ma'n rhaid i bethe newid nawr,' meddai a rhyw benderfyniad newydd yn ei llais.

Cytunodd Tim ac fe bwysodd Mags ei phen yn erbyn ei ysgwydd wrth i'r ddau wrando ar dician diddiwedd y cloc.

PENNOD 40

Roedd y sinema ar ochr ddwyreiniol y ddinas. Byddai Seimon wrth ei fodd yn dod yma i wylio hen ffilmiau o bob diwylliant ar draws y byd ac roedd y lle, fel arfer, yn orlawn. Heno roedd hi ychydig yn dawelach am ei bod yn hwyrach. Casglodd y ddau eu popcorn yn y lobi cyn esgyn i falconi crand y theatr. Roedd llenni melfed cochion ymhobman ac addurniadau aur o gwmpas pob bocs.

Bu Cara'n brysur ofnadwy yn y gwaith a doedd hi heb gael amser i fynd adre i newid. Ond roedd hi wedi ceisio tacluso'i gwallt yn y gwaith ac fe roddodd Sadie fenthyg ei phersawr iddi. Doedd hi ddim eisiau arogli o fwyd yng nghwmni Seimon. Rhedodd yn ôl i'r llyfrgell ar ei ffordd o'r caffi jest i weld a oedd y llyfr wedi'i ddychwelyd, ond doedd dim sôn amdano. Byddai'n rhaid iddi fynd yn ôl yn y bore. Daliai Cara i fod ar bigau'r drain ond fe fyddai heno'n siawns iddi ymlacio yng nghwmni rhywun y gallai siarad yn fwy rhydd â fe.

Roedd y seddi'n gul a chluniau'r ddau bron yn cyffwrdd wrth iddyn nhw eistedd yn y sinema. Edrychodd Seimon arni a gwenodd hithau'n ôl.

'Ie?' gofynnodd.

'Ie, beth?' atebodd Cara.

'Wel, ma pobol ar y ddaear fel arfer yn malu cachu am y tywydd er mwyn ca'l rhywbeth i weud ar ddêt. Dim ond hyn a hyn o weithie ti'n galler gweud fan hyn, "braf heddi 'to". Ni'n sdyc 'da: "Pwy wyt ti? Beth ddigwyddodd i ti, ac ers faint wyt ti 'ma?"'

Chwarddodd Cara. 'Dechreua di 'de,' meddai. Roedd hi

wedi meddwl droeon beth allai fod wedi digwydd iddo.

'Seimon Gwyn Tomos,' meddai'n ffurfiol a siglo llaw Cara. 'Myfyriwr yn astudio newyddiaduraeth. Damwain car. Os ti 'di ca'l diwedd diddorol ma hynny'n gallu bod yn destun sgwrs am dipyn!'

'Wel, Cara Evans ydw i, a 'na i gyd fi'n wbod ar hyn o bryd. Wel, hynny a'r ffaith mod i wedi ca'l fy saethu.'

'Saethu?'

Nodiodd Cara.

'Gwahanol, ond dwyt ti'n dal ddim yn ca'l *extra points*. Cofio dim byd?'

'Dim llawer, ond wi'n ca'l y teimlade 'ma weithie, wi'n siŵr mod i ar fin cofio.'

'Fe ddaw pethe…'

Cytunodd Cara. 'Daw, siŵr o fod.' Oedodd Cara am eiliad. 'Odych chi'n ca'l ymateb i'r bobol sy'n gofyn am wybodaeth yng nghefn y papur?'

Bu Cara'n ystyried y peth byth ers iddi weld y rhes o enwau. Efallai, erbyn hyn, y byddai rhywun yn yr Arhosfyd yn gwybod beth ddigwyddodd iddi.

'Galla i weld ble mae hyn yn arwain.'

'Jest meddwl o'n i falle y bydde rhywun yn gwbod…'

'Ma hi ychydig bach yn gynnar eto i ni drio dy enw di. Pe bai rhywun yn cyrraedd fis ar dy ôl di, pa siawns fydde 'da nhw o gofio, gan nad wyt ti ddim yn cofio popeth eto. Er, os wyt ti ise, gallwn ni drio yn yr wythnose nesa, falle?'

Meddyliodd Cara am eiliad. Doedd hi'n cofio dim ac roedd hi'n dechrau dod yn ymwybodol o amser. Yn enwedig ar ôl siarad ag Abel, ac yntau'n pwysleisio bod amser yn symud mor gyflym. Roedd hi'n bwysig i beidio â gwastraffu eiliad.

'Gyda pwy ti'n byw?' gofynnodd Seimon.

'Ifan, Beth a Lili… ' Stopiodd Cara am ychydig cyn ychwanegu, 'a wi'n meddwl bo ti'n nabod Leusa.'

'Leusa?' crychodd ei dalcen. 'Leusa gwallt melyn? O odw!'

Roedd Cara wedi gobeithio am fwy. Allai hi ddim gadael i'r peth fod.

'Sut wyt ti'n 'i nabod hi?'

'Wi'n ei helpu 'da rhywbeth, 'na i gyd… ffrind yw hi.'

Roedd yn gwbwl amlwg fod Seimon yn gyndyn i ddweud rhagor. Ei helpu hi, meddyliodd Cara, roedd hynny'n gwneud synnwyr. Byddai Seimon y math o foi fyddai'n benthyca siaced i rywun ar noson oer hefyd. Dim byd mwy, dim byd llai.

'A dy Ofalwr di?'

Meddyliodd Cara am Delo. 'Bachgen bach, tua deg oed. Mae e'n eitha tawel. Gweud dim byd. Sut wyt ti'n llwyddo i guddio'r papur oddi wrth dy Ofalwr di?' gofynnodd Cara.

'Ma 'na ffyrdd,' meddai gan wincio arni.

Agorodd y llenni melfed coch a setlodd pawb i wylio'r ffilm – hen ffilm ddu a gwyn a'r ddau brif gymeriad, wrth gwrs, mewn cariad.

Am y tro cyntaf ers misoedd, teimlai Cara y gallai ymlacio'n llwyr. Fe hiraethai am adre, am y byd cyfarwydd a ddangosid ar y sgrin, a gallai ddeall felly pam bod y lle mor boblogaidd. Roedd pobl yn tyrru i'r sinema hon er mwyn cael anghofio'u holl ofidiau am ychydig oriau, fel y gwnaent wrth ddod i'r caffi.

Edrychodd Cara ar wynebau'r rhai a eisteddai yn seddi blaen y cylch. Roedd pawb wedi'u cyfareddu gan yr wynebau perffaith ar y sgrin – eu gwalltiau â phob blewyn yn ei le, a phob teimlad yn cael ei glymu'n daclus erbyn diwedd y stori. Dechreuodd dagrau gasglu yn llygaid Cara wrth weld perffeithrwydd crwn y stori. Byddai'r rhai a haeddai gael eu cosbi'n derbyn eu haeddiant a phawb da'n cael eu gwobrwyo. Byddai yna fedydd, neu barti, neu briodas ar ddiwedd pob ffilm, a'r rhai oedd i fod i gwympo mewn cariad yn gwneud hynny, gan dyfu'n hen a byw'n hapus am byth bythoedd. Roedd y cyfan fel y dylai bywyd fod, meddyliodd Cara, ac yn sydyn fe deimlodd yn unig ofnadwy yng nghanol y tywyllwch.

Sylwodd Seimon ar y lleithder yn ei llygaid a theimlodd ei law'n sleifio draw i gydio yn ei llaw hithau a'i groen yn gynnes ac yn llyfn.

'Bydd popeth yn iawn, t'mod.'

'Wi'n gwbod.'

'Os yw methu cofio'n dy boeni di gymaint â na, fe helpa i di. Gallwn ni weithio 'da'n gilydd, cwestiynu, chwilio, fi'n addo.'

Gwenodd Cara arno.

'Nawr dere, *drama queen*.'

Cydiodd Seimon yn ei llaw a rhuthrodd y ddau allan i'r tywyllwch. Cerddodd y ddau fraich yn fraich ar hyd y strydoedd. Roedd Cara'n gyfarwydd â'r teimlad o gael rhywun yn agos fel'na. Gallai hi ddychmygu bod y ddau'n edrych fel dau gariad yn cerdded adre law yn llaw. Lapiodd Seimon ei siaced o gwmpas Cara wrth iddynt gerdded. Oedodd y ddau ar waelod y llwybr i'r tŷ. Bu Cara'n disgwyl am hyn drwy'r nos ac fe gyflymodd ei chalon. Roedd ei chorff eisoes yn dwym wrth sefyll mor glòs ato. Trodd Seimon i'w hwynebu gan symud cudyn o wallt o ochr ei hwyneb a'i osod y tu ôl i'w chlust. Yna fe sylweddolodd y ddau nad oedden nhw ar eu pennau eu hunain. Roedd Delo'n sefyll ar stepen y drws. Rowliodd Cara'i llygaid a rhegi o dan ei hanadl.

'Sori,' meddai Cara.

Gwenu wnaeth Seimon cyn cusanu'i thalcen a cherdded i ffwrdd.

Cerddodd Cara'n syth i fyny'r llwybr cyn poeri, 'wi 'ma nawr, galli di fynd,' i gyfeiriad Delo. Gadawodd yntau'n benisel a chamodd Cara i'r tŷ. Gan fod pawb yn eu gwelyau'n barod, cerddodd i mewn ar flaenau'i thraed heb sylwi ar y balŵns i ddechrau. Yna, sylweddolodd ei bod wedi anghofio'n llwyr am barti Lili. Roedd darn o gacen ar y bwrdd, a Lili wedi ysgrifennu enw Cara mewn pensil lliw coch ar ddarn o bapur. Teimlai Cara mor ddigalon. Gallai weld wyneb bach Lili nawr, a Beth yn dweud wrthi y bydden nhw'n cadw darn o gacen i Cara. Rhwbiodd ei phen yn flinedig ac yna, o gornel ei llygaid, gwelodd rith o fachgen bach â gwallt golau yn eistedd ar bwys y bwrdd a choron am ei ben fel petai mewn parti. Edrychodd Cara eto, ond doedd dim byd yno. Rhwbiodd ei llygaid. Roedd hi'n siŵr iddi weld bachgen bach â gwallt golau. Roedd lluniau ar y bwrdd hefyd a Lili wedi gwneud un ar gyfer pawb, ond doedd dim un ar ei chyfer hi. Rhwbiodd Cara'i phen unwaith eto cyn cerdded yn ara i'w gwely.

PENNOD 41

Allai Mags ddim dygymod â thawelwch y tŷ. Nid bod Rhys yn gwneud llawer o sŵn yn ddiweddar, ond roedd clywed ei draed yn gyson ar y landin neu sŵn y teledu yn yr ystafell fyw'n ddigon i dorri ar y tawelwch. Eisteddodd Mags yn y gegin a photelaid o win ar ei hanner o'i blaen. O fewn ychydig fisoedd roedd y tŷ wedi troi'n ddierth iddi a sŵn y ffôn, hyd yn oed, yn gwneud iddi neidio. Allai hi ddim dychmygu unrhyw beth gwaeth nag unigrwydd.

Ar ôl iddi adael y coleg celf, bu Mags yn gweithio am ychydig gyda hen bobl, yn mynd â bwyd i'w cartrefi. Roedd yr aer yn llonydd yn y cartrefi hyn a rhyw awyrgylch o ddisgwyl ac aros parhaus ynddynt. Aros yn y gwely yn lle codi'n rhy gynnar a gwneud y diwrnod lusgo'n rhy hir, disgwyl am rywun i ffonio. Aros wedyn am ginio cyn disgwyl ar ddiwedd dydd am amser gwely. Crynodd Mags wrth feddwl am y cyfnod hwnnw a chododd i droi'r radio ymlaen. Aeth yn ôl at ei gwin wrth y bwrdd. Roedd hithau wedi meddwl mai henaint fel'na fyddai yn ei haros hithau rywbryd, yn enwedig pan fyddai hi a Cara ar eu pennau eu hunain. Yna daeth Steve a Rhys a llond y lle o fwrlwm yn eu sgil. Rhwbiodd Mags ei hysgwydd wrth edrych o'i chwmpas yn y tawelwch. Efallai mai dyna fyddai ei dyfodol wedi'r cyfan.

Gadawodd Mags yr ysbyty'n gynnar oherwydd bod Steve wedi cyrraedd. Byddai'n eistedd am oriau yng nghwmni Rhys yn sgwrsio am hyn a'r llall, ond fe ddechreuodd Mags deimlo'n chwithig wrth i Steve adrodd ei straeon. Roedd e bellach wedi mynd yn ôl i'w waith yn yr ysgol a byddai'n gwneud i Rhys chwerthin â'i straeon o droeon trwstan. Doedd gan Mags ddim byd newydd i'w ddweud. Dim ond diflaniad Cara oedd ar ei meddwl ac yn ei geiriau. Doedd dim byd arall yn bwysig iddi hi ac fe deimlai ryw eiddigedd yn gymysg ag edmygedd am y modd roedd Steve yn medru cadw'i deimladau am Cara, a'i waith bob dydd, ar wahân.

O'i blaen, roedd yna lwyth o waith papur y bu'n ei osgoi ers misoedd. Roedd y biliau'n cyrraedd yn ddyddiol erbyn hyn, a'r rheiny'n gochach eu lliw bob dydd. Roedd hi wedi dechrau eu hagor, gan wahanu'r rhai pwysig oddi wrth y lleill. Doedd hi ddim yn siŵr eto sut roedd hi am eu talu ond rhoddai'r gwaith o'u trefnu ychydig o hyder iddi. Mewn bocs wrth droed y bwrdd coffi roedd y pentwr o gardiau a'r llythyron a dderbyniodd yn ystod y misoedd diwethaf. Rhai oddi wrth ffrindiau, a rhai oddi wrth bobl roedd hi'n eu hadnabod flynyddoedd yn ôl. Eraill gan bobl ddierth oedd wedi anfon rhywbeth ati ar ôl gweld yr achos ar y newyddion. Derbyniodd ambell lythyr gan grwpiau crefyddol yn dweud iddynt ychwanegu'i henw at eu rhestr weddïo, gan weddïo drosti hi a'i theulu. Roedd carden hefyd gan dditectif preifat yn gobeithio elwa pe na bai'n hapus â gwasanaeth yr heddlu. Roedd Tim wedi'i rhybuddio falle y byddai'n derbyn llythyron o'r fath. Doedd e ddim wedi galw yn y tŷ ers iddi geisio ei gusanu y noson pan aeth â Rhys i'r ysbyty. Cochodd wrth feddwl am y peth. Roedd Tim wedi ymddwyn yn broffesiynol iawn gan ei hatgoffa eu bod yn ffrindiau nawr a bod profi'r fath emosiynau cryf yn siŵr o adael eu hôl ar y ddau. Serch ei broffesiynoldeb, fe sylwodd fod Tim wedi gadael yr ysbyty cyn i Steve gyrraedd, yn amlwg yn awyddus i osgoi unrhyw chwithdod.

Tynnodd Mags y llythyr olaf o'r pentwr tuag ati a'i agor. Llythyr gan rywun dierth, wedi ei anfon ers mis neu ddau.

Sganiodd Mags yr ysgrifen sigledig. Seicic yn honni iddi gael ryw weledigaethau am Cara oedd hi. Cyflymodd calon Mags wrth ddarllen rhestr o'r achosion y bu'r seicic yn helpu'r heddlu. Rhif ffôn. Rhestr o'i phrisiau. Cofiodd iddi hi weld rhywun yn darogan y dyfodol mewn ffair rhyw dro. Pallodd Helen, ei chwaer, fynd ato wrth gwrs gan ddweud mai bwydo oddi ar bobl wan llawn problemau roedden nhw. Yn darllen pobl yn ôl y ffordd roedden nhw'n gwisgo neu'n ymddwyn. Dadleuodd eu bod nhw'n plannu syniadau fel hadau ym mhennau pobl, a'u bod nhw'n beryglus.

Cofiodd iddi led gytuno â Helen er mwyn cadw'r heddwch, cyn dychwelyd i'r ffair y diwrnod wedyn heb ddweud wrthi. Talodd ei harian a mynd i mewn i'r garafán fach gul. Doedd hi ddim yn gwybod beth i'w ddisgwyl, wedi hanner dychmygu rhyw bêl risial neu gardiau tarot. Yn sicr doedd hi ddim yn disgwyl dyn mor ifanc, ychydig yn hŷn na hi, a rhyw lygaid hynod yn treiddio trwyddi fel petaen nhw'n ei dryllio ac yn gwibio o'r naill ochr i'r llall. Enw beiblaidd oedd ganddo, er na allai Mags gofio'r enw'n iawn. Roedd ei ddwylo'n wyn ac yn denau a llond copa o wallt tywyll ar ei ben. Symudai ei ddwylo wrth siarad a'i ewinedd hir fel petaent yn crafu atgofion o'r awyr o'i chwmpas.

Byddai'n cwympo mewn cariad yn fuan meddai wrthi ac yn cael plentyn arall. Byddai hwnnw'n llawn goleuni a'i phlentyn cyntaf yn llawn tywyllwch. Gofynnodd Mags am fwy o fanylion am Cara. Roedd hi'n gythryblus, gwyddai Mags hynny ac fe fyddai hi'n crefu weithiau am atebion. Am ffordd o siarad â hi. Dywedodd y dyn y byddai hi'n iawn ac yn cymryd llwybr anarferol. Holodd Mags a fyddai rhywun yn edrych ar ei hôl. Cilwenu wnaeth y dyn, gan ddweud ei fod yn sicr y byddai rhywun bob amser yn cadw llygad arni. Dywedodd wedyn y byddai Mags yn dod i wybod beth fyddai colled ac awgrymodd hithau ei bod yn gwybod beth oedd hynny'n barod.

Roedd Mags wedi cuddio'i eiriau yn ei hisymwybod ers blynyddoedd – hyd y foment hon. Dyna a wnâi'r bobl hyn. Siawns na fyddai pawb yn dod i wybod beth oedd colled rywbryd yn eu bywydau. Yn eu gofid, byddent yn cofio'r geiriau ac yn rhyfeddu at eu galluoedd. Meddyliodd Mags am Helen. Hi fu galla wedi'r cyfan. Fyddai hi ddim yn meddwl hynny'n aml iawn, ond daeth ei eiriau yn ôl ati'n fyw heddiw. Cydiodd Mags yn y llythyr a'i rwygo'n ddarnau mân.

Gwyddai beth roedd yn rhaid iddi ei wneud. Cerddodd yn araf i fyny'r grisiau a gwthio drws ystafell Cara ar agor. Roedd hi wedi aildrefnu'r ystafell erbyn hyn, yn union fel yr edrychai cyn diflaniad Cara: y tedi yn ôl ar y gwely, a'r bocsys o bethau a gymerodd yr heddlu yn ôl yn eu lle. Bu'n meddwl am y pethau a fyddai'n ei hatgoffa hi o Cara. Aeth i ddrôr ei *dressing table* ac estyn potel o'i hoff bersawr. Rhyw bersawr digon rhad oedd e, yn arogli o sinsir a jasmin a blodau gwynion. Cydiodd yn y botel hanner gwag a'i gosod ar y gwely. Yna, agorodd y drôr ar bwys ei gwely. Yno roedd bocs matsys yn llawn o gregyn bach, bach. Byddai Cara a hithau'n cerdded ar lan y môr yn aml pan oedd hi'n fach, a Cara'n gwthio'i gwallt trwchus y tu ôl i'w chlustiau a sodro'i sylw ar y tywod er mwyn dod o hyd i'r cregyn lleiaf posib. Byddai Mags yn ei gwylio, yn rhyfeddu at ei hamynedd a'i gallu i ganolbwyntio. Cododd y bocs yn ei dwylo a'i sleidro ar agor. Yno roedd y cregyn lleiaf a welsai hi erioed. Caeodd y caead cyn gwenu a gosod y bocs wrth ymyl y botel bersawr. Yn olaf cydiodd yn y ddol fach bren yn ei gwisg las a choch o'r bowlen ar y bwrdd ar bwys y gwely. Dim ond ychydig fodfeddi o daldra oedd hi. Roedd ei hwyneb wedi'i beintio ond roedd un llygad ar goll erbyn hyn ac roedd Cara'i hun wedi torri'i gwallt flynyddoedd yn ôl. Disgwyliai iddo dyfu'n ôl fel ei gwallt hi, a chafodd siom pan na thyfodd gwallt byr a phigog y ddol. Aeth ati rhyw brynhawn wedyn i ludo'r gwallt yn ei ôl nes bod y ddoli fach yn edrych yn debycach i fwgan brain nag i ddoli dlos. Serch hynny, hon oedd ei ffefryn ac fe fyddai'n mynnu cysgu gyda hi bob nos, a hyd yn oed wedi iddi dyfu'n hŷn honnai ei bod yn dod â lwc iddi. Deuai Mags o hyd iddi weithiau mewn poced fach gyfrin wrth ddadbacio bagiau Cara wedi iddi fod ar drip. Byddai'n ei gosod yn ôl wedyn yn y bowlen ar bwys y gwely heb i 'run o'r ddwy sôn gair amdani. Byseddodd Mags hi am eiliad – y wên a'r craciau ynddi, y gwallt anniben a gwenodd. Cydiodd yn y tri thrysor a'u cario at y drws. Safodd yno am ychydig a'i llaw'n dal ar y ddolen, cyn troi am y grisiau.

Roedd hi wedi paratoi bocs yn barod – bocs tun sgwâr wedi'i leinio ag ychydig o ddefnydd o'r hen fasged winio a etifeddodd hi oddi wrth ei mam. Gosododd y botel, y bocs a'r ddoli'n ofalus yn eu lle a chau'r caead. Gwasgodd dâp trwchus am ochrau'r caead rhag i ddŵr dreiddio trwodd. Cododd a chario'r botelaid win hanner gwag i'w gwagio yn y sinc yn y gegin. Gwisgodd ei chot a chario'r bocs o dan ei chesail.

Er ei bod bron yn haf, parhau'n oer roedd y tywydd a'r gwynt yn chwipio'i chot o gwmpas ei phengliniau. Roedd rhai pobl ar y stad wedi dechrau llusgo teganau haf y plant allan i'r ardd a rhywfaint o ymwelwr i'w gweld ar hyd y lle. Byddai'r plant allan yn chwarae'n hwyrach yn y strydoedd hefyd wrth i'r mamau ddechrau llacio'u gafael wedi diflaniad Cara, fel pe bai'r fro gyfan wedi dechrau anghofio.

Trodd Mags at y môr. Allai hi ddim esbonio'r peth, ond roedd rhywbeth wedi newid y tu mewn iddi. Roedd y disgwyl di-ben-draw yn ei lladd fodfedd wrth fodfedd ac fe sylweddolodd fod yn rhaid iddi ailddechrau. Wrth gerdded gallai glywed cynnwys y bocs tun yn symud. Doedd dim corff i'w gladdu, ac felly doedd dim modd iddi ffarwelio â Cara. Byddai hyn o help iddi felly, roedd hi'n siŵr o hynny. Trodd i gyfeiriad y prom.

Roedd hi'n dawel yr adeg yma o'r nos, a'r parau ola'n eistedd yn y pagodas pren yn rhannu'u sglodion. Byddai'r gwylanod wedi rhoi'r gorau i ymladd dros y sbarion a phawb yn anelu am eu gwelyau. Dim ond rhyw hanner milltir o fae oedd yma a hwnnw'n hanner cylch wedi'i gerfio i'r tir. Ar hyd y prom, roedd rhes o hen siopau rhad, eu paent wedi pilo o ganlyniad i'r halen yn yr aer a'r bagiau swnd yn eistedd yn bwdlyd wrth y drysau cefn rhag ofn i'r teid godi'n rhy uchel. Gosodwyd cerrig mawrion ar hyd wal y môr i amddiffyn y dre rhag erydiad. I rai, byddai'r prom yn lle i gymdeithasu hefyd, yn arbennig i'r bobl ifanc ar eu beiciau yn yr haf pan fyddai'r ymwelwyr yn cyrraedd go iawn. Doedd y goleuadau a fyddai yma yn anterth yr haf heb eu cynnau eto, a gwnâi golau oren y stryd i'r cerrig llwyd ar hyd wal y môr edrych yn llwydach fyth.

Hen draeth sâl oedd yma, a dweud y gwir. Dim ond cerrig crwn, llyfn a'r rheiny'n rhai mawr. Anodd fyddai cerdded arnyn nhw heb droi troed, a dim ond rhibyn cul o dywod tywyll oedd yn y golwg pan fyddai'r teid ar ei isaf. Weithiau, ar bob pen i'r traeth, byddai ambell bwll yn ymddangos, yn llawn o wymon a physgod bach yn gwibio o un pen i'r llall. Cerddodd Mags yn ofalus ar hyd y cerrig gan ymestyn ei breichiau i'w helpu i gadw'i chydbwysedd. Roedd y tun yn ei llaw erbyn hyn, wrth iddi anelu at ben pella'r traeth. Llwydaidd oedd y tonnau heno, yn pesychu ewyn gwyn ar y lan, a'r gwynt yn aflonydd gan blycio'n ddiamynedd yn ei dillad a'i gwallt. Wrth i olau ola'r dydd ddal ei afael ar yr wybren, cerddodd Mags at un o'r waliau pren isel a ymestynnai allan i'r môr. Roedd Cara a hithau wedi cysgodi y tu ôl i waliau tebyg i hyn droeon pan oedd Cara'n blentyn bach. Byddai Mags yn casglu Cara o'r ysgol ac yn ei cherdded at lan y môr, wedi paratoi fflasg o de a brechdanau jam. Eisteddai'r ddwy ar y traeth am oriau nes ei bod hi'n tywyllu. Er y byddai Cara'n gwenwyno am fynd adre weithiau, lapiai Mags hi mewn blanced a'i hannog i gysgu yng nghysgod y wal. Allai Mags ddim dioddef mynd adre'n rhy gynnar i dŷ gwag.

Yn awr pwysodd Mags un llaw ar y wal a phenglinio'n ara bach. Roedd hi wedi dechrau pigo bwrw, a'r glaw'n gadael smotiau tywyll ar y wal sych. Gosododd Mags y bocs ar y tywod, yna, cydiodd mewn carreg wastad a min iddi. Cliriodd ychydig o gerrig cyn defnyddio'r garreg i dwrio i mewn i'r swnd gwlyb. Cloddiodd a thwrio nes bod y twll yn ddigon mawr i dderbyn y bocs a'i orchuddio â rhyw ddwy droedfedd o swnd. Cydiodd yn y bocs a theimlo'r awydd i'w agor am y tro ola i edrych ar drysorau eu merch. Ond allai hi ddim, gan iddi fod yn ddigon anodd gosod y caead arno y tro cyntaf. Byseddodd y tun a meddwl am Cara. Caeodd ei llygaid a dychmygu siâp ei hwyneb, siâp ei haeliau, y blewiach mân o gwmpas ei thalcen, siâp ei gwefusau a thrwch ei hamrannau. Ei merch hi. Ei thrysor. Yna, â rhyw drymder dychrynllyd yn codi ynddi, fe osododd Mags y bocs yn ddwfn yn y twll. Clywodd y graean yn crafu ar hyd ei waelod.

'Sori Cara... ' Roedd ei llais yn dawel. 'Am ffaelu edrych ar dy ôl di... maddeua i fi.'

Clywodd sŵn y tonnau. Roedd y glaw wedi dechrau disgyn yn drymach erbyn hyn ac yn taro'n swnllyd ar y caead tun.

'Am beidio chwilio amdanat ynghynt... ' meddai hi wedyn.

Câi ambell wylan ei thaflu'n sgrechlyd ar draws yr awyr gan y gwynt.

'Am bopeth.'

Dechreuodd Mags wthio'r swnd yn ôl dros y bocs. Llanwodd y twll, a'i dagrau'n gymysg â'r glaw. Gwasgodd y swnd yn dynn o gwmpas y tun a gosododd y cerrig gwastad yn ôl yn eu lle.

Doedd ganddi ddim syniad sut y disgwyliai deimlo. Galar, wrth gwrs, roedd hwnnw wedi bod yn gwmpeini iddi ers misoedd. Rhyddhad, efallai? Gwyddai na fyddai gweithred mor bitw'n medru sicrhau hynny iddi. Ond efallai y byddai hyn yn ddechreuad, meddyliodd. Chwipiodd y gwynt ei gwallt a hwnnw'n sopen erbyn hyn gan wneud iddo lynu wrth ei hwyneb. Roedd y tonnau'n taro ar y traeth a sŵn eu sugno'n ochneidiau dwfn. Arhosodd Mags ar ei phengliniau am ychydig gan edrych allan ar ehangder y môr a'r glaw'n pistyllio. Doedd hi erioed wedi teimlo mor fach yn ei byw.

PENNOD 42

Roedd Cara'n methu'n lân â symud ei chorff. Roedd pobman yn ddu, a hithau'n ffaelu'n deg ag anadlu. Roedd rhywbeth wedi ei glymu am ei cheg a theimlai'n wan. Trodd ei phen, ond doedd dim golau yn unman. Roedd fel petai hi mewn bocs. Bocs tun tywyll. Gorweddai ar ei chefn â'i dwylo wedi'u clymu tu ôl i'w chefn, ond gwyddai fod rhywbeth arall yn ei phoeni. Roedd hi'n siŵr ei bod yn medru clywed car, ond roedd hi mor flinedig fel na allai gadw ei llygaid ar agor. Teimlodd rywbeth gwlyb cynnes ar ei bol a chlywai sŵn sgrialu teiars.

Roedd hi'n hwyr, byddai e yno'n barod. Efallai y byddai wedi mynd adre. Doedd arni ddim eisiau bod yn hwyr. Byddai'n rhaid iddi hithau fynd adre hefyd cyn hir, i lapio anrheg Rhys. Roedd e'n dal wrth ei fodd adeg ei ben-blwydd, er ei fod yn ddeg oed erbyn hyn. Roedd yn rhaid iddi fod adre erbyn y parti, neu wnâi e byth faddau iddi. Caeodd ei llygaid a gwrando ar sŵn isel y car yn symud ar yr hewl. Roedd holl liwiau'r enfys wedi dechrau toddi y tu ôl i'w llygaid caeedig a'r lliwiau'n chwyrlïo gan wneud i'w chorff ymlacio. Yna clywodd ddau berson yn siarad yn isel a thaer. Ceisiodd wrando, ond allai hi ddim gan fod y lliwiau y tu ôl i'w llygaid yn denu'i sylw a sŵn cyson injan y car yn gwneud iddi deimlo'n gysglyd.

Beth oedd y gwlyborwch cynnes ar ei bol? Gallai hyd yn oed deimlo curiad ei chalon. Teimlai'n gynnes, a'r siaced ddu'n gwneud iddi chwysu. Allai hi ddim anadlu'n iawn. Roedd hi'n rhy glòs a chynnes. Rhaid iddi fod adre erbyn y parti, byddai Rhys a'i mam yn ei disgwyl. Ceisiodd dynnu anadl ddyfnach, ond doedd dim aer yn y gofod cyfyng yma a'r tywyllwch yn gwneud iddi fygu'n waeth. Roedd y lliwiau'n toddi nawr. Yn gwanhau. Y coch a'r gwyrdd a lliwiau'r enfys yn toddi'n las golau. Glas golau fel dŵr yn ymestyn mor belled ag y gellid ei weld. Glas golau a gwynder. Glas golau fel llygaid dyfrllyd. Roedd hi'n siŵr bod sŵn cyson yr injan yn torri weithiau. Yn torri fel tonnau. Yn toddi i mewn i sŵn y môr.

'Cara? Cara!'

Teimlodd Cara rywun yn ei siglo. Roedd hi'n ffaelu anadlu. Roedd pobman yn hollol dywyll.

'Cara? O't ti'n breuddwydio.'

Syllodd Cara trwy'i dagrau i weld wyneb Ifan yn llawn tosturi. Edrychodd o'i chwmpas. Bynciau. Tywyllwch. Sŵn rhai eraill yn anadlu.

'Ond Ifan, o'n i 'na,' sibrydodd yn dawel.

Nodiodd yntau a rhwbio braich Cara. 'Dere,' meddai wrthi.

Cododd Ifan a cherdded i'r gegin. Ymddangosodd dau fyg o laeth poeth ar y bwrdd gwyn. Rhwbiodd Cara'i llygaid a chodi'n araf. Teimlai'n benysgafn, fel petai hi newydd ddihuno o gan mlynedd o gwsg. Roedd cyhyrau ei hysgwyddau'n dynn hefyd, a'i gaddyrnau'n dost fel pe baen nhw wedi cael eu clymu. Rhwbiodd Cara nhw â'i bysedd a cherdded yn araf at fwrdd y gegin. Roedd darn o gacen yn dal yno ar y bwrdd a lluniau Lili'n blastar ar hyd y lle. Bu wrthi'n llenwi'r tudalennau bach yn ei llyfr â siapiau a lliwiau. Roedd ei lluniau'n gwella hefyd a synnodd Cara wrth weld ei bod hi'n medru tynnu lluniau adeiladau a strydoedd. Roedd Lili wedi gwrando'n astud ar ddisgrifiadau Cara, er bod y lluniau, yn naturiol, yn wahanol i'r adeiladau go iawn.

Eisteddodd Ifan wrth ei hymyl. 'Ti'n iawn?' gofynnodd o'r diwedd.

Nodiodd Cara. 'Odd y cwbwl, mor, mor real.' Wrth siarad, cofiodd Cara am yr olwg yn llygaid Leusa pan ddihunodd honno o'i breuddwyd.

'O't ti'n chwysu, yn dechre gweiddi. Do'n i ddim ise i Lili ddihuno,' esboniodd Ifan yn dawel. 'Sdim rhaid i ti siarad am y peth.'

'Na,' atebodd Cara, 'ma'n iawn.' Llyncodd ei phoer. 'Des i adre heno, ac ro'n i wedi anghofio'r cwbwl am barti Lili. Gweles i'r bachgen bach 'ma... jest cipolwg, ac ro'n i'n gwbod bod rhywbeth wedi digwydd. Mod i wedi colli parti arall o'r blân. Parti plentyn bach. Ac wedyn, o'n i adre... neu rywle.'

Dyma'r peth mwyaf sicr i Cara ei gofio ers iddi gyrraedd yr Arhosfyd.

'Rhys,' meddai gan estyn yn reddfol am ei breichled a'i swyndlws. 'Ma 'da fi frawd bach, Rhys. 'Na pwy yw hwn. Ti'n gweld Ifan? Brawd. Wi'n 'i gofio fe nawr. Rhys, y tŷ, Mam a Dad.' Trodd stumog Cara wedi feddwl amdanyn nhw. 'Dy'n nhw ddim yn gwbod lle ydw i.' Roedd ei llais yn codi mewn panig. 'Ifan, dy'n nhw ddim yn gwbod mod i wedi mynd.'

Estynnodd Ifan ei law a rhwbio'i braich.

'O'n i'n paratoi am barti, ond es i mas. Ro'n i wedi meddwl bod 'nôl ar gyfer y parti. Falle bod Rhys yn meddwl bo fi ddim yn becso amdano fe, yn meddwl mod i ddim ise dod i'w barti.'

Roedd y dagrau yn powlio i lawr ei gruddiau a symudodd Ifan ei sedd yn agosach ati i'w chysuro. Pwysodd Cara'i phen ar ei ysgwydd. Crynai. Roedd hi wedi blino'n lân. Yr holl wythnosau o beidio â gwybod, yna Abel a'r map, a Seimon… ac ar ben y cyfan, roedd y sioc o ddechrau cofio.

'Glywes i leisie. Lleisie rhywun… rhywrai… Beth naethon nhw? Beth ddigwyddodd?'

'Shshshsh, plis paid â phoeni dy ben am bethe, deith pethe'n gliriach. Ma'n rhaid i ti dderbyn yr atgofion 'ma, fe ddylen nhw dy helpu di i ddygymod â phethe ac wedyn bydd rhaid symud mlân.'

Edrychodd Cara arno mewn anghrediniaeth lwyr. 'Ond shwt ma gneud 'ny?'

Cododd Ifan ei ysgwyddau. 'Ma'n rhaid i ti chwilio am ffordd, Cara. Unrhyw ffordd. Do's dim lles yn dod o edrych 'nôl o hyd. Creda fi, bues i'n gneud hynny am wythnose. Ond o'n i'n cofio o'r dechre. Ti'n galler hela dy hunan yn ddwl. Yr anifeiliaid achubodd fi. Rhoi pwrpas i 'mywyd, cadw 'meddwl i ar y presennol. Ma'n rhaid i ti chwilio am rywbeth. Ma Lili gan Beth, ac ma Leusa'n… '

'Beth? Cwmpo mas 'da pawb i gadw'n fisi,' gorffennodd Cara'i frawddeg.

Gwenodd y ddau a throdd meddyliau Cara at Lyfr yr Arwyddion. Meddyliodd am Rhys eto, yn disgwyl yn ofer amdani i ddod adre. Roedd yn rhaid iddi ddod o hyd i'r Llyfr. Dyna fyddai ei ffordd hi o anghofio. Roedd hi'n gwbod mai edrych am yn ôl oedd chwilio am bethau fel'ny ond o leiaf fe allai ddarganfod beth ddigwyddodd iddi. Rhoi gwybod i'w rhieni. Byddai pethe wedi'u setlo wedyn. Roedd yna gadernid newydd yn tyfu ynddi. Ie, dyna beth wnâi hi – canolbwyntio pob munud o'r dydd ar chwilio am y Llyfr.

'Cara? Wnei di addo symud mlân, anghofio… Plis,' erfyniodd Ifan.

Edrychodd Cara ar ei lygaid yn gloywi yn y gwyll. Ceisiodd beidio â gadael i'r amheuon ddangos yn ei llygaid. Edrychodd ar ei law unwaith eto. Roedd yr holl addewidion a wnaethai'n dechrau gwasgu arni. Doedd hi ddim am i un arall ychwanegu at y pwysau.

'Wrth gwrs,' meddai'n dawel.

Sylweddolodd Cara fod Ifan yn dal i gydio yn ei llaw a theimlai ychydig yn lletchwith wrth weld ei law yn ei chôl. Cofiodd iddi afael yn llaw Seimon ychydig ynghynt. Yna, fe sylwodd ar rywbeth arall. Wedi rhyddhau ei llaw fe'i cododd at ei hwyneb. Roedd ei chroen yn gwbwl lyfn, a theimlodd Cara rhyw banig yn codi drwyddi. Craffodd eto wrth i'r golau gryfhau. Roedd ôl ei bysedd wedi diflannu. Teimlodd ei bysedd â'i llaw arall. Doedd dim byd yno, dim marcyn – roedd ei chroen mor llyfn â charreg y môr.

'Nawr ti'n sylwi?' gofynnodd Ifan yn dawel.

Nodiodd Cara trwy ei dagrau. Cydiodd Ifan yn ei dwylo a rhedeg ei fysedd dros gledr ei llaw. Dangosodd ei fysedd iddi – roedd ei olion yntau wedi diflannu hefyd.

'Ry'n ni'n datblygu ôl bysedd yn y groth, erbyn y byddwn ni'n bum mis,' esboniodd yn dawel. 'Ma nhw'n ein gneud ni'n unigolyn, yn wahanol i bawb arall. Ac ar ôl pedwar mis fan hyn…'

'… Ma nhw'n diflannu?' gofynnodd Cara.

Nodiodd yntau. Roedd hi wedi bod yn blino mwy'n ddiweddar, yn methu bwyta a phethau'n digwydd heb iddi sylwi.

'Ma amser yn diflannu on'd yw e?' gofynnodd Cara i Ifan a'i llais yn llawn ofn.

'Ma'n rhaid i ti baratoi dy hunan, chwilio am ryw fath o heddwch,' atebodd yntau.

Meddyliodd Cara am ei mam, yr un a roddodd ôl bysedd iddi, ei llygaid tywyll, ei chroen golau. Gallai deimlo'i mam yn dod yn ôl ati ac yna'n llithro o'i gafael unwaith eto.

Doedd dim un o'r ddau wedi cyffwrdd yn y llaeth poeth a oedd yn oeri o'u blaenau.

'Wi'n mynd i weld rhagor, on'd odw i?' holodd.

Nodiodd yn dawel. 'Siŵr o fod.'

Meddyliodd Cara am Leusa. Bu'n galed arni. Allai hi ddim dychymygu beth roedd hi wedi'i gofio.

'Eith pethe'n waeth cyn dod yn well,' meddai Ifan yn onest. 'Mae e'n greulon.'

Cododd Ifan ar ei draed. 'Dere, tria fynd 'nôl i gysgu. 'Na ddigon o freuddwydio am heno. Gei di lonydd nawr i gysgu'n iawn.'

Edrychodd Cara arno mewn ofn. Roedd hanner ei chalon yn ysu am gael mynd yn ôl trwy ei breuddwydion. Doedd rhan ohoni ddim eisiau cysgu byth eto. Y peth gwaethaf am y lle 'ma – ac roedd Ifan wedi dweud hynny droeon a Cara heb wrando arno – oedd bod angen mwy a mwy o gwsg yma. Po hiraf y byddai rhywun yma, y mwyaf anochel fyddai'r breuddwydion. Syllodd Cara ar luniau Lili. Aeth Ifan i'w boced gan dynnu llun allan a'i roi i Cara.

'Nath Lili hwn i ti. Odd hi eisiau i fi ei gadw fe'n saff.'

'Nath hi ddim anghofio fi, 'te?'

Siglodd Ifan ei ben. 'Dyw Lili byth yn anghofio neb.'

Edrychodd Cara ar y llun. Llun o dŷ o ryw fath oedd e. Tŷ a gardd o'i flaen a ffens wrth ei waelod. Roedd drws yn y ffens yn arwain wedyn at lwybr. Gwenodd Cara. Roedd Tŷ Ni wedi'i ysgrifennu'n sigledig uwchben y llun a'r llythrennau anniben yn sleidro i lawr weithiau dros ddarnau ucha'r campwaith. Plygodd Cara'r llun cyn ei osod yn ei phoced. Dilynodd Ifan yn ôl i'r bynciau a gorwedd.

Gwelodd fod Beth wedi cwrlio i fyny wrth ochr Lili. Gwrandawodd ar anadlu dwfn cyson Ifan a'r sibrwd a ddeuai o ysgyfaint Leusa am ei bod hi'n smygu. Meddyliodd am Rhys, a rhwbiodd y swyndlws yn ei bysedd. Meddyliodd am ei mam ac, yn y tywyllwch, fe ddechreuodd weld ffurf ei hwyneb. Croen golau, llyfn ac aeliau trymion. Gwasgodd y dagrau o gorneli'i llygaid a throdd ei hwyneb at y gobennydd. Dim ond arwydd oedd eisiau. Un arwydd i gysuro'i mam. Gorweddodd yn y tywyllwch a phwysau'r byd yn gwasgu arni. Teimlai fel pe bai'r llen rhwng yr Arhosfyd a'i bywyd hithau'n dechrau codi a golau'r gwirionedd yn dechrau goleuo siapiau yn y tywyllwch.

PENNOD 43

Safodd Casi'n ansicr y tu allan i'r garej. Roedd hi wedi gofyn am Cai, a dyn mewn oferôls wedi addo dweud wrtho ei bod hi'n aros amdano. Daeth sŵn chwibanu o'r garej ac fe ymddangosodd Cai yn olew i gyd.

'Haia, sori am 'na.'

Edrychodd Cai dros ei ysgwydd wrth i'r bois eraill setlo yn ôl i'w gwaith.

'Na, ma'n olreit.'

'Beth ti'n neud fan hyn?'

'O's pum munud 'da ti?'

Edrychodd Cai'n ansicr am funud. 'Olreit, ond cwic, ma'r bòs yn od am bethe fel'na.'

Cerddodd y ddau nes cyrraedd wal isel ac eistedd. Tynnodd Casi'r papurau o dan ei chesail a'u dangos nhw i Cai.

'Beth yw'r rhain?' gofynnodd hwnnw gan sychu'r olew ar ei oferôls cystal ag y gallai cyn cydio yn y papurau.

'Papure newydd, ers i Cara ddiflannu,' meddai Casi o'r diwedd. 'Dw i wedi bod yn eu cadw nhw, edrycha ar y llunie.'

Syllodd Cai ar y lluniau. Lluniau o'r parc oedd y rhan fwyaf ohonyn nhw.

'Ie?'

'O'n i'n meddwl am y deryn 'na, ar y wal yn nhŷ Meical.'

Syllodd Cai arni. Roedd llais Casi'n swnio'n ansicr.

'Wel, o'n i'n meddwl ar y pryd falle mod i wedi'i weld e

o'r blân... a drycha.'

Pwyntiodd Casi at un o'r lluniau. Yno roedd y babell wen a godwyd ar ôl diflaniad Cara. Ond yng nghefndir y llun, ychydig yn niwlog yn y papur, roedd wal y parc. Culhaodd llygaid Cai. Yno, ymysg y graffiti eraill, roedd eryr coch a edrychai'n ddu yn y llun.

'Ond beth ma e'n feddwl?' gofynnodd Cai.

'Wel, edrych ar y stori 'ma... ' meddai Casi wrth dynnu llun arall o'i bag. Edrychodd Cai ar hwnnw. Llun o hen ddynes yn sôn am blannu coeden yn y parc er cof am rywun yn y gymuned.

'Edrycha ar y dyddiad.'

Darllenodd Cai'r dyddiad ar dop y papur.

'Wythnos cyn i Cara ddiflannu,' meddai Casi eto, 'ac edrycha ar y wal.'

Roedd y fenyw yn sefyll ymhellach i fyny'r parc y tro hwn, ond yn y cefndir y tu ôl iddi, roedd y graffiti'n amlwg ar y wal. Doedd dim sôn am yr eryr.

'A beth ma 'na'n brofi?'

'Wel dim, dim byd, rili... ' meddai Casi gan edrych arno, 'ond, ma'r graffiti 'na wedi'i greu ar y wal wedi i Cara fynd, ac mae e yn nhŷ Meical 'fyd.'

'So? Llwyth o blant wedi prynu paent.'

'Ti'n meddwl?'

'Wel, beth arall?'

'Sa i'n gwbod.'

Daeth sŵn car yn tanio o'r garej. Gwthiodd Cai'r papurau 'nôl i Casi ac edrych ar ei wats.

'Drycha, Casi. Jest un o'r pethe 'na yw e.:. anghofia fe.'

'O'n i'n meddwl mynd 'nôl i dŷ Meical.'

Cododd Cai ar ei draed. 'I beth?'

'Sa i'n gwbod, ond ma rhywbeth yn gweud wrtha i…'

'Casi, gad i bethe fod. Ddylen ni ddim fod 'di mynd 'na yn y lle cynta. Ma Cara wedi mynd. Ma pobl yn symud mlân. Ma hi'n rhy hwyr.'

Syllodd Cai ar Casi. Roedd hi'n edrych yn siomedig. 'Addo i fi na wnei di ddim mynd 'nôl 'na.'

Edrychodd Casi arno heb symud ei phen. 'Ma rhaid i fi, er mwyn Cara. Wi'n mynd os ti'n dod neu beido.' Sylwodd Casi ar ryw ansicrwydd yn croesi wyneb Cai.

'Casi, paid â neud hyn. Ma'n bryd i ti a fi symud mlân. Plis. Rhoi'r holl beth tu ôl i ni. Popeth.'

Ystyriodd Casi'i eiriau am ychydig. Roedd e eisiau anghofio'r cyfan ond roedd rhywbeth yn corddi yn ddwfn y tu mewn iddi hi. Rhyw deimlad, ac fel arfer byddai Casi'n dilyn y teimladau hynny i ble bynnag roedden nhw'n ei harwain hi.

'Alla i ddim gadel pethe i fod. Ti'm yn galler gweld? Dim nes daw rhywun o hyd i Cara.'

Siglodd Cai ei ben.

'Iawn,' meddai hi, gan stwffio'r papurau yn ôl i'w bag a throi i gerdded i ffwrdd.

'Cas! Cas!'

Trodd Casi i'w wynebu eto. 'Da'th Meical adre cyn diflannu. Dodd dim rhaid iddo fe fynd. Efallai nad y dynion gododd ofan arno fe? A pam bod y deryn 'ma wedi ymddangos ar ôl i Cara ddiflannu? Mae e'n beth od ac os na helpi di fi, a' i at y cops.'

'O ie, a beth ma nhw'n mynd i neud?'

'Wi'm yn gwbod, ond bydden nhw'n siŵr o ystyried y peth.'

'Bydden nhw'n meddwl bo ti ddim yn gall.'

'Falle byddan nhw, ond ma'n un ffordd i chwilio mas.'

'Iawn,' meddai Cai, 'ti sy'n ennill.'

'Grêt,' meddai Casi. 'Nos Iau. Wi'n mynd i ddod â chamera. Edrych ar y lle'n fanwl… fydd dim angen i ti neud dim byd. Jest watsho bod neb yn dod.'

Nodiodd yntau ei ben. ''Na'r tro diwetha, cofia, jest edrych ac wedyn anghofio pethe. Ti'n clywed?'

Trodd Casi ar ei sawdl a thaflu'r geiriau dros ei hysgwydd.

'Gewn ni weld.'

Pennod 44

Roedd priodas Rich am un o'r gloch y prynhawn a Cara wedi bod yn paratoi yn y caffi ers y bore. Roedd Sadie wedi dod i mewn yn gynnar hefyd er mwyn helpu a sylwodd Cara, wrth edrych arni, ei bod yn edrych yn well yn ddiweddar a bod golau wedi dechrau gwrido'i hwyneb. Gwyddai Cara, heb iddi orfod dweud gair, ei bod yn dod at ddiwedd ei hamser yn yr Arhosfyd.

Roedd Rich wedi gofyn am gacen anferthol ac erbyn y bore, roedd un wedi ymddangos yn y caffi. O'i chwmpas, roedd eisin gwyn a phinc, a rhosys wedi'u gwneud o eisin gwyn yn gorchuddio un rhan ohoni. Doedd Cara erioed wedi gweld cacen mor brydferth yn ei bywyd. Ar ôl llwytho'r cyfan i mewn i hen gar un o ffrindiau Rich fe dynnodd Cara'i ffedog er mwyn cael rhedeg i'r llyfrgell i weld a oedd llyfr Abel wedi cael ei ddychwelyd, cyn mynd adre i baratoi am y briodas. Roedd Rich wedi dweud wrthi y câi hi wahodd rhywun ac roedd hi'n cyfarfod â Seimon ar bwys gatiau'r parc ychydig cyn y briodas. Caeodd Cara'r drws a gadael i Sadie glirio. Roedd digon o amser gyda hi, meddai, ac fe wele hi Cara yn y briodas.

Roedd y llyfrgell yn weddol dawel. Camodd Cara ar hyd y lobi a gwasgu'r botwm cyn sylwi ar ddrws lifft y straeon. Byddai'n rhaid i bethau fel'ny aros am ychydig. Canodd y gloch a chamodd Cara i mewn i'r lifft. Ceisio atal unrhyw un arall rhag benthyca llyfr Abel oedd yn bwysig nawr. Cymryd meddiant ohono a'i guddio. Doedd neb wedi ceisio cysylltu â hi hyd yn hyn ac roedden nhw wedi cael digon o amser bellach i wneud hynny, petaent am wneud. Roedd Seimon am gynnwys ei henw ar y rhestr yng nghefn ei bapur hefyd, i ofyn am unrhyw wybodaeth yn ymwneud â'i diflaniad. Byddai'r pethau yma'n dechrau rhoi rhyw bwrpas iddi. Er iddi wasgu o'i meddwl yr holl atgofion am ei mam, ei brawd a'i thad, yn ddiarwybod iddi bron, byddai'n dal ei hun yn rhwbio'r swyndlws o'r bachgen bach a'r galon rhwng ei bysedd. Byddai hi'n edrych ar y map hefyd bob cyfle gâi hi ac ar y rhifau aur arno. Bu'n trio eu haildrefnu, edrych arnyn nhw drwy wydr. Byddai'n rhaid iddyn nhw ddatgelu eu cyfrinach yn y diwedd.

Stopiodd y lifft a chamodd Cara allan gan anelu'n syth at y silff. Roedd hi'n gwybod y rhifau ar ei chof erbyn hyn a gwasgodd y botymau. Symudodd y silff ac wedi iddi arafu chwiliodd llygaid Cara am y gwagle arferol. Ond yn hytrach na gwagle roedd yno lyfr. Teimlodd Cara rhyw drydan yn rhedeg drwyddi. Cydiodd ynddo. Llyfr Abel Jeremia Llwyd. Allai hi ddim credu'r peth. Hwn oedd e. Doedd dim dwywaith mai hwn oedd e. Cydiodd ynddo a gwasgu'i bysedd ar y clawr fel pe bai hi'n ceisio ei pherswadio'i hun mai hwn oedd y llyfr. Rhedodd ei bysedd dros lythrennau aur ei enw. Gwasgodd ef wedyn dan ei chesail, yn falch o gael teimlo'i bresenoldeb yn agos ati. Rhywun oedd yn deall, rhywun a oedd wedi ymddiried ynddi. Roedd pethau'n dechrau gwella a gallai deimlo y byddai heddiw'n ddiwrnod da.

Fe aeth Cara'n ôl i'r tŷ a chuddio'r llyfr o dan ei matras cyn mynd i'r briodas. Doedd hi ddim yn siŵr ai dyna'r lle mwyaf saff iddo ond roedd y llyfr yn wahanol i'r map, yn rhy drwm i'w gario drwy'r amser. Roedd Ifan wedi mynd at ei dylluan a Beth a Lili yng ngwaelod yr ardd yn chwynnu, Beth mewn het haul lydan a Lili'n rhedeg yn droednoeth dros y lawnt. Roedd Lili wedi bod yn sgrechian ac yn chwerthin ers ben bore am fod y blodyn cyntaf wedi agor yn yr ardd. Roedd e wedi ymddangos dros nos ac fe arweiniodd Beth hi i lawr i'w deimlo gyda'r wawr. Fe eisteddodd Lili yno yn teimlo'r petalau â'i bysedd bach a'i hwyneb yn cyfleu'i hapusrwydd. Gwyliodd Beth hi a dagrau yn ei llygaid. Blodyn melyn llachar oedd e. Melyn llachar yn gwrthgyferbynnu â'r dail gwyrddlas o'i gwmpas.

''Co ti!'

Neidiodd Cara wrth glywed y llais y tu ôl iddi. Safai Lili yno a'r blodyn yn ei llaw.

'I'r gwallt! I'r parti!' meddai hi.

Safai Beth y tu ôl iddi'n gwenu. Roedd Cara wedi ymddiheuro am golli'r parti ac fe ddywedodd Ifan wrth Beth fod Cara wedi dechrau cofio trwy'i breuddwydion. Allai Beth ddim teimlo'n ddig at neb yn hir iawn.

'Ond Lil! Dy flodyn di yw hwnna!'

'Wedodd hi bo ti wedi bod yn drist yn ddiweddar. Bod hi'n galler 'i deimlo fe. Bod mwy o ise'r blodyn arnot ti na hi,' meddai Beth.

Doedd Cara ddim yn gwbod beth i'w ddweud.

'Gwallt nawr!' chwarddodd Lili eto. Pengliniodd Cara wrth ei hymyl a gosododd Lili'r blodyn yn ei gwallt gyda help Beth.

'Ma 'da ti wallt pert… ' meddai Beth yn dawel.

Roedd melyn y blodyn yn gwrthgyferbynnu'n llachar â düwch ei gwallt. Pan fyddai hwnnw'n wlyb, byddai'n sgleinio bron yn las yn y golau. Teimlodd Cara ryw euogrwydd yn sydyn. Doedd hi ddim wedi gwneud llawer â Lili'n ddiweddar. Heb fynd â hi i'r parc. Heb fynd â hi am dro na disgrifio pethau iddi. Cydiodd ynddi'n sydyn. Daliodd hi'n dynn a gwasgodd Lili gusan fach ar ei boch. Sylweddolodd Cara faint roedd hi wedi gweld ei heisiau. Roedd yr holl feddyliau'n llenwi'i meddwl ddydd a nos, ond byddai'n hawdd anghofio wrth fod yng nghwmni Lili. Rhaid iddi fynd â hi i rywle am dro. Allai hi ddim dychmygu sut deimlad oedd bod yn gaeth o fewn ei byd bach ei hunan. Gollyngodd Cara hi.

'Ti'n bert nawr,' meddai Lili gan sgipio'n ôl i'r ardd.

'Ma hi'n iawn, ti *yn* bert nawr,' meddai Beth

Gwenodd Cara arni. 'Well i fi fynd, fi'n hwyr. Bydda i 'nôl nes mlân, falle gallwn ni fynd am bicnic neu fynd am dro.'

'Bydde 'na'n neis... ' atebodd Beth yn ansicr, ac fe allai Cara weld yn llygaid Beth nad oedd yn siŵr a ddylai ei chredu neu beidio.

Rhuthrodd Cara allan i'r awyr iach a Lili'n chwifio'i dwylo arni wrth glywed sŵn traed Cara'n diflannu i lawr yr hewl.

Roedd Seimon wedi aros amdani ar bwys y gatiau ac roedd hi'n falch o'i weld. Doedd hi ddim yn edrych ymlaen at fynd yn ôl i'r parc – dim ar ôl iddi gael y teimlad dychrynllyd yna pan aeth hi yno gyda Ifan, Beth a Lil – ond roedd ei bresenoldeb yn gwneud iddi deimlo ychydig yn ddewrach. Edrychodd yntau ar y blodyn yn ei gwallt cyn gwenu.

Roedd rhyw hanner cant o bobl yn y briodas. Prysurodd Cara i helpu Sadie i roi'r bwyd allan ar fyrddau a osodwyd yn barod mewn rhes. Aeth Seimon i eistedd ar flanced o dan goeden gyfagos gan edrych draw ar Cara bob hyn a hyn. Byddai hithau'n cochi wrth ddal ei lygaid. Doedd dim un o'r ddau wedi sôn gair am eu dêt a'r modd y cafodd y noson ei sarnu gan Delo. Bob tro y meddyliai hi am wefusau Seimon byddai pinnau bach yn lledu drwyddi. Sgwrsiodd yn frwd â Sadie gan chwerthin ychydig bach yn rhy uchel. Edrychai honno arni mewn syndod.

Ar lan un o'r llynnoedd y priodwyd y ddau. Roedd Rich wedi gosod y blancedi ar lawr i bawb ac roedd awyrgylch digon anffurfiol i'r gwasanaeth. Ar lan y llyn roedd bwa o flodau rhyfeddol a'u harogl melys yn treiddio ar draws y parc yng ngwres yr haul. Er na ellid defnyddio geiriau crefyddol, fe ddilynodd y seremoni ffurf reit arferol. Ffrind iddyn nhw oedd yn cymryd y gwasanaeth ac fe wnaeth y ddau addewidion syml gan wenu ar ei gilydd wrth ddod at y rhan, 'hyd oni wahenir ni gan angau… ' Eisteddai Cara wrth ymyl Seimon i'w gwylio. Roedd y briodferch mewn ffrog wen ac yntau'n dal yn ei siwt orau, yr un y cafodd ei gladdu ynddi. Edrychai'n dda hefyd, yn iach, ac yn ddigon hapus i dynnu dagrau. Wrth i'r ddau gusanu ar ddiwedd y gwasanaeth a'r gynulleidfa'n curo dwylo, fe deimlodd Cara bresenoldeb Seimon wrth ei hochr yn llosgi drwy ei chroen.

Fe aeth y prynhawn heibio'n sydyn. Bu Cara'n helpu i weini'r bwyd er na fwytodd hi fawr ddim. Roedd Rich a'i wraig newydd yn chwerthin ac yn siarad â hwn a'r llall, ei fraich am ei chanol a hithau'n pwyso'i phen ar ei ysgwydd. Wedi iddi ddechrau oeri fe rannwyd y blodau o'r bwa rhwng pawb. Roedd canhwyllau wedi'u cynnau ar y llyn a'r rheiny'n bobian ar y dŵr ac yn goleuo'r parc â golau euraid. Eisteddodd Cara ar ôl ffarwelio â Rich. Roedden nhw am adael yn gynnar, medde fe gan wincio ar Cara. Aeth hithau i chwilio am Seimon a'i gael yn dal i orwedd ar y flanced yn edrych ar y llyn.

'Ma hi fel paradwys 'ma weithie, on'd yw hi?' meddai'n dawel.

'Fel hyn roedd hi drwy'r amser, siŵr o fod, cyn y rhyfel…' cytunodd Cara.

'Heb y Gofalwyr a'u rheole,' ychwanegodd Seimon yn hiraethus.

Tynnodd Cara anadl hir ac edrych allan ar y dŵr. Doedd hi erioed wedi gweld llyn mor hardd na phobl mor ddedwydd. Edrychodd ar wên Seimon a gwenau'r rhai o'u cwmpas. Ac yna, fe feddyliodd, dim ond dwy wên fel'na roedd hi wedi'u gweld erioed – gwên y dyn tywyll a'r fenyw. Y ddau ohonynt yn noeth. Y ddau ohonynt ar lan llyn a phont wrth eu hymyl. Eisteddodd Cara i fyny'n syth.

'Beth sy?' gofynnodd Seimon yn ddiog gan syllu ar y goleuadau'n bobian ar y dŵr.

Y bont a'r dŵr a'r llyn. Roedd hi wedi gweld y tirlun ar y map. Roedd hi wedi'i basio ddegau o weithiau. Y tirlun reit o dan ei thrwyn. Ar y drws – drws y lifft yn y llyfrgell. Yn sydyn, daeth popeth mor glir. Rhaid bod yr ateb yn y fan honno.

PENNOD 45

Bu Mags wrthi'n glanhau drwy'r bore. Gwyddai y byddai'r lle'n gawdel llwyr eto ar ôl i Rhys fod adre am awr ond roedd hi'n awyddus iddo deimlo ei bod wedi gwneud ymdrech ar ei ran. Aeth ati i goginio ei hoff fisgedi – rhywbeth nad oedd wedi'i wneud ers misoedd – a'u gosod ar blat yn yr ystafell fyw. Roedd Mags wedi siarad â'r doctoriaid ac wedi derbyn sicrwydd nad oedd unrhyw niwed parhaol wedi'i wneud iddo. Byddai'n rhaid i Mags fynd ag ef at y doctor bob wythnos er mwyn iddo gael ei asesu'n gyson. Cytunodd Mags, wrth gwrs, ac fe gymerodd gerdyn y doctor a hefyd enw a chyfeiriad rhywun a fyddai'n addas i drin oedolion. Addawodd Mags i feddwl am y peth.

Cliriodd Mags yr holl bapurau am Cara o'r gegin a'u storio'n ofalus yn ei hystafell. Treuliodd oriau'n gwneud, gan eu gosod yn ei hystafell hi rhag iddynt gymryd drosodd y tŷ'n gyfan gwbwl. Awgrymodd y doctor hynny fel y medrai Rhys fod mewn ystafell heb gael ei atgoffa'n gyson am ei chwaer. Gosododd Mags lun o Cara ar sil y ffenest, serch hynny, gan ei fod wedi dweud hefyd ei bod hi'n bwysig peidio â'i hanwybyddu'n llwyr. Edrychodd Mags ar y cloc. Roedd hi bron yn hanner dydd.

Steve fyddai'n dod â Rhys draw. Doedd Mags heb sylwi nes iddi agor un o lythyron y banc ond roedd Steve wedi bod yn talu arian i mewn i gyfri banc Mags heb yn wybod iddi. Fe deimlodd yn anfodlon i ddechrau, ond o leiaf roedd rhai o'r biliau a gâi eu talu'n syth o'r cyfrif banc bellach wedi'u setlo ac roedd Mags yn ddiolchgar am hynny. Fe gynigiodd Steve ddod draw yn gyson gan awgrymu efallai y dylai'r ddau weithio ar ryw amserlen fel y câi weld Rhys. Esboniodd ei fod yn ymwybodol y byddai pethau'n weddol anodd ar ôl i Rhys ddod adre a'i bod yn rhy gynnar iddyn nhw drafod eu perthynas a'u dyfodol, ond yr hoffai weld Rhys yn rheolaidd. Meddyliodd Mags ei fod yn swnio'n hollol resymol ac addawodd y gallai'r ddau drafod y peth dros ginio pan ddeuai Steve â Rhys adref.

Arllwysodd Mags y dŵr i mewn i'r gwydrau a chadw llygad ar y stôf. Roedd hi wedi meddwl efallai y byddai hi'n syniad da i aildrefnu ychydig o bethau o gwmpas y gegin hefyd ond chafodd hi ddim amser yn y diwedd. Byddai'n well cymryd camau bach i ddechrau, meddyliodd.

Canodd cloch y drws.

'Helô!' Agorodd Mags y drws a rhedodd Rhys i'w breichiau. Er ei bod hi wedi'i weld y noson cynt, roedd e'n falch o'i gweld. Roedd ychydig mwy o raen arno erbyn hyn. Edrychodd yn ansicr i mewn i'r gegin.

'Cer mlân 'te, edrych beth sy ar y ford!'

Gwelodd Rhys y bisgedi a rhedeg amdanynt.

Gwenodd Mags ar Steve. Roedd Steve wedi newid hefyd, meddyliodd. Roedd e'n gwisgo dillad newydd – siaced frown dros rhyw grys glas golau. Hi fyddai'n prynu ei ddillad fel arfer a theimlad rhyfedd oedd ei weld yn gwisgo dillad nad oedd hi wedi'u gweld o'r blaen. Roedden nhw fel symbol o'r haen denau o ddieithrwydd rhyngddynt.

'Ti'n iawn?'

Nodiodd Steve. 'Ma ei bethe fe yn y bag 'ma – ei dabledi a rhyw bapure i'w dangos i'r doctor pan alwith e.'

Teimlad rhyfedd oedd gweld Steve yno ar ôl yr holl amser. Rhedodd Rhys, ac olion siocled o gwmpas ei geg, heibio i'r ddau gan ruthro i fyny'r grisiau i'w ystafell. Roedd y sgarff enfys yn dal am ei wddf.

'Dim siawns ei gael e mas o'r sgarff 'na 'de?' gofynnodd Mags.

Gwenodd Steve. 'Dim siawns.'

'Dere, ma cinio bron yn barod,' meddai Mags gan fynd at y stôf.

Pwysodd Steve ar ffrâm y drws. 'Wi 'di gweld ise'r lle 'ma... ' meddai gan edrych o'i gwmpas. 'Wi 'di gweld dy ise ti 'fyd.'

'Ma'n wir ddrwg 'da fi, am bopeth. 'Nes i bethe'n waeth. Wi'n derbyn 'na.'

Edrychodd Mags arno. Roedd ei wyneb yn deneuach nag y bu.

'Sen i ond yn galler newid pethe, Mags...'

'Wel, sdim un ohonon ni'n galler neud 'ny.'

'Ti'n edrych yn well, Mags.'

Gwenodd Mags wên wan arno. 'Tithe 'fyd. Ma pethe'n dod,' ychwanegodd Mags gan osod tri phlat ar y bwrdd. Safodd am yr eiliad leiaf yn syllu ar y pedwerydd lle gwag o gwmpas y bwrdd.

Edrychodd Steve dros ei hysgwydd. 'Ti'n gwbod... ' meddai'n dawel, 'nes i erioed ddychmygu bydde'n rhaid i ni dreial neud hyn. Symud mlân. Heb wbod.'

'Dyw e ddim yn teimlo'n iawn, ody e?' cytunodd Mags.

Siglodd Steve ei ben.

'Ond pa ddewis s'da ni?' Bu'r cwestiwn yn hofran yn yr aer nes i Mags alw ar Rhys i ginio.

Roedd y waedd yn gyffredin ac wrth i'r ddau wrando ar sŵn traed Rhys yn croesi'r landin, edrychodd Mags ar Steve. Roedd rhyw synnwyr o normalrwydd yn gwthio'i ffordd yn ôl i'w bywydau'n ara bach.

Eisteddodd y tri i fwyta'u cinio gan siarad am hyn a'r llall, a Rhys yn llawn cynlluniau.

'Alla i fynd draw at Tomos ar ôl swper heno?' gofynnodd.

Roedd e'n amlwg wedi gweld eisiau ei ffrind bach. Edrychodd Mags ar Steve am eiliad. Doedd hi heb weld Belinda ers iddi weiddi arni rai wythnosau'n ôl. Doedd Steve ddim yn ymwybodol o'r digwyddiad.

'Wrth gwrs y galli di, yn gallith e?' gofynnodd i Mags. Nodiodd hithau'n dawel a gwenu. Gallai Rhys fynd draw drwy'r ardd gefn ond allai hi ddim wynebu Belinda ar hyn o bryd.

'Ac wythnos nesa, bydd pen-blwydd Cara… ' meddai Rhys eto, gan ddal i fwyta.

Stopiodd Steve fwyta. Roedd Mags ac yntau wedi bod yn ymwybodol bod y dyddiad yn agosáu, a 'run o'r ddau wedi sôn gair.

'Bydd ise trefnu parti, ges i barti… ' meddai Rhys gan yfed ei sudd afal.

Rhoddodd Mags ei fforc i lawr. 'Ond ti'n siŵr bod…'

'Ma'n rhaid iddi ga'l parti,' torrodd Rhys ar ei thraws. 'Fi ise neud parti iddi.'

Edrychodd Steve ar Mags a chododd hwnnw'i ysgwyddau.

Llyncodd Mags ei phoer. 'Wel, 'na fe 'te…'

Yna fe eisteddodd y tri fel roedden nhw'n arfer ei wneud a

’run o’r tri yn edrych yn rhy aml ar y sedd wag wrth y bwrdd. Dechreuodd Rhys dynnu’r darnau sbageti i’w geg trwy eu sugno oddi ar ei blat fel yr arferai wneud. Gwnâi Steve yr un peth yn union a byddai Mags fel arfer yn dweud y drefn wrth y ddau am fod mor ddifaners. Byddai Cara’n ei fwyta â’i chyllell a’i fforc, yn torri’r sbageti’n ddarnau mân cyn ei fwyta gan rowlio’i llygaid ar y bechgyn. Dechreuodd Steve sugno hefyd nes bod y saws yn cronni o gwmpas ei geg. Dyma Rhys yn dechrau chwerthin, gan geisio peidio â thasgu llond cegaid o fwyd dros y bwrdd ac ni allai Mags hyd yn oed ddim peidio â gwenu.

PENNOD 46

'Alla i'ch helpu chi?'

Pwysodd yr hen fenyw dros y cownter pren ac edrych ar Cara dros ei sbectol. Roedd ei gwallt wedi'i osod yn ofalus ar dop ei phen â phinnau a gwisgai res o berlau dros goler ei phyjamas glas golau. Roedd hi wrthi'n ysgrifennu ar ryw label. Doedd ganddi ddim syniad am beth roedd hi'n chwilio, felly roedd hi'n amhosib gwybod beth i'w ddweud.

Bu Cara'n sefyll wrth ddrws y llyfrgell yn aros i'r lle agor. Doedd hi heb gysgu winc ar ôl y briodas a chyflymai ei chalon bob tro y meddylia am y llyn a'r drws yn y llyfrgell. Safodd o'i flaen ar ôl i un o ofalwyr y llyfrgell ei gadael hi i mewn. Doedd dim dwywaith amdani. Hwn yn sicr oedd y tirlun ar y map. Roedd pob manylyn ar ei chof erbyn hyn: y bryniau yn y cefndir yn gwmws yr un siâp; y llwybr hir a'r glaswellt bob ochr; y bont bren syml yn croesi'r afon. Ac yna, y llyn. Roedd y dŵr yn las gloyw a golau'r haul yn disgleirio ar ei wyneb. Ac ar lan y dŵr, yr holl anifeiliaid yn yfed gyda'i gilydd – bustych, llewod, adar a defaid. Pob un ohonyn nhw'n yfed yn ddwfn a'u lliwiau amrywiol yn cael eu hadlewyrchu yn nŵr y llyn. Y dyn croen tywyll a'i ysgwyddau llydan yn sefyll yn hollol naturiol yn noeth, a chroen gwyn y fenyw wrth ei ymyl yn ei holl feddalwch. Roedd y lle'n edrych fel paradwys.

'Ym, alla i edrych o gwmpas?' gofynnodd Cara o'r diwedd gan synhwyro bod y fenyw yn dechrau colli'i hamynedd.

'Carden, os gwelwch chi fod yn dda.'

Gosododd Cara'i cherdyn darllen ar y cownter a syllodd yr hen fenyw arno. Doedd dim sganiwr i'w gael yn yr ardal hon. Allai Cara ddim gweld unrhyw beth modern o gwbwl, a dweud y gwir. Gwthiodd y fenyw'r cerdyn yn ôl dros y cownter.

'Ma 'na dri llawr 'ma. Gallwch chi ddechre ar y chwith fan hyn,' meddai'r hen fenyw gan bwyntio at lwybr oedd yn mynd yn ôl i'r chwith. 'Lleisiau sy'n gyntaf a rhythmau chaneuon wedyn. Os tynnwch chi'r caneuon allan o'r cesys, gwnewch yn siŵr eich bod yn eu rhoi'n ôl, os gwelwch chi fod yn dda, neu byddan nhw'n hedfan o gwmpas a bydd hi'n waith caled mynd â rhwyd o gwmpas i'w dala nhw ar ddiwedd y dydd. Chi'n deall?'

Nodiodd Cara heb ddweud gair.

'Signalau mwg sy ar y llawr cynta. Rhowch y caead 'nôl ar y jar os byddwch chi'n tynnu un mas, neu aiff y mwg trwy'r lle 'ma, a dyw e ddim yn dda i'r *chest*, ch'mod.' Rhwbiodd y fenyw ei brest â chledr ei llaw a chrychu'i thrwyn ar Cara. 'Yr arwyddion dwylo sy ar bwys y signalau mwg, ac wedyn y straeon, y meddyliau a'r mapiau ar y llawr ucha – reit ar bwys y breuddwydion.' Tynnodd y fenyw ei sbectol a'u gadael yn hongian ar gordyn pinc o gwmpas ei gwddf. 'Dyw pobol ifanc ddim yn cael defnyddio'r breuddwydion tywyllaf na'r hunllefe.' Pwysodd dros y cownter yn agosach at Cara. 'Dy'n ni ddim ise gweld person ifanc arall yn gorffod mynd at y doctor,' meddai hi'n dywyll gan godi'i haeliau. 'Popeth yn glir?'

'Ydi, perffeth… ' atebodd hithau'n ansicr. Yma roedd ardal y mapiau, meddyliodd, roedd hynny'n swnio'n obeithiol. Aeth yr hen fenyw yn ôl i ysgrifennu ar y label.

Yn wahanol i ardaloedd eraill y llyfrgell, roedd hi'n hynod o dawel yn yr adran hon a dim ond sŵn yr hen fenyw yn labelu ac yn stampio ambell botyn neu lyfr oedd i'w glywed.

'Ma hi'n dawel 'ma, on'd yw hi?' meddai Cara.

Cododd y fenyw ei hysgwyddau. 'Ma pobol yn hoffi ffeithie ac ati. Ma nhw'n haws eu… ' stopiodd y fenyw i feddwl am ychydig, 'dehongli falle.'

Efallai ei bod hi'n iawn, meddyliodd Cara. Yr adran farddoniaeth bob tro oedd yr ardal dawela mewn llyfrgell.

'Trueni 'fyd. Ma 'na gyment o bethe diddorol fan hyn.' Syllodd yr hen fenyw arni fel pe na bai'n gweld pobl ifanc yma'n aml iawn. 'Nawr, ffwrdd â chi,' meddai gan bwyntio at y llwybr ar y chwith.

Symudodd Cara'n gyflym heb edrych yn ôl.

Roedd yr ystafell hon yn wahanol i'r un a welsai Cara yn y llyfrgell – yn anferth ac yn sgwâr a'r lloriau a'r waliau wedi'u gwneud o baneli pren tywyll. A dweud y gwir, edrychai fel rhan hynaf y llyfrgell ac roedd cerfluniau anhygoel ar hyd y nenfwd, offerynnau cerdd a phaentiadau o erddi hyfryd. Edrychodd Cara i fyny rhwng y silffoedd a ymestynnai bron at y nenfwd, gan wneud i'r lle edrych fel rhyw gyfuniad o lyfrgell ac amgueddfa. Sylwodd Cara nad oedd y lle'n drefnus iawn chwaith, yn wahanol i ardaloedd eraill y llyfrgell. Gweithiai'r hen fenyw ynghanol pentwr o focsys a chesys. Roedd y silffoedd yn gorlifo o focsys a'r rheiny wedi'u gosod un ar ben y llall gan ffurfio tyrau peryglus yr olwg. Gwrandawodd Cara ar sŵn ei thraed ei hun ar y llawr pren.

Doedd dim llyfrau yn y fan hon, dim ond enwau ar focsys – cannoedd ar gannoedd o focsys ac enwau bach wedi'u teipio a'u gludo arnynt. Edrychodd Cara ar rai ohonyn nhw: Abd al-Karim Qasim, Ailill Rose, Bartholomew Williams. Edrychodd dros ei hysgwydd er mwyn gwneud yn siŵr na allai'r hen fenyw ei gweld, cyn cydio mewn bocs bach oddi ar y silff. Roedd e'n ysgafn ac fe gododd Cara ef at ei chlust a'i ysgwyd yn ysgafn.

'Aw!'

Neidiodd Cara a gollwng y bocs ar lawr wedi dychryn.

'Aw!' daeth y llais o'r bocs eto wrth iddo lanio ar y llawr.

Edrychodd Cara o'i chwmpas. Doedd neb yno – oedd hi'n colli'i phwyll. Penderfynodd y byddai'n well iddi ei roi'n ôl ar y silff. Edrychai'n ddigon diniwed. Temtiwyd hi i wasgu ei bysedd dan y caead a chan ddal ei hanadl sleidrodd ef ychydig bach i'r dde.

'An I tol' Mary Jane that was thu last taahm that I efer woud lie for her.'

Daeth llais eglur o'r bocs gwag, llais merch ifanc. Caeodd Cara'r caead a chamu 'nôl mewn syndod cyn i'w sawdl daro yn erbyn pentwr o focsys y tu ôl iddi, gan wneud i'r cyfan lawio i'r llawr. Cododd corws o leisiau y tu ôl iddi. Syllodd o'i chwmpas.

'Well, tha could allis 'ave a slahce o' jam an' breead fer once,' I suggested, 'cos tha's still getten some o' yond wommed raspberry jam left…'

'La nuit dernière, j'ai eu une petite période d'insomnie, de quatre heures du matin à environ cinq heures trente. Quand je me suis réveillée, je ne savais plus.'

Ceisiodd Cara gau'r caeadau, ac yn y diwedd fe dawodd y lleisiau. Gosododd y bocsys yn ôl i bwyso mewn pentwr ar un o'r silffoedd, gan gerdded oddi yno cyn iddi wneud rhagor o lanast. Cerddodd heibio i focsys mwy o faint, a'r 'Rhythmau' wedi'i ysgrifennu arnyn nhw, yn ogystal ag ardal gyfan wedi'i neilltuo ar gyfer 'DRYMIAU RHYFEL'.

O gwmpas y cornel, roedd cesys gwydr anferth tebyg i rai mewn amgueddfa, rhyw bymtheng metr o uchder a deng metr o hyd. Gosodwyd nhw ar bwys ei gilydd, fel dominos tryloyw anferth, a'r rhes yn ymestyn ymhell i lawr yr ystafell. Wrth agosáu atynt, gallai Cara weld eu bod yn llawn gwrthrychau a edrychai fel adar bach, eu hadenydd yn curo mor gyflym nes gwneud iddynt ymddangos fel cymylau o'u cwmpas. Gwyliodd Cara nhw'n gwibio o gwmpas eu bocsys gwydr, miloedd ohonyn nhw, ac yn tyrru'n agosach at y gwydr wrth iddi nesáu, fel petaent yn ceisio denu'i sylw. Closiodd Cara at y cês o'i blaen a gwasgu'i chlust at y gwydr. Clywodd y melodïau mwyaf anhygoel a glywsai erioed. Closiodd yr 'adar' at y gwydr a phob tôn yn cymysgu nes bod y sŵn yn cynyddu a chynyddu. Gallai fod wedi aros yno am oriau, ond fe deimlai'r map yn cyffwrdd ei chroen wrth iddi bwyso ar y gwydr, gan ei hatgoffa o'i bresenoldeb. Sylwodd ar risiau'n troelli o'r llawr gwaelod i'r llawr cyntaf a dringodd nhw'n ofalus.

Rhaid bod yma gliw yn rhywle, meddyliodd Cara. Gallai edrych drwy'r mapiau a'r llyfrau, efallai. Cerddodd heibio i resi a'r resi o jariau ar y silffoedd ar y llawr cyntaf. SIGNALAU MWG meddai'r arwydd. Ynddyn nhw roedd cymylau o fwg yn pefrio. Gallai hi ddychmygu'r bobl a fyddai wedi cynnau tanau cyn eu gorchuddio â dail gwlyb er mwyn creu signalau mwg i gyfathrebu â phobl ymhell i ffwrdd.

Ar ben pella'r llawr daeth ar draws rhes ar ôl rhes o gypyrddau â'u cefnau at y wal. Stopiodd Cara o'u blaenau. Cypyrddau bas oedden nhw – dim ond rhyw bymtheng centimetr o ddyfnder ac ymestynnent o'r llawr i'r nenfwd. Yn lle dolen roedd cerflun o law mewn efydd y gellid cydio ynddi i agor y drws. Syllodd Cara ar y llaw am ychydig. Roedd hi'n llyfn ac yn solet. Ymestynnodd ei bysedd tuag ati ac er syndod i Cara dechreuodd y llaw efydd fywiogi a chydio yn llaw Cara.

'Oi!'

Tynnodd Cara'i llaw yn ôl ac wrth wneud hynny fe agorodd y drws. Gollyngodd y bysedd efydd ei llaw hithau. Cipiodd Cara hi'n ôl a'i magu dan ei chesail. Tynnodd Cara anadl siarp wrth weld cynnwys y cwpwrdd. Yno roedd cannoedd o barau o ddwylo'n arwyddo eu straeon. Dwylo gweithwyr a baw drostynt a dwylo glân, meddal. Roedd y cwpwrdd yn fôr o symud a bysedd yn chwifio fel cwrel gan siapio'u straeon. Swynwyd Cara yn llwyr gan y symudiadau hudol, fel dwylo consuriwr yn creu rhith o stori o'i blaen. Gwenodd. Roedd cymaint i'w ddysgu yma. Caeodd Cara'r drws yn anfodlon a gwenu wrth i'r llaw efydd chwifio hwyl fawr arni. Cododd hithau law yn ôl cyn cerdded am y grisiau troellog a arweiniai at y llawr uchaf.

Teimlai Cara'n argyhoeddedig mai yma y deuai o hyd i'r cliw. Ar y llawr uchaf roedd y straeon, y farddoniaeth a'r mapiau. Yma, roedd y silffoedd yn is a byrddau wedi'u gosod rhyngddynt er mwyn i bobl gael eistedd, astudio a darllen. Gorchuddiwyd y waliau bron yn llwyr â lluniau o bob math. Roedd lluniau'n ymddangos ac yn diflannu ar bob modfedd ohonynt: lluniau o ddwylo cyntefig, fel y rhai a geir mewn ogofâu; lluniau o ddyn difrifol yr olwg, mewn coler glerigol; llun o waith plentyn bach, yn debyg iawn i luniau Lili; yna llun a oedd yn lled gyfarwydd i Cara. Cerddodd Cara tuag ato cyn iddo ddiflannu. Roedd ganddi boster o'r llun yma, roedd hi'n siŵr o hynny. Llun gan Leonardo da Vinci oedd e, ond roedd hwn yn wahanol. Doedd da Vinci heb lwyddo i gwblhau'r llun. Ond yma roedd e'n berffaith orffenedig. Diflannodd, a daeth llun o aderyn yn ei le.

Wrth y grisiau, roedd rhesi o silffoedd wedi'u gosod a phowlen wydr ar bob un ohonynt. 'MEDDYLIAU,' meddai'r arwydd ar un o'r silffoedd. Ym mhob powlen fe chwyrlïai cymylau o fwg a'r rheiny'n sgleinio bob lliw. Daliwyd llygaid Cara ganddynt. Roedden nhw mor brydferth. Doedd dim caeadau ar y rhain yn wahanol i'r bocsys a'r jariau. Safodd Cara am eiliad a syllu i mewn i un o'r bowlenni. Dim byd. Ceisiodd wrando, gan ddal ei gwallt y tu ôl i'w chlust i'w rwystro rhag cwympo i mewn i'r bowlen. Dim byd. Cododd Cara'i llaw ac estyn un bys i mewn i'r bowlen. Teimlai'r niwl yn oer. Ystyriodd Cara am eiliad. Os mai meddyliau oedden nhw, mae'n debyg y byddai'n rhaid iddyn nhw fynd trwy ei hymennydd hithau. Closiodd at y bowlen – roedd hi'n ddigon mawr iddi osod ei hwyneb i mewn ynddi'n gyfan gwbwl. Tynnodd anadl hir a phlymio'i hwyneb i mewn i'r niwl.

'Tase Heledd yn dod 'nôl, gallai fynd wedyn a gadael y tŷ, ond tan 'ny, gwell i fi aros a...'

Roedd y peth yn anhygoel, fel byw ym meddwl rhywun arall. Roedd hi wedi meddwi ar y llais – roedd e fel cyffur. Cydiodd yn y bowlen nesa a phlymio'i hwyneb i mewn i honno...

Roedd byd o brofiad yn y fan yma. Cael treiddio i mewn i feddwl rhywun arall. Gadael i'w meddyliau olchi dros ei hymennydd nes ei bod hithau'n anghofio'r holl bethau a'i poenai. Ceisiodd atgoffa'i hun o'r map a Llyfr yr Arwyddion.

Roedd y mapiau a'r straeon ym mhen pella'r llyfrgell. Cerddodd Cara heibio i'r 'BREUDDWYDION' – a rannwyd yn 'CYN GENI', 'YN FYW' ac 'AR ÔL MARW' – a symud ymlaen at adran y llyfrau a'r mapiau. Edrychodd Cara o'i chwmpas. Doedd neb yma chwaith. Cerddodd ar hyd y silff lyfrau gan adael i'w llygaid redeg ar hyd yr enwau. Roedd rhai ohonynt yn gyfarwydd iddi: Blake; Homer;

Tolstoy; Kafka. Ond doedd 'run o'r teitlau yn gyfarwydd iddi – doedd hi erioed wedi clywed am y gweithiau yma o'r blaen. Cydiodd mewn cyfrol o waith Aristotle. Agorodd y clawr. Llyfr am yr Arhosfyd oedd e, llyfr newydd. Gosododd Cara'r llyfr yn ôl ar y silff. Cydiodd mewn un arall gan Blake: *The second marriage of heaven and hell*. Barddoniaeth gan Shakespeare am fywyd yr Arhosfyd. Cyfrolau newydd o straeon a cherddi o waith rhai o feddylwyr mwya'r byd. Tynnodd ei bysedd ar hyd y silff. Cwblhawyd rhai llyfrau hefyd – y *Canterbury Tales* er enghraifft. Nofelau a adawyd ar eu hanner ar y ddaear, a'r awduron bellach wedi cael amser i'w gorffen. Syllodd Cara arnyn nhw gan obeithio cael cyfle i edrych yn fanylach arnyn nhw ar ôl archwilio'r mapiau.

Camodd heibio i'r silff at y fan lle roedd y mapiau'n hongian. Roedd miloedd o fapiau o bob math, hen a newydd yn hongian ar raff denau, un y tu ôl i'r llall fel rhes o fatiau. Roedd yn amhosib gwybod lle i ddechrau edrych. Cerddodd Cara ar hyd y llinell gan aros bob hyn a hyn pan welai hi fap o'r un maint â'i map hi. Tynnai hwnnw allan wedyn gan ei astudio cyn ei osod yn ôl. Dim byd. Roedd y dasg yn amhosib, doedd dim byd yn gwneud synnwyr.

Aeth i eistedd wrth fwrdd pren llydan o flaen y silff lyfrau. Gan orffwys ei phen ar ei breichiau am ychydig. Roedd hi'n blino mor glou y dyddiau hyn a'i hesgyrn fel petaen nhw'n gwynio. Gan nad oedd neb o gwmpas penderfynodd edrych ar ei map unwaith eto. Edrychodd ar y rhifau – 338 558. Crafodd ei phen. Efallai mai cod oedd e, neu rif y map. Edrychodd ar y rhaff uwchben y mapiau ac at y rhifau bach oedd yn hongian arni. Cyflymodd calon Cara. Roedd yn rhaid bod rhif 338 yno yn rhywle. Sganiodd y rhaff wrth gerdded ar ei hyd. 1... 2... o'r diwedd, dyma 3. Yna cydiodd yn y 38fed map a'i dwylo'n crynu. Map bychan o adeilad oedd e – cynllun o dŷ, ond edrychai'n rhy newydd.

Gosododd y map yn ôl yn ei le a cherdded yn araf at y ddesg. Eisteddodd am ychydig gan syllu ar y silff o'i blaen. Llawr 3, silff 3. Tybed. Roedd rhywbeth yn corddi o'i mewn. Rhedodd ei bys ar hyd y silff a gafael yn llyfr 8. Methai gredu ei llygaid – llyfr brown di-nod a'r cloriau wedi'u byseddu a'u rhwygo. Roedd e'n fach hefyd o'i gymharu â'r llyfrau crand bob ochr iddo. Cydiodd Cara ynddo a sylweddoli ei bod yn syllu ar glawr cyfarwydd y Beibl. Cariodd ef yn ôl at y ddesg a syllu ar y map unwaith eto. Roedd y rhifau yn yr un ffont yn gwmws â'r Beibl. Teimlodd Cara rhyw wres yn codi drwyddi. 558. Trodd at y pumed llyfr.

'Matthew,' meddai Cara dan ei hanadl. Trodd at y bumed bennod a darllenodd yr wythfed adnod. Teimlodd ryw wres rhyfeddol yn codi drwyddi.

'Gwyn eu byd y rhai pur o galon, canys hwy a welant Dduw.'

PENNOD 47

'A beth yw hwn?' gwaeddodd Ifan wrth daflu llyfr Abel ar y gwely o flaen Cara.

Ceisiodd hithau reoli'r emosiwn yn ei llais. 'Dim. 'Bach o ddarllen, 'na… ' Cadwodd ei llygaid yn llonydd ac edrych ar Ifan.

'Bach o ddarllen?' ailadroddodd Ifan.

Symudodd Cara at y gwely i geisio cydio yn y llyfr. 'Wel, dyw e'n ddim o dy fusnes di, ody fe? Ma 'mhethe i'n breifat!' meddai'n heriol.

'Lili ffindiodd e wrth chware. Ac ro'n i'n meddwl falle bo ti wedi dechre cofio, dechre chwilio am dy berthnase di – ond dyw Abel ddim yn perthyn, ody fe? Roedd hi'n stori fach dda i'r papur newydd, 'yn doedd hi?'

Doedd Cara erioed wedi gweld Ifan mor gynddeiriog. Roedd ei lygaid ar dân a'i ddwylo'n crynu.

''Nest ti addo. 'Nest ti ADDO! Shwt allet ti neud hyn?'

Doedd dim pwynt gwadu'r peth. 'Ti 'di ddarllen e?' holodd Cara, gan feddwl tybed a oedd e wedi cyrraedd y darn am y map.

'Pam bydden i ise darllen y fath nonsens?'

Teimlodd Cara ryw ryddhad. 'Cadwa dy lais i lawr,' meddai wrtho. 'Bydd Lili a Beth…'

'Wi wedi'u hela nhw mas.'

Roedd e'n amlwg wedi bod yn disgwyl amdani.

'Drycha, dyw e'n ddim byd, jest erthygl stiwpid. Sneb yn ei gredu fe.'

Roedd Ifan wedi troi'i gefn. 'A beth wedodd y doctor?'

Cymerodd Cara arni ei bod wedi camddeall y cwestiwn er mwyn rhoi mwy o amser iddi feddwl.

'Pa ddoctor?'

'Cym on, Cara. Beth wedodd e wrthot ti?'

Syllodd Cara ar y llawr.

'Dodd pethe ddim yn iawn, oedden nhw?'

'Ma popeth yn iawn,' meddai Cara gan ddweud celwydd trwy ei dannedd.

Closiodd Ifan ati a chydio yn ei breichiau. Roedd e'n erfyn arni erbyn hyn ac fe deimlai Cara'n anghyfforddus.

'Cara, gwranda, byddan nhw'n gwbod os nad yw dy ganlyniade di'n iawn. Mae e'n beryglus. Ti'n ffaelu dala mlân i neud pethe fel hyn, Cara. Gad i bethe fod. Fe ffindian nhw pwy sy'n sgwennu i'r papur 'na yn y diwedd. Ti'n gwbod bod pobl yn galler cael eu hanfon mas o'r ddinas...'

Syllodd Cara arno, yn ofni ei angerdd.

'Wnân nhw mo hynny...'

'Wrth gwrs y gwnân nhw. Ma pethe wedi newid 'ma. Dyw hi ddim yn saff, Cara. Faint o weithie sy'n rhaid i fi weud wrthot ti?'

'A beth sy o'i le ar feddwl am y pethe 'ma? Cwestiynu'r lle 'ma?'

'Dim byd! Ond paid ag edrych yn ôl wrth neud. Jest anghofia'r hen fyd!'

'Alla i ddim!'

Roedd llygaid Cara'n pefrio erbyn hyn wrth i Ifan gipio'r llyfr o'i dwylo.

'Ti'n meddwl bod yr atebion i'w cael mewn pethe fel hyn,

wyt ti?' Ysgydwodd y llyfr o flaen ei hwyneb cyn ei daflu ar draws yr ystafell. Ailgydiodd yn ei breichiau yn dynnach fyth y tro hwn. 'Plis, Cara. Ma 'na gyment 'ma o flân dy lyged di. Alli di ddim gweld? Beth sy'n bod arnot ti?'

Roedd ei wyneb yn agos at ei hwyneb hithau erbyn hyn ac fe deimlodd ei gryfder trwy ei ddwylo. Anadlai'n drwm. Roedd gwrid dywyll ar draws ei ên a doedd Cara ddim wedi sylwi cyn hyn pa mor llachar y gallai ei lygaid glas fod. Closiodd Ifan ati gan dynnu ei hwyneb tuag ato. Roedd ei wefusau'n agos at rai Cara. Gallai deimlo'i anadl yn boeth ar ei gwefusau a'i lygaid.

'Beth ti'n neud...?' gofynnodd gan dynnu ei hun yn rhydd.

'Cara...'

'Na!' Camodd Cara'n ôl. Edrychodd y ddau i mewn i lygaid ei gilydd ac fe welodd Cara rywbeth yn llygaid Ifan na welsai erioed o'r blaen. Roedd Ifan mor solet, mor ddibynadwy. Roedd y tensiwn rhyngddyn nhw'n annioddefol ac fe deimlodd Cara'r angen cyfarwydd hwnnw am awyr iach. Yr un a gâi pan nad oedd yn awyddus i wynebu rhywbeth. Trodd am y wal a phlygu i godi'r llyfr.

'Cara! Gad e fod!'

Roedd Ifan yn gweiddi arni erbyn hyn, ond allai hi ddim gadael y llyfr yma. Beth petai e'n ei ddarllen? Ac yn cyrraedd y diwedd? Meddyliodd Cara am ei mam, a'i chartref, am Abel, am y rhyfel ac am y Beibl.

'Ti ddim yn deall, Ifan.'

'Na, ti'n iawn. Wi ddim yn deall! Siarada â fi 'de!'

Gwyddai Cara na fyddai Ifan yn ei chredu petai hi'n dweud y cyfan wrtho. Roedd popeth mor gymhleth. Fyddai hi ddim yn gwybod lle i ddechrau.

'Wi ddim yn neud hyn jest i fi fy hun… ' meddai hi wedyn. 'Wi'n addo 'ny.'

'Hy! Dyw dy addewidion di ddim yn golygu llawer, odyn nhw?'

Teimlodd Cara ergyd ei eiriau fel cyllyll yn ei thrywanu.

'I bwy ti'n neud hyn, 'de? Y boi 'na?'

Gwibiodd llygaid Cara at ei wyneb. Roedd hi wedi meddwl ei bod wedi llwyddo i gadw Seimon ac Ifan ar wahân.

'Y boi sy'n rhedeg y papur. Pwy yw e, Cara? Ti'n 'i nabod e? Gwbod 'i hanes e?'

'Wi'n 'i nabod e cystel â wi'n dy nabod di.'

Gwelodd Cara ei bod wedi clwyfo Ifan.

'Iawn! Iawn! Os 'na beth ti ise. Cer ato fe a'i blydi papur. Cer ato fe, ond os ei di, byddi di ar dy ben dy hunan, ti'n clywed?' Roedd ei lygaid yn hollol o ddifri. 'Wi'n ildio… ' meddai wedyn, yn dawelach gan droi ei gefn.

'Ifan?' Camodd tuag ato a cheisio cyffwrdd ynddo.

'Paid!' meddai gan symud allan o'i gafael. 'Jest cer.'

Roedd y ddau'n anadlu'n drwm erbyn hyn, ac wrth glywed ei eiriau olaf teimlodd Cara ryw oerfel yn dod drosti. Doedd ganddi ddim syniad ei bod hi wedi'i frifo gymaint. Doedd ganddi ddim rheolaeth dros y peth. Roedd yn amhosib esbonio. Safodd, a llyfr Abel yn teimlo'n drwm yn ei llaw, cyn troi a cherddded allan yn araf.

'Haia,' meddai Seimon wrth agor y drws. Roedd e'n droednoeth ac yn gwisgo'i jîns a siwmper lwyd. 'Hei, beth sy'n bod?'

Roedd Cara wedi ceisio osgoi llefen. Fe lyncodd ei phoer droeon ar y ffordd draw i dŷ Seimon a rhwbio'i llygaid i geisio gael gwared ar y dagrau, rhag i Seimon ei gweld yn y fath gyflwr. Doedd hi ddim yn gwbod beth wnaeth ei hypsetio hi fwya, a dweud y gwir – y ffaith fod Ifan wedi gweiddi arni, ei fod e wedi cael siom ynddi, neu'r ffaith ei bod hi wedi'i frifo'n anfwriadol. Roedd e'n amlwg yn meddwl ei bod hi'n hunanol, yn chwilio am atebion i'w phroblem ei hun.

'Dere mewn. Stedda.'

Diolchodd Cara'i fod ar ei ben ei hunan. Roedd y desgiau'n wag a neb arall yno.

'Ti ise rhywbeth i'w yfed? Gwin?' gofynnodd Seimon, ond siglo'i phen wnaeth Cara.

'Sori, ddylen i ddim fod wedi dod 'ma.' Dechreuodd Cara godi, ond cydiodd Seimon yn ei llaw a'i pherswadio i eistedd unwaith eto.

'Hei, dwyt ti ddim yn mynd i unman fel hyn.'

Gwyddai Cara fod ei hwyneb yn goch a chroen ei gwddf yn batshys mawr tywyll drosto. Estynnodd Seimon disw iddi.

'Co ti.'

'Diolch… ' snwffiodd Cara.

Arhosodd Seimon i'w hanadlu dawelu cyn gofyn, 'Reit, ti ise gweud wrtha i beth sy 'di digwydd?'

Roedd ei lygaid yn feddal a'i wyneb yn llawn consýrn. Cofiodd Cara am eiriau Ifan. Pwy yw e? Roedd hi'n casáu Ifan am wneud iddi feddwl fel'na. Ond doedd neb yn yr Arhosfyd a fyddai'n barod i wrando fel Seimon.

'Pan siarades i ag Abel, wedodd e rywbeth arall wrtha i.'

Edrychodd Seimon arni mewn penbleth. 'Abel?'

'Y seicic yn yr erthygl? Wedodd e wrtha i bod llyfr i ga'l, llyfr fydde'n gadel i bobl gysylltu â'r ddaear. Es i i'r llyfrgell i chwilio amdano ond ffindies i ddim byd heblaw'r Beibl a…'

'Wow wow nawr,' meddai Seimon gan symud ei gadair yn agosach ati. 'Wi'n credu y bydde'n well i ti ddechre o'r dechre.'

Wedi tynnu anadl ddofn, penderfynodd Cara ddweud y cyfan wrtho. Soniodd am y noson honno yn y caffi, am Abel ac am y map. Soniodd am y modd y byddai'r byd yn mynd i ryfel fel a ddigwyddodd yn yr Arhosfyd, ac na fyddai pethau yr un peth byth wedyn. Soniodd am lyfr Abel yn diflannu ac am y rhifau ar y map. Soniodd am y llyfrgell ac am y Beibl. Dywedodd y cyfan wrtho gan deimlo fel pe bai pâr o ddwylo'n llacio'u gafael am ei gwddf. Soniodd hi 'run gair am Ifan, chwaith.

Gwrandawodd Seimon yn astud a'i lygaid yn gwibio. Wedi iddi orffen fe gododd ar ei draed a dechrau cerdded yn ôl ac ymlaen. 'A ti'n siŵr? Yn hollol siŵr am yr Abel 'ma?' holodd

Nodiodd Cara'i phen a gosod ei lyfr ar y bwrdd. Gwibiodd llygaid Seimon ato.

'Galle hyn newid popeth. Mae e'n iawn. Tase pobl yn galler cysylltu'n rheolaidd â'r ddaear, bydde trefn y byd ar ben. Dyna, falle, fydde diwedd crefydd yn gyfan gwbwl.' Lledodd llygaid Seimon wrth feddwl am y posibiliadau. 'Galle hyn fod yn anhygoel. Meddylia am fyd heb grefydd, Cara. Byd lle do's dim ffydd. Popeth wedi'i seilio ar ffeithie.'

Sylwodd Cara fod rhyw olwg rhyfedd wedi dod dros ei wyneb, golwg na welsai hi o'r blaen. Gallai ei weld yn dychmygu'r chwyldro.

'Meddylia am yr holl ddifrod ma crefydd wedi'i neud fan hyn, a faint o fywyde sy'n cael eu colli ar y ddaear.'

'Ond falle bod ise rhywbeth ar bobl i gredu ynddo,'

meddai Cara. 'Heb hwnnw, beth fydde ar ôl? Neud arian? Beth fydde gwerth bywyd wedyn?'

'Ond fydde ar bobl ddim ofn marw, Cara. Meddylia faint o amser ry'n ni'n dreulio yn poeni am farw.'

'Ond dy'n ni ddim yn gwbod beth sy'n dod wedyn, Seimon, ar ôl y lle 'ma.'

'Alla i ddim credu hyn – mae e'n anhygoel. Bron yn rhy fawr i feddwl amdano fe... a ti wedi bod yn cario'r wybodaeth hyn i gyd dy hunan.'

Nodiodd Cara.

Eisteddodd Seimon unwaith eto a chydio ynddi. Teimlodd Cara'i hun yn toddi i'w freichiau. Gollyngodd hi ar ôl ychydig.

'Do's dim ise i ti neud hyn ar dy ben dy hunan, ti'n clywed? Lle ma'r map?'

Meddyliodd Cara am eiliad cyn ei dynnu'n ara o'i thop. 'Dyw e'n werth dim byd, beth bynnag, dim ond cliw sydd ynddo fe.'

Tynnodd Cara'r darn arall o bapur o'i thop, lle roedd hi wedi ysgrifennu'r adnod.

'Gwyn eu byd y rhai pur o galon, canys hwy a welant Dduw,' meddai Seimon. Ailadroddodd y llinell sawl gwaith dan ei anadl. 'Ma'n rhaid bod rhyw ystyr iddo fe.'

''Na beth o'n i'n feddwl, ond sdim byd...'

'Y rhai pur o galon,' ailadroddodd Seimon eto. 'Wi'm yn nabod llawer o'r rheiny... ' meddai â hanner gwên.

'Na finne,' cytunodd Cara. Ac yna meddyliodd am Lili. Os oedd rhywun yn bur o galon, Lili oedd honno. Cydiodd yn y map oddi ar y bwrdd – teimlai'r pwythau'n arw dan ei bysedd. Meddyliodd Cara am Lili'n rhedeg ei bysedd dros ei hwyneb y tro cynta y cyfarfu'r ddwy. Yn rhedeg ei bysedd dros y blodau yn yr ardd. Bysedd bach yn teimlo pob dim, yn darllen y byd fel pe bai wedi'i orchuddio â rhyw braille na allai Cara'i weld. Yna, fe gofiodd am y llun bach o 'Tŷ ni' wnaeth Lili iddi. Aeth i'w phoced a'i agor o'i blaen. Roedd Beth wedi dweud bod Lili fel petai'n gweld pethau trwy'r tywyllwch weithiau. Eu tŷ nhw oedd y darlun ond doedd e'n ddim byd tebyg i'r tŷ roedd Cara'n gyfarwydd ag ef. Roedd yna ddrws yn y wal ar waelod yr ardd a llwybr yn arwain i rywle.

'Beth sy?' gofynnodd Seimon. Roedd ei wyneb yn agos ati a syllai ar Cara'n ceisio chwilio am ateb.

'Lili… Ma hi'n ddall.' Dangosodd y llun i Seimon. 'Welodd hi erioed mo'r ddaear, cafodd ei geni'n ddall. Ma hi wedi bod yn tynnu lluniau i fi a dy'n nhw'n edrych yn ddim byd tebyg i'r Arhosfyd.'

Crychodd Seimon ei dalcen gan geisio dilyn ei hymresymu.

'Falle ei bod hi'n medru gweld yr Arhosfyd fel mae e… ' meddai Cara. 'Ry'n ni wedi'n dallu 'da'n hatgofion o'r byd.'

Lili oedd yn medru darllen y byd, meddyliodd Cara. Hi a phawb arall oedd yn ddall. Cydiodd Cara yn y map a gwasgu'r defnydd rhwng ei bysedd.

'Ma'r map wedi bod fan hyn drwy'r amser, dan fy mysedd i,' meddai Cara wrth Seimon. 'Ti'n gweld?'

Cydiodd Seimon yn y map a gwên yn lledu dros ei wyneb.

'Shwd allen i fod mor ddall?'

PENNOD 48

'Ti'n barod? Well i ti ga'l hat, i gadw'r haul mas o dy wyneb di.' Estynnodd Beth am hat fach wellt a'i gosod ar ben Lili. 'Eli haul 'da ti?'

'Oes… ' atebodd hithau gan wenu.

'Gad hi fod, wir Dduw. Dyw hi ddim yn mynd ar *expedition* t'mod,' poerodd Leusa o'i bync wrth weld Beth yn ffysan dros y ferch fach.

'Pwy sy'n ferch lwcus yn ca'l mynd am dro 'da Cara?'

'Fi!' gwaeddodd Lili gan neidio i fyny ac i lawr a chwerthin.

Gwenodd Cara ar Beth. 'Diolch am hyn. Bydd hi'n neis i chi ga'l treulio amser 'da'ch gilydd.'

'Ac i tithe ga'l cyfle i neud rhywbeth arall,' meddai Cara gan geisio osgoi gadael i'w heuogrwydd ddangos yn ei hwyneb.

'Sdim ots 'da fi edrych ar dy ôl di, o's e?' gofynnodd Beth i Lili gan ei goglais ychydig cyn cydio ynddi'n dynn. 'Wela i dy ise di heddi, ti'n gwbod 'ny.'

'Fyddwn ni 'nôl erbyn pnawn 'ma,' atebodd Cara.

Roedd hi wedi pacio bwyd i ddwy o'r caffi. Er na fyddai hi'n bwyta dim byd, roedd Lili'n dal i wneud weithiau ac roedd cario rhywbeth efo hi'n gwneud i'r holl beth edrych yn debycach i bicnic.

Llygadodd Ifan hi o'r bwrdd lle roedd e'n darllen. Roedd Cara ac yntau wedi llwyddo i osgoi ei gilydd yn ystod y dyddiau diwethaf.

'Reit,' meddai Cara. 'Yn barod o'r diwedd?'

'Odw!' meddai Lili gan ddal ei llaw allan i Cara gydio ynddi.

'Bant â ni!' chwarddodd Cara gan gydio yn ei llaw a'i chwifio.

Roedd hi'n ddiwrnod poeth iawn ac fe feddyliodd Cara y gallai hi fynd â Lili i'r parc a cheisio ei chael i edrych ar y map. Byddai'n rhaid gwneud yr holl beth yn gêm, wrth gwrs, ac fe fyddai'n rhaid iddi fynd ar ei phen ei hunan gan y byddai Lili'n siŵr o sôn yn syth wrth Beth ac Ifan am Seimon petai e'n ymuno â nhw. Cydgerddodd y ddwy i lawr y stryd a Lili'n sgipio weithiau.

'Lle ni'n mynd, Cara?'

'Wi'm yn gweud wrthot ti. Syrpréis yw e...'

'Odw i'n mynd i lico'r syrpréis?' gofynnodd hi wedyn.

'Wi'n credu byddi di.'

'Odyn ni'n ca'l hufen iâ heddi?'

'Gewn ni weld.'

Roedd Cara wedi gorwedd ar ddihun ers sawl noswaith oherwydd ei heuogrwydd. Wrth iddi gau ei llygaid byddai llygaid clwyfedig Ifan yn syllu arni, ac yna rhai diniwed Lili. Byddai'n troi a throsi wedyn cyn codi a mynd i eistedd ar y fainc y tu allan i'r tŷ, gan hanner gobeithio y deuai Ifan allan i siarad â hi fel yr arferai wneud, ond ddaeth e ddim. Allai hi byth esbonio'r cyfan iddo fe. Fyddai e byth yn gadael iddi chwilio am y Llyfr ac roedd hi eisiau dod o hyd iddo'n angerddol. Bu'n meddwl am yr holl oblygiadau petai Llyfr yr Arwyddion yn disgyn i'r dwylo anghywir ac roedd hynny hefyd yn ddigon i'w chadw ar ddihun am oriau. Hefyd, allai hi ddim peidio â meddwl pa ddrwg fyddai anfon arwydd adref. Jest un, i gyfathrebu â'i mam i ddweud ei bod hi'n dal yno. Byddai ei meddwl yn cymylu wrth fyfyrio am y fath beth a hithau wedyn yn troi i chwilio am y Llyfr a'i ddinistrio. Gallai gael help Lili – dim ond am ychydig. Os gallai ei throi'n gêm, fyddai Lili ddim yn sylweddoli beth roedd hi'n wneud. Roedd hi'n bur o galon, gwyddai Cara hynny, a phetasai hi'n ddigon hen fel y gallai esbonio iddi, fe fyddai'n falch o helpu. Cysurodd Cara ei hun â'r meddyliau hynny wrth geisio meddwl am y ffordd orau o ddechrau sôn wrth Lili am y map.

Fe benderfynodd Cara gerdded i Barc y Dwyrain heddiw yn hytrach na'r un arferol. Byddai Sadie'n sôn amdano fe weithiau. Dywedodd hi fod ffair yno a cheffylau bach yn troelli. Roedd yno fan hufen iâ hefyd a chwt bach pren yn gwerthu siwgr candi ac afalau taffi. Meddyliodd Cara y byddai Lili wrth ei bodd yno.

Fe ddaeth y ddwy o hyd i'r lle heb fawr o drafferth, er na fu Cara yn y rhan yma o'r ddinas o'r blaen. Roedd y tai yn hŷn ac yn dalach, a'r gerddi ychydig yn fwy. Roedd y parc yn weddol llawn yn barod ac fe glywodd Lili glychau'r ceffylau bach a cherddoriaeth yr helter-sgelter ymhell cyn iddyn nhw gyrraedd.

'Ffair?' gofynnodd hi gan droi'i hwyneb at Cara a'i llygaid gwyrddion yn pefrio.

'Ie!' meddai Cara. Sylwodd Cara ei bod hi mor hapus nes bod dagrau bach gloyw'n cronni yn ei llygaid.

Treuliodd Cara'r bore'n dilyn Lili o gwmpas y ffair, wrth i'r un fach redeg o'r naill sŵn i'r llall a'i chwerthin yn atseinio. Fe fynnodd fod Cara'n mynd gyda hi ar gefn y ceffylau bach, yn eistedd y tu ôl iddi, yn cydio yn ei chanol ar geffyl pren gwyn a chyfrwy coch ac aur, a gwylio'r byd yn mynd heibio yn un cwmwl gwyrdd. Arhosodd wedyn wrth waelod yr helter-sgelter nes bod Lili'n ymddangos a'i gŵn nos wedi'i dwmblo.

Bu'n rhaid i Cara'i helpu i daflu peli yn y stondin cnau coco, ond roedd y ddwy mor anobeithiol â'i gilydd a'r peli'n glanio ym mhobman heblaw ar y cnau coco. Fe deimlodd y dyn ar y stondin drueni dros y ddwy a rhoi tedi gwyn i Lili. Teimlodd honno wyneb y tedi a gwasgu'i ffwr meddal ati, gan wenu.

Amser cinio fe eisteddodd y ddwy yng nghysgod coeden a Lili'n rhestru'r pethau roedd hi am eu gwneud yn y prynhawn, gan gynnwys mynd ar y ceffylau eto ac ar yr helter sgelter. Cafwyd ychydig o dawelwch tra bod Lili'n bwyta brechdan a Cara'n ei gwylio hi. Gwrandawodd Cara ar y gwenyn yn hymian yn y borfa o'u hamgylch a sŵn plant yn chwerthin yn y cefndir. Teimlodd Cara mai dyma oedd ei chyfle, gan fod Lili wedi ymlacio a'i sylw yn rhywle arall.

'Lil?' gofynnodd Cara gan geisio cadw ei thôn yn sgyrsiol. 'Wyt ti'n galler gweld pethe weithie?' Syllodd Cara arni'n ceisio bachu ei thafod o gwmpas crwstyn y frechdan.

'Weithie,' meddai hi. 'Odyn ni'n mynd i ga'l hufen iâ wedyn?'

Gwenodd Cara. Roedd hyn yn mynd i fod yn anoddach nag roedd hi wedi'i feddwl.

'Falle. Pa fath o bethe ti'n weld 'de, Lil?'

Cododd honno'i hysgwyddau. 'Jest pethe.'

Cymerodd Cara'r frechdan oddi arni a chynnig un arall iddi.

'Fel beth?'

'Jest teimlo pethe weithie, a gweld siape.'

Roedd hi'n amlwg nad oedd hi'n gweld llawer, er efallai fod ei llygaid yn gwella ychydig yn yr Arhosfyd. Yna tynnodd Cara'r map o'i thop, edrych arno am eiliad cyn ei osod yn ofalus yng nghôl Lili.

'Beth yw e?' gofynnodd.

'Gêm.' Llithrodd y celwydd o wefusau Cara. 'Jest i weld wyt ti'n 'i ddeall e. Ti'n galler 'i deimlo fe? A darllen y map?'

'Gêm!' meddai Lili a'i llygaid yn goleuo. Cydiodd yn y defnydd heb sychu'i dwylo, a dechrau'i drafod rhwng ei bysedd. Cyflymodd calon Cara a symudodd ychydig yn agosach ati i weld y bysedd bach yn gwau eu ffordd o gwmpas y map. Cymylodd wyneb Lili. Arafodd ei bysedd. Yna fe daflodd y map ar y llawr. Edrychodd Cara arni mewn syndod.

'Beth deimlest ti, Lil?'

Siglodd Lili ei phen. 'Wi'm yn 'i lico fe,' atebodd hithau trwy gegaid o fara.

Teimlodd Cara'i hysgwyddau'n dechrau tynhau. Roedd hi mor agos. Cymerodd Cara'r bara o'i dwylo unwaith eto a chydio yn ei dwylo.

'Lil, gwranda nawr, ma'n bwysig. Ma Cara ise chware gêm.'

Cydiodd Cara yn y map a'i osod yn ôl yn nwylo Lil. Edrychai'n ddifrifol iawn wrth i Cara wasgu'i dwylo ar y defnydd.

'Ma Cara ise ti dreial, Lil. Ma hyn yn bwysig. Ti ise neud ffafr i Cara, on'd wyt ti?'

Nodiodd Lili'i phen yn drist a thynnu'i choesau bach yn agosach ati. Teimlodd Lili'r map unwaith eto a'r dagrau'n cronni yn ei llygaid.

'Beth rwyt ti'n 'i weld, Lili?' gofynnodd Cara gan benglinio o'i blaen.

Rowliodd y dagrau i lawr gruddiau Lili. 'Llyfyr,' snwffiodd o'r diwedd.

‘Plis paid â llefen, Lil. Plis. Ond gwed wrth Cara ble ma’r llyfr?’ Syllodd Cara arni a’i chalon yn curo mor drwm fel bod ofn arni y byddai Lili’n medru ei chlywed.

‘Ar bwys tŷ mawr.’

‘Tŷ mawr? Wyt ti ’di gweld y tŷ mawr ’ma o’r blân?’

Nodiodd Lili’n dawel.

‘Ti’n fodlon dangos i Cara?’ gofynnodd.

Dechreuodd Lili ysgwyd ei phen.

‘Ond ma Cara ise gwbod. Ise gwbod yn fwy na dim yn y byd!’

Teimlodd Cara’i geiriau’n pwyso ar y ferch fach. Snwffiodd hi a sychu’i thrwyn â chefn ei llaw cyn nodio’n ara bach. Teimlodd Cara ryddhad mawr yn llifo drwyddi a llaciodd ei hysgwyddau.

‘A sdim ise gweud wrth neb am hyn, o’s e Lil? Dim wrth Beth nac Ifan?’

‘Ond…’

‘Ein cyfrinach fach ni yw hyn, ontefe?’

Edrychodd Lili arni mewn penbleth cyn cytuno’n dawel.

Doedd Lili ddim eisiau gweddill y frechdan a doedd hi ddim eisiau mynd ar y ceffylau bach cyn mynd i ddangos i Cara lle roedd y map.

Ymlwybrodd y ddwy a Cara’n ceisio sgwrsio â Lili’n ysgafn ond roedd honno’n dal ei phen i lawr a cherdded yn araf er mwyn arwain Cara at y man. Roedd ei llygaid yn goch gan ddagrau wedi iddi gyffwrdd yn y map. Sylwodd Cara ar ambell berson yn syllu wrth iddyn nhw gerdded heibio. Gwenodd arnynt gan geisio’u darbwyllo mai dim ond merch fach wedi gorflino oedd yn ei chwmni. Roedd Lili fel petai hi’n gwybod yn gwmws i ble roedd hi’n mynd. Byddai’n codi'i phen weithiau, fel petai'n chwilio am y golau a'r siapiau a welai drwy'r tywyllwch. Ar ôl cyfnod hir, fe sylwodd Cara eu bod ar gyrion eithaf y ddinas.

'Odyn ni bron â bod 'na?' gofynnodd Cara, gan sylwi ei bod yn dechrau tywyllu.

'Odyn… ' meddai Lili cyn stopio a phwyntio â'i llaw fach. ''Na fe.'

Suddodd calon Cara a theimlodd ryw gryndod yn codi drwyddi. Roedd Lili'n pwyntio drwy'r ffens bigog a amgylchynai'r ddinas, at y tir diffrwyth gerllaw. Yno, lle roedd y pridd wedi'i losgi a'r coed yn ddu yn erbyn y gorwel, safai carchar y troseddwyr.

'Wyt ti'n siŵr, Lil? Roedd llais Cara'n ansicr.

'Odw, ' meddai honno'n dawel.

'Ond sut ma mynd draw 'na?'

'Ma 'na stepiau fan'na,' meddai Lili'n dawel.

Edrychodd Cara ar y llawr wrth y ffens. Yno roedd un arall o'r hafnau o olau a welsai Cara ar ei diwrnod cyntaf wrth ddod i'r Arhosfyd.

'Ma 'na stepiau'n mynd o dan y ffens.'

Dim ond golau gallai Cara'i weld, ond fe syllodd wrth i Lili gamu i mewn iddo. Llyncodd Cara'i phoer. Roedd Llyfr yr Arwyddion ar y gorwel a gallai hi deimlo'r cyffro yn llenwi pob modfedd ohoni. Edrychodd draw trwy'r bariau tywyll. Gallai hi bron â theimlo'r Llyfr yn ei dwylo erbyn hyn. Roedd Lili'n gwrando ar Cara'n anadlu'n drwm a'i llygaid gwyrdd wedi cochi gan edrych yn dywyll ofnadwy yn erbyn gwynder glân ei gŵn nos gwyn.

PENNOD 49

'Haia, dewch mewn.'

Agorodd Mags y drws. Safai Helen a'i gŵr yno. Edrychai Paul yn lletchwith am fod ganddo fwnshed o flodau lliwgar dan ei gesail. Gwenodd Mags arno.

Roedd Mags wedi bod yn paratoi'r parti pen-blwydd ers ben bore. Syniad Rhys oedd e ac er na wyddai hi pam yn gwmws roedd yr holl beth mor bwysig iddo, penderfynodd y byddai'n well ei gynnal er ei les ef. Camodd Helen i mewn i'r tŷ a sylwodd Mags arni'n pipo i mewn i'r gegin lle roedd Steve yn gosod bwffe bach ar y bwrdd. Edrychodd Helen ar Mags.

'Ma Steve 'ma i ddathlu pen-blwydd Cara, dyna i gyd… ' meddai wrthi.

Cododd Paul ei aeliau ar Helen wrth i Mags droi am y gegin i chwilio am fâs i'r blodau.

Yn y lolfa, roedd diodydd wedi'u gosod yn barod ar gyfer y parti ac roedd olion crib wedi'i dynnu trwy wallt Rhys. Eisteddai Tomos, ei ffrind, ar y soffa a'r ddau'n gwylio rhywbeth yn eiddgar ar y teledu. Daeth cnoc ar y drws. Casi oedd yno, yn edrych o gwmpas yn nerfus nes i Mags fynd ati.

'Der mewn, Cas.'

Nodiodd hithau'n dawel a gwenu ar Helen a Paul. Doedd hi ddim wedi bod yn y tŷ ers ymhell cyn i Cara ddiflannu. Roedd hi wedi gweld eisiau'r lle hefyd – Cara'n eistedd ar ben cownter y gegin wrth iddyn nhw rannu'u straeon ar ôl noson allan, gan adael menyn a briwsion tost ar hyd y lle.

'Beth ti ise i yfed?' gofynnodd Mags iddi.

'Unrhyw beth, diolch.'

Gwyddai Mags mai lemonêd a diferyn o leim oedd ei ffefryn ac aeth i'w nôl o'r gegin.

Doedd Casi ddim wedi disgwyl yr alwad ffôn yn ei gwahodd i'r parti. Roedd arni hithau ofn y diwrnod hefyd; roedd y dyddiad wedi'i gylchu gan Cara ar y calendr ar wal ystafell wely Casi a'r geiriau 'Pen-blwydd fi!' wedi'u hysgrifennu oddi tano. Roedd hi wedi newid ei dillad deirgwaith, yn ansicr a ddylai wisgo du neu rywbeth lliwgar, cyn setlo am jîns llwyd a chrys-t du.

Roedd Mags wedi penderfynu ei gwahodd ar ôl siarad â Steve. Derbyniai bellach nad bai Casi oedd yr holl beth ac roedd Steve wedi clywed trwy un o'i hathrawon nad oedd Casi wedi bod yn yr ysgol ers diflaniad Cara. Teimlai Mags yn euog wrth glywed hyn ac ofnai fod ei geiriau hi yn ystafell gyfathrebu'r heddlu, wedi ychwanegu at y broblem. Doedd hi ddim yn barod i gofleidio Casi eto ond roedd hi'n gwbwl fodlon i ddangos iddi nad oedd yn dal dig.

'Diolch,' meddai Casi wrth i Mags ddod â'r gwydryn yn ôl iddi a hwnnw'r pefrio o lemonêd a leim.

'Ma'r llunie 'na'n neis,' meddai Casi wrth Helen.

Roedd Helen a'i gŵr yn edrych ar y lluniau a orweddai ar y bwrdd yng nghanol yr ystafell. Rhys oedd wedi'u gosod nhw allan ac roedd Mags wedi'i wylio'n agor pob albwm oedd ganddyn nhw er mwyn dewis y rhai o Cara'n gwenu. Fel arfer dim ond cefn ei llaw a welid wrth iddi geisio osgoi tynnu llun ond weithiau, byddai Steve neu Mags wedi'i dal yn ddiarwybod iddi. Byddai yng nghanol dweud rhyw jôc, neu'n tynnu clust Rhys gan wneud i hwnnw weiddi. Roedd lluniau o Casi a Cara yno hefyd. Casi'n gwneud arwydd dau fys fel clustiau y tu ôl i ben Cara. Cara a hithau wedi tynnu llun ohonyn nhw eu hunain gan ddal y camera nes bod eu hwynebau'n llenwi'r ffrâm. Casi a Cara mewn bwth lluniau...

'Ma'r bwyd yn barod,' meddai Mags gan bicio'i phen o gwmpas y drws.

Steve wnaeth baratoi hoff fwydydd Cara – llond bwrdd o bethau byddai Cara'n eu hoffi yn cynnwys rholiau wy a chacennau eisin, marmeit ar fysedd hir o fara menyn a chacen siocled. Syllodd Casi ar y bwyd a gwenu.

Bwytodd pawb mewn tawelwch, heblaw pan oedd Rhys a Tomos yn dwyn bwyd oddi ar blatiau'i gilydd. Roedd Mags wedi meddwl unwaith y gallai hi wahodd Belinda a Gerallt, ond yn y diwedd allai hi ddim. Pan fyddai hi'n mynd i nôl Rhys neu'n digwydd eu gweld ar stepen y drws, byddent yn nodio ar ei gilydd. Ym marn Mags, roedd hynny'n ddigon ar hyn o bryd. Wrth siopa ar gyfer y parti, roedd hi wedi pasio'r neuadd hefyd. Fe stopiodd yn stond. Roedd y posteri o wyneb Cara a fu'n blastar ar ddrysau'r neuadd wedi'u gorchuddio erbyn hyn â phosteri'n hysbysebu noson o ganu yn y neuadd. Gollyngodd Mags y bagiau siopa i edrych ar y drysau.

'Ma'n ddrwg 'da fi... ' meddai llais o'r tu ôl iddi. Adwaenodd Mags hi. Ffrind Mel a Belinda, yr un a ddaeth â chwpaned o de iddi yn y neuadd.

Edrychodd Mags arni am eiliad cyn edrych unwaith eto ar y posteri cuddiedig. Dim ond rhan o'i hwyneb ac ychydig o wallt Cara y tu ôl i boster arall y gallai ei weld. Dyna'n union fel roedd hi'n ei chofio erbyn hyn. Byddai'n gorwedd yn y gwely weithiau, ac yn ceisio dychymu wyneb ei merch. Fel hyn roedd hi'n dod ati. Fflach o lygad. Cudyn o wallt.

'Ma'n wir ddrwg 'da fi... ' meddai'r fenyw eto cyn cerdded

i ffwrdd yn gyflym. Gwyliodd Mags hi'n tynnu'i llygaid oddi ar y neuadd a cherdded yn bwrpasol am adre.

'Odych chi'n cofio… ' dechreuodd Helen, 'pan odd Cara'n fach rodd hi ise babi ar 'i phen-blwydd.'

Roedd llygaid pawb wedi'i hoelio ar Helen.

'Prynes i ddoli iddi, a'i llyged hi'n symud a phopeth – un ddrud. A llusgodd hi ddi lawr y star wrth 'i choes. Clonc clonc clonc tarodd 'i phen hi yn erbyn y steire… a golwg ddrwg 'i hwyl ar Cara yn gweud bod hi ise babi iawn, dim blincin doli.'

Roedd Mags wedi anghofio am y bore hwnnw.

'A chi'n cofio pan gelon ni'r ffotograffydd 'ma draw i dynnu llun ohoni hi a Rhys yn fabi? Hithe'n pallu'n deg â thynnu'i llun os nad oedd hi'n galler dangos y crafad anferth gafodd hi ar 'i phen-glin.'

Gwenodd Mags. Un ar ôl y llall llifodd y straeon am Cara a phawb yn dechrau ymlacio.

Aeth Rhys a Tomos i chwarae yn yr ardd gefn ac edrychodd Steve draw ar Mags gan feddwl bod ychydig bach o liw'n dod yn ôl i'w bochau. Ar ôl y stori ola, dechreuodd pawb chwerthin a chododd Steve ei wydryn.

'Wel, pen-blwydd hapus Cara.'

Cododd y gweddill eu gwydrau'n ara. 'Pen-blwydd hapus Cara,' medden nhw gyda'i gilydd.

Cyn i Casi adael, fe ofynnodd Mags iddi a hoffai hi fynd â rhywbeth o ystafell Cara, i ffarwelio fel petai. Cytunodd Casi gan ddringo'r grisiau cyfarwydd i'w hystafell wely. Tynnodd anadl hir cyn gwthio'r drws ar agor a gwenu'n drist. Roedd hi'n hawdd gweld nad oedd Cara yno mwyach – y lle'n lân ac yn daclus. Crynodd Casi ychydig. Roedd pob peth mor gyfarwydd. Cerddodd at ei *dressing table* gan redeg ei bysedd ar ei hyd, yna aeth i eistedd ar wely Cara. Cydiodd yn y llun ohoni yn ei hiwnifform ysgol. Roedd hi a Cara bron wedi cael eu gwahardd o'r ysgol y diwrnod hwnnw am wneud rhyw ddwli yn y wers gwyddoniaeth. Edrychodd Casi ar ei llygaid glas a'i gwallt tywyll a'r bathodynnau ar ei thei. Yna, gosododd y llun yn ôl yn ei le cyn sylwi ar rywbeth bach yn gloywi yn y bowlen ar bwys y gwely. Edrychodd Casi eto. Bathodyn. Ei hoff fathodyn hi, Casi. Un arian sgleiniog a 'Perfect' yn lle 'Prefect' wedi'i ysgrifennu arno. Cydiodd ynddo. Roedd Cara wedi cael ei fenthyg. Trodd Casi'r bathodyn yn ei dwylo – byddai bob amser yn gwisgo hwn ar ei siaced ddu. Byth yn ei dynnu oddi arni. Meddyliodd eto. Doedd hi ddim wedi gweld ei siaced ddu ers amser. A dweud y gwir, roedd hi wedi bod yn chwilio amdani. Cara oedd wedi'i benthyca, ma'n rhaid, ac wedi tynnu'r bathodyn oddi arni am ryw reswm. Efallai ei bod hi'n gwisgo'r siaced pan aeth hi ar goll? Ond doedd yr heddlu ddim wedi sôn am siaced ddu. Ysgydwodd Casi'i phen mewn penbleth wrth roi'r bathodyn bach arian yn ei phoced. Cododd, a cherdded i lawr y grisiau.

'Iawn?' Roedd Mags yn aros amdani, newydd ffarwelio â Helen a Paul.

'Ym… ydw… ' meddai Casi a'i meddwl yn rhywle arall.

'Gest ti beth o't ti ise?' gofynnodd Mags iddi.

Edrychodd Casi arni. 'Do, wi'n meddwl,' atebodd gan deimlo'r bathodyn bach trwy ddefnydd ei phoced. 'Diolch am heddi,' meddai wrth groesi trothwy'r drws.

'Iawn,' meddai Mags.

'Na, wi'n 'i feddwl e,' meddai Casi eto gan wenu arni a

theimlo'r bathodyn trwy ddefnydd ei chot.

'Ti'n gwbod nad arnat ti ma'r bai on'd wyt ti? Sdim un ohonon ni ar fai.'

Nodiodd Casi wrth glywed y geiriau. Roedden nhw mor hawdd i'w dweud, ond allai Casi ddim cael gwared â'r teimlad fod rhywbeth mawr iawn o'i le.

Pennod 50

'Odd hi bownd o fod yn gwisgo'n siaced i, Cai.'

'Alli di ddim â bod yn siŵr,' meddai.

Edrychai Cai arni drwy'r hanner tywyllwch, yn y coridor yn nhŷ Meical a'r ffenestri'n dal wedi'u byrddio. Eisteddai Casi ar un o'r stolion yn ystafell fyw Meical yn ceisio osgoi anadlu'r tamprwydd yn rhy ddwfn i'w hysgyfaint. Pwysai Cai ar sil y ffenest.

'Wi 'di colli'r siaced, ac odd y bathodyn yn ystafell Cara. Dyw'r heddlu ddim wedi sôn gair am siaced. Dim ond top. Falle bod nhw ddim yn gwbod. Fydde Mags chwaith ddim yn gwbod amdani. Ond beth os oes llunie CCTV o Cara'n gwisgo siaced?'

Bu'r meddyliau'n chwyrlïo ym mhen Casi byth ers iddi adael tŷ Mags. Ysai am gyfarfod â Cai er mwyn cael sôn wrtho am ei hamheuon.

'Ma'n rhaid i fi fynd at y cops,' meddai.

'Ond wedon nhw nad oedd y CCTV yn gweithio yn y parc, a doedden nhw ddim wedi gweld neb.'

'Ie, ond…'

'Ond beth? Beth ti'n mynd i weud wrthyn nhw?'

Doedd ganddi ddim prawf, roedd hi'n gwybod hynny, ond roedd 'na deimlad rhyfedd yn crafu y tu mewn iddi na allai Casi roi ei bys arno.

'Ond ma rhywbeth yn… '

'Jest anghofia fe, Cas. Ma gormod o amser wedi mynd heibio.'

'Paid â gweud 'na o hyd.'

Cododd Casi ar ei thraed. Roedd y ddau wedi edrych o gwmpas y tŷ unwaith yn barod. Doedd dim byd newydd i'w weld yma, dim ond rhagor o leithder, rhagor o ddrewdod. Wynebai Casi'r hen le tân teils.

'Odd e'n deimlad od mynd 'nôl 'na… ' meddai hi'n dawel.

'I ble?' gofynnodd Cai.

'Stafell Cara.' Trodd i edrych ar Cai. 'Rodd y cwbwl yr un fath ag odd e. Posteri ar y walydd. Ei dillad hi a'i sgidie a… '

'Paid,' meddai Cai gan symud ei bwysau ar sil y ffenest. 'Ma fe'n rhy *creepy*.'

'Wel, nag odd a gweud y gwir. O'n i'n meddwl y bydde fe ond odd y lle'n teimlo fel petai hi'n dal 'na. Y bydde hi'n cerdded i mewn unrhyw funud neu'n gweiddi arna i o lawr stâr.'

Bu Casi'n meddwl cymaint am y bathodyn, nes iddi lwyddo i beidio â meddwl gormod am Cara, tan nawr.

'A lle rodd hi'n cysgu…'

'Plis Cas, paid.' Safai Cai y tu ôl iddi.

Trodd Casi i'w wynebu. 'Ma'n beth od, t'mod. Shwt ma rhywun yn galler bod 'na un funud, yn dy nabod di'n berffeth a wedyn dim. Dim byd. Mae e'n atgoffa rhywun pa mor unig y'n ni. Ry'n ni'n sdicio 'da'n gilydd ond ry'n ni ar 'yn pen 'yn hunen yn y diwedd.'

Teimlodd Casi wres corff Cai'n agos ati.

'Plis Casi, paid â siarad fel'na,' meddai gan roi ei law ar ei hysgwydd.

'Ond ma e'n wir,' meddai hi wedyn.

Teimlodd Casi law arall Cai yn sleifio y tu ôl i'w chefn a

phlygodd e'i ben i'w chusanu.

'Paid, Cai... '

Gwthiodd Casi ef i ffwrdd am eiliad, ond eto roedd arni awydd teimlo gwres rhywun arall. Cusanodd ef yn ôl a'i dynnu'n agosach ati a'i dwylo am ei ganol. Roedd e'n anadlu'n drwm a'i gusanau'n dyfnhau – y gwres hwn fu rhwng y ddau y noson honno yng ngefn y car. Teimlai Casi'n benysgafn. Tynnodd yntau hi a'i gwasgu yn ôl yn erbyn cefn y sedd a'i ddwylo'n sleifio o dan ei thop. Teimlodd ei fysedd ar ei hasennau a thynnodd hithau ef yn agosach drwy gydio yn ei felt. Anghofiodd am y siaced ddu. Anghofiodd am y tŷ. Anghofiodd am Meical ac am ychydig anghofiodd am Cara. Datododd Casi'i felt a gwasgodd yntau ei hun tuag ati ac anadl y ddau'n boeth yn y tŷ oer.

Tynnodd Casi ei jîns amdani. Teimlai oerfel y tŷ'n waeth wrth i wres gorff Cai ddiflannu o dan ei bysedd. Cododd yntau hefyd ac ailfachu'i felt. Ceisiodd y ddau osgoi llygaid ei gilydd. Ar ôl y weithred, roedd Casi'n fwy ymwybodol nag erioed o'r hen dŷ ac yn fwy ymwybodol o hen euogrwydd yn tyfu ynddi – yr euogrwydd a brofodd pan sylweddolodd deimladau Cara tuag at Cai.

'Sori... ' Roedd Cai'n ciledrych arni.

'Na, ma'n iawn.'

'Sa i'n gwbod beth...'

'Ma'n iawn,' meddai Casi eto'n ddideimlad. Ond, teimlai y byddai wedi gwneud unrhyw beth i fynd yn ôl at y tro diwethaf y digwyddodd hynny yng nghefn y car. Byddai hi'n dweud wrth Cara'n syth. Dweud wrthi am ei anadl poeth ar ei gwddf a hithau yn ei gôl yn ei sgert fer. Fyddai Cara ddim wedi siarad â hi wedyn, efallai gwrthod edrych arni hyd yn oed. Ond, gallai Casi fyw gyda hynny oherwydd fyddai hi ddim chwaith wedi mynd i chwilio am Cai y noson honno. Teimlai Casi'n frwnt. Roedd hi eisiau cawod. Cerddodd at y drws.

'Cas... Cas, lle ti'n...?'

'Wi'n mynd adre.'

Gwthiodd Casi'i ffordd drwy'r drws ffrynt a dilynodd Cai hi gan dynnu'r drws ar ei ôl. Cydgerddodd â hi am ychydig.

'Plis, Cas.'

'Paid poeni amdana i. Falle mai ti sy'n iawn, Cai. Gadel pethe i fod fydde ore.'

Cerddodd Casi i ffwrdd yn gyflym gan adael Cai'n sefyll ar y palmant. Gyrrodd car heibio'n ara bach. Drwy ffenest y pasinjer edrychodd bachgen yn gwisgo cap â phig arno. Daliodd y ddau lygaid ei gilydd a cherddodd Cai oddi yno'n gyflym.

Pennod 51

Wedi i bawb fynd i'w gwelyau, arhosodd Cara nes bod Delo a'r Gofalwyr eraill wedi galw heibio, yna cododd yn dawel o'i gwely a rhoi pwt i Lili. Roedd hi wedi siarsio'r un fach i gysgu yn ei gwely ei hunan yn hytrach na gyda Beth, rhag i honno ddihuno pan fyddai Lili'n sleifio allan o'r gwely. Llwyddodd i berswadio Lili eu bod yn mynd i gael picnic cyfrinachol ganol nos ac er nad oedd hi'n deall pam na châi Beth, Ifan na Leusa ddod hefyd, fe lwyddodd Cara i'w darbwyllo eu bod nhw wedi blino'n lân ac y byddai hi'n syniad da i adael iddyn nhw gysgu. Cytunodd Lili yn y diwedd, ar ôl i Cara addo cadw ychydig o fwyd ar eu cyfer. Wedi dihuno Lili lapiodd Cara hi mewn blanced a'i chario at y drws. Mynnodd hithau ddod â'i thedi bêr gwyn gyda hi, a gwasgodd ef dan ei chesail. Estynnodd Cara am y map a'i chot ddu.

Roedd hi'n noson dywyll iawn, a dim ond golau'r sêr i'w harwain. Doedd Cara ddim wedi sylwi llawer ar y lleuad o'r blaen, gan ei bod yn gorfod noswylio mor gynnar fel arfer. Roedd hi'n anferth yma, bron ddwywaith maint lleuad ar y ddaear. Cariodd Cara Lili am ychydig ond byddai'n rhaid iddi gerdded weddill y daith gan ei bod yn rhy drwm i'w chario yr holl ffordd. Gwenodd ar Cara a gwasgu'i bys yn erbyn ei gwefusau bach mewn arwydd o ddistawrwydd. Cytunodd Cara gan wenu arni braidd yn rhy llydan.

Byddai Seimon yn aros amdanynt wrth y ffens. Roedd yn amhosib gwneud hyn yng ngolau dydd gan y byddai Beth eisiau gwybod lle roedd Lili'n mynd ac fe fyddai gormod o bobl ar hyd y lle'n eu gweld yn diflannu o dan y ffens.

Byddai'n siŵr o fod yn saffach i gerdded y tu allan i'r ffens yn y tywyllwch hefyd.

Rhuthrodd Cara drwy'r tywyllwch gan dynnu Lili ar ei hôl. Roedd hi'n gwneud ei gorau i gerdded gynted ag y medrai hi, ond byddai'n stopio weithiau i ofyn lle roedd y fasged fwyd. Byddai Cara'n ei chysuro wedyn a dweud wrthi bod ffrind yn dod â honno. Gwenodd Lili arni wrth edrych ymlaen at ddod i adnabod rhywun newydd.

Byddai Seimon yn dod â rhaw, rhag ofn y byddai'n rhaid palu am y Llyfr ac roedd Cara wedi dweud wrtho byddai dod â rhaff yn syniad da hefyd, rhag ofn. Roedd Seimon wedi cael gafael mewn gwisgoedd glas golau er mwyn gwneud iddyn nhw edrych fel Gofalwyr. Petaen nhw'n cael eu stopio, felly, byddai llai o gwestiynau gobeithio. Byddai'n rhaid i'r tri newid cyn mynd o dan y ffens. Roedd golau'r lleuad yn ddigon iddyn nhw gyrraedd ochr ddwyreiniol y ddinas hen unrhyw drafferth. Doedd fawr neb ar hyd y lle yr adeg yma o'r nos, dim ond ambell hen berson yn crwydro. Cerddodd Cara at y ffens a sylwi bod Lili wedi dechrau tawelu. O gornel ei llygad gallai Cara weld cysgod ar bwys y ffens lle roedd hi wedi dweud wrth Seimon am aros.

'Lle ni'n mynd, Cara?' Roedd pryder yn llais Lili.

'Am bicnic wedes i, a bach o antur.'

Atebodd Lili ddim, ond gallai Cara deimlo rhyw dynfa yn ei llaw fel pe bai hi'n llusgo'i thraed ychydig.

Gwenodd Cara wrth weld Seimon yn camu o'r cysgodion.

'Ti'n iawn?' gofynnodd. 'Helô, Lili!'

Gwenodd Lili wên fach swil. 'Ry'n ni'n mynd am bicnic,' meddai wrtho gan edrych yn obeithiol i gyfeiriad Cara.

'Rhywbeth fel'na,' meddai Seimon.

‘Reit, rhan gynta’r gêm yw gwisgo i fyny,’ meddai Cara.

Tynnodd Seimon dri phâr o byjamas glas golau o’i sach. Bywiogodd llygaid Lili am eiliad wrth feddwl bod gêm ar droed. Gwisgodd Cara’i rhai hi dros ei dillad a gwnaeth Seimon yr un peth. Gwisgodd Cara’r trowser am Lili cyn gwthio’i gŵn nos hir i mewn iddo gan wneud iddi edrych fel petai ganddi fol mawr meddal. Chwarddodd Lili wrth ei deimlo â’i dwylo. Gwisgodd y crys amdani wedyn a chaeodd Cara’r botymau heb adael i Lili deimlo’r cryndod yn ei dwylo.

‘Nawr, bant â ni lawr y stepiau. Ma Lili’n mynd i ddangos y llwybr i ni. Ti’n cofio’r llwybr at y Llyfr, Lili?’

Edrychai honno’n grac erbyn hyn. ‘Ond ni’n mynd am bicnic!’ meddai hi.

Penglinodd Cara o’i blaen. ‘Lili, ma ise i ti’n helpu ni i ddod o hyd i’r Llyfr ac wedyn fe ewn ni am bicnic.’

‘Ond wi’m ise mynd.’

‘Lili!’ Cododd Cara’i llais a theimlo’n euog ar unwaith. Doedd hi erioed wedi codi’i llais arni o’r blaen. Roedd Lili wedi clywed y gwahaniaeth tôn a chronnodd dagrau yn ei llygaid mawr.

‘Ond wi ddim ise chwilio am y Llyfr. Wi’m yn lico…’

‘Lili fach, dere di.’ Cydiodd Cara ynddi a theimlo’i chorff bach yn crynu.

‘Fyddwn ni ddim yn hir – ewn ni chwilio am y Llyfr ac wedyn ewn ni i chwarae. Ti’n caru Cara, on’d wyt ti?’

Gallai Cara weld y penbleth y tu ôl i’r llygaid lliw emrallt, ac ni allai gredu’i geiriau’i hunan ond doedd dim amser i oedi.

Cytunodd Lili drwy nodio’n bwdlyd a throdd yn araf at yr hafn dan y ffens. Camodd i lawr i’r golau. Edrychodd Cara ar

Seimon a'r ddau'n methu credu eu llygaid. Dilynodd Cara hi, ond yn lle teimlo gris tan ei throed fe safodd troed Cara ar y gwagle, yn union fel y gwnaeth Delo. Edrychodd ar Seimon mewn penbleth.

'Beth ni'n neud nawr?' holodd.

Cododd hwnnw'i ysgwyddau. 'Falle dy fod ti'n ca'l dy ddallu 'da beth ti'n gweld,' meddai dan ei anadl. 'Caea dy lyged.'

'Beth?'

'Wel, o's syniad gwell 'da ti?'

Siglodd Cara'i phen. Caeodd ei llygaid a gadael i'w throed deimlo'i ffordd i lawr y grisiau.

'Ma fe'n gweithio!' meddai gan agor ei llygaid. Caeodd Seimon yntau ei lygaid cyn camu ar ei hôl. Teimlodd Cara pob gris i mewn i'r hafn. Pan agorai ei llygaid, dim ond gwynder a welai. Wrth eu cau, gallai deimlo'r byd arall trwy'i thraed a'i dwylo. Roedd wal bob ochr iddi, a'r rheiny'n teimlo'n oer ac yn galed wrth i Cara droedio'n ofalus i lawr y grisiau. Cerddai Lili ymhell o'u blaenau, yn gyfarwydd â'r teimlad o fethu gweld lle roedd hi'n mynd. Âi'r twnnel o dan y ffens cyn dechrau codi ychydig yr ochr arall. Camodd Cara o ris i ris a'r gwynder yn troi'n rhyw lwyd tywyll wrth iddyn nhw gamu allan yr ochr arall i'r ffens. Arhosodd Cara am Seimon gan deimlo rhyddhad wrth iddo ddod i'r golwg.

Edrychodd Cara o'i chwmpas. Roedd niwl yn y fan hyn, rhyw nudden denau. Gallai Cara'i gweld yn chwyrlïo yn y tywyllwch yng ngolau'r sêr.

'Ble mae'r llwybr, Lili?'

Pwyntiodd hithau'n dawel at y llawr.

'Cer mlân 'te.'

Caeodd Cara'i llygaid a dechrau dilyn Lili. Wrth i'w llygaid ddod i arfer â'r tywyllwch, gallai weld siapau ynddo – llwybr cul o'i blaen a rhyw symudiad bob ochr iddi. Canolbwyntiodd Cara ar y llwybr gan anwybyddu'r niwl a'r symud. Yn sydyn, baglodd wrth iddi gerdded i mewn i gefn Lili.

'Lil?'

Agorodd Cara'i llygaid. Safai'r tri yng nghanol peithdir a hwnnw wedi'i losgi.

Dechreuodd Lili lefen a siglo'i phen. 'Cara, wi'm yn lico… Plis, Cara,' ymbiliodd gan wasgu'r tedi bêr yn dynn i'w hwyneb.

'Lil, dim ond bach mwy, dim ond at y Llyfr.'

'Beth sy'n bod arni?' holodd Seimon.

'Bydd hi'n iawn, nawr,' meddai Cara'n gyflym. 'Dere mlân, Lili fach. Wi fan hyn, reit tu ôl i ti.'

Nodiodd Lili'n dawel ac ailgychwyn. Caeodd Cara a Seimon eu llygaid a dilyn y llwybr unwaith eto. Roedd pethau'n dechrau dod yn fwy eglur i Cara, a gwelai goed tal a mynyddoedd yn y cefndir. Daliwyd ei sylw gan symudiad ar y chwith iddi – roedd rhywbeth neu rywun yn symud. Rhywun, yn bendant meddyliodd. Teimlodd Cara'i chalon yn curo ychydig yn drymach. Oedd rhywun arall i'r dde ohoni hefyd? Roedd sawl haenen o ddüwch erbyn hyn, wrth i'r coed a'r siapiau hanner llwyd ac arian wibio ar hyd y lle. Yna croesodd rhywun lwybr Cara gan wneud iddi neidio. Dyn heb lygaid ganddo – dim ond dau dwll gwag yn ei ben a'i gorff mawr yn hercian o ochr i ochr.

'Beth odd hwnna?' Clywodd Seimon yn holi y tu ôl iddi.

Gwelodd Cara un arall yn dod tuag atynt. Menyw y tro hwn, ei chroen yn llwyd ac yn farwaidd. Camodd fodfeddi'n unig o flaen wyneb Cara.

'Dewch,' meddai Cara, 'rhaid hastu.'

Roedd Lili'n crio'n dawel erbyn hyn. Cerddodd y tri drwy'r tywyllwch yn eu gwisgoedd glas golau ar hyd y llwybr cul. Roedd yr aer yn drwchus ac yn glynu i'w hysgyfaint, gan ei gwneud yn anodd cymryd anadl ac fe deimlai Cara fel pe bai hi'n tagu. Gwyliodd Cara gannoedd o bobl yn cerdded o'u hamgylch a'r un ohonyn nhw gwybod i ble roedden nhw'n mynd. Hiraethai Cara am wres yr haul ac am ddinas yr Arhosfyd.

Ar ben y llwybr, roedd yr heol yn rhannu'n ddwy a throdd Lili i'r chwith.

'Beth am y carchar?' gofynnodd Cara i Seimon a'i llygaid yn dal ar gau. 'Sai 'di gweld yr adeilad ac ry'n ni'n mynd i'r cyfeiriad anghywir.'

'Sai'n gwbod,' meddai hwnnw y tu ôl iddi. 'Jest dilyna Lili.'

Camodd y tri drwy'r coed a'r rheiny'n ymestyn eu bysedd yn uchel i ddüwch y nos nes i sŵn dychrynllyd ddechrau suo yn y pellter. Cynyddodd y sŵn nes ei fod yn gwasgu aer i glustiau'r tri. Cerddodd Lili ymlaen yn ansicr gan wasgu'i dwylo bach dros ei chlustiau. Roedd hithau'n clywed y sŵn yn well na neb – y sgrechiadau gwaethaf a glywsai Cara erioed, wedi'u cymysgu â sŵn fel rhywun yn tynnu hoelen ar hyd bwrdd du. Gwasgai'r sŵn yn beryglus ar ei hymennydd – gallai wneud i rywun golli'i bwyll.

Yna daeth afon i'r golwg ac o'r fan honno y deuai'r sŵn dychrynllyd. Roedd Lili wedi sefyll yn ei hunfan mewn braw. Gwelai Cara donnau o waed a darnau o gyrff yn cael eu golchi gan y llif. Edrychodd ar y dŵr mewn arswyd. Cydiodd Lili yn llaw Cara a theimlodd Seimon yn closio y tu ôl iddi ac yn gwasgu'i braich. Pwyntiodd at bont fechan wedi'i chodi o raffau a phren. Doedd dim dewis gan y tri ond mentro, a chroesi. Cara aeth yn gyntaf y tro hwn, gan gadw Lili'n ddiogel y tu ôl iddi. Cydiodd yn y rhaff sigledig gan geisio osgoi edrych ar y llysnafedd oedd yn chwyrlïo'n byllau erchyll o dan ei thraed. Ceisiodd a chanolbwyntio ar gyrraedd ochr draw'r afon. Roedd Lili'n crynu ac yn cydio yn ochrau ei gŵn nos. Rhywsut glaniodd y tri'n saff yr ochr draw ac fe redon am ychydig, yn ddigon pell o'r sŵn. Cafwyd tawelwch wrth iddyn nhw aros i orffwys.

'Allwn ni ddim bod ymhell nawr,' meddai Cara wrth dynnu'r map allan o'i thop.

'Bron â bod 'na,' meddai Lili, ei chefn tuag at y ddau gan edrych ar dwmpath o bridd gerllaw.

Edrychodd Seimon ar Cara. 'Fan'na?' gofynnodd hwnnw.

Nodiodd Lili'n dawel a cherddodd y tri at y pentwr pridd. Sylwodd Cara ei bod hi'n goleuo erbyn hyn.

'Rhaid i ni'i siapio hi,' meddai hi wrth Seimon.

Safodd y tri wrth y twmpath ac fe bwyntiodd Lili at y pridd. Roedd Seimon wedi agor ei fag ac yn cydio yn y rhaw.

'Ry'n ni'n bell o'r carchar,' meddai Cara mewn penbleth.

'Falle mai dy syniad di o garchar oedd yr adeilad 'na,' meddai Seimon gan ddechrau palu.

Meddyliodd Cara am y bobol yn cerdded mewn cylchoedd heb wybod ble i fynd.

'Wyt ti'n meddwl ein bod ni newydd gerdded drwy'r carchar?'

Nodiodd Seimon. 'Bydden i'n meddwl 'ny,' meddai wrth balu nes i flaen ei raw daro rhywbeth caled. Edrychodd ar Cara. Erbyn hyn eisteddai Lili gerllaw yn llefen a'i phen yn ei breichiau. Doedd gan Cara ddim amser i'w chysuro, ac aeth at Seimon, penglinio wrth y twll a chrafu'r ddaear â'i bysedd.

'Bocs,' meddai Cara allan o wynt.

Gafaelodd Seimon yn y bocs a'i godi i'r wyneb yn grynedig. Rhegodd dan ei anadl wrth fethu agor y clo. Cydiodd mewn carreg finiog gerllaw. Tarodd y bocs a'r sŵn yn atseinio wrth i'r clo gwympo i'r llawr. Anadlai'r ddau'n drwm.

'Ti ise'i agor e?'

Rhoddodd Seimon y bocs i Cara. Gwenodd honno a bachu'i bysedd o dan y caead i'w agor. Daeth yn rhydd yn rhwydd. Rhoddodd ei llaw i grombil y bocs a theimlo rhyw becyn rhyfedd mewn darn o ddefnydd. Dadlapiodd Cara hwnnw'n araf bach. Cwympodd y Llyfr i'w dwylo. Roedd y llythrennau'n sgleinio drwy'r tywyllwch – 'Llyfr yr Arwyddion'. Curai calon Cara gymaint nes y teimlai'n wan. Roedd hi wedi llwyddo. Gallai deimlo'r adrenalin yn llifo drwy ei chorff. Cydiodd yn Seimon a'i gusanu ar ei foch. Chwarddodd yntau. Gwasgodd hithau'r Llyfr i boced gefn ei jîns.

'Dere,' meddai wrth Lili. 'Ma 'da ni daith hir adre.'

Cydiodd Cara yn ei llaw ac ar y daith hir bu'n rhaid i Seimon gario Lili ar ei gefn am ran helaeth o'r ffordd. Ar ôl croesi'r bont a cherdded drwy'r coed aethant heibio'r bobl ddall a'u crwyn llwydaidd. Daeth y tri at y ffens a thynnodd Cara Lili oddi ar gefn Seimon. Syllai hithau heb siarad a'i llygaid yn goch. 'Dere di,' meddai Cara a'i hannog i gerdded drwy'r twnnel yn ôl i'r ddinas. Newidiodd y tri'n gyflym yn ôl i'w dillad a gadael y pyjamas glas golau yn y cwdyn ar bwys y ffens.

Y tu ôl iddyn nhw, roedd dyn yn sefyll. Doedd 'run o'r tri wedi sylwi arno gan fod eu meddyliau ar bethau eraill. Wrth iddo gerdded yn y carchar daeth arogl bendigedig, hudolus i'w ffroenau. Arogl egsotig a gynhyrfai pob nerf yn ei gorff. Arogl blodyn. Arogl Lili. Roedd yr arogl yn gyfarwydd iddo... Fe ddilynodd y Lili wen at y ffens a chwiliodd ei lygaid meirwon amdani. Gwyliodd hi'n cerdded i lawr y grisiau o dan y ffens cyn diflannu'n ôl i'r ddinas yr ochr arall. Sylwodd 'run o'r tri ar y tedi bêr yn cwympo o afael blinedig Lili. Cododd y dyn hwnnw, a rhyw flys ofnadwy'n codi y tu mewn iddo wrth iddo wasgu'i wyneb yn erbyn y bariau tywyll ac agor ei ffroenau'n llydan er mwyn arogli'r defnyn olaf o'r persawr meddwol.

PENNOD 52

Eisteddai Cara yn y parc gyferbyn â'r rhith o eglwys a'r cerfluniau llonydd yn niwlog o gwmpas ei drws. Gwasgodd Lyfr yr Arwyddion ati a hwnnw'n codi ac yn disgyn gyda phob anadl. Doedd ganddi ddim egni ar ôl. Teimlai'i chorff yn drwm, a'i meddwl yn drymach wrth iddi osod Lili'n ôl yn ei gwely cyn y wawr a mynd i orwedd yn ei gwely'i hun gan wasgu'r Llyfr. Bob tro byddai'n teimlo'n gysglyd deuai wynebau'r bobl yn cerdded yn y carchar yn ôl i'w meddwl ac atseiniai ôl eu traed llesg yn y gwyll. Doedd Lili ddim wedi codi amser brecwast ac arhosodd Cara yn ddigon hir i Delo alw heibio cyn cerdded i'r parc. Yno câi gyfle i eistedd a meddwl cyn cyfarfod â Seimon yn y llyfrgell pan agorai honno.

Cytunodd y ddau gyfarfod ar y llawr ucha, wrth ymyl y llyfrau a'r mapiau. Roedd hi'n dawel yn y fan honno, ac ni fyddai dau berson yn eistedd wrth ddesg a llyfr o'u blaenau'n tynnu sylw petai rhywun yn dod ar eu traws. Byddai'n rhaid i'r ddau benderfynu beth i'w wneud â'r Llyfr. Roedd yn rhaid cael ei wared, wrth gwrs – addawodd hynny i Abel – ond beth oedd y ffordd orau o wneud hynny? Cydiodd Cara'n dynnach yn y Llyfr. Doedd hi heb fentro'i agor eto, dim ond cydio ynddo fel yr unig achubiaeth iddi.

Bu geiriau Abel yn troelli yn ei phen drwy'r nos – ei rybudd difrifol i beidio ag agor y Llyfr ar unrhyw gyfrif. Teimlodd Cara'r lledr o dan ei bysedd, yn oer, yn llyfn ac yn llawn addewid. Yn hwn roedd y gyfrinach. Gallai anfon neges at ei mam i'w sicrhau ei bod hi'n iawn, ei bod hi'n dal yno. Teimlai gorneli'r Llyfr yn bigog o dan ei bysedd.

Dim ond edrych arno am ychydig fyddai angen. Dysgu sut oedd cyfathrebu. Wnâi un neges ddim drwg, wedyn gallai gael gwared ag e. Meddyliodd am ddrws caeedig yr eglwys. Doedd dim croeso iddi yn y fan honno beth bynnag. Doedd neb wedi cynnig help iddi. Delo na neb arall. A pham bod llyfr o'r fath yn bodoli os oedd cysylltu â'r ddaear yn beth mor ofnadwy?

Camodd Cara i fyny stepiau'r llyfrgell heb edrych i'r chwith nac i'r dde, i fyny'r grisiau, a gwasgu'r botwm wrth y drws lliwgar. Cerddodd heibio'r hen fenyw oedd yn dal i osod labelu ar ryw focsys yn ei phyjamas a'i pherlau, heb aros i siarad â hi. Camodd Cara heibio i'r bocsys lleisiau a'r caneuon a oedd yn hymian yn eu cesys gwydr. Dringodd y grisiau a gwau'i ffordd trwy'r signalau mwg a'r cypyrddau arwyddo dwylo cyn dringo i'r llawr ucha. Cerddodd at y ddesg lle darllenodd hi'r Beibl ac eistedd yno am ychydig a'r Llyfr o'i blaen. Teimlodd ef â'i bysedd yn yr un modd ag y byddai Lili'n teimlo pethau. Ceisiodd beidio â meddwl amdani hi, ei llygaid yn gochlyd a gwag, ac yn gwrthod codi o'i gwely. Roedd hi wedi gwneud cam â Lili, gwyddai Cara hynny, ac efallai y byddai'r cam yn waeth petai hi llosgi'r Llyfr yn syth *heb* ei ddefnyddio. Teimlodd gorneli'r Llyfr â'i bysedd unwaith eto.

'Beth ti'n neud?'

Neidiodd Cara wrth glywed y llais. Safai Seimon yno'n syllu arni a'i lygaid yn drwm.

'Dim! Dim!' meddai Cara'n gyflym gan wasgu cledr ei llaw i lawr ar y llyfr caeedig.

Eisteddodd Seimon gyferbyn â hi a sylwodd ei fod heb siafio, a bod ei wallt melyn yn anniben. Gorweddai'r Llyfr yn dawel ar y bwrdd rhwng y ddau.

'Alla i ddim credu fod e 'ma. Bod e'n bodoli… ' meddai Cara'n dawel.

'Na fi,' meddai yntau gan estyn ei fysedd tuag ato. 'Mae'r peth yn anhygoel.'

'Ond, ma'n rhaid i ni ga'l gwared arno fe,' meddai hi wedyn. Edrychodd ar Seimon i weld ei ymateb. 'Wedodd Abel.'

'Wrth gwrs,' cytunodd

'Ond… ' meddai'r ddau 'run pryd, gan edrych ar ei gilydd.

'Beth sen ni'n… ?'

'Gallen ni…'

Siaradai'r ddau ar draws ei gilydd. Gwyddai Cara na ddylai hi gyffwrdd yn y Llyfr. Gwyddai ym mêr ei hesgyrn mai'r peth callaf fyddai cael ei wared yn syth fel nad oedd modd troi'n ôl. Ond, gallai deimlo rhywbeth yn crafu'n ddwfn y tu mewn iddi, a gwelai'r un teimlad a'r un brwdfrydedd newyddiadurol yn dechrau fflachio yn llygaid Seimon.

'Dim ond ca'l cip y tu mewn iddo,' meddai yntau'n ofalus. 'Gweld beth yw'r drefn. Fydd dim drwg yn hynny, dim ond gweld ody e'n wir, o's 'na ffyrdd o gysylltu…'

'Falle mai celwydd yw'r cyfan,' meddai Cara.

'A do's dim ffordd o ffindio mas heblaw… '

'Agor y Llyfr a falle trio,' gorffenodd Cara'i frawddeg.

'Gallen ni greu erthygl am y peth falle?' gofynnodd Seimon.

'Casglu ffeithie,' atebodd Cara.

Roedd Seimon wedi symud ei stôl yn agosach at y bwrdd a gallai Cara weld ei feddwl yn dechrau gweithio. Meddyliodd hithau am Abel yn eistedd wrth fwrdd y caffi. Roedd yntau wedi ymddiried ynddi. Wedi gofyn yn arbennig iddi, wedi gwneud iddi addo.

'Galle hyn fod yn anhygoel, Cara… '

'Dim ond i ni fod yn ofalus… ' meddai hithau'n llai sicr.

'Y'n ni'n cytuno?' holodd Seimon.

'Ar yr amod na fydd neb yn ffindio mas am hyn,' meddai Cara.

'Addo,' meddai'r ddau wrth ei gilydd, gan syllu ar y Llyfr.

Agorodd y ddau y Llyfr gyda'i gilydd. Tynnodd y ddau anadl ddofn wrth i binnau bach o gynnwrf saethu drwyddynt. Allai Cara ddim coelio pa mor hardd oedd, ac mor llawn o liwiau.

Ar y dudalen flaen roedd lluniau wedi'u peintio â llaw – lluniau adar lliwgar yn hedfan, eu pluf porffor yn sgleinio'n aur ac yn wyrdd tywyll yn y golau. Adar gwynion yn gollwng eu plu fel eira ac yna, yng nghanol y dudalen roedd yr ysgrifen harddaf a welsai Cara erioed. Ysgrifen mewn inc porffor tywyll, a phob llythyren yn gywrain ac yn llifo dros y dudalen. Soniai'r geiriau fod gadael plufen ar lawr yn ffurfio llwybr i arwain rhywun tuag adre. Ar y dudalen nesaf, roedd rhagor o luniau anhygoel o gymylau o bob lliw. Newidient eu lliw ar y dudalen o las golau i wyrdd golau ac yna rhyw binc ysgafn. Gallai arogli rhywbeth ac roedd Seimon wedi sylwi.

'Swyn gadael dy bersawr yn rhywle,' meddai.

Trodd Cara at y dudalen nesaf. Roedd honno'n hollol ddu nes i Cara gyffwrdd yn y dudalen â'i bys. Trodd y dudalen yn ôl yn wyn dan ei bysedd ac roedd rhyw fath o swyn yno er mwyn cynnau a diffodd golau a chyfarwyddiadau manwl hefyd ynglŷn â chynnau neu ddiffodd canhwyllau yn y byd o'r Arhosfyd. Cyfarwyddiadau sut i adael ôl siâp corff yn yr aer. Cyflymai calon Cara gyda phob datguddiad, a'r tudalennau hardd yn meddwi'r ddau â'u lliwiau prydferth. Ar y dudalen olaf ymddangosai a diflannai pethau oddi ar y dudalen. Llun o het, a'r het honno'n diflannu. Llun o blat aur, a hwnnw'n diflannu. Gwasgodd Seimon ei fys o dan y cyfarwyddiadau.

'Swyn i ddangos sut mae symud pethau yw hon,' meddai.

Hon oedd y swyn fyrraf yn y Llyfr. Meddyliodd Cara mai hon fyddai'r un mwyaf defnyddiol hefyd, gan y byddai pobl yn debygol o sylwi ar bethau'n symud.

'Hon yw hi… ' meddai Cara'n dawel bach.

'Ma'n rhaid ymarfer,' meddai Seimon. 'Ma'n dweud fan hyn.'

Dilynodd Seimon y cyfarwyddiadau â'i fys. Roedd yn rhaid eistedd mewn tawelwch llwyr a chanolbwyntio ar y person roedd angen cyfathrebu ag e gan anghofio popeth arall yn y byd a'r Arhosfyd. Ar ôl llwyddo byddai'n rhaid dewis eitem arwyddocaol i'w symud yn llygaid y meddwl. Ond dim ond y person oedd â'r Llyfr yn ei feddiant fyddai'n medru gwneud hynny. Darllenodd Seimon a Cara'r cyfarwyddiadau drosodd a throsodd nes eu bod yn eu cofio.

'Ti'n fodlon trio?' gofynnodd Seimon.

Meddyliodd Cara am ei mam am y tro cyntaf ers amser hir. Gwelai ei hwyneb o'i blaen. Meddyliodd am Rhys yn eistedd wrth fwrdd y gegin.

Y noson honno, fe gerddodd Cara adre a'r Llyfr wedi'i guddio o dan ei dillad. Cerddodd i fyny'r llwybr tuag at y tŷ; roedd Beth yn eistedd ar y fainc tu allan yn rhwbio'i phen, wedi bod yn llefen.

'Beth sy?' gofynnodd Cara.

Siglodd Beth ei phen yn flinedig. Roedd rhyw dristwch mawr yn ei llygaid. 'Lil! Wi'n methu gneud dim 'da hi heddiw.'

'Wedi blino ma hi, siŵr o fod,' atebodd Cara'n dawel.

Gwenodd Beth arni'n drist. 'Finne 'fyd,' meddai cyn i Cara droi am y tŷ a'r Llyfr yn ddiogel yn ei meddiant.

PENNOD 53

Bu Cara'n ymarfer pob eiliad o'r dydd. Doedd hi ddim yn mynd i'r caffi rhyw lawer bellach, ond doedd neb yn cwyno gan fod ei chyfnod gweithio yn dod i ben, beth bynnag. Roedd Sadie wedi gadael a doedd Rich ddim yno rhyw lawer chwaith. Edrychai staff newydd ar ôl y lle a'r rheiny dipyn yn fwy egnïol na Cara erbyn hyn. Byddai'n codi gyda'r wawr ac yn aros am ymweliad Delo cyn cerdded yn gyflym i'r llyfrgell. Yno, yn y tawelwch, gallai eistedd a'i llygaid ar gau yn meddwl am ei mam.

Deuai'r holl ganolbwyntio â gwobrwyon iddi hefyd. Gallai weld ei hen gartref erbyn hyn – tŷ cul ar stad, ei hystafell wely fechan a'r gwely sengl. Gwelai Steve yn ei meddwl gan gofio mai fe oedd ei llys-dad. Cofiodd am Casi hefyd, er na chafodd rhyw lawer o lwc wrth geisio cofio am yr ysgol. Hiraethai am gwmni ei ffrind, ei hwyneb a'i chwerthin a gallai ei theimlo'n agos iawn wrth feddwl amdani. Gallai eistedd am oriau, gan anghofio am yr Arhosfyd a meddwl am ei mam – lliw ei llygaid, ei harogl a'i gwên. Y modd y byddai hi'n gofalu amdani. Ei dwylo. Tôn ei llais. Siâp ei hysgwyddau. Yn ystod yr oriau hyn, byddai Ifan a Delo a hyd yn oed Seimon yn diflannu o'i meddwl. Doedd dim byd yn bwysig iddi bellach heblaw'r dynfa yn ôl at ei mam. Teimlai'n hyderus y gallai gyflawni'r swyn cyn bo hir. Erbyn hyn roedd ei meddwl yn ddigon clir a llonydd. Gallai ganolbwyntio ar anadlu a gadael i bethau lifo i'w meddwl.

Eisteddodd Cara a'i llygaid ar gau yn nhawelwch y llyfrgell a neb yno heblaw amdani hi a'i meddyliau. Weithiau, ar ôl iddi ymarfer, byddai'n codi ac edrych ar y silffoedd o lyfrau ond câi hi'n anodd canolbwyntio ar ddim heblaw ei gorffennol. Wrth iddi ddechrau darllen rhyw baragraff, byddai'r print yn aildrefnu'i hun o flaen ei llygaid a chreu'r gair bach 'mam'. Eisteddai wedyn ac ystyried. Fyddai hi ddim wedi meddwl fel'na tra oedd hi'n fyw. Ddim wedi sylwi ar bethau. Ddim wedi trafferthu.

'Cara?' Agorodd ei llygaid wrth glywed y llais.

Byddai Seimon yn dod i edrych amdani bob dydd ac er na fyddai'n dweud gair am y peth gallai Cara weld ei fod bron â drysu eisiau rhoi cynnig ar yr arbrawf. Ond gwyddai y byddai'n rhaid iddo aros nes bod Cara'n barod.

'Haia… ' meddai hi'n flinedig.

'Sut mae pethau'n mynd?' holodd.

Gwenodd Cara arno. 'Ocê.'

'Wedi blino?' gofynnodd Seimon.

'Mmm,' atebodd Cara. Teimlai'n wan a methai'n deg â chysgu. Codai bwganod o gwmpas ei gwely wrth iddi droi a throsi. Byddai Lili'n swnffian llefen drwy'r nos hefyd a Beth yn codi'n aml i geisio'i setlo. Gorweddai Leusa yn ei bync gan anadlu'n ddramatig er mwyn gadael i bawb wybod bod Lili'n ei chadw ar ddihun. Tawel fyddai Ifan bellach.

'Jest rho damed bach mwy o amser i fi,' meddai Cara. 'Wedyn gallwn ni fynd amdani. Jest meddylia, falle galla i roi arwydd i Mam cyn bo hir.'

Tynhâi brest Cara wrth feddwl am y peth.

'Os yw e'n gweithio,' atebodd Seimon.

'Os yw beth yn gweithio?' holodd llais y tu ôl iddynt.

Trodd y ddau i edrych, a'r sioc yn amlwg ar eu hwynebau wrth weld Leusa'n sefyll yno.

Caeodd Cara Lyfr yr Arwyddion a chododd Seimon yn sydyn.

'Beth ti'n neud 'ma?' gofynnodd Cara.

Astudiodd Leusa wynebau'r ddau'n ofalus. ''Na beth dylen i fod yn ei holi i chi, wi'n credu,' meddai.

'Wedest ti wrthi?' gofynnodd Cara'n grac i Seimon.

Siglodd Seimon ei ben. 'Wrth gwrs naddo.'

'Gweud beth?' Roedd llygaid Leusa wedi culhau. 'Beth yw'r llyfr 'na? Shwt ti'n mynd i anfon arwydd?'

Cydiodd Cara yn y Llyfr a'i ddal ychydig y tu ôl i'w chefn.

'Be ti'n neud 'ma, Leusa?' gofynnodd Seimon iddi.

'Des i draw i dy weld ti. Wi 'di bod sawl gwaith yn ddiweddar a ti byth gatre,' meddai hi mewn rhyw lais llyfn melfedaidd. Camodd tuag at Seimon. 'Ti'n gadael y tŷ a do's neb yn gwbod lle rwyt ti.'

Safai Leusa o flaen Seimon erbyn hyn yn byseddu botwm ei grys â'i llaw. Gallai Cara deimlo'r dicter yn berwi y tu mewn iddi wrth feddwl am y dalent oedd gan Leusa i sarnu popeth ac oherwydd ei bod yn sefyll mor agos at Seimon.

'Penderfynes i neud ychydig bach o waith ditectif fy hunan,' meddai gan wenu'n bryfoclyd.

'Drycha, jest gad ni fod, 'nei di? Dyw hyn ddim yn fusnes i ti,' meddai Cara gan gamu'n ôl.

Edrychodd Leusa tuag ati. 'Glywes i ormod i feddwl nad yw e'n ddim byd, ac os oes ffordd o anfon arwyddion i'r byd, wi eisiau bod yn rhan ohono fe neu...'

'Neu beth?' gofynnodd Cara a'i bochau'n goch porpoeth.

Tynnodd Leusa anadl ddofn. 'Neu fe weda i wrth Ifan.'

'Gwed ti wrtho fe 'te... ' atebodd Cara gan gwthio'i gên allan. 'Fydd e ddim yn dy gredu di.'

'Wel, os na fydd Ifan yn credu, ma digon o bobl erill allen

i weud wrthyn nhw gan ddechre 'da Delo.'

'Sdim ise ti neud 'na… ' meddai Seimon. Trodd y ddwy i edrych arno. 'Wel, sdim ise iddi hi weud wrth neb, Cara. Ma hi'n gwbod, sdim pwynt gwadu'r peth.' Roedd ei ddwylo allan o'i flaen fel petai'n erfyn.

'Gwedwch wrtha i ac eith e ddim pellach,' meddai Leusa. 'Fi'n addo,' ychwanegodd gan edrych ar Seimon.

Edrychodd Seimon yn ansicr am eiliad.

'Ry'n ni wedi ffindio ffordd o drio cysylltu â'r byd, ond falle neith e ddim digwydd.'

'Seimon.'

Allai Cara ddim credu'i chlustiau bod Seimon wedi rhannu eu cyfrinach. Taflodd ei breichiau i'r awyr mewn anobaith.

'Mwy na thebyg na fydd e'n gweithio beth bynnag,' meddai Seimon. Penderfynodd Cara geisio achub rhywfaint ar y sefyllfa.

'A gweud y gwir, dy'n ni ddim hyd yn oed yn meddwl y bydd digon o amser 'da ni i ddysgu sut ma gneud, cyn symud mlân.'

Cododd Leusa'i haeliau ar Cara fel pe na bai hi'n ei chredu.

'Cyfathrebu â'r byd? A ma hwnna'n esbonio sut ma gneud?' gofynnodd Leusa gan edrych ar y Llyfr yn llaw Cara.

'Falle… ' meddai Cara'n ansicr.

Symudodd Leusa tuag ati a chipio'r Llyfr o'i llaw cyn iddi gael amser i'w hatal. Agorodd y tudalennau a sganio'r lluniau'n ddiamynedd. Roedd llwch o flaen ei sigarét yn chwarae'n beryglus uwchben y darluniau drudfawr. Caeodd Leusa'r Llyfr yn sydyn cyn dod i'r penderfyniad. 'Neud dim synnwyr i fi,' meddai gan wthio'r Llyfr yn ôl â'i hewinedd cochion a holi. 'Pryd chi'n mynd i dreial e 'de?'

'Ddim am amser hir, anghofia amdano fe,' meddai Cara gan geisio mesur ymateb Leusa.

'Newn ni drio mewn ychydig nosweithie. Bydd hynny'n rhoi bach o amser i ti bracteiso.'

'Ni?' gofynnodd Cara.

'Ie, *ni*,' atebodd Leusa gan bwysleisio'r gair olaf. 'Licen i anfon neges 'nôl,' ychwanegodd.

Meddyliodd Cara am y fenyw y gwelodd hi Leusa'n dadlau â hi ar y stryd. Yr olwg ofnus yn ei hwyneb pan eisteddodd hi ar bwys Cara ar y fainc y noson honno fel pe bai hi'n anfodlon bod ar ei phen ei hunan. Am y breuddwydion ofnadwy a'r anadlu dwfn.

'Mae'n werth trial, on'd yw hi?'

Doedd Leusa'n poeni dim am oblygiadau pellach y Llyfr a'r modd y gallai'r byd a'r Arhosfyd gael eu newid am byth wrth neud yr arbrawf – ei sefyllfa hi ei hun roedd Leusa'n poeni amdano. Ystyriodd Cara tybed a oedd hithau'n ei ddefnyddio at ei dibenion ei hun hefyd. Ond na, creu drygioni oedd bwriad Leusa, gwyddai Cara hynny. Roedd Cara, ar y llaw arall, yn awyddus i roi sicrwydd i'w mam ac am wneud arbrawf yn yr Arhosfyd y gallai Seimon ysgrifennu amdano yn ei bapur. Yna byddai'n dinistrio'r Llyfr.

Edrychodd Leusa o gwmpas yr ystafell cyn penderfynu bod y lle'n ei diflasu. 'Reit,' meddai, gan droi i adael. 'Wela i di wedyn, Seimon,' cyn ychwanegu yn hanner bygythiol wrth Cara, 'a wela i di gartre.'

Gwyliodd Seimon a Cara hi'n gadael. Prin y gallai Cara ddioddef edrych ar Seimon. Bu hi mor ofalus yn gwneud yn siŵr na ddeuai neb i wybod am y Llyfr a Seimon wedi plygu'n syth a chyfaddef y cyfan. Doedd hi ddim wedi hoffi iddo adael i Leusa fyseddu botymau ei grys, chwaith na sefyll mor agos ato.

Ceisiodd Seimon siarad â hi ond cymerodd arni ei bod mewn myfyrdod dwfn. Clywodd yntau'n gadael a theimlodd Cara'r dagrau'n pigo'i llygaid caeedig. Yr holl waith paratoi a Leusa'n ceisio manteisio ar y cyfan. Roedd y peth yn gwneud i'w gwaed ferwi. Gadawodd y llyfrgell a cherdded o gwmpas y dre tan iddi dywyllu cyn troi am adre a mynd yn syth i'w gwely.

Ar ôl i'r tŷ dawelu, a Beth wedi codi i setlo Lili am y chweched tro, fe gododd Cara. Roedd hi'n ffaelu'n deg â chysgu beth bynnag, wrth feddwl am wyneb Leusa a'r ffordd y gwenodd hi'n slei arni wrth iddi hithau sleifio i'r tŷ a mynd i'r gwely.

Aeth Cara i eistedd ar y fainc tu allan i'r tŷ yn y tywyllwch. Meddyliodd am ei mam. Roedd yn rhaid iddi roi cynnig ar yr arbrawf nawr, cyn i Leusa gael cyfle i sarnu pethau. Cyn i bethau fynd ar chwâl. Codai ofn dwfn ynddi – y teimlad y gallai popeth gael ei gipio oddi arni a hithau wedi dod mor agos. Cerddodd allan ar y glaswellt, gan wlychu ei thraed noeth. Sylwodd fod trwch o flodau ar waelod yr ardd erbyn hyn – y dail gwyrdd yn frith o flagur ar fin agor, a'r lliwiau yn eu crombil ar fin cael eu rhyddhau i'r byd. Y lliwiau. Roedd holl bwysau'r blaguro yn eu calonnau a gallai Cara bron â'u clywed yn ysu am gael dianc o'u celloedd gwyrdd.

Tynnodd Cara anadl hir yn ddwfn i'w hysgyfaint. Meddyliodd am ei mam. Ceisiodd anwybyddu'r awel ar ei hwyneb, y lleithder o dan ei thraed a'r synau yn y pellter. Suddodd yn ddyfnach i mewn i grombil ei meddwl. Meddyliodd am wyneb ei mam a threiddiodd i mewn i'w henaid. Dechreuodd deimlo rhyw wres yn ei chorff. Treiddiodd yn ddyfnach i'r llinynnau arian o berthynas rhwng y ddwy, yn ôl at yr edrychiadau fyddai rhyngddynt. Yn ôl at lygaid y ddwy'n edrych ar ei gilydd yn ystod yr eiliadau hynny wedi iddi gael ei geni. Yr ofn a'r boen yn llygaid y fam. Yr ofn a'r angen oedd yn ei llygaid hithau. Yn ôl at y llinyn cnawdol hwnnw a gysylltodd y ddwy yn y groth, a'r gwaed yn llifo o'r naill gnawd i'r llall.

Ymgollodd. Y cyfan a glywai oedd sŵn calon yn curo. Calon fawr yn curo o'i chwmpas. Calon ei mam. Yna, fe deimlodd rhythm arall. Rhythm dŵr a gwaed. Yn y tywyllwch, a'i chynhesrwydd yn ei hamgylchynu, fe welodd gregyn ar draeth. Fe'u teimlodd nhw rhwng eu bysedd a chydio ynddynt. Y dafnau gwynion yn brydferth yn ei dwylo. Cariodd nhw yn ei dwylo gan symud ei thraed yn araf ar draws y glaswellt heb iddi orchymyn hynny. Symudodd ei breichiau'n araf, fel pe bai'n perfformio rhyw ddawns. Symudodd ei choesau hefyd a'i chorff yn gweithio fel hylif, fel dŵr. Symudodd y cregyn o'r naill le i'r llall. Yna, yn nyfnder ei myfyrdod, fe glywodd lais yn galw arni.

'Cara?'

Neidiodd calon Cara, gan feddwl mai ei mam oedd yno, ond tynnwyd ei meddwl hi'n ôl, drwy'r llinyn cnawdol, drwy'r llinynnau arian ac yn ôl i'r Arhosfyd. Agorodd Cara'i llygaid. Roedd hi'n oer ac yn grynedig. Safai Lili yn y drws yn rhwbio'i llygaid yn bwdlyd.

'Lil?' sibrydodd Cara.

'Ffaelu cysgu, 'di colli tedi,' llefodd.

Gallai Cara fod wedi'i hysgwyd. Roedd hi'n siŵr ei bod hi mor agos…

'Cer 'nôl i'r gwely,' meddai Cara a'i llais yn galed. Roedd

hi wedi blino'n lân a'r holl beth wedi sugno'i holl nerth.

'Ond, wi 'di neud llun i ti…'

'Cer 'nôl. Nawr!' meddai Cara unwaith eto wrth i boen saethu drwy ei phen. Roedd gwefus isa Lili'n crynu ond ni sylwodd Cara wrth iddi droi a mynd yn ôl yn dawel i'w gwely, a'r llun newydd yn hongian yn llipa yn ei llaw. Camodd yn araf at y fainc ac eistedd a rhwbio'i phen. Roedd dagrau o siom yn ei llygaid hithau hefyd. Roedd hi'n siŵr iddi fod yn agos. Yn agos iawn…

Yr ochr arall i'r wal, eisteddai dyn. Wedi iddo arogli'r Lili hyfryd, fe ddihangodd o'r carchar ar hyd y stepiau nad oedd wedi sylwi arnynt cynt cyn gwylio'r drindod yn diflannu o dan y ffens. Fe ddilynodd nhw, a rhyw awch ofnadwy'n tyfu y tu mewn iddo. Cerddodd a syllu o'i amgylch gan arogli'r aer. Roedd hi yma yn rhywle, yn agos hefyd. Roedd e wedi gwthio'i wyneb i'r blodyn cyn hyn. Wedi tynnu ei harogl yn ddwfn i waelod ei ysgyfaint, wedi gwasgu'i phaill aur ar flaen ei fysedd. Wedi'i harogli nes nad oedd dim byd ar ôl, ac yna wedi diosg y blodyn a'r gŵn nos gwyn a'i chladdu yn ôl yn y pridd. Doedd e ddim wedi meddwl y byddai hi'n tyfu eto. Yn blodeuo eto, yn ferch fach yn y byd hwn. Roedd y peth yn ei gyffroi gymaint nes bod ei gorff yn crynu. Ni allai feddwl am unrhyw beth mwy perffaith. A heno, roedd e wedi cael gafael ynddi. Dilyn ei drwyn. Blasu'r aer. Er nad oedd hi wedi'i weld erioed, byddai e'n ei hadnabod hi yn unrhyw le. Gyda gwlith dagrau ar ei gruddiau, roedd ei phersawr hyd yn oed yn gryfach yn yr awel oer.

PENNOD 54

Roedd y byrddau yn y bwyty wedi'u gorchuddio â llieiniau coch tywyll a photeli gwin gwag a chanhwyllau ynddynt yn wylo gwêr. Roedd Mags wedi gwisgo ffrog heno, rhywbeth nad oedd wedi'i wneud ers hydoedd, heb sôn am roi ychydig o golur ar ei hwyneb. Arhosodd am ei dêt gan geisio peidio â gwrando ar y gerddoriaeth Eidalaidd a ddeuai drwy'r hen system sain. Tynnodd ei siôl yn dynnach amdani. Roedd y weinyddes fach ifanc yn ei llygadu, a synhwyrai iddynt fod yn betio yn y gegin a fyddai rhywun yn ymuno â hi neu beidio.

Edrychodd Mags o gwmpas y bwyty llawn. Er mai digon canolig oedd e, o ran ei safon, roedd yn lle poblogaidd tu hwnt am ei fod yn weddol rhad. Er na fu Mags ddim yno ers blynyddoedd, sylwodd nad oedd dim wedi newid. Yr un posteri o ardaloedd yn yr Eidal. Yr un bwrdd du a'r cynigion arbennig wedi'u hysgrifennu gan ferch bymtheg oed yn ei swydd dros wyliau'r haf. Meddyliodd Mags am Cara wrth edrych ar y ferch welw ansicr y tu ôl i'r cownter yn ceisio edrych yn brysur wrth ysgrifennu archebion.

Gan na fu Mags allan ers misoedd synnodd pa mor rhyfedd oedd eistedd yno, ymysg y bwrlwm a'r chwerthin. Doedd neb yma'n gwybod pwy oedd hi. Neb yn ei gweld hi'n hynod. Neb yn edrych arni â llygaid yn llawn tosturi – doedd hi'n ddim ond menyw ganol oed yn disgwyl am rywun.

'Haia… ' meddai. Roedd e'n gwisgo crys du a throwsus tywyll a'i lygaid yn dawnsio. Daeth ati a rhoi cusan ar ei boch. 'Odw i'n hwyr?' gofynnodd Steve gan fachu ei got ar gefn y gadair.

'Na, fi oedd yn gynnar,' meddai Mags gan edrych arno'n ansicr.

I'r fan hyn y daeth Mags ac yntau ar eu dêt ffurfiol cyntaf flynyddoedd yn ôl. Steve oedd wedi awgrymu dod heno ar ôl iddo gasglu Rhys rhyw ddiwrnod a hithau wedi cytuno.

'Ti'n edrych yn… '

'Steve paid… ' meddai Mags. Doedd hi ddim eisiau clywed yr ystrydebau. 'Wi'n anghyfforddus ac yn teimlo'n lletchwith,' meddai Mags.

Gwenodd Steve arni. 'Ti'n edrych fel'ny, braidd.'

Gwenodd Mags arno.

'Pam gwisgo honna?' gofynnodd Steve.

'*Charming*… ' meddai Mags.

'Dyw hi ddim dy steil arferol di, na… Dim bod steil arferol 'da ti. Hynny yw, ti ddim yn gwisgo yr un peth drwy'r amser ond… '

Chwarddodd Mags. 'Steve, paid â palu'n ddyfnach i'r twll.'

Setlodd tawelwch cyfforddus rhwng y ddau. Roedd Rhys yn cysgu yn nhŷ Helen heno a Mags heb sôn wrthi lle roedd hi am fynd. Tynnodd Mags y siôl yn dynnach amdani eto.

'Ma hyn yn od, on'd yw e?' meddai Steve o'r diwedd.

Nodiodd Mags. Y tro diwetha i'r ddau fod yma, doedd Rhys heb ei eni. Roedd Cara'n fach a Helen wedi edrych ar ei hôl hithau bryd hynny. Nawr doedd Cara ddim yn bod. Meddyliodd Mags tybed a oedd rhyw batrwm i'w gael. Rhyw gownt yn cael ei gadw lan yn y nefoedd yn rhywle.

''Nes i fwynhau'r noson 'na, y tro cynta i mi ddod 'ma,' meddai Steve wrth i'r weinyddes fach ddod â gwin y tŷ i'r bwrdd.

'A fi.'

'Yn enwedig mynd adre â ti ar ôl 'ny.'

Gwenodd Mags arno gan gyffwrdd yn ei gwydryn gwin.

'A shwd wyt ti nawr?' gofynnodd Steve iddi.

Meddyliodd Mags yn hir cyn ateb. 'Wi'm yn gwbod yn iawn,' meddai hi'n dawel. 'Wi'n cario mlân, yn ca'l mynd 'nôl i'r gwaith ddau ddiwrnod yr wythnos cyn bo hir.'

Roedd Mags yn edrych ymlaen at hynny. Cael sgwrsio â rhai o'r gweithwyr eraill. Cwmni.

'Wi'n mynd i siopa yn siarad â hwn a'r llall, ond weithie fi'n teimlo mod i ddim 'na. Ma rhywun yn siarad â fi a wi ddim ise'u clywed nhw. Ond ma'n rhaid…'

'Mynd trwy'r mosiwns,' cytunodd Steve.

'Yn gwmws,' meddai Mags.

'Finne 'fyd,' atebodd yntau.

'Ond ti'n edrych mor, wi'm yn gwbod… ' meddai Mags.

Syllodd Steve arni. 'Jest achos mod i ddim yn dad iddi, dyw e ddim yn golygu…'

'Na, wi'n gwbod.'

'Ma nhw'n gweud mai amser sy ise,' meddai Steve yn dawel.

Cydiodd Mags yn ei gwydryn gwin.

'Wi'n gwbod. Licen i gymryd rhywbeth weithie t'mod, i'n hela fi gysgu. Dihuno wedyn mewn pum mlynedd. Gweld a yw'r boen wedi pylu rhywfaint,' meddai Mags. Roedd hi wedi meddwl am y peth sawl gwaith. Cysgu. Cysgu ac anghofio ac wedyn dihuno.

'Se fe'n bosib, t'mod. Rhoi pum mlynedd i ffwrdd. Fyddet ti'n fodlon neud 'ny?'

Meddyliodd Mags am eiliad. Meddyliodd am freuder bywyd. Meddyliodd am fywydau byrion yr holl rai roedd hi wedi'u nabod yn ystod ei hoes. Cododd ei hysgwyddau.

'Pwy a ŵyr?' meddai'n dawel.

Dim ond â Steve roedd hi'n medru siarad yn agored am bethau fel hyn. Byddai pawb arall yn meddwl ei bod hi'n od yn sôn am y fath bethau. Dechreuodd ymlacio, a'r atyniad rhwng y ddau'n dal yno. Roedd e'n edrych ychydig yn hŷn erbyn hyn. Roedd colli Cara wedi newid y ddau ohonyn nhw. Wrth i'r gwin lifo, felly hefyd y sgwrs ac fe fwynhaodd y ddau eu bwyd a chwmni ei gilydd. Wrth eistedd yno'n siarad dros eu coffi sylwodd Mags fod pawb arall wedi gadael. Rhoddodd Steve dip sylweddol i'r ferch ifanc swil a gwenodd hithau'n flinedig arno.

Aeth Steve a Mags at y tacsi ac eistedd yn y sedd gefn a'u dwylo'n agos at ei gilydd wrth wylio goleuadau oren y dre'n fflachio heibio. Cerddodd Steve gyda Mags at ddrws y tŷ ac er y byddai wedi hoffi iddo aros – ac y byddai yntau'n fwy na bodlon – fe gusanodd Mags ef ar ei foch heb ei wahodd i mewn. Roedd hi'n rhy gynnar eto ac roedd Mags am gymryd ei hamser. Cydiodd Steve ynddi a'i gwasgu tuag ato am eiliad cyn ei chusanu ar ei thalcen a throi'n ôl at y tacsi. Gwyliodd Mags y goleuadau'n diflannu yn y pellter. Roedd y gwin wedi gwneud i'w phen nofio, ond gallai gysgu'n hwyr fory ac ymlacio tipyn cyn i Rhys ddod adref.

Wyddai Rhys ddim bod y ddau wedi cael swper gyda'i gilydd gan nad oedd pwynt codi'i obeithion yn ddiangen. Aroglodd Mags aftershêf Steve ar ei dillad, yna tynnodd anadl hir cyn troi'r allwedd yn nrws y tŷ. Trodd y golau bach ymlaen yn y cyntedd cyn stopio'n stond a syllu ar y grisiau. Oerodd ei chalon. Yno, driphlith draphlith ar hyd y grisiau roedd cregyn bychan. Sadiodd Mags ei hun yn erbyn y wal. Syllodd eto drwy'r gwyll ar y dwsenni o gregyn bach gwynion wedi'u taflu ar lawr fel conffeti.

Pennod 55

Daeth sŵn y chwerthin i glustiau Cara wrth iddi ddringo'r grisiau i lawr ucha'r llyfrgell. Roedd Seimon yn eistedd ar y ddesg a Leusa'n sefyll wrth ei ymyl. Caledodd cyhyrau gên Cara wrth eu gwylio a symudodd Leusa draw ychydig wedi iddi ei gweld. Roedd ganddi'r ddawn i edrych yn euog, fel petai hi newydd fod yn gwneud rhywbeth na ddylai, hyd yn oed os nad oedd hi. Gwenodd yn gynnil ar Cara.

'Haia!' Gwenodd Seimon arni. 'Gwrddes i â Leusa ar y stryd ac fe gerddon ni 'ma 'da'n gilydd.'

Ceisiodd Cara edrych fel pe na bai hi'n poeni. Roedd y Llyfr yn dynn o dan ei chesail.

'Ti'n barod 'te?' gofynnodd Seimon.

'Dim fel'ny,' atebodd Cara'n hollol fflat.

Cofiodd pa mor flinedig y teimlai'r tro diwethaf y gwnaeth gynnig ar yr arbrawf. Roedd pob asgwrn yn ei chorff yn gwynio a rhyw drymder ym mhob cymal, fel pe bai ei chorff yn datgymalu.

'Gwell i ti baratoi dy hunan 'de… ' meddai Leusa gan gnoi darn o gwm.

Doedd cau ei llygaid ac archwilio teimladau mor bersonol o flaen Leusa ddim yn rhywbeth y teimlai Cara y gallai hi ei wneud.

'Drychwch, wi ddim yn meddwl bod hyn yn mynd i weithio. A ma ise tawelwch a… '

'Gei di dawelwch,' meddai Seimon.

'Unrhyw beth ti ise,' ychwanegodd Leusa, er mawr syndod i Cara.

'Ond wi'n dal ddim yn... '

'Jest tria,' meddai Leusa.

''Cymera i nodiade,' meddai Seimon.

Doedd Cara ddim yn gwybod beth i'w wneud. Symudodd ei phwysau'n ansicr o un droed i'r llall.

'Ond sut byddwn ni hyd yn oed yn gwbod a yw e 'di gweithio?' gofynnodd Cara.

Cododd Seimon ei ysgwyddau. 'Dim syniad. Falle teimli di rywbeth.'

Edrychodd Cara arno'n ansicr.

'Plis Cara... ' roedd Seimon yn erfyn arni erbyn hyn.

Toddodd Cara. Dim ond Cara allai wneud hyn. Eisteddodd wrth y bwrdd a'i chefn at y ddau. Doedd hi ddim yn siŵr pam ond fe benderfynodd osod y Llyfr yn ei chôl gan fod yn rhaid iddi gau ei llygaid. Gwrandawodd ar ei hanadl. Ceisiodd ymlacio. Ceisiodd ganolbwyntio. Chwiliodd yn y tywyllwch am wyneb ei mam. Gallai glywed anadlu Seimon y tu ôl iddi ac ysgyfaint swnllyd Leusa. Ceisiodd eu hanwybyddu. Ei mam. Ei hwyneb. Sŵn anadlu. Ceisiodd eistedd yn llonydd ond doedd hi ddim yn gyfforddus. Efallai eu bod nhw'n edrych yn slei ar ei gilydd y tu ôl i'w chefn. Yn cyfnewid edrychiadau bach swil. Agorodd Cara'i llygaid a sefyll.

'Sori, wi'n ffaelu neud e,' meddai gan gerdded at y drws.

'Cara?' Clywai lais Seimon y tu ôl iddi.

'Cara, plis!' llefodd Leusa. Roedd ei llais wedi newid. Bellach roedd e'n ansicr ac yn blentynnaidd. Trodd Cara'n araf i'w hwynebu.

'Plis, Cara.'

Roedd Leusa'n sefyll y tu ôl iddi a'r un olwg yn ei llygaid ag a welsai'r noson honno ar y fainc y tu allan i'r tŷ.

'Fi'n ffaelu canolbwyntio, a dyw e ddim yn mynd i weithio,' meddai Cara'n bendant.

'Ma'n werth treial, Cara, plis.'

Safai Seimon y tu ôl i Leusa yn syllu arni. Edrychodd Cara i fyw ei lygaid.

'Jest treial. Os o's unrhyw siawns y gweithith pethe... Ti'n siŵr o fod eisie gwbod,' ymbiliodd Leusa

Doedd Cara erioed wedi clywed Leusa'n siarad fel hyn o'r blaen. Meddyliodd am ei hwyneb sbeitlyd arferol.

'Wi jest ddim ise, olreit?' Trodd Cara a dechrau cerdded i ffwrdd.

'Boddi 'nes i...' daeth llais Leusa o'r tu ôl iddi. Stopiodd Cara gerdded. Roedd anadlu Leusa'n anghyson.

'Boddi... ' meddai Leusa eto. 'Y fenyw 'na welest ti... 'Nes i roi'n enw yn y papur. Gofyn am wybodaeth. 'Na shwt gwrddes i â Seimon. O'n i ise ffindio rhywun oedd yn gwbod beth ddigwyddodd.'

Trodd Cara i'w hwynebu a sylwi bod dwylo Leusa'n crynu.

'O'n i'n cofio mod i wedi boddi ond dim mwy 'na 'ny...'

Cofiodd Cara iddi orfod dihuno Leusa'r noson honno pan gafodd drafferth i anadlu. Yn methu'n deg â chael ei hanadl yn ei chwsg. Roedd hi siŵr o fod yn cofio'r dŵr yn llenwi ei hysgyfaint.

'Ymatebodd y fenyw 'na i'r papur. O'n i'n dreifo ar hyd yr hewl a'r miwsig mlân. Daeth y fan 'ma tuag ata i'n rhy glou. Dyn ar ras i fynd adre i gael ei swper.' Roedd ei llais yn crynu erbyn hyn. 'Triodd e frêco ond methu. Gorffes i droi i'w osgoi e ac es i drwy'r clawdd. Troiodd y car ar ei do a glanio yn yr afon.'Nes i ddim marw'n syth. O'n i'n fyw.'

'B... beth am y fenyw arall?'

'Darllenodd hi am yr achos yn y papur, cyn marw. O'n i ddim ise'i chredu hi... mod i 'di mynd. Jest fel'na. Heb reswm.' Closiodd Leusa at Cara. 'Ti'm yn gweld, Cara? Gadawodd y dyn 'na fi. O'n i'n fyw. A'r car yn llenwi'n ara bach â dŵr. Tase fe ond wedi aros... yn lle dianc. Weles i fe o'r car, yn dod mas o'i fan. Yn pipo drwy'r twll yn y clawdd ac wedyn... glywes i e'n gyrru i ffwrdd. A finne'n sownd yn y car a'r dŵr yn codi ac yn codi...'

Oerodd Cara wrth feddwl am y peth. Meddyliodd am gael ei gadael fel'na i foddi, a rhywun yn gyrru adre at ei swper, at ei deulu, ac yn ceisio esgus bod popeth yn iawn.

''Na pam wi ise rhoi un arwydd. Gweud wrthon nhw pwy oedd e. Dy'n nhw ddim hyd yn oed yn chwilio am unrhyw un, Cara.'

Syllodd Cara ar y llawr.

'Plis... ' Roedd y dicter wedi diflannu o lais Leusa wrth iddi ymbilio. Teimlodd law anghyfarwydd Leusa ar ei llaw hithau.

'Cara?' gofynnodd Seimon.

Cytunodd Cara mewn tawelwch.

Efallai ei fod e'n werth rhoi cynnig arall arni. Cerddodd Cara'n ôl at y bwrdd a gosod y Llyfr wrth ei hymyl. Ceisiodd ymlacio'i hysgwyddau eto a thynnu anadl ddofn. Meddyliodd am ei mam – y llinynnau arian a'r llinyn cnawdol. Roedd hi'n cael gwell llwyddiant y tro hwn. Oedd, roedd hi'n dechrau clywed y galon. Y tywyllwch. Suddodd ymhellach i'w hisymwybod. Suddodd ymhellach i isymwybod ei mam. Anghofiodd y cyfan am y llyfrgell ac am Seimon, am Leusa ac am yr afon. Cofiodd am arogl ei mam. Y lle y deilliodd hi ohono yn y lle cyntaf. Meddyliodd am ei chynhesrwydd, am ei gofal. Roedd hi'n dechrau teimlo'n agosach ati. Yna, yn y tywyllwch, gallai arogli rhywbeth. Arogl cyfarwydd. Arogl ei mam. Roedd hi'n agos ati erbyn hyn. Gallai hi bron teimlo'i hun yn ei chyffwrdd. Yn lapio'i breichiau amdani. Dechreuodd symud ychydig o aer o'i chwmpas â'i breichiau. Tynnodd arogl ei mam yn ddwfn i'w hysgyfaint. Meddwodd arno. Symudodd yn bwrpasol ac aildrefnu'r aer o'i chwmpas â'i dwylo. Gwyliodd Leusa a Seimon hi mewn tawelwch. Gallai ei theimlo. Gallai ei gweld. Roedd hi'n gorwedd yn ei gwely. Gallai weld siâp ei chorff. Amlinelliad ei chorff. Cyflymodd calon Cara, ond roedd y straen yn ormod a chur pen yn dechrau lledu'n beryglus dros ei thalcen. Roedd hi'n anadlu'n drwm a'r chwys yn drwch oer ar ei chefn.

'Cara? Cara?'

Agorodd Cara'i llygaid. Roedd hi ar ei phengliniau ar y llawr erbyn hyn yn cydio yn ei phen. Roedd Seimon yn penglinio wrth ei hymyl a Leusa ar yr ochr arall. Edrychodd Cara'n ddryslyd o'r naill i'r llall. Helpodd y ddau hi i godi.

Sychodd Leusa'i thalcen â'i llaw. 'Ti'n iawn?'

Nodiodd Cara. Eisteddodd y tri'n agos at ei gilydd wrth i Cara ddod ati'i hun.

'Beth welest ti?' gofynnodd Leusa.

'Sa i'n gwbod yn iawn,' atebodd Cara a'r cur pen yn dal i guro'i thalcen fel morthwyl.

'Ti'n meddwl lwyddest ti?'

Gwyddai Cara ei bod wedi llwyddo i wneud rhywbeth, er doedd hi ddim yn gwybod beth yn union.

'Deimlest ti unrhyw beth?'

'Dim ond gweld y tywyllwch a chlywed sŵn calon a theimlo symud. Sa i'n gwbod sut ma disgrifio… '

‘Ma’n rhaid ti dreial ’to… ’ meddai Leusa.

‘Wi’n credu’i bod hi ’di ca’l digon am heddi,’ meddai Seimon.

‘Tasen i wedi ca’l gafel yn y Llyfr ynghynt, bydde ’da fi fwy o egni,’ meddai Cara.

‘Paid becso, ma digon o amser i ga’l,’ cysurodd Seimon hi.

‘Oes e?’ gofynnodd Leusa.

‘Oes,’ atebodd Seimon gan edrych arni.

‘Well i fi fynd â ti adre,’ meddai Leusa gan edrych ar Cara’n bryderus. Syllodd hithau’n ôl arni. Roedd hi wedi blino gormod i anghytuno.

Ddywedodd y ddwy ’run gair yr holl ffordd adre ac roedd Cara’n difaru iddi ddangos ei gwendid o flaen Leusa. Doedd neb adre heblaw am Lili’n gorwedd yn anghysurus ar ei bync a Beth yn y gegin a’i chefn atyn nhw, yn prysuro’r te. Wedi cyrraedd, gwelsant ddyn yn edrych i mewn drwy ddrws y tŷ. Dyn a chanddo lygaid marwaidd. Edrychodd Leusa arno, gan feddwl ei fod yn y tŷ anghywir. Digwyddai hynny’n aml gan fod y tai mor debyg. Gwenodd ar y ddwy cyn ymddiheuro o dan ei anadl a cherdded i ffwrdd. Allai Cara ddim meddwl am wneud dim heblaw gorwedd a chysgu.

PENNOD 56

'Mags!' Cododd Tim ei ben o'i waith papur.

'Beth ti'n neud fan hyn? Stedda.'

Roedd Mags wedi mynnu cael ei weld, ac er bod yr ysgrifenyddes wedi ei siarsio i eistedd ac aros, roedd hi wedi sleifio i swyddfa Tim y tu ôl i'w chefn. Safodd o'i flaen a'i llygaid yn wyllt. Doedd hi heb gysgu winc ers sawl noson.

'Mags?'

Cododd Tim a cherdded tuag ati, yn rhannol i'w sadio ychydig a'i harwain at gadair ac yn rhannol i weld a oedd arogl alcohol ar ei hanadl gan ei bod yn ymddwyn mor rhyfedd.

'Ffonia i am baned nawr.'

Eisteddodd Mags ar y gadair ledr ar gyfarwyddyd Tim.

'Ma hi 'nôl,' meddai Mags a'i llygaid yn pefrio.

'Pwy?' gofynnodd Tim gan droi i'w hwynebu.

'Cara.'

Ceisiodd Tim osgoi dangos unrhyw syndod. Pwyllodd cyn dweud wrthi, 'Mags, ti'n gwbod… '

'Wi'n gwbod beth ti'n mynd i ddweud. Ma'r peth yn amhosib. Ma hi 'di mynd. Ma'n bryd i mi dderbyn y peth.'

'Wel…'

'O'n i wedi bod mas 'da Steve a phan ddes i adre, fan'na o'n nhw… ' Roedd Mags yn ymwybodol ei bod hi'n parablu. '… Ar y grisie.'

Cododd Tim ei aeliau.

'Cregyn, Tim. Cregyn bach.'

Siglodd yntau ei ben mewn penbleth.

'O'n i wedi'u claddu nhw mewn bocs ar y traeth. Cregyn Cara, rhai rodd hi 'di'u casglu. Ond y noson o'r blân ro'n nhw'n ôl yn y tŷ.'

'Gad i fi ga'l hyn yn strêt. Odd cregyn Cara wedi ymddangos yn y tŷ er bo ti 'di'u claddu nhw?'

Nodiodd Mags. 'Wi'n gwbod 'i fod e'n swnio'n… '

'Rodd y ddau ohonoch chi wedi bod yn yfed, Steve a ti.'

Stopiodd Mags siarad. Syllodd ar Tim mewn anghrediniaeth. 'Tim? Dyw hyn ddim yn… '

'Fuoch chi'n yfed?' gofynnodd Tim eto.

'Wel, do ond… '

'Mags, ma'n rhaid i ti stopio hyn.'

Doedd Steve ddim wedi'i chredu hi, chwaith. Doedd ganddi ddim syniad beth oedd hi'n ei wneud yma, a dweud y gwir, ond roedd yn rhaid iddi ddweud wrth rywun.

'Ond dim 'ny'n unig. O'n i'n gorwedd ar y gwely ac odd hi 'na.'

'Yn lle?' gofynnodd Tim eto.

'Yn 'yn stafell i… rodd 'na gwmwl yn arogli'n gwmws 'run peth â hi. Dim ond hi oedd yn gwisgo'r persawr 'na. Odd e ymhobman o gwmpas y tŷ.'

Cododd Tim a cherdded tuag ati. Penglinodd o'i blaen a chydio yn ei dwylo. 'Mags…'

'Hi oedd hi, ti'n gweld, Tim. Odd hi'n treial gweud rhywbeth wrtha i. Wi'n gwbod 'i bod hi. Fe gladdes i gwpwl o'i phethe hi ar y traeth… i ga'l dweud ffarwél… neu rywbeth fel'na… a nawr ma nhw'n dod yn ôl i'r tŷ.'

Sylwodd Mags fod rhyw dosturi yn ei lygaid. Tynnodd ei dwylo i ffwrdd.

'Paid! Paid ag edrych arna i fel'na. Wi *ddim* yn dychmygu'r pethe 'ma. Ma rhaid i chi chwilio'n fanylach. Ma hi'n dod yn agosach. Ti'm yn gweld?'

Gwibiai llygaid Mags i bob cyfeiriad ac roedd perlau o chwys oer ar ei thalcen wrth iddi godi a cherdded o gwmpas yr ystafell. 'Ddylen ni ddim fod wedi ildio, ti'n gweld, Tim. O'n i wedi dechre anghofio. Wedi dechre symud mlân. O'n i'n gwbod bod e ddim yn teimlo'n iawn. Ac o'n i'n iawn. Ma hi mas 'na. Wedes i a wedes i wrthot ti 'i bod hi mas 'na. Ond dodd neb yn gwrando a nawr wi'n gwbod.'

Cododd Tim ar ei draed. 'Mags, ti wedi bod yn neud mor dda. Meddylia am Rhys… '

Safodd Mags yn ei hunfan.

'Wi ddim yn meddwl am ddim byd arall ond am Rhys. Ma hawl 'da fe gael 'i chwaer 'nôl. Unwaith y dealla i beth ma hi'n treial 'i ddweud…'

Astudiodd Tim hi am ychydig.

'Fe gladdest ti rai o'i phethe hi ar y traeth?' holodd.

Nodiodd Mags.

'A nawr ma nhw 'nôl yn y tŷ?'

'Wel, rhai ohonyn nhw.'

'Ti'n meddwl…'

'Plis, Tim. Wi'n gwbod.'

Casglodd Tim ei allweddi oddi ar y bwrdd cyn cerdded at y drws.

'Ble ti'n mynd?' gofynnodd Mags.

'Wel, does ond un ffordd o setlo hyn. Ewn ni i chwilio am y bocs.'

Daliodd Tim y drws ar agor i Mags a cherddodd honno'n ufudd drwyddo.

Roedd y traeth yn wag a'r ymwelwyr olaf yn dechrau gadael, wrth i'r tywydd barhau i fod yn wlyb. Roedd hi'n bwrw glaw pan gyrhaeddodd car yr heddlu lan y môr. Agorodd Tim fŵt y car ac estyn am raw. Cerddodd y ddau at y llecyn lle claddodd Mags y tun. Dechreuodd Tim glirio'r cerrig mawrion a chladdu'i raw'n ddwfn i'r tywod ond doedd dim sôn am unrhyw beth. Dechreuodd balu ychydig i'r dde ac i'r chwith o'r llecyn. Roedd yntau'n eitha siŵr na fydden nhw'n dod o hyd i ddim byd ond roedd yn rhaid iddo chwilio rhag ofn bod rhywun yn chwarae rhyw jôc uffernol ar Mags. Cloddiodd y ddau am ryw hanner awr, a Mags yn aflonyddu fwyfwy bob munud.

'Mae e 'ma,' meddai hi. 'Wi'n siŵr ei fod e.'

Sganiodd hithau'r tywod tra cymerodd Tim arno fod yn rhaid iddo fe wneud galwad ar radio'r car. Caeodd y drws ac eistedd yn y car gan wylio drwy'r ffenestri stemiog ar Mags yn dal i gerdded yn ôl ac ymlaen ar y traeth heb sylwi ei bod yn pistyllo bwrw. Pwysodd Tim y rhifau priodol ar ei ffôn. Byddai'n rhaid iddi gael help. Roedd hi'n amlwg yn colli ei phwyll. Byddai angen gorffwys arni a thriniaeth efallai mewn uned arbennig. Byddai'n rhaid iddi dderbyn yr help yn erbyn ei hewyllys cyn gynted ag y byddai'r gwaith papur wedi'i drefnu. Gwrandawodd ar sŵn y ffôn yn deialu. Byddai'r uned yn gwbod beth i'w wneud â hi. Wedi siarad â'r ddynes fe chwiliodd am rif Steve. Byddai'n rhaid iddo fe ofalu am y bachgen am y tro. Nes bod ei fam yn gwella.

PENNOD 57

Doedd Cara ddim wedi dod ati'i hun yn iawn ers iddi drio cysylltu â'i mam yn y llyfrgell. Y dyddiau hyn, byddai'n eistedd ar y wal o flaen y tŷ am oriau heb ddweud gair wrth neb. Roedd hi'n llwyd ac yn denau, a rhyw olwg farwaidd yn ei llygaid. Syllai Ifan arni drwy'r ffenest ar ôl cael brecwast yng nghwmni Mari, ond siglo'i ben wnaeth ef yn y diwedd a throi'i gefn arni. Edrychai Leusa arni, serch hynny a'i llygaid yn llawn gobaith, yn ysu am iddi fod yn barod i drio cysylltu unwaith eto. Roedd amser yn prinhau – gallai Cara deimlo hynny, a hithau'n gwanhau. Roedd y cur pen yn dal yno, ac ni allai wneud dim ond eistedd a chydio yn y Llyfr a'i deimlo rhwng ei bysedd. Byddai hi'n cerdded wedyn i'r parc, lle roedd ysbryd yr eglwys. Roedd hi'n dawel yno ac eisteddai â'i choesau wedi'u croesi, nes bod y golau'n colli'i afael ar y dydd.

Doedd Mags ddim wedi dod ati'i hun yn iawn ers iddi gael ei chludo i'r uned ofal. Fe gafodd gyffuriau i leddfu pethau dros dro. Ar ôl codi, eisteddai ar bwys y ffenest yn edrych allan dros y môr heb ddweud gair wrth neb. Roedd hi'n llwyd ac yn denau a rhyw olwg farwaidd yn ei llygaid. Syllai'r nyrs arni drwy'r ffenest yn y drws weithiau cyn siglo'i phen a throi'i chefn arni. Byddai Steve yn edrych arni weithiau a'i lygaid yn llawn gobaith, yn ysu am iddi fod yn barod i gysylltu ag ef eto. Roedd amser yn prinhau – gallai Mags deimlo hynny a hithau'n gwanhau. Roedd y cur pen yn dal yno wrth feddwl am Cara, ac ni allai wneud dim ond eistedd a chydio mewn llun ohoni a'i deimlo rhwng ei bysedd. Byddai hi'n cerdded wedyn i'r capel o fewn yr uned, ac eisteddai yno, â'i choesau wedi'u croesi, nes bod y golau'n colli'i afael ar y dydd.

Yn yr hwyrddydd fe gododd Cara ar ôl bod yn eistedd ar y glaswellt drwy'r dydd. Doedd neb ar gyfyl y lle. Roedd yn rhaid iddi drio eto, cyn i'w nerth ddiflannu'n gyfan gwbwl. Unwaith eto. Dim ond un waith. Un arwydd oedd ei angen ac fe fyddai pob dim yn iawn. Roedd awel wedi codi, ac am y tro cyntaf erioed teimlodd Cara fod y gwynt yn anghynnes. Edrychai'r awyr yn rhyw liw llwyd metalaidd, a'r gwres arferol yn teimlo fel petai'n beryglus o agos at droi'n fellt a tharanau. Chwipiodd yr awel o'i chwmpas gan godi'i gwallt tywyll o gwmpas ei hysgwyddau. Edrychai ei hwyneb yn dryloyw o welw bron. Caeodd ei llygaid, gan geisio gwrando ar ei hanadl ei hun. Roedd hwnnw'n fwy llesg erbyn hyn, yn fwy bas. Caeodd y byd allan a theimlodd y boen arferol yn dychwelyd i'w thalcen. Meddyliodd am ei mam. Meddyliodd am ei hwyneb. Am ei gwenau. Meddyliodd am ei henaid. Am ei chyfansoddiad. Am bob cell yn ei chorff ac am bob atom ym mhob cell. Meddyliodd am y llinynnau arian ac am y llinyn cnawdol. Gwrandawodd yn astud a'r guriad cyson ei chalon, a theimlodd rhyw gynhesrwydd – yr un cynhesrwydd ag a deimlai pan fyddai ei mam yn ei gosod ar ei bron pan oedd hi'n ddim o beth. Meddyliodd amdani hithau'n ferch fach. Yn ferch fach fach fel doli. Teimlodd yr awydd i symud, ei breichiau. Eu symud yn urddasol a'i meddwl wedi'i serio'n eglur ar ei mam. Roedd hi'n mynd yn ddyfnach. Yn suddo. Gallai deimlo ei mam o'i chwmpas a phob tamaid ohoni wedi'i amgylchynu ganddi.

Yn yr hwyrddydd, fe gododd Mags ar ôl bod yn eistedd yn

y capel drwy'r dydd. Doedd neb ar gyfyl y lle. Hyrddiai'r glaw yn erbyn ffenest wydr liwgar y capel gan ddangos Duw, mewn cwmwl o olau, yn estyn i lawr i gyffwrdd â thalcen ei fab ar y ddaear. Syllodd Mags ar y lliwiau am ychydig a'i chorff yn teimlo'n drwm. Roedd ganddi gur yn ei phen, un na chawsai ei debyg erioed o'r blaen, rhyw deimlad fel pe bai rhywbeth anferthol yn gwasgu arni. Rhwbiodd ei phen â'i llaw am eiliad, a golau amryliw'r gwydr yn cael ei adlewyrchu ar ei chroen. Edrychodd ar wyneb llonydd yr Iesu cyn cau ei llygaid. Roedd ei hanadlu'n fwy llesg y diwrnodau hyn, yn fwy bas. Meddyliodd am Cara. Am ei hwyneb. Am ei gwenau. Meddyliodd am bopeth amdani. Meddyliodd am ei henaid hi. Am bob cell yn ei chorff hi. Hithau'n groten fach fach. Yn groten fach fel doli yn ei breichiau a hithau'n ei gwasgu at ei bron. Y cnawd brau yn ei bysedd. Roedd hi eisiau symud. Eisiau symud a cherdded. Agorodd Mags ei llygaid a dechrau cerdded, fel petai hi mewn breuddwyd. Symudodd yn araf at y drws a cherdded drwyddo. Symudodd yn reddfol, fel petai rhywbeth yn ei harwain, heb sylwi ar y mellt a'r taranau yn hollti'r awyr dros yr hen adeilad. Anwybyddodd y sgrechian a'r wylo a ddeuai o'r ystafelloedd eraill. Agorodd y drws i'w hystafell. Symudodd trwy'r tywyllwch at y ffenest a'i hagor. Teimlodd y gwynt ar ei hwyneb a'r awel aflonydd yn chwipio'r llenni. Yna, fe drodd ac edrych ar y gwely gwyn, tebyg i'r un yn ystafell Cara, gan wybod bod pob modfedd ohoni wedi'i hamgylchynu gan Cara. Yno, yn gorwedd fel croes ar y gwely sengl roedd doli. Doli fach a'i gwallt wedi'i dorri'n flêr â siswrn ac wedi'i ail-ludo yn ei le. Doli fach a'i gwên sathredig yn syllu ar Mags drwy'r gwyll.

Safodd Cara gan ddal ei breichiau allan yn y tywyllwch a'r gwynt yn codi'i dillad o'i hamgylch. Roedd hi'n hedfan. Yn hedfan rhwng dau fyd. Roedd ei meddyliau hi'n toddi o'i chwmpas, ond doedd dim ots. Roedd hi yno. Gallai glywed anadl ei mam. Gallai deimlo curiad ei chalon o'i chwmpas. Roedd hi'n ddiogel. Yn ddiogel yn ei breichiau. Yn ei chwmni. Gwyddai ei mam ei bod hi yno, teimlai'n sicr o hynny. Daeth gwên i'w hwyneb. Ar ôl yr holl fisoedd, roedd hi adre. Adre gyda'i mam. Dyma beth y bu'n chwilio amdano ers gadael y traeth. Y teimlad yma. Roedd e fel cyffur. Yn hongian yn yr awel fel cudyll. Dim cyffrad. Dim cryndod. Aros yno. Aros am funudau anhygoel. Roedd hi wedi llwyddo, ac fe wasgodd ei hun i mewn i bob modfedd o'i mam. Llenwodd bob darn ohoni. Treiddiodd i'w hymennydd ac i'w gwaed a theimlodd ei hun yn cael ei llenwi gan ryw heddwch rhyfeddol. Heddwch nad oedd wedi'i deimlo ers gadael y byd.

Safodd Mags gan ddal ei breichiau allan o'i blaen a'r llenni gwynion yn chwifio yn y tywyllwch o'i chwmpas. Roedd hi wedi llyncu'r tabledi bach crwn gwyn un ar y tro, fel bara'r cymun. Doedd yr uned yma ddim yn gaeth. Er bod y nyrsys yn ceisio bod yn ofalus câi'r tabledi eu gadael ar droli yn y coridor wrth i'r nyrsys droi at gleifion eraill. Roedd hi'n hedfan. Yn hedfan rhwng dau fyd. Roedd ei meddyliau hi'n toddi o'i chwmpas, ond doedd dim ots. Roedd hi bron yno. Gallai glywed anadl Cara. Gallai deimlo curiad ei chalon o'i chwmpas. Roedd hi'n ddiogel. Yn ddiogel yn ei breichiau. Yn ei chwmni. Gwyddai Cara ei bod hi yno, teimlai'n sicr o hynny. Daeth gwên i'w hwyneb. Ar ôl yr holl fisoedd, roedd hi adre. Adre gyda'i mam. Dyma beth y bu'n chwilio amdano ers gadael y traeth. Y teimlad yma. Roedd e fel cyffur. Yn hongian yn yr awel fel cudyll. Dim cyffrad. Dim cryndod. Aros yno. Aros am funudau anhygoel. Roedd hi wedi llwyddo, ac fe wasgodd ei hun i mewn i bob modfedd o'i merch. Llenwodd bob darn ohoni. Treiddiodd i'w hymennydd ac i'w gwaed, a theimlodd ei hun yn cael ei llenwi gan ryw heddwch. Heddwch a oedd yn eiddo iddi wrth adael y byd.

'Mam!'

'Cara!'

Agorodd Cara'i llygaid. Roedd hi bron â chyrraedd. Syllodd drwy'r tywyllwch. Roedd wynebau'r angylion yn dal yn llonydd o gwmpas drws yr eglwys. Roedd yn rhaid iddi fynd i'w chyfarfod. Plygodd a chydio yn y Llyfr cyn rhedeg nerth ei thraed drwy'r parc. Chwipiodd yr adeiladau heibio iddi. Ni allai feddwl am ddim byd, heblaw am ei mam. Teimlodd Cara rywbeth anghyfarwydd. Dafnau glaw. Doedd hi erioed wedi'u gweld yn yr Arhosfyd o'r blaen. Dafnau mawrion yn cwympo'n drwm yn y llwch ar ganol y stryd. Dechreuodd dywyllu'n gyflym ac fe ddaeth ambell un allan o gaffi cyfagos i edrych ar y glaw. Rhedodd Cara heibio'r siopau a'r swyddfeydd. Heibio i Ofalwyr yn eu siwtiau glas golau. Rhedodd heibio ambell i newydd-ddyfodiad a'u llygaid yn goch. Rhedodd heibio i barciau a llefydd bwyta. Rhedodd ymlaen at y ffens a'r cytiau bach a swatiai'n dywyll ar ei gwaelod. Roedd yno gannoedd o bobl yn dal i gyrraedd yr Arhosfyd, hyd yn oed adeg yma o'r nos.

Roedd y ddau ddyn mewn du yn dal yno yn sgwrsio â rhyw Ofalwr am y glaw. Edrychai'r tri ohonynt i fyny i'r awyr heb erioed weld y fath dywydd yn yr Arhosfyd. Piciodd Cara y tu ôl iddynt, a rhedeg drwy'r cwt pren allan tuag at y gwagle yr ochr draw. Rhedodd am y clogwyn ac anelu am y rhaff sigledig a fyddai'n ei harwain yn ôl i'r traeth. Daeth ar draws yr hafn o olau a welsai'r tro cyntaf. Meddyliodd yn gyflym. Efallai y byddai hon yn ei harwain yn syth i'r traeth. Caeodd ei llygaid a'i hysgyfaint yn tynnu. Camodd i lawr i'r gwynder a theimlo, er ryddhad iddi, risiau'n ymddangos o dan ei thraed. Y tu ôl iddi fe ddilynai ffigwr tywyll hi o bell.

Agorodd Mags ei llygaid. Roedd hi bron â chyrraedd. Syllodd drwy'r tywyllwch. Roedd yn rhaid iddi ei gweld hi. Plygodd a chydio yn y ddoli cyn rhedeg nerth ei thraed i lawr y coridor. Chwipiai'r ystafelloedd heibio. Allai hi ddim meddwl am ddim byd arall, dim ond am Cara. Roedd yna ddau Ofalwr wrth y drws yn sgwrsio am y glaw. Rhedodd Mags y tu ôl iddyn nhw, ac erbyn iddyn nhw sylwi arni a dechrau gweiddi, roedd hi ymhell i lawr y stryd. Teimlodd Mags y dafnau glaw yn cwympo'n drwm ar y stryd. Dechreuodd pobman dywyllu'n gyflym ac fe ddaeth ambell un allan o gaffi cyfagos i edrych ar y glaw. Rhedodd Mags heibio i'r siopau a'r swyddfeydd. Rhedodd heibio i barciau a'r llefydd bwyta. Rhedodd ymlaen at y môr. Roedd ei hysgyfaint yn tynnu. Roedd y cyfan yn dechrau troi'n las golau. Y cyfan yn wynder glân. Ei chorff yn dechrau diffygio'n ara bach. Camodd i lawr i'r traeth a theimlo'r grisiau'n ymddangos o'r tywyllwch dan ei thraed.

Camodd Cara allan ar y traeth. O'i hamgylch, fe godai cannoedd o bobl eu pennau o'r swnd, pob un â'r un llygaid cochion yn syllu arni drwy'r tywyllwch. Roedd hi'n amhosib clywed unrhyw beth dros sŵn y tonnau a daranai yn erbyn y stribyn cul o dywod. Dawnsiai'r ewyn gwyn yn beryglus ar fin y tonnau a hyrddiai'r gwynt aflonydd o'i chwmpas gan wthio a phlycio'i chorff yn ôl ac ymlaen wrth iddi frwydro i sefyll yn llonydd. Gwyliodd Cara wrth i bob person ymffurfio'n ara bach ar y swnd. Rhai'n gorwedd ar eu cefnau yn y tywyllwch, eraill yn ceisio crafu'u ffordd i fyny'r swnd â'u dwylo. Rhai'n chwydu dŵr hallt. Eraill yn eistedd yn amyneddgar am eu Gofalwyr. Pob un yn anymwybodol o'r gweddill. Byddai'r Gofalwyr yn symud drwy'r cyrff gan chwilio am yr un priodol. Rhuthrodd Cara o berson i berson gan edrych ar eu hwynebau cyn rhedeg a chwilio am y nesa. Yna, fe'i gwelodd hi. Stopiodd Cara'n stond. Roedd hi'n cerdded ar y traeth, yn gweiddi'i henw. Er ei bod hi'n dryloyw, doedd dim amheuaeth mai hi oedd hi. Ei thraed yn stryffaglu yn y swnd ac yn baglu dros ei gŵn nos. Rhuthrodd Cara tuag ati a'i chalon yn torri.

'Mam! MAM!' gwaeddodd Cara, ond daliai Mags i syllu'n wyllt heibio i'w merch.

'Fi fan hyn! MAM!' Roedd llais Cara'n groch wrth iddi gystadlu yn erbyn sŵn y môr. Roedd y glaw wedi'i gwlychu hyd at ei chroen a'i bochau'n oer. Dechreuodd grynu.

'MAM!' Cododd Cara'i llaw. Roedd hi eisiau cyffwrdd ynddi hi, jest cyffyrddiad bach. Rhoi gwbod iddi. 'MAM!'

'Cara ! CARA!'

Clywodd Cara'r llais. Edrychodd ar wyneb ei mam, ond daliai hi i edrych dros ei hysgwydd.

'CARA!!'

Teimlodd y breichiau amdani yn ei thynnu'n ôl oddi wrth ei mam. Gwthiwyd hi ar ei chefn ar lawr â breichiau cryfion.

'Na! NA!' Brwydrodd Cara yn ei erbyn cyn troi i weld wyneb Ifan.

'Gad fi fod! Ma hi'n dod! IFAN! TI DDIM YN GWELD!'

Roedd ei mam yn pylu o flaen ei llygaid er ei bod yn dal yno.

Cydiodd Ifan yn dynnach amdani a Cara'n ei gicio a'i gnoi mewn ymgais i geisio dianc o'i afael.

'Ti'n 'i lladd hi, Cara! Edrych beth ti'n neud iddi. Ti'n 'i lladd hi!'

'Ond wi ise hi… Wi ise hi 'ma. Gyda fi… Fi ise hi!' llefodd yn dorcalonnus.

Tynnodd Ifan hi ato. Roedd hi'n sgrechian erbyn hyn, a'i hwyneb yn gynddeiriog.

'Nag wyt ddim! Gad hi fod Cara! Gad iddi fyw!'

Syllodd Cara ar ei mam. Roedd hi'n diflannu. Yn diflannu o flaen ei llygaid.

'Na! NA! Ifan plis! Ifan!'

Dim ond ei hamlinelliad oedd ar ôl erbyn hyn.

'IFAN!' sgrechiodd Cara. Chlywsai Ifan erioed sgrech debyg iddi. Daeth sŵn galar o'i pherfedd, rhyw sŵn cyntefig na wyddai Ifan ei bod hi'n bosib i unrhyw un ei greu. Sŵn y poen dyfnaf. Sŵn llinyn yn cael ei dorri a chnawd yn cael ei wahanu. Sŵn a dynnodd ddagrau o'i lygaid. Sŵn a dorrodd Cara, a'i hollti nes nad oedd dim ar ôl ond wylo tawel. Cydiodd yn dynn ym mreichiau Ifan. Tynnodd yntau hi ato a'i gwasgu wrth i Mags ddiflannu a'r tonnau duon godi'n uwch o'u cwmpas.

'Gad iddi fynd… ' sibrydodd yntau i'w gwallt. 'Gad iddi fynd.'

'Mags! MAGS!'

Sgrialodd Steve ar draws y cerrig mân a'r rheiny'n tasgu o dan ei draed.

'MAGS!'

Roedd hi'n gorwedd ar y swnd a'r tonnau bas yn codi o'i

hamgylch ar y traeth. Roedd ei gwallt yn wlyb a golwg bell yn ei llygaid. Pengliniodd wrth ei hymyl a chodi'i phen i'w gôl. Edrychodd hithau'n wag arno drwy'r tywyllwch.

'Mags! Mags! Ti'n iawn nawr. Bydd popeth yn iawn,' meddai Steve gan ei chysuro.

Cododd hithau ei llaw a theimlo'i wyneb.

'Ma help ar y ffordd. Byddi di'n iawn wedyn.' Gwenodd Steve arni trwy ei ddagrau. 'Ma nhw wedi'i ffindio hi, Mags. Ma nhw wedi ffindio'i chorff hi.'

Syllodd Mags ar Steve gan hanner clywed ei eiriau. Edrychodd ar siâp ei wefusau'n ynganu'r geiriau heb iddi eu deall yn iawn. Gwrandawodd wedyn ar y tonnau'n anadlu'n ddwfn ar y traeth.

'Ma nhw wedi'i ffindio hi... Fe gewn ni ei chladdu hi nawr,' meddai. 'Fe gewn ni ei rhoi i orffwys.'

'Gorffwys,' ailadroddodd Mags.

Nodiodd Steve a'i chusanu wrth i seiren yr ambiwlans atseinio dros y traeth y tu ôl iddo.

PENNOD 58

Fe gysgodd Cara'n drwm ac yn gyfforddus yn ei gwely am ddiwrnod cyfan. Eisteddai Ifan ar ei fync yntau'n darllen ac yn cadw llygad arni. Roedd e wedi'i chario'n ôl a hithau wedi dweud y cyfan wrtho, am Abel, am y Llyfr, ac am y chwilio. Roedd Ifan wedi cael gair â Leusa a'i chondemio am wthio Cara i gysylltu drosti a sleifiodd hithau o'r tŷ i gyfeiriad cartre Seimon. Ddaeth hwnnw ddim i weld Cara ac roedd Ifan yn falch o hynny. Doedd Beth ddim eisiau siarad â Cara am iddi fynd â Lili y tu allan i'r ffens. Ond fe wyddai hi cystal â neb y byddai'n maddau i Cara cyn hir gan na allai fod yn ddig wrth unrhyw un am amser hir. Beth bynnag, roedd ei dwylo'n llawn yn gofalu am Lili; byddai'r un fach yn eistedd ar ganol y lawnt heb gymryd diddordeb yn y blodau na dim ac yn gwenwyno bob cyfle a gâi hi. Cuddiodd Ifan y Llyfr o dan wely Cara, gan mai dim ond ganddi hi roedd y gallu i'w ddinistrio. Byddai'n rhaid i hynny aros.

'Ifan?'

Edrychodd Ifan dros ei lyfr. Roedd Cara wedi dihuno. Gwenodd yn wan arno.

Gadawodd Beth y tŷ tra bod Cara'n codi ac aeth â Lili am dro i'r parc. Teimlodd Cara'i thawelwch wrth iddi gerdded heibio. Cofiodd feddwl unwaith na allai neb gythruddo Beth, ond roedd hi wedi llwyddo.

Roedd Ifan yn aros amdani tu fas. Cerddodd y ddau at y tŵr gan guddio y tu ôl i ddesg wrth i'r Gofalwr gerdded heibio. Teimlodd Cara fysedd Ifan yn gafael yn ei rhai hi wrth iddo'i harwain tuag at y grisiau. Dringodd y ddau i dop y tŵr, yn arafach na chynt. Eisteddodd y ddau yn eu llefydd arferol ac edrych ar y ddinas oddi tanynt.

Roedd y glaw wedi peidio erbyn hyn a'r haul wedi sychu'r palmentydd. Er bod y tywydd yn well, roedd hi'n dal yn oer ac fe rwbiodd Cara'i breichiau i geisio'u cynhesu. Eisteddodd y ddau mewn tawelwch am amser hir.

'Ro'n i wedi troi'n ysbryd, ac yn ei phoeni hi,' meddai Cara'n dawel. 'Gallen i fod wedi'i... '

'Ond 'nest ti ddim, dyna sy'n bwysig.'

'Diolch i ti,' meddai Cara. 'Ma hi'n galaru. Wi ddim ise iddi deimlo fel'na. Wi wedi teimlo fel'na.'

Llifodd popeth yn ôl i'w meddwl ar ôl gweld ei mam. Cafodd gwsg dwfn. Cwsg naturiol. Cwsg go iawn. Dim y cwsg aflonydd a gawsai'n ddiweddar, sef cwsg yn llawn o ddynion â llygaid meirwon a symbolau a llyfrau. Cafodd freuddwydion o fath gwahanol neithiwr, yn llawn teimladau ac emosiynau, yn cynnwys un am oleudy. Goleudy'n anfon rhuban o olau dros y tonnau enfawr, golau cynnes a allai arwain unrhyw un at ddiogelwch yr harbwr. Meddyliodd Cara'n hir am y goleudy, ac wrth wneud fe deimlai'n fwy diogel.

'Fy nhad,' meddai Cara'n dawel. 'Fe fu farw e pan o'n i'n fach... ' Doedd Cara erioed wedi sôn am hyn wrth neb o'r blaen.

'Fy nhad naturiol i. Fe gaeodd Mam bopeth o'i meddwl. Esgus nad oedd e wedi bodoli o gwbwl. Damwen ar y môr oedd hi. Mas ar gwch. Bydden ni'n mynd i'r traeth wedyn, Mam a fi, a bydde hi'n edrych ar y gorwel drwy'r amser. Ro'n i wastad yn casglu cregyn, er mwyn ca'l rhywbeth i neud.'

Teimlodd Cara y swyndlysau yn ei breichled. Cydiodd yn y goleudy bach a hongiai ar y gadwyn.

'*Fe* roddodd hon i fi. Ro'n i'n ca'l tlws gwahanol bob pen-blwydd. Ond fydde Mam ddim yn siarad am y peth, dim 'da Steve, fy llys-dad, na neb. Odd Steve yn gorfod derbyn mai fe oedd ei hail gariad hi a fydde hi ddim 'da fe se Dad yn dal yn fyw.'

Eisteddodd Ifan mewn tawelwch.

'Wi ddim ise iddi deimlo fel'na rhagor.' Roedd ei llais yn torri a symudodd Ifan yn agosach ati gan roi ei fraich amdani. Edrychodd Cara arno. 'Ti'n meddwl neith Lili fadde i fi? A Beth?'

Cododd Ifan ei ysgwyddau.

'A'r ffordd 'nes i drin Lili, y pethe welodd hi… '

Doedd Ifan ddim yn gwybod beth i'w ddweud i'w chysuro. Doedd yntau ddim yn deall chwaith sut y gwnaeth y pethau hynny i Lili. Ond gwyddai pa mor gryf oedd y dynfa am adre, weithiau.

'Ma hi'n ifanc. Anghofith hi,' atebodd gan wybod bod amser y ddau gyda'i gilydd yn rhy brin i deimlo'n ddig.

Teimlai Cara'n gysurus yn ei freichiau. Roedd hi'n ddiogel yno. Gallai deimlo cyhyrau ei frest dan ei siwmper. Gallai hi doddi i mewn iddo, i'w arogl cyfarwydd, a cheisiodd beidio â meddwl am siâp ei wefusau. Aroglodd Ifan ei gwallt. Roedd hi'n agos ato a'i gwefusau ond modfeddi i ffwrdd, ond allai e ddim. Symudodd ei fraich oddi ar ei hysgwydd a theimlodd hithau ei wres yn diflannu gan wneud iddi deimlo'n noeth ac oer. Cododd yntau ac estyn llaw iddi.

'Dere, bydd Delo a Mari draw cyn hir.'

Edrychodd hithau i fyny arno. Roedd hi wedi'i wthio'n

rhy bell, wedi colli'i chyfle. Gallai weld hynny yn ei lygaid. Cydiodd yn ei law a chodi gan geisio cuddio'r siom yn ei hwyneb. Gwenodd arno gan feddwl efallai y dylai hi dreulio ychydig o amser yn siarad â Delo. Wedi'r cyfan, fel y dywedodd Beth, dim ond plentyn oedd e, tua'r un oedran â Rhys.

Cerddodd y ddau am adre, yn glòs at ei gilydd.

Cyn iddyn nhw gyrraedd y tŷ bach gwyn fe wasgodd Leusa'r sigarét i mewn i lwybr yr ardd â'i hesgid. Yna, gan fanteisio ar y ffaith nad oedd neb adre, aeth at wely Cara a chwilio am Lyfr yr Arwyddion. Cydiodd ynddo a gwenu cyn cerdded i waelod y stryd lle roedd Seimon yn aros amdani. Gwenodd yntau a'i chusanu ar ei boch cyn sleifio i'r tywyllwch.

PENNOD 59

'Cara! CARA!'

Agorodd Cara'i llygaid. Roedd Beth yn sefyll drosti ac yn ei hysgwyd.

'Cara. Ma hi wedi diflannu. Helpa ni.'

Cododd Cara'i phen yn y tywyllwch. Roedd hi'n ganol nos ac Ifan wedi troi'r golau ymlaen. Cwynai Leusa yn y bync top. Rhwbiodd Cara'i phen a sylweddoli nad oedd sôn am Lili.

'Lle ma hi?' Neidiodd Cara ar ei thraed.

'Ma hi'n cuddio'n rhywle, siŵr o fod,' meddai Ifan.

Siglo'i phen wnaeth Beth. 'Na... na, ma rhywbeth mwy na hynna...'

Llithrodd Leusa i lawr o'r bync top.

'Odd hi'n wahanol yn ddiweddar, fel 'se rhywbeth yn ei phoeni hi. Ma 'da fi deimlad... ' Powliai'r dagrau i lawr bochau Beth.

'Pa fath o deimlad?' gofynnodd Ifan.

'Alla i ddim esbonio. O'n i'n gwbod bod rhywbeth mawr...' llefodd Beth gan rwbio'i dwylo yn ei hofn.

'Ewn ni mas nawr, a down ni o hyd iddi,' meddai Ifan gan dynnu siwmper amdano.

'Dyw hi ddim yn yr ardd,' meddai Beth.

'Allith hi ddim bod wedi mynd ymhell,' ychwanegodd Cara.

'Odd hi fel'se hi'n cofio pethe'n ddiweddar,' meddai Beth. ''Na i gyd roedd hi'n neud odd llefen a neud y llun 'ma – yr un llun bob tro.'

'Pa lun?' gofynnodd Cara.

Culhaodd llygaid Leusa wrth iddi edrych ar Cara. Roedd y llun ar fync Lili. Cydiodd Beth ynddo a'i agor. Adwaenodd Cara'r llun fel yr un oedd Lili wedi ceisio'i ddangos iddi'r noson honno pan anfonodd Cara hi'n ôl i'r gwely. Tynnodd Beth ddegau o gopïau ohono allan o dan wely Lili. Syllodd y pedwar arnynt yn y golau gwan. Wyneb dyn heb siafio. Wyneb dyn â llygaid marwaidd.

'Wi'm yn gwbod pwy yw e, ond rodd arni hi ofan trwy 'i chalon,' meddai Beth.

Suddodd calon Cara. Y dyn roedd Leusa a hithau wedi'i weld wrth ddrws y tŷ. Y dyn â'r llygaid marwaidd. Y meirw. Y carchar. Roedd hi wedi'i weld o'r blaen. Yn croesi'i llwybr wrth iddi gerdded drwy'r carchar.

'Lili… ' ebychodd Cara a'i chalon yn rhewi.

Edrychodd y lleill arni. Roedd ei holl gorff yn gwingo. Roedd y dyn yn y carchar, lle câi pawb a wnaeth ddrygioni ar y ddaear eu hanfon. Roedd Cara wedi arwain llofrudd Lili yn ôl ati. Teimlodd ei choesau'n gwegian oddi tani.

'Wi'n gwbod lle ma hi… ' meddai'n gyflym gan redeg at y drws. Dilynodd Ifan hi, ac arhosodd Leusa i gysuro Beth wrth y drws.

Rhuthrodd Cara drwy'r strydoedd ac Ifan wrth ei hochr. Powliai'r dagrau i lawr gruddiau Cara.

'Do'n i ddim yn gwbod,' llefodd yn fyr ei hanadl wrth ruthro ymlaen.

'Beth? Ble ni'n mynd?'

'At y ffens, at y carchar,' atebodd. Byddai ei chalon yn rhewi pan feddyliai am beidio â chyrraedd mewn pryd.

'Cara?!'

'Aethon ni mas, Ifan i chwilio am y Llyfr. Tu fas i'r ffens. Rodd e mas 'na. Fe yw'r dyn nath ladd Lil. Dilynodd e ni 'nôl, siŵr o fod.'

'Os yw e wedi twtsh ynddi hi fe ladda i'r ffyc... ' Roedd llais Ifan yn berwi'n gynddeiriog. 'Dylet ti fod 'di gwbod yn well, Cara.'

Teimlai Cara'r euogrwydd yn ei llethu. Ei bai hi oedd hyn i gyd, gwyddai hynny. Y ffordd roedd hi wedi trin Lili a honno'n dangos dim ond cariad tuag ati.

Gallai'r ddau weld y ffens yn y pellter. Roedd meddwl mynd yn ôl i'r carchar yn ddigon i godi cyfog ar Cara ond fe redai hi drwy ddŵr a thân i achub Lili. Doedd dim modd iddo'i lladd yr eildro, ond gallai ladd ei hysbryd. Yr ysbryd bach tyner hwnnw oedd yn llawn chwerthin a rhyfeddod. Roedd hwnnw'n dal ganddi.

Doedd Lili ddim wedi gweld ei wyneb y tro cyntaf ond roedd ei hymateb pan orfododd Cara hi i gerdded drwy'r carchar yn dangos ei bod hi'n ymwybodol ei fod e yno. Doedd hi heb wrando ar Lili, gan ei bod yn canolbwyntio gymaint ar y Llyfr. Rhuthrodd Cara ac Ifan tuag at y ffens a honno'n codi'n dywyll o'u blaenau. Doedd neb yno, dim ond yr hafn golau.

'Ma hwn 'run peth yn gwmws â'r un ar y traeth,' meddai Cara.

Camodd Cara tuag at yr hafn o olau a chau'i llygaid. Teimlodd ei throed y gris oddi tani a chamodd yn is ac yn is, gan deimlo presenoldeb Ifan y tu ôl iddi. Yna, fe glywodd rhywbeth yn dod o'r gwynder. Sŵn llefen, roedd hi'n siŵr o hynny. Sŵn snwffian. Camodd yn is at waelod y grisiau, lle roedd y gwagle golau yn union o dan y ffens. Teimlodd y tu ôl iddi a chydio yn llaw Ifan. Safai'r dyn yno a'i gefn tuag atyn nhw. Teimlodd Cara Ifan yn ei gwthio hi o'r ffordd.

Cydiodd Ifan yn y dyn gerfydd ei wddf a'i dynnu i'r llawr. Rhuthrodd Cara heibio'r ddau at Lili a eisteddai ar lawr yn chwarae â'i thedi bêr a'i gŵn nos yn dal amdani. Cododd ei phen wrth iddi glywed Cara, a goleuodd ei llygaid. Cydiodd Cara ynddi a'i gwasgu at ei chalon. Trodd Cara ei phen a chuddio wyneb Lili, wrth i Ifan daro'r dyn ar draws ei wyneb. Doedd hi erioed wedi gweld Ifan fel hyn o'r blaen. Roedd y dyn yn udo llefen ac Ifan yn ei gicio yn ei ochr. O'r diwedd, camodd Ifan yn ôl a chododd y dyn yn sigledig gan stryffaglu at risiau'r carchar.

'Dere, Ifan, dere… ' meddai Cara gan dynnu ar ei fraich. Tynnodd Ifan ei fraich o afael Cara a chlywodd hithau ei gamau yn cerdded i fyny'r stepiau. Cydiodd yn Lili o freichiau Cara wrth gamu'n ôl i'r Arhosfyd heb wrando ar brotestiadau Cara. Cusanodd Lili dros ei hwyneb a sibrwd wrthi ei bod hi'n saff bellach. Ymlaciodd ei hwyneb hithau dan gyffyrddiad Ifan a Cara'n ysu am iddo ei chyffwrdd hithau yr un mor dyner. Cariodd Ifan Lili'r holl ffordd adre heb edrych yn ôl na dweud gair wrth Cara a gerddai ychydig y tu ôl iddynt.

Roedd Beth yn aros amdanynt wrth y drws a sgrechiodd a neidio pan ddaeth Ifan i'r golwg a Lili yn ei freichiau. Gwasgodd Ifan ei fys ar ei wefus i ddangos iddi fod Lili'n cysgu a rhoddodd y ferch fach yn ôl yn glyd yn ei bync. Gorweddodd Beth wrth ei hochr gan aros ar ddihun drwy'r nos i wylio'r ysgyfaint bach yn codi a gostwng gan deimlo bod yr holl fyd bellach yn ôl yn ei le.

Arhosodd Cara ar ddihun drwy'r nos hefyd, gan deimlo iddi greu anghydfod ac annibendod, a hithau'n methu dechrau amgyffred goblygiadau ei gweithredoedd.

PENNOD 60

Dyn yn mynd â'i gi am dro ddaeth ar draws corff Cara. Roedd wedi newid ei daith arferol gan droedio llwybr newydd, un mwy anghysbell nag arfer. Bu'n rhaid iddo alw'i labrador yn ôl tuag ato, a hwnnw wedi pallu dod, dim ond cyfarth a chyfarth nes bu'n rhaid iddo fynd ato yn y diwedd gan ei regi o dan ei anadl. Yr arogl a'i bwrodd yn gyntaf. Roedd yn amlwg bod rhywbeth mawr o'i le. Cydiodd yng ngholer y ci a'i dynnu'n ôl cyn cael cip ar ddilledyn wedi'i hanner gladdu yn y ddaear. Llusgodd y ci oddi yno, cyn cyfogi a rhuthro ar ras yn ôl am y llwybr gan ymbalfalu yn ei boced am ei ffôn.

Eisteddodd Mags o flaen y cwnselor gan edrych ar ei dwylo. Dangoswyd y freichled a darn o'r top iddi hi a Steve. Awgrymwyd na ddylai 'run o'r ddau weld y corff gan iddi fod yn y pridd yn rhy hir. Gwyddai Mags nad oedd Cara yn ei chorff rhagor, gan iddi ei theimlo ar y traeth y noson honno. Ond o leiaf, gallai'r ymchwiliad fynd yn ei flaen. Digon posib y byddai'r corff yn cynnig rhagor o gliwiau a gwybodaeth iddyn nhw a allai arwain at yr un a gyflawnodd y drosedd.

'Y'ch chi'n deall nad eich bai chi yw hyn?'

Edrychodd Mags ar y cwnselor. Roedd hi'n ifanc, yn ei thridegau cynnar tybiai Mags, a'i chroen yn dal yn llyfn.

'Na, wi'n gwbod.'

'A dim eich bai chi oedd i chi golli'ch gŵr cynta chwaith.'

Syllodd Mags arni gan wenu'n drist.

'Bach yn anlwcus on'd ydw i?'

'Mae problemau'n medru dechrau pan fo rhywun yn meddwl eu bod nhw'n denu anlwc. Eu bod nhw, mewn rhyw ffordd, wedi achosi i'r pethe 'ma ddigwydd.'

Meddyliodd Mags am ei gŵr cyntaf, ei chariad cyntaf a'r ffordd yr edrychodd e ar ei hôl. Ef ar dân eisiau plentyn, a hithau'n fodlon gwneud unrhyw beth i'w blesio. Cofiai'r olwg ar ei wyneb pan anwyd Cara. Hithau'n etifeddu ei hoffter o lan y môr. Ef a Cara'n mynd allan mewn cwch. Mags yn aros amdanynt ar y lan a'r bad achub yn dod o hyd i'r cwch yn y diwedd. Roedd Cara wedi disgyn i'r môr ac yntau wrth geisio ei hachub wedi troi'r cwch drosodd. Llwyddodd i'w chodi o'r môr, troi'r cwch yn ôl a gosod Cara ynddo. Ond bu'r ymdrech yn ormod iddo. Gwanhaodd a diflannu. Daethpwyd o hyd i Cara'n llefen, ar ei phen ei hun, yng nghanol y môr yn methu esbonio beth ddigwyddodd.

'Cafodd y ddau eu cymryd oddi wrtha i. Ydy hynna'n deg?'

Edrychodd Mags yn syth i lygaid y ferch ifanc. Doedd ganddi ddim profiad, dim gwybodaeth go iawn am yr hyn y siaradai amdano.

Edrychodd hithau ar Mags mewn tawelwch. 'Sa i'n gwbod, efallai fod 'na gynllun… ' dechreuodd siarad gan deimlo'n anghyfforddus.

Gwenodd Mags arni'n dawel. 'A beth dw i wedi'i neud i Dduw i haeddu hyn? Beth nath Cara? Beth nath John?'

Rhoddodd y ferch ei nodiadau i lawr.

'Ry'n ni ar ein pennau ein hunain.'

Roedd Mags yn gwybod nad oedd bai ar y ferch, ond roedd yn rhaid iddi ddod ati am ddeg sesiwn. Rhaid dweud beth oedd hon eisiau ei glywed, a dangos 'gwelliant' dros gyfnod. Chwarae'r gêm. Fyddai dim rhaid dod yn ôl ati wedyn.

'Efallai y cewch chi gyfiawnder o leia,' meddai'r ferch yn dawel.

'Falle,' chwarddodd Mags yn dawel, 'er dyw hynny'n newid dim, ody e?'

'Ond meddyliwch am eich mab, am eich gŵr. Ma'n rhaid eu trysori nhw hefyd.'

'Oes 'da chi blant?' gofynnodd Mags iddi.

Ysgydwodd y ferch ei phen.

'Ydych chi wedi colli rhywun, rhywun roeddech chi'n ei garu fwy na chi'ch hunan?'

Symudodd y ferch yn anghyffyrddus yn ei sedd.

'Dwi'n cymryd nad y'ch chi,' meddai Mags. 'Ma'n rhaid i fi fyw 'da'r ffaith mod i 'di colli 'ngŵr oherwydd damwain nad oedd yn gwneud unrhyw synnwyr. Wedyn cafodd fy merch ei saethu ac wrth i'r bywyd lifo allan ohoni, fe gafodd ei symud gan rywun oedd yn ei thrin fel darn o gig. Ei symud a'i chladdu fel sbwriel.'

Syllodd y ferch ifanc arni. Doedd dim syniad ganddi beth i'w ddweud.

'Nawr, os o's 'da chi rywbeth i'w ddweud wrtha i, i wneud i fi deimlo'n well, wel gwedwch e. Os nag oes e, dw i eisie mynd yn ôl at fy ngŵr.'

'Ma'n wir ddrwg 'da fi,' meddai'r ferch o'r diwedd.

'Wi'n gwbod ei bod hi'n iawn, a heb ddiflannu'n llwyr. Dwi'n dal i'w theimlo hi ar hyd y lle weithiau, yn union fel ro'n i'n teimlo presenoldeb John am gyfnod hir ar ôl ei golli fe. Dyna'r unig beth sy'n fy nghadw i'n gall.'

Cododd Mags yn dawel o'i chadair. Roedd y ferch ifanc wedi cydio yn ei nodiadau. 'Chi'n gwbod,' meddai wrth i Mags gerdded at y drws, 'wi wedi sylwi, ar ôl gweithio 'ma ers rhai blynydde, ei bod hi'n cymryd tua naw mis…'

Trodd Mags i'w hwynebu.

'Beth?'

'Mae hi'n cymryd tua naw mis i ddechrau dygymod â galar. Yr un faint yn union o amser ag ma hi'n 'i gymryd i ffurfio person.'

'Falle bod 'na naw mis bob ochr i fywyd,' meddai Mags.

Meddyliodd y ferch am eiliad. 'Falle.'

Gwenodd Mags arni. 'Do'n i heb feddwl amdano fel'na o'r blaen.'

Nodiodd y ferch ifanc arni a chaeodd Mags y drws ar ei hôl. Roedd Steve yn aros amdani ac wedi symud yn ôl i'r tŷ er mwyn gofalu amdani hi a Rhys. Roedd hi'n bwysig, dadleuodd, fod y teulu yn aros yn un uned ac fe fyddai yntau'n fwy na bodlon cymryd y cyfrifoldeb o ofalu amdanynt wrth i bawb ddygymod â'u sefyllfa newydd.

'Dere,' meddai Steve yn dawel gan afael ym mraich Mags. 'Ma Rhys yn ein disgwyl ni adre.'

Pennod 61

'Do's dim golwg ohonyn nhw yn unman,' llefodd Cara. Roedd hi wedi codi gyda'r wawr i gael gwared ar y Llyfr cyn iddo wneud rhagor o ddifrod, ond doedd dim sôn amdano. Doedd dim sôn am Leusa chwaith. Rhedodd Cara i'r llyfrgell ac yna i dŷ Seimon ond doedd dim golwg o'r un o'r ddau. Agorodd rhywun dierth y drws i'w dŷ a gwelodd gopïau o bapur y diwrnod hwnnw.

Wedi cyrraedd adre rhoddodd gopi o'r papur i Ifan ac fe ddarllenodd y dudalen flaen. Edrychodd ar Cara, a'r sioc yn amlwg ar ei wyneb.

'Beth? Mae e 'di sgwennu am y peth! Ma'r holl stori... yr holl fanylion... '

'Bydd pawb yn gwbod nawr. Ma hyn yn mynd i fod yn uffernol. Ma'n rhaid i ni ga'l y Llyfr 'nôl.'

'A ti 'di edrych ymhobman?'

'Bobman alla i feddwl amdano.'

'Fe ddaw pobl i chwilio am y Llyfr,' meddai Beth yn dawel.

'Beth oedd e'n dreial 'i neud?' gofynnodd Ifan mewn penbleth.

'Ise sylw. Mae e am ga'l gymaint o bobl â phosib i ddarllen y papur,' oedd sylw Cara.

'Am unrhyw bris?' gofynnodd Ifan.

'Dyw e ddim yn sylweddoli beth mae e'n neud.'

'Ar ôl beth ddigwyddodd i ti a Lili? A beth fydd yn digwydd pan fydd pawb ise defynddio'r Llyfr i'w dibenion nhw eu hunen? Ma'r Llyfr 'na'n wenwyn pur!'

'Beth newn ni?' gofynnodd Cara. 'A beth am y Gofalwyr?'

Pe bai'r rheiny'n dod i wybod am y Llyfr, gwyddai Cara y gallai hi gael ei hanfon i'r carchar.

'Ma'r ddau wedi mynd i guddio, er mwyn ca'l cyfle i ddefnyddio'r Llyfr mwy na thebyg.' Meddyliodd Cara am lygaid Leusa. Am ei hangen i anfon arwydd yn ôl. 'Do'n i erioed yn meddwl y bydde Leusa'n neud hyn,' meddai Cara dan ei hanadl.

Edrychodd Beth yn bryderus ar Lili'n gorwedd yn dawel ar ei bync.

'Dyw hi ddim yn saff fan hyn,' meddai Ifan fel pe bai e'n gallu darllen meddwl Beth.

'Symudwn ni bopeth o'ma, yn cynnwys Lil,' awgrymodd Cara. 'Fy mai i yw hyn i gyd. Arhosa i 'ma a chymryd y cyfrifoldeb, a bydd Lili'n saffach 'da chi.'

Dechreuodd Cara gasglu ychydig o bethau Lili at ei gilydd.

'Na, na,' meddai Ifan gan gydio yn ei braich. 'Ma Mari a Delo a'r Gofalwyr yn gwbod lle y'n ni fan hyn. Fe arhoswn ni, a dyna'i diwedd hi. Ond ma ise neud y lle ma'n saff. Byddan nhw'n dod i chwilio am y Llyfr.'

Roedd Cara'n benysgafn ac Ifan ddim am ynganu'r geiriau, 'Falle bydd 'na ryfel arall.'

Lledodd llygaid Cara wrth i ofn dychrynllyd ddechrau plycio ar ei nerfau.

Treuliodd Cara ac Ifan y bore'n hoelio pren dros y ffenestri gan gau golau'r dydd allan. Gadawodd Ifan dwll bach lle gallai weld yr ardd. Roedd hi'n dawel ym mhobman hyd yn hyn. Tynnwyd y bynciau ar draws y drws ac fe osododd Beth a Lili flancedi ar y llawr yng nghornel pella'r gegin. Cymerodd Beth arni mai gêm oedd y cyfan a Lili'n chwerthin yn hapus wrth greu 'tŷ bach' allan o gadeiriau a blancedi.

Wedi gorffen, aeth y pedwar i eistedd o dan y blancedi'n dawel, a Lili'n llawn asbri wrth feddwl mai hon oedd y gêm orau erioed. Edrychodd Ifan ar Cara ar ei gilydd yn y lled-dywyllwch. Yna, fe glywodd y pedwar ôl y traed cyntaf yn cyrraedd y tŷ.

''Da bach o lwc, byddan nhw'n meddwl nad oes neb 'ma,' sibrydodd Ifan.

Daeth sŵn curo trwm a rhoddodd Beth law dros geg Lili rhag iddi weiddi, 'dewch i mewn'.

'Tasen i ond wedi ca'l gwared ar y Llyfr,' meddai Cara'n dawel. 'Wedodd Abel wrtha i. Pam na 'nes i wrando? Ces i sawl cyfle.'

Gallai'r pedwar glywed sgwrsio y tu allan yn yr ardd.

'Byddan nhw'n mynd â fi i'r carchar,' meddai Cara. 'Bydda i'n gorfod mynd mas 'na. Mas at... '

Meddyliodd Cara am y dyn a'r llygaid marwaidd. Oerodd ei chalon. Teimlodd Cara law Lili'n sleifio i'w llaw hithau. Eisteddodd y pedwar am oriau a'r sŵn yn cynyddu tu allan.

Doedd Cara erioed wedi bod ag angen Delo fwy nag roedd hi y funud honno, ac roedd meddwl y byddai oriau lawer eto cyn ei weld yn gwneud iddi deimlo'n sâl. Roedd Lili wedi dechrau aflonyddu hefyd. Doedd y tywyllwch ddim yn broblem iddi hi, wrth gwrs, ond roedd Cara wedi dechrau ysu am olau. Wedi dechrau ysu hefyd am awyr iach, fel y byddai hi bob amser mewn ystafell gyfyng. Dechreuodd chwysu.

'Falle dylen i fynd mas,' meddai hi.

'I beth?' holodd Ifan.

'I siarad â nhw, rhesymu,' atebodd Cara.

'Rhesymu?' gofynnodd Ifan mewn anghrediniaeth. Fel 'nest ti 'da Leusa? Fel 'nest ti 'da ti dy hunan?'

Roedd hi wedi ceisio rhesymu, dweud wrthi'i hun bod yn rhaid iddi gael gwared ar y Llyfr ond roedd Ifan yn iawn, roedd e fel gwenwyn. Yn bwydo gobeithion ac yn cynnig atebion. Roedd yn amhosib rhesymu â phobl a gâi gynnig rhywbeth a ystyrien nhw ei fod yn rhyw fath o achubiaeth, neu gyfiawnder.

Teimlai Cara'r panig ynddi. Roedd y sgwrsio tu allan wedi cynyddu ac un llais ar ôl y llall yn cwestiynu. Allai Cara ddim clywed un llais unigol erbyn hyn, roedd llawer gormod ohonyn nhw. Neidiodd y pedwar wrth i rywun guro'n uchel ar y drws, yn fwy heriol y tro hwn. Tynnodd Beth Lili tuag ati i'w chysuro.

'Alla i ddim credu 'i fod e 'di neud hyn,' meddai Cara mewn ofn, 'a'n gadel ni fan hyn i gymryd y bai, i wynebu pawb. O'n i ddim yn 'i nabod e.'

Â'r dagrau'n llenwi ei llygaid, sylweddolodd fod Lili wedi tawelu erbyn hyn a'i gwefus fach yn crynu.

Cododd Cara a cherdded at golau a ddeuai o'r twll bach ar ochr y ffenest. Gwasgodd ei llygad at y twll a thynnu anadl siarp. Yno, yn yr ardd, roedd degau ar ddegau o bobl. Roedd rhai'n eistedd, eraill yn sefyll yn syllu ar y tŷ, a phob modfedd o'r hewl o'i flaen wedi'i llenwi â phobl. Syllodd Cara a'i chalon yn torri wrth weld eu bod nhw wedi sathru blodau Lili'n llwyr o dan eu traed.

PENNOD 62

'Ydych chi'n perthyn?' gofynnodd y nyrs gan edrych yn flinedig ar Casi.

Ysgydwodd hithau ei phen.

'Ffrind.'

'Wi'n gweld. Wel, ma'n ddrwg 'da fi, dim ond y teulu sy'n ca'l ymweld.'

Roedd hi ar fin gadael. 'Plis!' meddai Casi wedyn. 'Dim ond am bum munud. Ni'n ffrindie agos.'

Cododd honno'i hysgwyddau cyn ateb. 'Steddwch fan'na, dim ond am bum munud, cofiwch. 'Na i ddod i'ch moyn chi pan fyddwn ni 'di gorffen 'da fe.'

Nodiodd Casi. 'Diolch.'

Trodd y nyrs ei chefn gan gau drws yr ystafell fach.

Eisteddodd Casi yn y coridor. Doedd hi ddim wedi clywed oddi wrth Cai ers amser hir, ddim ar ôl y noson honno yn nhŷ Meical. Roedd e wedi'i ffonio hi sawl gwaith, ond doedd ganddi mo'r galon i ateb y ffôn. Gorweddai ar ei gwely'n gwylio'i enw'n fflachio'n las drosodd a throsodd cyn i'r sgrin dywyllu.

Yna, ar ôl iddi glywed eu bod wedi dod o hyd i gorff Cara fe ffoniodd hi fe ond doedd dim ateb. Galwodd heibio'r garej a dywedodd y bòs wrthi iddyn nhw ddod o hyd iddo'n gorwedd yn anymwybodol yn un o'r strydoedd ar bwys yr harbwr. Roedd wedi cael ei guro bron i farwolaeth. Doedd e heb ddihuno hyd yn hyn a soniodd yr heddlu wrth ei fam bod ymosodiadau o'r fath wedi treblu yn yr ardal yn ddiweddar. Doedd dim wedi'i ddwyn oddi arno chwaith. Doedd ganddo fe ddim llawer, gwyddai Casi hynny.

Eisteddodd yng nghoridor yr ysbyty gan feddwl pa mor frwnt yr edrychai ei hesgidiau o'i gymharu â'r llawr sgleiniog. Byddai Cara bob amser yn rhoi stŵr iddi am gyflwr ei hesgidiau.

Doedd Casi ddim wedi cysgu rhyw lawer yn ddiweddar, ddim ers iddyn nhw ddod o hyd i gorff Cara. Gorweddai yn ei gwely'n chwarae â'r ddwy C am ei gwddf. Roedd wedi credu y byddai dod o hyd iddi'n rhoi rhyw dawelwch meddwl iddi, ond gwnaeth y straeon a glywsai o gwmpas y dref bethau'n waeth. Clywsai fod ei chorff wedi'i dorri'n ddarnau ac roedd rhai o'r straeon yn rhy erchyll hyd yn oed i feddwl amdanyn nhw. Gorweddai Casi ar ei gwely gan foddi ei meddyliau â sŵn cerddoriaeth uchel. Deuai ei mam i'w hystafell wedyn a phledio arni i droi'r gerddoriaeth yn is. Anwybyddai Casi hi gan orwedd a syllu'n wag ar y nenfwd. A nawr hyn.

Daeth y nyrs at y drws a nodio ar Casi. Cododd honno'n nerfus a cherdded at y drws.

'Pum munud,' meddai'r nyrs yn dawel wrth iddi gerdded heibio iddi.

Roedd yr ystafell yn fach ac yn wyn a Cai'n gorwedd yno ar y gwely cul. Roedd peiriant wrth ei ochr, a sgrin â rhyw donnau'n pefrio arni. Gallai Casi weld llun calon fach a honno'n curo'n gyson. Yn ei wddf, roedd tiwb yn gymorth iddo anadlu. Safodd Casi am eiliad yn ofni mentro'n agosach. Nid Cai oedd hwn, nid y Cai roedd hi'n ei adnabod. Gan fod ei lygaid wedi chwyddo'n biws ac yn wyrdd a'i ên wedi'i thorri, roedd golwg erchyll arno. Sylwodd ar y pwythau bach duon yn britho croen ei wyneb. Roedd ei freichiau'n gorwedd yn llonydd wrth ei ochr.

Camodd Casi yn nes ato. Roedd siaced ei byjamas ar agor

a'i frest yn y golwg. Codai a disgynnai ei ysgyfaint yn ara bach a phrin y gallai Casi gredu mai hwn oedd y cnawd y bu hi mor agos ato ychydig yn ôl. Eisteddodd ar y gadair ar bwys ei wely heb dynnu'i llygaid oddi arno.

Ar y bwrdd wrth ei wely roedd dwy garden, ond dim diodydd na blodau. Dim byd defnyddiol am nad oedd Cai wedi dihuno eto. Yn ôl y sôn roedd ei ymennydd wedi chwyddo a byddai'n rhaid aros tan i hwnnw leihau cyn y gellid asesu a wnaed unrhyw niwed parhaol iddo. Roedd yno gerdyn oddi wrth y bechgyn yn y garej ac un fawr â thedi bêr plentynnaidd arno gan ei fam. A dyna fe. Doedd ganddo ddim llawer o ffrindiau, gwyddai Casi hynny. Âi ei ffordd ei hun bob amser.

Ni allai siarad â hi, a hithau'n ysu am sôn wrtho am Cara. Hoffai sôn wrtho am y straeon erchyll a'i cadwai ar ddihun ers nosweithiau. Difarai bellach na wnaeth ateb ei alwadau. Gwnâi unrhyw beth yn awr i gael cyfle arall i wneud hynny yn hytrach na'i anwybyddu.

'Cai,' sibrydodd Casi. Daeth hi'n ymwybodol o sŵn ei llais. Doedd dim ymateb. 'Cai, wi mor sori am beido ateb y ffôn,' meddai. Atseiniai sŵn bipian cyson y peiriant yn y tawelwch. 'A wi'n sori am redeg gartre'r noson o'r blân.'

Allai hi ddim maddau i'w hunan petai rhywbeth yn digwydd iddo nawr, a hithau wedi'i anwybyddu. Dechreuodd lefen yn dawel.

'Cai? Falle bo ti 'y nghlywed i. Ma nhw wedi ffindio Cara. Gallan nhw 'i chladdu hi nawr. Ei rhoi i orffwys, unwaith y cân nhw'r corff yn ôl gan yr heddlu.'

Roedd Casi wedi clywed bod pobl anymwybodol yn medru clywed lleisiau, ond doedd dim i'w glywed ond ton gyson yn sleisio'n wyrdd ar draws y sgrin ar bwys y gwely.

'Gallwn ni roi pob dim y tu ôl i ni wedyn.'

Dim ymateb eto.

'O'n i jest moyn gweud 'na wrthot ti. A falle ar ôl hyn, y gallwn ni ddechre 'to. Mynd i'r sinema falle, neud rywbeth…' meddyliodd Casi'n hir am y gair, '…normal.'

Doedd dim byd normal wedi bod ynghylch eu perthynas hyd yn hyn, dim byd o gwbwl. Ac roedd Casi'n gweld eisiau hynny. Roedd ei ffrindiau wedi aros yn yr ysgol a bellach yn disgwyl eu canlyniadau. Eistedd yn ei hystafell wnaeth hi ddydd ar ôl dydd, yn meddwl, yn aros ac yn pendroni. Ac yna, roedd ei pherthynas â Cai'n llawn euogrwydd, yn llawn tristwch, yn llawn o bethau tywyll na ddylai fod yna.

Penderfynodd Casi fynd. Doedd dim pwrpas aros.

'Falle ddo' i 'nôl fory,' meddai hi wrth edrych ar Cai'n gorwedd mor llonydd. Yna, fe blygodd drosto a rhoi cusan ar ei dalcen. Yn sydyn, sylwodd hi. Sylwodd ar fflach o liw. Lliw coch. Stopiodd ei chalon. Edrychodd eto – jest y tu fewn i got y pyjamas roedd e'n ei wisgo. Doedd hi ddim wedi gweld ei frest o'r blaen gan nad oedd y ddau wedi dadwisgo'n iawn hyd yn oed yng nghefn y car nac yn nhŷ Meical. Gadawodd i'w bysedd sleifio at ei frest. Tynnodd y defnydd yn ôl a syllu. Syllodd ar y tatŵ ar ei frest, jest uwchben ei asennau. Tatŵ o eryr coch, yr un eryr coch â'r un ar y wal yn nhŷ Meical. Yr un eryr coch â'r un ar wal y parc. Tynnodd Casi'i bysedd yn ôl oddi ar y defnydd. Cofiodd eiriau Cai, 'Ti'n 'i nabod e? Ti 'di 'i weld e o'r blân? Na fi…'

Doedd e erioed wedi gweld yr eryr o'r blaen, meddai ef. Roedd yr ystafell yn gynnes yn sydyn a sŵn bipian y peiriant yn treiddio i ymennydd Casi. Roedd rhywbeth o'i le, rhywbeth mawr o'i le. Cododd yn sigledig a cherdded yn gyflym at y drws.

‘Popeth yn iawn?’ holodd y nyrs.

Nodiodd Casi’n gyflym a gwthio heibio iddi. Rhuthrodd i lawr y coridor a’i meddwl ar dân. Gwyliodd y nyrs hi’n mynd cyn mynd at Cai a gosod siaced ei byjamas yn ôl yn daclus ar ei frest.

Pennod 63

Safai Cara wrth y ffenest yn edrych drwy'r twll bach, ac Ifan yn sefyll y tu ôl iddi.

'Faint sy 'na?'

Roedd Cara'n anadlu'n drwm. 'Gormod.'

Roedd rhai ohonyn nhw wedi dechrau gweiddi erbyn hyn a'r curiadau ar y drws yn dod yn fwy cyson. Eisteddai Beth ar y llawr a Lili'n llefen yn ei breichiau.

'Ma'n rhaid i ni neud rhywbeth. Af i mas, a gweud nad yw'r Llyfr 'ma.'

'Wnân nhw mo dy gredu di,' atebodd Ifan. 'Ma'n well i ni aros.'

'Aros? Aros!' meddai Cara. 'Am beth, Ifan? Iddyn nhw fwrw'r drws i lawr?'

'Shshsh,' meddai Ifan yn ymwybodol bod Lili'n gwrando. Cydiodd ym mhenelin Cara a'i harwain yn ddigon pell o glyw Lili.

'Ma'n rhaid i ni aros. Do's dim dewis 'da ni. Erbyn heno, bydd Delo a Mari 'ma a byddan nhw'n galler gweud wrthyn nhw.'

'Nhw? Nhw!' Roedd Cara'n cael trafferth i reoli'i llais.

Daeth cnoc drom ar y drws fel pe bai rhywun wedi hyrddio'i hun ato. Clywodd y ddau ragor o weiddi.

'Dy'n *nhw* ddim wedi dod 'ma o'r blân pan y'n ni 'u hise nhw. Ac os dôn *nhw*, dim ond 'yn lluchio i i'r blydi carchar wnân nhw.'

Erbyn hyn roedd wyneb Cara'n agos at un Ifan a chydiodd

yntau yn ei breichiau. Teimlai Cara fel pe bai hi wedi'i chornelu, ym mhob ystyr.

'Fe weithith pethe mas. Bach o ffydd sy ise...'

''Na dy ffordd di o hyd, ontefe? Neud dim ond gobeithio!'

'A ti 'di neud lot yn well na fi tan nawr, wyt ti? Achosi hyn i gyd?'

Gwthiodd Cara'i ddwylo oddi arni wrth sylweddoli iddi wneud yn llawer gwaeth nag Ifan. Gallen nhw aros am ychydig bach eto, a gweld beth fyddai'n digwydd.

'Iawn, iawn,' meddai Cara wedi tawelu. Nodiodd Ifan arni a mynd yn ôl at Beth a Lili yn y cornel. Aeth Cara i eistedd ar ei bync gan dynnu'i choesau ati a cheisio canolbwyntio ar ei hanadlu. Ceisiodd anwybyddu'r ysfa i rwygo'r drws ar agor a rhedeg nerth ei thraed allan i'r awyr iach. Meddyliodd beth fyddai ymateb y dorf petai hi'n gwneud hynny. Roedd hi eisiau troi'n bêl fach a diflannu. Llosgai ei bochau mewn euogrwydd. Allai hi ddim dychmygu cael ei hanfon yr ochr draw i'r ffens, lle roedd y meirw go iawn. Doedd hi ddim yn un ohonyn nhw, gwyddai hynny'n awr. Doedd hi ddim wedi gwerthfawrogi ei bywyd yn yr Arhosfyd – bywyd yn y golau a'r gwres gyda Lili, Beth ac Ifan. Roedd hi wedi troi'i chefn ar bawb a phopeth a nawr roedd yr Arhosfyd yn mynd i droi'i gefn arni hithau.

Clywodd sŵn rhywbeth yn cael ei daro yn erbyn y drws. Edrychodd Ifan draw ati drwy'r tywyllwch. Y fainc y tu allan i'r tŷ yn cael ei defnyddio fel arf.

Teimlodd Cara'i hun yn gwegian wrth i'r boen saethu drwy ei thalcen. Poen cyfarwydd iddi. Poen Llyfr yr Arwyddion. Gwasgodd Cara'i phen yn ei dwylo a'i ysgwyd ychydig mewn ymgais i gael gwared arno ond roedd y boen yn cynyddu bob eiliad. Cododd Ifan ac edrych arni.

'Cara? Ti'n iawn?'

Roedd y boen yn aruthrol. Gallai ei gyrru o'i cho. Yna, daeth sŵn calon. Sŵn calon yn curo'n gyflym. Camodd Cara gan geisio stryffaglu am y drws, ond roedd y boen yn ormod iddi.

'Cara?!'

Roedd Ifan wrth ei hochr mewn eiliad. Clywodd sŵn calon yn taranu o'i chwmpas. Caeodd ei llygaid. Gallai ganolbwyntio'n well ar anwybyddu'r boen pan fyddai ei llygaid ar gau. Sŵn calon yn curo'n rhy gyflym. Sŵn calon rhywun mewn peryg. Allai Cara ddim meddwl am ddim heblaw am y curiad cyflym yn carlamu yn ei phen. Suddodd i'w phenliniau. Doedd hi ddim yn ceisio cysylltu â neb. Gwasgodd ei phen a dechrau udo. Gwelodd wyneb gwelw, golau o'i blaen yn dod allan o'r tywyllwch. Wyneb â golwg ofnus arno. Gwrandawodd ar sŵn llais o rywle arall ac adwaenodd y llygaid, y gwallt. Leusa. Roedd Leusa'n anfon arwydd ati. Llanwai Leusa bob modfedd ohoni. Roedd yn ei hymennydd, yn toddi'i henaid, ym mhob man. Sgrechiodd Cara a chwympo i'r llawr. Aeth y cyfan yn ddu.

'Cara? CARA!'

Agorodd Cara'i llygaid. Gwelai wyneb Ifan uwch ei phen.

'Cara.' Tynnodd hi ar ei heistedd. 'Mae e 'ma,' meddai.

Edrychodd Cara arno ond doedd hi ddim yn medru deall gair.

'Ma Leusa wedi anfon y Llyfr aton ni.'

Chwifiodd Ifan Lyfr yr Arwyddion o flaen wyneb Cara. Canolbwyntiodd llygaid Cara arno. Llyfr yr Arwyddion. Yma. Cododd ei phen.

'Ma Leusa mewn trwbwl,' meddai Cara.

Cododd ar ei heistedd. Roedd Beth a Lili'n penglinio wrth ei hymyl.

'Odd hi ise i ni ei ga'l e'n ôl. Cael gwared ohono fe. Ond ma hi mewn trwbwl.'

Nodiodd Ifan a thynnu Cara ar ei thraed. Cipiodd Cara'r Llyfr oddi arno. 'Os yw'r Llyfr yn gweithio i symud pethe ar y ddaear, falle 'i fod e'n gweithio fan hyn 'fyd.'

Edrychodd Cara ac Ifan ar ei gilydd drwy'r tywyllwch. Nodiodd hithau cyn rhedeg i'r gegin a chydiodd mewn leitar yno.

'Agor y drws,' meddai Cara.

'Beth ti'n mynd i neud?'

'Ifan, jest agora'r drws.'

'Ond beth os byddan nhw'n…'

''Nân nhw ddim byd os yw'r Llyfr yn fy nwylo i. Ma'n rhaid i ti, Ifan.'

Nodiodd hwnnw'n dawel a gwthio Beth a Lili i ben draw'r ystafell.

Gwaeddodd Ifan yn uwch na'r sŵn tu allan i'w rhybuddio ond yn sydyn chwalwyd y drws gan y fainc. Sgrechiodd Lili a Beth a llanwyd y tŷ â golau dydd. Safodd Cara ar ganol y llawr, y Llyfr mewn un llaw a'r leitar ynghynn yn y llaw arall.

'Cerwch 'nôl, neu fe losga i'r Llyfr,' gwaeddodd.

Safai tri dyn wrth y drws. Y tu ôl iddyn nhw roedd degau o bobl yn gwthio i geisio gweld i mewn.

'CERWCH 'NÔL!' Roedd Cara'n gweiddi erbyn hyn.

Camodd ymlaen gan ddal y fflam yn agosach at y Llyfr. Symudodd y dorf yn ôl ychydig. Camodd Cara allan i'r golau, allan i'r ardd. Roedd y blodau wedi'u gwasgaru ar hyd y lawnt.

Teimlodd Cara bresenoldeb Ifan y tu ôl iddi. Roedd ar hwnnw ofn y byddai rhywun yn rhedeg tuag ati ac yn ceisio cipio'r Llyfr o'i llaw.

'Gad i ni ga'l e!' gwaeddodd rhywun.

'Dim ond un neges. Ca'l anfon un arwydd yn ôl,' gwaeddodd un arall.

'Dyw'r ferch…' gwaeddodd rhyw hen fenyw, 'ddim yn gwbod mod i 'ma.'

Yna siaradodd hen ddyn. 'Bues i a'r wraig yn briod am chwe deg mlynedd. Ma hi ar 'i phen 'i hunan, yn torri'i chalon.'

'Pam dylet ti ga'l rhoi arwydd, a neb arall?' gofynnodd llais arall.

Edrychodd Cara'n ansicr ar Ifan. ''Nes i ddim. Dyw cysylltu ddim help o gwbwl,' gwaeddodd hi wedyn. 'Gneud pethe'n wa'th ma fe.'

Roedd ei llais yn groch a phob nerf yn ei chorff wedi'i thynnu'n dynn. 'Ma'n ddrwg 'da fi! Ma'n ddrwg 'da fi!'

Sylwodd Ifan fod un o'r dynion ar flaen y dorf yn symud yn agosach at Cara. 'Cara,' meddai Ifan. 'Gwna fe… '

Agorodd Cara'r Llyfr er mwyn i'r tudalennau gael eu hanwesu gan y gwynt. Gan dynnu anadl hir, gwasgodd y fflam i ganol y tudalennau. Cynheuodd y rheiny'n syth a fflamio yn yr awel. Neidiodd dyn am Cara ond llwyddodd Ifan i'w rwystro. Yna rhuthrodd y dorf tuag ati, ac wrth i'r tudalennau dduo fe loywodd y Llyfr yn ei bysedd gan wneud i Cara ei ollwng. Ond yn hytrach na disgyn i'r llawr, hongian yn yr awyr wnaeth y Llyfr.

Safodd pawb yn stond gan wylio'r tudalennau'n fflamio ac yna, yn sydyn, fe ddiflannodd y Llyfr am i fyny mewn cawod o wreichion. Gwyliodd Cara'r dafnau gloyw yn mynd. Cododd y dorf eu pennau. Doedd dim tudalen o'r Llyfr ar ôl. Dim brawddeg. Dim llun. Dim gair. Syllodd pawb mewn tawelwch pur.

Pennod 64

Daethpwyd o hyd i Leusa yn y diwedd, gyda help ei Gofalwr. Cariodd hwnnw hi adre ac Ifan yn eu dilyn. Gorweddai ar lawr mewn rhyw stryd gefn heb fod ymhell o dŷ Seimon. Mae'n debyg nad oedd hi'n hollol hapus i roi'r Llyfr i Seimon ond roedd wedi addo'r byd iddi ac wedi ei chusanu'n angerddol. Gwnaeth iddi deimlo'n gwbwl arbennig; ildiodd hithau yn y diwedd a rhoi'r Llyfr iddo. Ond cyn gynted ag roedd y Llyfr yn ei feddiant newidiodd yntau'n llwyr. Pan ofynnodd Leusa iddo oedd hi'n ddoeth i ysgrifennu am y Llyfr yn y papur fe ddechreuodd Seimon weiddi arni a'i chloi yn ystafell gefn y tŷ. Ceisiodd anfon arwydd yn ôl i'r ddaear i ddweud nad oedd nefoedd yn bod ac nad oedd Duw yn bodoli.

Gwrandawodd Leusa arno am oriau yn gweiddi yn ei rwystredigaeth wrth fethu anfon neges, nes iddo flino yn y diwedd a chwympo i gysgu. Wrth i'r tawelwch barhau, cododd Leusa a thynnu un o'i chlustdlysau. Gwasgodd y metel yn bigyn a'i wthio i glo'r drws a'i agor – cawsai ddigon o brofiad o agor drysau fel'na ar y ddaear. Cipiodd y Llyfr yn ofalus o law Seimon a rhedeg am y drws. Dihunodd yntau, ychydig yn rhy hwyr, a rhedeg ar ei hôl.

A'i hysgyfaint yn dynn a'i sodlau braidd yn uchel i redeg, fe drodd Leusa i lawr un o'r strydoedd cefn. Roedd yn *rhaid* iddi gael y Llyfr yn ôl i Cara ac Ifan. Gwyddai na allai redeg yn ddigon cyflym i ddianc oddi wrth Seimon ac mai ei hunig obaith oedd ceisio symud y Llyfr fel arwydd. Meddyliodd am Cara, a'r hyn a wnaeth yn y llyfrgell. Ceisiodd Leusa ganolbwyntio a chau'r byd allan o'i meddwl a cham wrth gam dechreuodd synhwyro'n reddfol beth i'w wneud. Sylweddolai hefyd, wrth anfon y Llyfr i gael ei ddinistrio, na châi hi gyfle i anfon arwydd adre. Caeodd ei llygaid ac anghofio'i siom wrth iddi glywed sŵn traed Seimon yn nesáu… Ni allai Leusa gofio beth ddigwyddodd wedyn. Gadawsai Seimon hi ar lawr yn anymwybodol ar ôl darganfod bod y Llyfr wedi diflannu. Doedd neb wedi'i weld ers hynny. Gobeithiai Cara, mewn ffordd, iddo gael ei anfon i'r carchar.

Roedd Ifan a Beth wedi rhoi Leusa yng ngwely Lili i wella. Cododd Cara ar ôl gorffen ymolchi wyneb Leusa â fflanel gwlyb. Dim ond am ychydig oriau ar y tro y byddai hi'n dihuno yn ystod y dydd a chymerai pawb ei dro i edrych ar ei hôl.

Roedd Ifan wrthi'n trwsio drws y tŷ a Beth a Lili yn ceisio rhoi rhyw drefn ar y difrod a wnaed i'r ardd.

'Cara?'

Trodd Cara, wrth glywed llais Leusa. Penglinodd wrth erchwyn y gwely.

'Hei, ti adre nawr. Ma popeth yn olreit,' meddai Cara'n dyner wrthi.

Edrychodd Leusa o'i chwmpas, mewn penbleth am eiliad, ond ymlaciodd wrth weld yr ystafell gyfarwydd.

'Paid â mynd,' meddai Leusa wrthi. 'Arhosa 'da fi am sbel.'

Nodiodd Cara ac eistedd cyn dweud wrthi, 'Leus, odd beth 'nest di'n… '

'Wi'n gwbod, wi'n briliant,' gorffennodd Leusa ei brawddeg a gwenu. 'Seren a gweud y gwir.'

Gwenodd Cara arni.

'Ody pawb wedi gadel erbyn hyn?' gofynnodd Leusa.

‘Ydyn, diolch byth.’

Er iddi losgi’r Llyfr safodd rhai yno am hydoedd, fel petaen nhw’n dal i obeithio y byddai rhywbeth ar ôl. Ond o’r diwedd, a’r Llyfr wedi hen ddiflannu, rhoddodd pawb y gorau iddi. Dim ond ar ôl wedyn roedd hi’n bosib dechrau clirio.

‘A Seimon?’

Edrychodd Cara arni a’i hwyneb yn ddifrifol. Cododd ei hysgwyddau. ‘Sneb yn gwbod,’ meddai Cara.

‘Gwd, o’n i erioed wedi’i lico fe, eniwe. Ddim ’y nheip i.’

Cododd Cara’i haeliau a hanner gwenu arni.

Eisteddodd y ddwy eto’n fud am rai munudau yn ddwfn yn eu meddyliau.

‘Bydd yn rhaid iddo fe ddod ’ma yn y diwedd,’ meddai Leusa’n dawel.

‘Pwy? Seimon?’

‘Nage, y dyn adawodd fi foddi yn yr afon. Licen i ddim dod fan hyn wedi gneud rhywbeth fel’na.’

Doedd Cara ddim yn gwybod beth i’w ddweud. Roedd meddyliau’r ddwy ar y ffens bigog a’r byd yr ochr arall.

‘’Nest ti’r peth iawn, t’mod,’ meddai Leusa o’r diwedd.

‘Gobeithio,’ meddai, ‘ar ôl neud gyment o fès.’

Chwarddodd Leusa’n ddistaw. ‘Dylet ti weld faint o fès ’nes i o ’mywyd.’

Roedd yr un wên dywyll wedi dod yn ôl i’w hwyneb. Cododd Cara, gan feddwl mynd i arllwys y dŵr i waelod y gawod.

‘Cara.’

Stopiodd gerdded a throi’n ôl i edrych ar Leusa.

'Fi'n sori am beth 'nes i i ti'r noson cynta 'ny.'

Meddyliodd Cara am y noson pan gyrhaeddodd hi, a'r sioc a gawsai o weld y briw ar ei bol yn y drych. Roedd y cyfan yn teimlo mor bell yn ôl erbyn hyn.

'Ma'n olreit.'

Gwenodd y ddwy ar ei gilydd.

'Os i fi'n *forgiven*, 'te, alli di neud ffafr â fi?'

Roedd hon yn anhygoel, meddyliodd Cara.

'Ma hyn yn bwysig.'

Closiodd Cara ati a golwg ddifrifol ar ei hwyneb erbyn hyn.

'Un ffafr fach arall. Ise gofyn rhywbeth ambwti lan fan'na.'

Doedd Cara erioed wedi clywed Leusa'n sôn am y nefoedd lan fan'na o'r blaen. Closiodd Cara ati a symudodd Leusa'n ddigon agos fel y medrai sibrwd yn dawel yn ei chlust.

'Pasa'r ffags i fi o'r top bync, 'nei di? Fi bron â marw ise smôc.'

'Ody hi'n cysgu?'

Trodd Cara i weld Ifan yn sefyll yn y drws y tu ôl iddi.

'Ody.'

'Dyw hi ddim yn rhy ddrwg wedi'r cwbwl,' meddai Ifan yn dawel.

'Nadi, falle,' cytunodd Cara.

'Dere, ma rhywbeth 'da fi neud. Wi ise dy help di.'

Cerddodd y ddau yn dawel allan i'r prynhawn hwyr.

Roedd Beth a Lili'n dal i dacluso a Cara'n teimlo rhyw friw y tu mewn iddi bob tro y gwelai hi'r patshyn gwag o bridd fel craith ar waelod yr ardd. Anelodd Ifan at y tŵr a dilynodd Cara'n ufudd.

Dringodd Cara ac Ifan risiau'r tŵr mewn tawelwch. Doedd yr un o'r ddau wedi bod yno ers tipyn ac âi'r ymdrech o ddringo'r grisiau bellach yn straen iddynt. Cyrhaeddodd y ddau y platfform allanol yn eu pwysau a safodd Cara yno mewn syndod. Mewn caets ar y platfform roedd tylluan wen Ifan. Gwenodd Ifan arni.

'Beth ma hi'n neud fan hyn?' gofynnodd Cara.

'Ma hi'n well,' atebodd Ifan. 'Ma hi wedi bod yn well ers rhyw wythnos, a des i â hi mas fan hyn er mwyn iddi ddechre cynefino â'r lle 'ma.'

Roedd Ifan yn penglinio ar bwys y dylluan. Roedd yr holl amser y bu'n gofalu amdani ar fin dod i ben. Crafodd y dylluan fariau ei chaets.

'O'n i wedi meddwl ei gadel hi'n rhydd wythnos yn ôl, ond rhwng y naill beth a'r llall...'

Roedd Ifan wedi bod yn ceisio sortio'i phroblemau hi, a'r dylluan druan yn gorfod aros yn amyneddgar yn y caets. Tynnodd Ifan ei siwmper a'i lapio o gwmpas ei fraich. Syllodd y llygaid duon yn obeithiol arno. Agorodd Ifan y caets a neidiodd yr aderyn ar ei fraich. Gwenodd Ifan ar Cara, cyn cario'r aderyn yn agosach at y reilin. Closiodd Cara gan edrych ar yr ysbryd bach gwyn. Yna fe gododd Ifan ei fraich a'r dylluan yn edrych i fyw ei lygaid cyn esgyn ac agor ei hadenydd. Gwyliodd Ifan hi'n codi fel croes i'r tywyllwch gan blymio mewn tawelwch i'r nos. Gwyliodd y ddau hi'n diflannu.

'Beth rwyt ti'n gweld 'i eisie fwya?' gofynnodd Cara o'r diwedd.

Dal i syllu ar y gorwel wnâi Ifan. Doedd yr un o'r ddau

wedi sôn rhyw lawer am hyn o'r blaen.

'Mam a Nhad. Mam-gu. Blas bwyd go iawn a dihuno ar ôl cysgu'n drwm a gorwedd yn y gwely'n ymestyn.'

Gwenodd Cara. Roedd hithau'n gweld eisiau hynny hefyd.

'Pethe bach,' meddai Ifan.

'Fi 'fyd,' cytunodd Cara mewn tawelwch. 'Yr holl bobl sy wedi pasio trwy'r lle 'ma, a thrwy'r byd, yn treial gneud y pethe mawr, i gael eu cofio. A 'na i gyd wi'n meddwl amdano fan hyn, wrth gofio am y byd arall, yw sŵn y glaw a finne yn y gwely, neu Rhys yn tynnu ar 'y nghlust i pan odd e eisiau rhywbeth. A bath.'

'Bath?' gofynnodd Ifan â gwên.

'Gweld ise bath,' atebodd Cara gan deimlo'i bresenoldeb mor agos ond eto mor bell oddi wrthi.

Syllodd y ddau i'r tywyllwch gan wylio goleuadau'r ddinas gyfarwydd islaw a'r sêr cyson yn britho'r nen.

Pan arhosodd Cara am Delo y noson honno gan hanner disgwyl iddo ei harwain i ffwrdd o'r tŷ ac at y ffens bigog, wnaeth e mo hynny, ond yn hytrach daeth i eistedd wrth ei hymyl ar y wal a dal ei llaw. Fe esboniodd y cyfan iddo'n dawel ac eisteddodd yntau a gwrando. Fe deimlai Cara ychydig yn well ar ôl gorffen. Gofynnodd wedyn a fyddai'n rhaid iddo ddweud wrth rhywun arall. Dweud wrthyn 'nhw'. Gwenu wnaeth Delo a dweud eu bod 'nhw' yn gwybod yn barod. Wyddai Cara ddim a wnâi hynny iddi deimlo'n well neu'n waeth. Eisteddodd wrth waelod ei gwely wedyn gan aros iddi fynd i gysgu. Edrychai ymlaen yn eiddgar at ei weld erbyn hyn, gymaint roedd e'n ei hatgoffa o Rhys.

PENNOD 65

Roedd Casi wedi penderfynu rhoi cyfle i Cai esbonio'r tatŵ o eryr ar ei frest. Doedd hi ddim wedi bod yn ôl yn yr ysbyty'n ei weld a phan dderbyniodd hi neges yn gofyn iddi ei gyfarfod, wnaeth hi ddim derbyn yn syth. Ond, yn y diwedd, llwyddodd Cai i'w pherswadio i'w gyfarfod petai ond am y tro olaf. Pe bai hi am fynd at yr heddlu wedyn, yna byddai'n fodlon. Gwisgodd Casi ei siaced ddenim a'i hesgidiau a byseddu'r gadwyn â CC arni am ei gwddf.

Wrth gerdded allan o'r tŷ fe waeddodd ar ei mam a dweud wrthi ei bod hi'n mynd i'r parc. Fel arfer, fyddai hi byth yn dweud wrthi i ble roedd hi'n mynd ond fe wnaeth heno, am ryw reswm, gan ychwanegu y byddai hi'n ôl tua deg o'r gloch. Doedd Casi ddim wedi meddwl am fawr ddim arall ers gweld y tatŵ. Roedd yn amlwg fod Cai wedi dweud celwydd wrthi a'i fod yn cuddio rhywbeth. Ond roedd hi'n ei nabod yn dda a gwyddai na allai fod yn rhywbeth rhy ddychrynllyd. Byddai Cara'n dweud yn aml fod Casi'n un reit dda am nabod pobl.

Trodd Casi'r gornel tua'r parc. Roedd y dyddiau wedi byrhau a thywyllai'n gynt erbyn hyn. Chwipiai'r gwynt hydrefol gan dynnu'r dail o'r coed cyfagos a gwthiodd Casi'i dwylo'n ddyfnach i'w phocedi. Roedd y dre'n farw unwaith eto a'r ymwelwyr wedi gadael y lle ychydig yn llwydach am flwyddyn arall. Roedd yr ysgol wedi ailagor a rhai o'i ffrindiau wedi gadael – dim ond y rhai â rhywbeth yn eu pennau fyddai'n aros ar gyfer eu lefel A. Gwyddai Casi nad oedd ganddi siawns am hynny bellach. Ni allai Casi feddwl am y dyfodol, dim ond y presennol oedd yn bwysig ar hyn o bryd. Ciciodd garreg ar y palmant o'i blaen.

Cara oedd yr un glyfar. Dywedodd Casi hynny wrthi pan oedden nhw ar eu gwyliau yn Ninbych-y-pysgod. Ar ôl i'r ddwy fod yn y môr fe orweddodd Cara â'i thraed yng nghôl Casi a sychodd hithau draed ei ffrind. Gallai Cara wneud rhywbeth â'i bywyd pe bai hi eisiau. Siglo'i phen wnaeth hithau, er y medrai wneud y gwaith, dewis peidio'i wneud fyddai hi fel arfer. Roedd Casi'n well ar wneud pethau ymarferol, yn well am ddefnyddio'i synnwyr cyffredin. Ond roedd gan Cara ddawn ysgrifennu a gwneud gwaith creadigol. Gwenodd wrth feddwl amdani.

Roedd hi'n agosáu at y parc erbyn hyn a thynhaodd ei brest wrth feddwl am Cai. Meddyliodd y byddai ei wyneb yn dal yn gleisiau. Edrychai mor wael pan welsai ef yn yr ysbyty. Ond roedd pobl yn gwella'n gyflym, yn enwedig rhywun cryf fel fe. Croesodd Casi'r hewl.

Roedd Casi wedi ceisio ysgrifennu rhywbeth yn ddiweddar. Darn o farddoniaeth i Cara yn esbonio pethau iddi. Bwriadai ei ddarllen cyn ei osod gyda hi yn ei harch. Fe dreuliodd sawl noson yn ei ysgrifennu ac wrth wneud gallai ddeall pam roedd Cara'n hoffi ysgrifennu. Roedd rhywbeth yn arbennig yn y profiad o roi'r cyfan ar bapur fel na fyddai'n chwyrlïo yn ei phen drwy'r amser. Câi hithau wared ar y teimladau drwg weithiau drwy yfed seidr neu drwy fynd gyda bachgen. Fyddai Cara byth yn gwneud hynny, ond troi at ysgrifennu. Tynnodd Casi'i chot yn dynnach amdani.

Yr ochr draw i'r parc, roedd car wedi'i barcio – car a gâi ei weld yn yr ardal yn weddol aml. Welodd neb y car yn sgrialu i ffwrdd y noson y lladdwyd Cara. Ond fe welodd Cai'r car yn gyrru'n araf heibio i dŷ Meical y noson honno pan fu Casi ac yntau ym mreichiau'i gilydd yn y byngalo bach. Gwelodd Cai'r car yn gyrru i ffwrdd pan adawyd ef i farw ar yr hewl gefn y tu ôl i'r harbwr. Ac yn y car roedd dau fachgen, prin yn ddigon hen i siafio, yn eu capiau pig. Yn llaw un ohonynt roedd ffôn Cai – roedden nhw wedi dwyn rhywbeth y noson honno wrth yr harbwr wedi'r cyfan. Edrychodd y bachgen ieuengaf ar y ffôn. Byddai hi yno'n fuan, fel y trefnwyd.

Roedd hi'n pallu'n deg â gadael i bethau i fod. Hi oedd gwraidd y drafferth yn y lle cyntaf. Roedd Cai wedi meddwl y gallai droi ei gefn arnyn nhw a gadael y giang. Mynd ei ffordd ei hunan heb dderbyn unrhyw gosb. Ond doedd pethau ddim mor syml â hynny. Roedd Cai hyd yn oed wedi dechrau gweld un o gyn-gariadon y bechgyn. Er iddo dderbyn rhybudd daliai i weld Casi a gwelwyd nhw yng nghefn ei gar gyda'i gilydd. Er nad oedd y bachgen yn y cap pig wedi bod yn caru gyda Casi ers amser hir, doedd 'dynion' ddim yn gwneud hynny i'w gilydd. Roedd yn rhaid dysgu gwers i Cai.

Roedd yn ddigon hawdd ei hadnabod hi fel arfer – gwisgai'r un siaced ddu a'r hwd wedi'i dynnu am ei phen. Doedden nhw ddim wedi bwriadu ei lladd hi, dim ond hela ofn arni. Doedd 'run o'r ddau wedi defnyddio gwn o'r blaen nac yn meddwl y byddai'r dryll wedi'i lladd ag un bwled. Doedd 'run o'r ddau wedi sylwi, nes tynnu'r siaced yn ôl oddi ar wyneb y corff ar y llawr eu bod wedi saethu'r ferch anghywir. Edrychodd y ddau arni mewn arswyd cyn ei llusgo i gefn y car a'i gyrru oddi yno i'w chladdu.

Fe dawelodd pethau am ychydig, nes i'r dre droi yn erbyn Meical. Manteisiodd y ddau ar hynny, gan wawdio a bygwth Meical nes iddo gael ei orfodi i adael ei gartref. Doedd e ddim yn ei iawn bwyll ac roedd ei ddiflaniad fel petai'n brawf o'i euogrwydd. Gwrthododd y ferch adael i bethau fod a chafodd Cai rybudd i ddelio â hi, ond methodd. Aeth â hi i dŷ Meical ar bwrpas – i weld a oedd hi'n cofio gweld yr eryr ai peidio ar gorff ei chyn-gariad. Doedd hi ddim, ac addawodd Cai gadw llygad arni wedyn. Ond gallai'r bechgyn weld ei fod yn mynd yn sofft, ac fe wyddai'r ddau mai dim ond mater o amser fyddai cyn iddo gyfadde'r cyfan wrthi. Dyna pam roedd e'n dal yn yr ysbyty. Yn dal yn anymwybodol.

Wedi symud y corff aeth y ddau adre, gan guddio eu dillad rhag ofn i'w mamau weld olion y lladd arnyn nhw. Cuddiwyd y dryll mewn lle diogel. Wrth i'r ddau feddwl am eu gweithred byddai eu gwaed yn llifo ychydig yn gyflymach a'u camau i lawr y stryd ychydig yn frasach. Doedd gan y moch ddim syniad beth ddigwyddodd, gan ganolbwyntio eu hymchwil ar ryw sgwarnog o ddyn a ddiflannodd dros y gorwel, a hwythau'n dal yn y dre.

Fe aethon nhw ar yr orymdaith drwy'r dre a theimlo rhyw wefr ofnadwy wrth weld wyneb llwyd mam y ferch. Nhw oedd yn gyfrifol ei bod mor welw ac roedd y teimlad yn un rhyfedd. Nhw allai roi'r atebion iddynt. Gyda'r nos byddai'r ddau'n gorwedd yn eu gwelyau yn meddwl am y corff yn y tywyllwch. Y sŵn olaf yna, y sŵn bach yna glywson nhw o sioc, o boen, o rywbeth. Coed duon yn chwifio a'r corff yn disgyn yn union fel yn eu gêmau fideo. Yr unig sioc gafodd y ddau oedd gorfod cydio ynddi wedyn. Y panig. Taflu'r siaced yn ôl dros ei hwyneb rhag i'r ddau orfod edrych i mewn i'w llygaid. Doedd llygaid person marw ddim yn cau'n syth, yn wahanol i'r rhai yn eu gêmau. Sioc arall gawson nhw oedd bod y corff wedi dechrau oeri o dan eu dwylo a'i fod o ganlyniad yn drwm ac yn anodd i'w drin. Ond ei ddolurio *fe* oedd yn bwysig.

Tynnodd yr ieuengaf o'r bechgyn y dryll o'r sedd gefn a rhoi bwled newydd ynddo. Yna setlodd y ddau yn ôl i aros. Roedd pethau wedi newid ffordd hyn bellach. Doedd dim parch i neb na dim, a dim ond un ffordd o hawlio parch oedd yna.

Arhosodd y ddau yn y car a'r gwynt yn dechrau codi o'u cwmpas. Roedd y dryll wedi'i anelu at gatiau'r parc a Casi'n prysur nesáu.

PENNOD 66

Roedd Delo a Cara wedi bod yn sgwrsio ar y wal y tu allan i'r tŷ am amser hir, a Cara wedi cytuno i fynd yn ôl at y doctor cyn bo hir. Cydiodd Delo yn ei llaw a chwarae â'r swyndlysau ar ei breichled. Esboniodd Cara iddo am y galon ac am y goleudy, am y pysgodyn aur oedd ganddi ac am Rhys y bachgen bach. Dywedodd wrtho am Casi a'i chyfeillgarwch â hi a'r gragen fach a roddodd Steve iddi pan briododd ef â'i mam. Chwaraeodd Delo â'r swyndlysau a gwên fach ar ei wyneb, fel pe bai'n dwlu cael clywed am bob agwedd ar fywyd Cara.

Yna, daeth Ifan i'w nôl.

'Ti'n barod?'

Nodiodd Cara. Roedd gan Ifan sgarff yn ei ddwylo ac fe gydiodd ym mraich Cara a'i thynnu i'w thraed. Camodd Ifan y tu ôl iddi a thaenu'r sgarff dros ei llygaid.

'Ifan! Beth ti'n neud?' chwarddodd Cara.

'Gei di weld,' meddai Ifan gan wincio'n ddramatig ar Delo. Gwenodd hwnnw arno.

'Ti'n galler gweld unrhyw beth?'

'Beth ti'n feddwl?' meddai Cara a'r sgarff yn dynn am ei llygaid.

Roedd Ifan wedi gofyn am ganiatâd Delo i fynd â Cara allan ar ôl ei ymweliad gyda'r nos ac roedd yntau wedi cytuno.

'Fyddwn ni ddim yn hir… '

'Delo,' meddai Cara, 'os na fydda i 'nôl mewn awr, dere i chwilio amdana i.'

'Ha, ha' chwarddodd Ifan, a theimlodd Cara ef yn cydio yn ei braich. 'Dere.'

Arweiniodd hi i lawr y stryd a hithau'n gorgamu weithiau oherwydd na fedrai weld y palmant. Cyn bo hir dechreuodd Cara ymlacio i rythm eu camau. Roedd angen iddi ymddiried ynddo i'w harwain yn ddiogel, a dweud y gwir roedd yn deimlad braf rhoi'r cyfrifoldeb ar rywun arall am unwaith. Magu ychydig o ffydd yn rhywun arall.

Bu Cara'n darllen ar ei bync drwy'r prynhawn, ar ôl i Ifan fynd â hi i'r llyfrgell ben bore i fenthyg llyfr ei thad. Fe eisteddodd Ifan ar ei fync yntau i ddarllen. Byddai Casi'n codi'i phen weithiau dros ei llyfr i edrych arno, yr union fel y gwnaeth y diwrnod hwnnw pan welodd e am y tro cyntaf yn ystafell aros y doctor. Roedd e wedi newid yn llwyr ers hynny, nid yn unig o ran pryd a gwedd ond o ran pob dim – ei wallt du'n drwchus erbyn hyn a'i lygaid glas yn pefrio. Roedd ei wefus uchaf ar siâp bwa ac fe fyddai'n edrych fel pe bai angen siafio arno'n barhaol. Pan fyddai'n chwerthin byddai llinellau bach yn ymddangos bob ochr i'w lygaid. Roedd ei groen yn dywyll a'i gorff wedi lledu – yn debyg i'r hyn ydoedd cyn ei salwch hir, siŵr o fod. Cydymdeimlodd ag e wrth feddwl am ei fisoedd ola, yr oriau o orwedd ar y gwely'n paratoi at y diwedd. Teimlai yntau fod ei llygaid yn ei wylio weithiau ond pan godai ei lygaid i edrych arni, chwipiai hithau ei llygaid yn ôl.

Arweiniodd Ifan hi at y parc ac weithiau teimlai Cara'i ddwylo am ei gwast ac ar ochr ei chluniau wrth iddo'i harwain. Edrychai Ifan ar y sgarff sidan yn dal ei gwallt sgleiniog. Roedd ysgwyddau Cara wedi ymlacio erbyn hyn a phwysai tuag ato, yn hapus o gael ei harwain. Fe deimlodd yntau feddalwch ei chorff o dan ei dillad wrth iddo ei harwain. Gorweddai ei law yn y pant ar waelod ei hasgwrn cefn yn gysurus. Er nad oedd rhaid iddo osod ei law yn y fan honno i'w harwain, câi ei law ei denu yno, ac yntau'n methu â'i thynnu oddi yno. Croesodd y ddau y stryd ac fe deimlai Cara'r glaswellt o dan ei thraed wrth iddynt gyrraedd y parc. Arweiniodd Ifan hi heibio i'r fan lle priodwyd Rich a'i wraig. Heibio i'r lle y cafodd y pedwar eu picnic y diwrnod hwnnw. Heibio'r llynnoedd ar ochr arall y parc. Gallai Cara arogli rhosynnau ola'r haf, a'u persawr wedi'i lacio gan y gwyll. Yna, ym mhen draw'r parc, lle roedd y tir yn codi'n fryncyn a llyn bychan crwn oddi tano fe arafodd Ifan.

'Y'n ni 'ma?' gofynnodd hi.

'Ydyn,' atebodd Ifan.

Camodd y tu ôl iddi a chydio yn ei hysgwyddau a theimlodd ei wyneb yn agos at ei hwyneb hithau. Roedd ei anadlu'n ysgubo ochr ei chlust a cheisiodd Cara reoli'r crynu y tu mewn iddi.

'Ti'n barod?' gofynnodd Ifan yn dawel.

Nodiodd Cara. Roedd hi am osgoi dangos cryndod yn ei llais. Teimlodd fysedd Ifan yn datod y sgarff dros ei llygaid a chwympodd honno'n araf i'r llawr. Syllodd Cara mewn rhyfeddod ar yr olygfa o'i blaen. Yno, ar ben y bryncyn, roedd bath. Bath gwyn, hen ffasiwn yn llawn o ddŵr poeth.

'Bath!' Trodd Cara i wynebu Ifan a'i llygaid yn disgleirio. Gwenodd yntau arni a'r crychau bach yn ymddangos o gwmpas ei lygaid.

'Bath!' Teimlai'n union 'run fath â Lili pan welodd hithau'r ffair.

Roedd e'n fath hardd a dwfn, wedi'i lenwi â dŵr nefi tywyll.

Ar wyneb y dŵr arnofiai petalau rhosod a'r olew bath mwyaf egsotig roedd Cara erioed wedi'i arogli yn chwyrlïo drwy'r dŵr. O'i gwmpas, roedd canhwyllau – dwsinau ohonyn nhw'n goleuo'r dŵr a'r nos nes bod goleuni cynnes yn llenwi'r tywyllwch yn y rhan yma o'r parc. Doedd ar Cara ddim ofn y tywyllwch na'r parc rhagor. Roedd Ifan yno gyda hi.

'Ond sut…?' dechreuodd.

'Paid â becso am 'ny nawr,' meddai.

Gwenodd y ddau ar ei gilydd ac astudiodd Cara'i wyneb. Doedd hi erioed wedi teimlo fel hyn am neb o'r blaen. Doedd hi ddim yn gwybod ei bod hi'n bosib iddi deimlo cymaint heb fyrstio. Sythodd ei gwên ac edrychodd Ifan arni.

'Beth sy?'

Doedd Cara ddim yn gwybod beth i'w wneud. Roedd yn reddfol rhywsut, fel y symudiadau hynny pan anfonodd arwydd at ei mam. Teimlodd yr un agosatrwydd, yr un teimlad o adnabod pob modfedd o rywun. Cydiodd yn llaw Ifan ac edrychodd yntau'n ddifrifol arni. Cododd ei law at ei gwefusau a'i chusanu. Llusgodd ei fysedd dros ei hwyneb. Doedd dim angen yngan gair. Symudodd Cara'n agosach ato a phwyso'i phen ar ei frest wrth i olau'r canhwyllau anadlu'n dyner o'u cwmpas. Gwasgodd ef ei wefusau ar ei gwallt gan deimlo'r holl fisoedd o fod ei heisiau'n cael ei wireddu. Yna cododd ei hwyneb tuag ato ac fe glosiodd eu gwefusau'n ara bach nes eu bod bron â chyffwrdd. Roedd y teimlad wrth i'w hanadl gymysgu'n meddiannu synhwyrau Cara'n llwyr. Gwasgodd yntau ei wefusau ar ei gwefusau hi ac fe ddihunwyd pob nerf a greddf ynddi. Gallai hi deimlo'i gorff. Ei holl wead. Roedd y tywyllwch yn felfedaidd rhywsut a'r persawr a godai oddi ar y blodau a'r olew yn y bath yn fwy hudol fyth. Gwyddai Cara nad oedd hi wedi teimlo mor fyw yn ei bywyd o'r blaen.

Yn ôl ar wal y tŷ eisteddai Delo'n chwarae â'r swyndlws yn ei fysedd. Roedd e wedi tynnu'r un â dwy C fach oddi ar freichled Cara wrth chwarae â hi'n gynharach. Doedd e ddim yn hoffi dwyn pethau ond fe wyddai fod ganddo reswm da y tro hwn a dyna beth oedd yn bwysig. Teimlodd yr un euogrwydd pan aeth â llyfr Abel o'r llyfrgell. Ond roedd e'n caru Cara, yn fwy nag y gallai unrhyw un yn y byd ei ddeall ac fe wnâi unrhyw beth drosti.

PENNOD 67

Stopiodd Casi'n stond. Roedd hi bron â throi'r cornel am y parc a'i nerfau'n dynn pan gododd ei llaw i deimlo'r swyndlws â'r ddwy C am ei gwddf fel y gwnâi bob tro pan fyddai hi'n nerfus. Ond doedd hi ddim yno. Byseddodd groen ei gwddf eto. Dim byd, dim ond stribyn cul o ledr. Rhedodd ei bysedd yr holl ffordd o gwmpas y stribyn. Doedd dim sôn amdani.

'Damo!' meddai Casi.

Dechreuodd rhyw banig afreolus godi ynddi. Doedd hi erioed wedi'i cholli o'r blaen, heb hyd yn oed ei thynnu oddi ar ei gwddf ers i Cara'i chlymu yno ar ddiwrnod ei phen-blwydd. Suddodd ysgwyddau Casi mewn siom. Edrychodd o'i chwmpas. Roedd yn rhaid ei bod hi wedi'i cholli ar ei ffordd o'r tŷ. Roedd hi'n sicr ei bod hi yno bryd hynny, er bod ysgubo'r bysedd drosti yn weithred mor naturiol bellach fel na fyddai hi'n cofio iddi wneud. Gallai gerdded yn ôl ar hyd y llwybr i chwilio. Efallai y dylai hi ffonio Cai i ddweud wrtho y byddai hi ryw ddeng munud yn hwyr. Ond doedd dim ots, penderfynodd, gan ei bod hi'n gorfod aros amdano fe'n aml. Trodd Casi a cherdded yn ôl gan gadw'i llygaid ar y palmant.

Yr ochr draw i'r dre, roedd Tim yn sgrialu tuag at y parc a thri char arall yr heddlu heb eu marcio yn ei ddilyn. Roedd y profion DNA ar flewyn a ganfuwyd ar gorff Cara'n hollol eglur – un blewyn o wallt byr golau, ond roedd e'n ddigon. Roedden nhw'n nabod y bachgen gan ei fod yn lleol ac wedi bod mewn trwbwl o'r blaen am ymosod ar rywun yn y Stryd Fawr. Roedd y DNA ar ffeil ganddyn nhw ac roedd archwiliad sydyn o'i gartref a sgwrs â'i fam wedi codi amheuon pellach. Roedd ei fam yn eiddil ac yn smart yr olwg ond roedd rhywbeth amdani. Rhywbeth na allai Tim ei esbonio. Ond cael gafael yn y car oedd y peth pwysicaf nawr. Cael gafael yn y bachgen a'i ffrind.

Cerddodd Casi yn ôl yn araf ar hyd y llwybr. Roedd y golau'n wannach erbyn hyn a hithau'n gorfod plygu i edrych yn ofalus ymysg y dail crin a'r papurach ar lawr am unrhyw beth disglair. Allai hi ddim maddau i'w hunan pe na châi afael ar y tlws. Doedd hi ddim eisiau un arall. Un hi oedd hon. Cerddodd yn ôl ar hyd y stryd yn digalonni fwyfwy o gam i gam. Tynnwyd ei sylw at rywbeth yn sgleinio ymysg y dail. Edrychodd eto. Cydiodd yn y swyndlws fach a'i dwylo'n crynu a glanhaodd y deilach oddi arni. Diolch byth! meddyliodd. Gwthiodd y tlws yn ddwfn i'w phoced a chau'r botwm rhag ei cholli. Addunedodd na wnâi hi byth ei cholli eto. Tynnodd anadl hir wrth feddwl am Cai. Edrychodd ar ei horiawr. Roedd hi'n hwyr a throdd, gan brysuro'n ôl tua'r parc.

Roedd car yr heddlu wedi gweld y car coch yn anelu am y parc ac wedi anfon neges at Tim dros y radio. Trodd gyrrwr Tim y car yn ôl am y rhan honno o'r dre. Y bwriad oedd cael ceir yr heddlu i amgylchynu'r parc ac i fod yn barod amdanyn nhw. Roedd yn bosib bod y dryll yn dal yn eu meddiant felly gwisgai'r heddweision festiau pwrpasol i'w hamddiffyn eu hunain. Llusgodd yr amser wrth i'r gyrrwr anelu at y parc a Tim yn tapio'i fysedd ar ochr y drws.

Trodd Casi a cherdded i mewn i'r parc. Roedd hi'n dywyll

erbyn hyn a gobeithiai y byddai Cai wedi aros amdani. Doedd hi ddim wedi ystyried cyn hynny y gallasai Cai fod wedi troi am adre gan feddwl nad oedd hi'n dod. Doedd dim ar ei meddwl ar y pryd heblaw am ddod o hyd i'r swyndlws.

Yn y car yr ochr arall i'r parc fe gododd y bachgen ieuengaf ei ben yn ei gap pig. Roedd hi'n dod. Sythodd y ddau eu cefnau. Dim ond aros iddi ddod ychydig yn agosach fyddai raid, ond nid yn rhy agos chwaith rhag iddi weld eu hwynebau – dim ond ychydig bach yn agosach. Cerddai wrth ymyl y llwybr yn y tywyllwch gan ei gwneud hi'n anodd iddyn nhw ei gweld yn iawn. Rhegodd y bachgen dan ei anadl. Byddai'n rhaid jest anelu a gobeithio'r gorau. Dim ond ychydig bach yn agosach…

Cododd Casi'i phen. Roedd hi'n siŵr iddi weld rhywbeth yn sgleinio yn y pellter. Car efallai, ym mhen draw'r parc trwy'r gatiau. Ceisiodd reoli'i hanadl a theimlai ei chalon yn cyflymu, er nad oedd hi erioed wedi bod ag ofn tywyllwch o'r blaen.

'Cai?' holodd y tywyllwch. 'Cai? Ti sy 'na?'

Daeth sŵn ergyd dryll o'r tywyllwch ac fe gwympodd Casi i'r llawr. Roedd hi'n fyddar, yn methu clywed dim yn iawn, er bod digon o sŵn i'w glywed. Sŵn gweiddi a sŵn ceir yn sgrialu i stop. Doedd y bechgyn ddim wedi sylwi ar y symudiadau cudd y tu ôl i'r car gan eu bod yn canolbwyntio ar Casi. Doedd 'run o'r ddau chwaith wedi sylwi ar y dryll a gâi ei anelu atyn nhw. Cafodd y ddau gymaint o sioc nes iddynt ollwng y dryll heb ei danio a gwylltio'n llwyr. Chawson nhw ddim amser i ddianc. Roedd yr heddlu wedi amgylchynu'r car, wedi'u llusgo allan ohono a'u taflu yn erbyn y drysau a chlymu eu dwylo y tu ôl i'w cefnau.

Cododd Casi'i hwyneb. Roedd ffigwr du yn rhedeg tuag ati.

'Ti'n iawn? Ti'n iawn, Casi!' holodd Tim. 'Chawson nhw ddim cyfle i saethu atat ti. Ni saethodd, i'w cynhyrfu nhw.'

Roedd hi'n crynu gymaint nes ei bod hi'n baglu dros ei geiriau.

'Beth, beth odd…? Ond ma Cai… '

Helpodd Tim hi i godi ar ei heistedd.

'Ma Cai'n dal yn yr ysbyty,' esboniodd Tim.

'O'n nhw'n mynd i… Rheina nath… i Cara?'

Nodiodd Tim.

Wrth iddi geisio gwneud synnwyr o'r holl beth gwibiai'r meddyliau trwy ei phen. 'Ond pwy? Pwy y'n nhw?'

Roedd Casi wedi codi'n sigledig erbyn hyn ac yn cerdded yn araf tuag at gar yr heddlu. Yna gwelodd Casi wynebau'r ddau wrth iddyn nhw gael eu lluchio i gefn un o geir yr heddlu.

'Ond, o'n i'n arfer… Wi'n nabod… '

Roedd y cyfan yn ormod iddi a dechreuodd grynu. Crynu'n ddireolaeth.

Cydiodd Tim ynddi. 'Dere, awn ni â ti adre. Gewn ni esbonio wedyn.'

Arweiniodd Tim hi at ei gar. Ni allai Casi wneud dim ond gwthio'i llaw i'w phoced a chydio'n dynn yn y swyndlws bach a'i chalon ar dân.

PENNOD 68

Roedd yr eglwys yn orlawn a'r un nifer o bobl yn sefyll y tu allan ag a gawsai seddi y tu mewn. Cydiai Steve a Mags yn nwylo'i gilydd wrth iddyn nhw gerdded y tu ôl i arch Cara i fyny at yr allor. Roedd y mwyafrif wedi gwisgo'r du traddodiadol er bod nifer o bobl ifanc yn lliwiau'r enfys. Gwisgai Rhys, wrth gwrs, ei sgarff a chydiai'n dynn yn llaw ei dad.

Gan fod plant yr ysgol, pobl o'r stad a merched y caffi wedi anfon blodau, roedd yr arch a'r hers wedi'u gorchuddio'n lliwgar, gan ysgafnhau rhywfaint ar yr awyrgylch. Safai Casi yng nghefn yr eglwys, yn ymyl Tim a rhai o'r heddweision eraill.

Doedd Mags ddim eisiau i'r ficer ymhelaethu'n ormodol ar yr hyn ddigwyddodd i'w merch a gofynnodd iddo greu gwasanaeth syml o ddiolch amdani a chanolbwyntio ar ei bywyd yn hytrach nag ar ei marwolaeth. Doedd hi ddim eisiau i'r bechgyn a'i llofruddiodd dynnu sylw oddi wrth Cara. Dyna'i ffordd hi o gymryd ychydig bach o reolaeth yn ôl.

Roedd Mags, Steve, Rhys a'r teulu wedi ffarwelio â Cara ben bore. Wedi casglu o gwmpas yr arch a siarad â hi. Roedd Mags hyd yn oed wedi gofyn i'r ymgymerwr godi caead yr arch a gosod ei hanrheg pen-blwydd i mewn ynddi. Roedd hi wedi prynu swyndlws bob blwyddyn i Cara ers iddi gael ei geni. Swyndlws bach ar gyfer y freichled, a gwelodd Mags un yn ffenest y gemydd ar y Stryd Fawr pan fynnodd Rhys gael parti pen-blwydd iddi. Prynodd hi a'i chadw erbyn yr achlysur hwn. Gwyddai Mags, yn nyfnder ei chalon, nad oedd Cara yn yr arch, dim ond casgliad o gnawd oedd yno mwyach. Diolchodd Rhys yn syml am ei sgarff ac fe wenodd yn drist ar ei fam. Cafodd Casi bum munud gyda Cara hefyd a gosodwyd ei phennill yn yr arch gyda'r tlws.

Roedd Mags wedi dewis emynau modern, yn hytrach na'r rhai trwm a thraddodiadol. Darllenodd un o ffrindiau Cara ddarn allan o ddyddiaduron Cara. Cerdd oedd hi am fynd yn ôl i'r pridd a chael cyfle i flodeuo rywbryd eto. Denwyd Mags gan y gerdd hon ac roedd clywed geiriau ei merch yn cael eu llefaru yn yr eglwys oer yn ei chynhesu a'i chysuro. Darllenodd y ficer wedyn, ac yn syml, daeth y gwasanaeth i ben. Cododd wyneb ar ôl wyneb o'i blaen. Cynifer ohonyn nhw fel na allai Mags ganolbwyntio arnynt bellach. Y tu allan, roedd yr hydref wedi cael gwir afael ar y byd ac fe gamodd Mags, Steve a Rhys trwy'r bobl ifanc lliwgar allan i'r prynhawn llwyd. Wrth i Mags gamu i'r car gwelodd wyneb yn syllu arni y tu allan i ffens yr eglwys. Wyneb llwyd wedi colli llawer o bwysau. Wyneb dyn wedi torri. Roedd e wedi dod i ffarwelio â'i ffrind. Nodiodd Mags ar Meical a nodiodd hwnnw 'nôl.

Yna aed â'r corff i'r amlosgfa. Gwyddai Mags na allai osod Cara yn ôl yn y ddaear lle daethpwyd o hyd iddi. Roedd am iddi fod yn rhydd a mynd i'r pedwar gwynt. Y tri ohonyn nhw'n unig a'i dilynodd i'r amlosgfa i wasanaeth preifat. Cerddodd Mags yn araf i lawr y llwybr y tu ôl i'r arch. Roedd llygaid cochion bob ochr iddi – llygaid yn gochion gan ddagrau mor hallt â dŵr y môr.

Camodd Cara ar hyd y palmant a Delo wrth ei hochr, fraich ym mraich. Roedd wedi cael newyddion da gan y doctor. Roedd hi wedi stopio tyfu ac roedd ei thymheredd fel y dylai fod. Tynnodd Cara anadl o ryddhad wrth i'r doctor bwyso dros y ddesg a dweud wrthi ei bod hi'n holliach o'r diwedd. Roedd Cara ar dân eisiau cael mynd adre i ddweud wrth Ifan, a bu'n rhaid i Delo drotian wrth ei hochr. Gwrandawodd Delo arni'n parablu. Roedd Ifan a hithau'n mynd i'r llyfrgell eto cyn hir, i'r drws straeon. Roedd ganddo gymaint o bethau i'w dangos iddi. Ffarweliodd y ddau wrth waelod llwybr y tŷ ac fe redodd Cara at Ifan. Roedd hwnnw'n gorwedd yn ei fync yn darllen. Edrychodd Cara o'i chwmpas ac o weld nad oedd neb arall adre neidiodd yn grwn ar ei ben. Chwarddodd hwnnw ac esgus protestio cyn ei thynnu hi i mewn i'r gwely a lapio'r flanced amdani.

'Beth ddigwyddodd 'de?' gofynnodd gan gusanu blaen ei thrwyn.

'*All clear*,' gwenodd hithau.

'Grêt,' meddai yntau cyn gwasgu'i wefusau ar ei gwefusau hithau.

'Edrych,' meddai Cara gan godi'i braich a dangos ei breichled i Ifan. Cydiodd Cara yn y swyndlws siâp adain fach oedd wedi ymddangos yno dros nos. Welsai Cara erioed rywbeth prydferthach yn ei bywyd.

'Ydi hi'n newydd?' gofynnodd Ifan.

Nodiodd Cara'i phen gan ei hastudio yng ngolau'r bore. 'Wi'n meddwl bod Mam yn gollwng ei gafael,' meddai Cara'n dawel. 'Ma hi'n hapusach.'

Doedd Ifan ddim yn gwybod beth i'w ddweud, ond lapiodd ei freichiau'n glòs amdani.

'Ifan?'

'Mm?' mwmiodd hwnnw i'w gwallt.

'Ges i freuddwyd arall neithiwr,' meddai Cara. Oedodd Cara am eiliad. 'Ges i fy saethu, yn y parc. Heb ddim rheswm.

Dim ond bechgyn ifanc yn ceisio bod yn ddynion mawr.'

Gwrandawodd Ifan arni'n dawel heb dorri ar ei thraws.

'Ond bydd yn rhaid iddyn nhw ddod yma, yn y diwedd,' meddai Cara gan adleisio'r hyn roedd Leusa wedi'i ddweud. Cusanodd Ifan hi eto, yn fwy angerddol y tro hwn.

Roedd golau euraid y dydd yn goleuo'i wyneb a theimlai Cara y gallai hi orwedd yma am byth a bod yn hapus. Rhedodd ei dwylo dros ei frest o dan ei grys, a theimlai ei groen yn gynnes o dan ei bysedd. Teimlodd yntau rhyw binnau bach anhygoel yn codi drwyddo.

'Fydd Lil a Beth ddim adre am amser hir, na fyddan nhw?' gofynnodd Cara.

Gwenodd Ifan yn ôl arni. 'Na.'

'Na Leusa?' gofynnodd hi wedyn gan gusanu ochrau ei geg.

'Na.'

Chwarddodd Cara gan oglais Ifan, a rhedodd yntau ei fysedd i lawr asgwrn ei chefn. Tynnodd hithau ei dillad ac ymhyfrydu yn nheimlad ei groen yn erbyn ei chroen hithau. Amgylchynwyd y ddau gan y golau cynnes, a gwres eu cyrff yn codi chwerthin yn Cara a hwnnw'n cael ei gario allan drwy'r ffenest i'r stryd.

Wedi i Cara gwympo i gysgu'n noeth yn ei freichiau, arhosodd Ifan ar ddihun i wylio'i hysgyfaint yn codi ac yn disgyn. Doedd e erioed wedi cael profiad o garu rhywun fel hyn o'r blaen ac fe anwesodd bob modfedd ohoni â'i lygaid. Oedd, roedd golau euraid yn yr ystafell. Sylwodd ers ychydig ddyddiau fod y golau'n ei ddilyn a'i fod yn teimlo'n wannach nag erioed. Dyna pam roedd e'n gorwedd ac yn darllen gymaint y diwrnodau hyn. Bu trefnu'r bath ar gyfer Cara bron yn ddigon amdano a deuai'n fwy sicr o un ffaith ddydd ar ôl ddydd, ffaith na fedrai ei gyfaddef, yn enwedig wrth hon yn ei freichiau. Roedd ei amser yn brin, yn brin iawn. Fe fyddai'n gadael cyn bo hir.

'Cara?'

Agorodd Cara'i llygaid a gweld wyneb Beth uwch ei phen. Edrychodd wedyn ar wyneb Ifan, ac roedd hwnnw'n dal i gysgu. Bu'r ddau'n cysgu yn yr un bync ers rhyw wythnos a Cara'n cysgu'n drwm yn ei freichiau. Symudodd oddi wrtho'n ofalus rhag ei ddihuno.

Dilynodd Cara Beth allan ac eistedd gyda hi ar y fainc tu allan i'r tŷ.

Gwenodd Beth arni drwy'r tywyllwch.

'Istedd,' meddai. 'Wi ise gofyn rhywbeth i ti,' meddai Beth. 'Ffafr.'

Roedd y ddwy newydd wylio hen ddyn yn hercian i lawr yr heol yr ochr arall. Edrychodd Cara arni.

'Unrhyw beth,' meddai Cara'n dawel. 'Wi'n addo.'

Llyncodd Beth ei phoer. 'Edrycha ar ôl Lili i fi, 'nei di? Fydda i ddim 'ma'n hir 'to, wi'n galler teimlo 'ny.'

Syfrdanwyd Cara. 'Ond ar ôl popeth.'

'Bydd hi'n ddiogel 'da ti, wi'n gwbod bydd hi,' ychwanegodd.

Daeth dagrau i lygaid Cara. 'Wi'm yn gwbod shwt allwch chi fadde i fi...'

'Ry'n ni wedi,' meddai Beth yn dawel, ond pendant. 'Pan ddoth hi 'ma, o'n i'n gwbod bod rhywbeth amdani... ' ceisiodd Beth ymbalfalu am y gair cywir. 'Rhywbeth arbennig, a phan dodd dim Gofalwr 'da Lili o'n i'n gwbod mai 'ngwaith i fyddai gofalu amdani. Ro'n i'n 'i chadw hi'n glòs ata i, achos o'n i'n galler synhwyro 'i bod hi mewn peryg. Alla i ddim esbonio'r peth.'

'Ond fi roddodd hi mewn peryg… '

'Sa i'n credu. Efallai mai ti safiodd hi,' meddai Beth gan edrych i fyny ar y sêr. 'Pan o'n i'n fyw, 'na i gyd o'n i ise, t'mod,' meddai Beth. 'Jobyn bach tawel. Gŵr. Plentyn. O'n i ddim ise'r cwbwl. Dim fel ma rhai, a phan gyrhaeddes i fan hyn o'n i mor grac. Ac wedyn ges i deulu. Ac fe ges i blentyn. Wi'n hapus nawr, yn hapus i adael, a wi ddim ise neb i fod yn drist, yn enwedig Lili.'

Teimlodd Cara'i llaw'n cydio yn ei llaw hi yn y tywyllwch.

'Ti'n addo gofalu amdani?' gofynnodd hi i Cara.

'Addo,' atebodd Cara.

Roedd Cara'n gwybod gymaint roedd Beth yn caru Lili, yn ei charu hi'n fwy nag roedd hi'n caru ei hun. O'r foment y cyrhaeddodd hi yma, roedd Beth wedi gofalu ar ei hôl, ei chysuro, a rhoi ei hanghenion hi o flaen popeth arall. A nawr, roedd hi'n gwneud yr un peth eto – yn sicrhau y byddai rhywun yn gofalu am Lili ar ôl iddi adael. Cododd Beth a gwasgu ysgwydd Cara cyn cerdded yn ôl i'r tŷ heibio iddi.

'Cara?'

'Ie?'

'Mae e'n dy garu di, ti'n gwbod, wastad wedi,' meddai Beth cyn troi i mewn i'r tywyllwch.

Roedd hi'n gwbod mai Beth oedd wedi cyrraedd gyntaf, wedyn Leusa ac yna Ifan. Lili a Cara ddaeth olaf. Roedd naw mis wedi mynd heibio mor gyflym. Wedi llithro drwy ei bysedd ac yn sydyn roedd meddyliau pawb yn dechrau troi at yr hyn fyddai'n dod nesaf. Trodd Cara a cherdded yn ara i mewn i'r tŷ. Roedd Beth yn ôl yn ei gwely, ei meddwl yn dawel bellach ac yn cysgu'n fwy cysurus oherwydd hynny. Gorweddodd Cara ar bwys Ifan. Teimlodd ef yn dihuno, ei chusanu ar ei boch a setlo'n ôl i gysgu a'i fraich amdani. Gorweddodd Cara yn yr hwyrnos. Ailadroddodd y drefn yn ei meddwl. Beth gyrhaeddodd gyntaf, wedyn Leusa ac yna Ifan…

Doedd yr achos ddim wedi para'n hir. Roedd gormod o dystiolaeth yn erbyn y ddau fachgen iddynt allu gwadu ac roedd y ddau, fwy neu lai, wedi cyfaddef. Eisteddent mewn siwtiau rhy fawr wrth ymyl ei gilydd a gwalltiau'r ddau wedi'i gribo ymlaen yn weddol daclus.

Aethpwyd trwy ddigwyddiadau'r noson pan gafodd Cara'i lladd. Doedd gan 'run o'r ddau obaith amddiffyn eu hunain. Roedden nhw hyd yn oed wedi sôn am ddial ar Cai. Byddai hwnnw hefyd yn sefyll ei brawf ar ôl iddo adael yr ysbyty, am gadw gwybodaeth rhag yr heddlu. Methai gerdded oherwydd y niwed a wnaed i'w asgwrn cefn. Efallai iddo geisio gwella'i ffordd o fyw drwy chwilio am waith a throi'i gefn ar y bechgyn hyn, ond gwyddai mai nhw oedd yn gyfrifol am saethu Cara. Ei lwfrdra oedd wedi ymestyn y boen i gymaint o bobl yn ystod y misoedd diwethaf.

I Mags, y peth gwaethaf am yr achos oedd bod mam un o'r bechgyn wedi dod o hyd i ddillad ei mab o dan ei wely ac arnynt waed. Ond yn hytrach na ffonio'r heddlu, fe'u golchodd ac eistedd wrth fwrdd y gegin yn disgwyl ei mab adref. Amddiffyn ei mab roedd hi, meddai. Adnabu Mags hi'n syth – y fenyw fach lwydaidd yr olwg oedd bob amser yn gwisgo'n smart mewn dillad drud. Honno gynigiodd gwpanaid o de iddi yn y neuadd y diwrnod hwnnw, ac a ymddiheurodd iddi o flaen y neuadd fod y posteri o wyneb Cara wedi'u cuddio ar y waliau.

'Ma'n ddrwg 'da fi,' ddwedodd hi. Drosodd a throsodd fel'na a Mags yn methu tynnu ei llygaid oddi ar y posteri.

Ond nid am y posteri roedd hi'n ymddiheuro mewn gwirionedd.

Edrychodd Mags arni a meddwl a fyddai hi wedi gwneud yr un peth. Câi'r fam ei diwrnod yn y llys hefyd cyn bo hir.

Roedd y rheithgor wedi penderfynu beth oedd y dyfarniad. Safodd pawb yn y llys wrth i'r barnwr ddychwelyd.

'Euog.'

Tarfodd y gair ar draws llif meddyliau Mags.

Fe'u cafwyd yn euog ar bob cyfrif. Teimlodd Mags Steve yn cydio ynddi. Gwrandawodd ar famau'r bechgyn yn wylo yn y seddi y tu ôl, ond doedd dim emosiwn o gwbwl ar wynebau'r meibion. Dim byd. Meddyliodd Mags ei bod hi'n beth rhyfedd na wnaeth eu mamau rannu'r stôr honno o emosiwn â'i plant. Yn hytrach na'u codi a'u magu'n hesb ac yn greulon. Edrychodd Mags arnyn nhw'n cael eu harwain i lawr y grisiau ac edrychodd yr ieuengaf arni, y bachgen a daniodd y dryll. Edrychodd i fyw ei llygaid. Chwiliodd Mags am rywbeth, am unrhyw beth yn ei lygaid e. Ond troi i ffwrdd wnaeth e a hanner gwên ar ei wyneb cyn diflannu o'i golwg.

Camodd Mags allan o'r llys gyda Steve i wynebu'r camerâu a oedd yn eu disgwyl tu allan. Trodd Mags ei phen. Yno, wrth ei hymyl, roedd y fam a'r llygaid llwyd. Roedd rhywun yn cydio yn ei phenelin. Stopiodd Mags a syllu arni. Belinda. Daliodd honno'i llygaid am eiliad cyn troi ei hwyneb yn euog. Daeth Gerallt at Mags a Steve. Soniodd rywbeth am deimlo dyletswydd i fod yn gefn iddi. Rhywun o fewn y gymuned. Wedi'i siomi 'run peth â phawb arall yn y bachgen ond doedd Mags ddim yn gwrando. Cerddodd allan, a Steve ar ei hôl, heb edrych arno a theimlodd rhyddhad wrth gael llond ysgyfaint o awyr iach ar ôl awyrgylch afiach y llys.

Edrychodd Mags dros y bwrdd ar Steve ar bwys y ffenest yng nghaffi'r Glannau, ar ôl bod yn gwasgaru llwch Cara ar y traeth. Doedd neb arall yno a'r haf wedi hen ddirwyn i ben. Gweithiai Mandi'n dawel yn nghefn y caffi. Roedd Rhys wrthi'n ei helpu ac roedd hi wedi addo un o'i chacennau iddo. Gwenodd Mags draw arni.

Roedd Mags a Steve wedi penderfynu symud – i ardal fwy tawel. Ardal wledig lle gallai Rhys fynd i'r ysgol yn y tymor newydd a chael dalen lân. Allai'r ddau ddim stumogi byw drws nesa i Belinda a Gerallt rhagor a phenderfynodd y ddau ei bod hi'n bryd iddynt weithio i fyw yn hytrach na byw i weithio. Gallai Mags chwilio am swydd arall, un ran amser a threulio mwy o'i hamser adref gyda Rhys. Roedd y dref yma wedi newid, ond nid oherwydd y bobl a symudodd i mewn iddi. Roedd pethau'n llawer mwy cymhleth na hynny.

'Ti'n gwbod,' meddai Mags gan dorri ar y tawelwch o'r diwedd, 'wi ddim ofan marw rhagor.'

Gwyliodd Steve hi'n malurio'r pecyn siwgr yn ei bysedd, fel y byddai hi'n ei wneud bob amser.

'Wi'n meddwl bod marw'n dechre pan ti'n ca'l dy eni.'

Crychodd Steve ei dalcen.

'Ti'n colli hwn a'r llall. John.'

Doedd hi ddim hyd yn oed wedi yngan ei enw'n iawn ym mhresenoldeb Steve o'r blaen.

'Neu ti'n colli darn o dy galon, neu ryw ysbryd sy ynot ti… a falle bod y broses yn parhau am byth. A ninnau'n dysgu wrth fynd yn ein blaenau.'

Gwrandawodd y ddau ar chwerthin Rhys wrth i Mandi wasgu ychydig o hufen oddi ar y gacen ar ei drwyn.

Gwenodd Steve arni.

'Ti'n gwbod beth?' meddai'n dawel a'r gwynt yn hyrddio ar ffenest y caffi. 'Wi'n credu bo ti'n iawn… '

Diflannodd Beth heb ddweud gair wrthynt. Byddai Ifan, Cara a Lili'n treulio'u holl ddiwrnodau yn y llyfrgell, yn gadael y caneuon allan o'u cesys gwydr ac yn gyrru'r hen fenyw yn ei phyjamas a'i pherlau o'i cho. Byddai Lili wrth eu bodd yn gwrando ar y lleisiau yn y bocsys ac Ifan yn gwenu wrth wylio Cara'n ei chodi er mwyn iddi gael gwthio ei hwyneb bach i'r powlenni o feddyliau. Byddai'n chwerthin wedyn gan ofyn am, 'Mwy, mwy!' Yna byddai Cara'n gosod y mapiau ar lawr er mwyn i Lili gael rhedeg ei bysedd drostynt. Eisteddai wedyn gydag Ifan yn darllen wrth y ddesg bren lle cedwid gweithiau newydd awduron. Roedd hi wedi gorffen sonedau caru Shakespeare ac fe fyddai hi'n sefyll ar ben cadair ac yn eu hadrodd i Ifan, gan wneud i hwnnw wenu a chochi. Gadawai i'r geiriau ei meddwi, wrth adael i bob sillaf rowlio o gwmpas ei cheg cyn neidio oddi ar y gadair i gasglu cusan rhwng pob darlleniad. Byddai'r diwrnodau'n hedfan heibio mewn difyrrwch o'r fath ac fe sylwodd y ddau fod rhyw wrid golau yn sleifio i wyneb Beth. Roedd popeth yn fwy llachar y dyddiau yma, a dweud y gwir, ac fe fyddai hi'n anodd i Beth wahaniaethu rhwng nos a dydd.

Ond i Cara ac Ifan roedd bywyd yn un rhythm cyson hyfryd o edrych ar bethau yn y llyfrgell, cerdded adre a gorwedd ym mreichiau'i gilydd. Doedd Cara heb sylwi gymaint ar y Gofalwyr chwaith. Roedd y tri wedi ffurfio'n deulu bach, Cara, Ifan a'u plentyn, Lili. Synhwyrai Lili fod rhywbeth o'i le. Roedd hi'n ffaelu'n deg â theimlo presenoldeb Beth un diwrnod. Yna, fe welodd y tri Leusa'n sefyll ac yn syllu ar y gwely. Roedd dillad Beth wedi eu plygu a'u gosod arno'n daclus. Wrth eu hymyl roedd llun a wnaeth Lili iddi o'r ddwy'n eistedd yn yr ardd, Lili yn ei chôl a blodau'r haf ar dân o'u cwmpas.

Helpodd Helen a Paul i gario'r manion olaf i'r car. Roedd y llenni o gwmpas y stad wedi bod yn symud drwy'r bore. Daeth Tim heibio hefyd i ffarwelio â nhw. Cydiodd Mags ynddo a diolch iddo o waelod ei chalon. Siglodd Steve ei law gan ddweud na fyddai'r un ohonynt wedi llwyddo i oroesi'r misoedd diwethaf hebddo. Addawodd Mags ffonio Helen ar ôl iddyn nhw gyrraedd eu tŷ newydd. Tŷ ar rent oedd e ond roedd e'n ddechreuad. Roedd rhai o bethau Cara yn y bocsys, a'r gweddill wedi'u rhoi i'r elusen y bu Mags yn gweithio iddi. Gwyddai Mags y byddai hi'n hoffi hynny.

Ffarweliodd Rhys â Tomos ar y lawnt flaen, er nad oedd golwg o Belinda na Gerallt. Clywodd Mags sŵn tacsi a chamodd Casi allan ohono'n swil gan ofyn i'r gyrrwr aros amdani.

Ar ôl yr achos bu'r ddwy'n trafod am amser hir a llwyddodd Mags i ddarbwyllo Casi nad ei bai hi oedd marwolaeth Cara o gwbwl. Dywedodd wrthi mai'r peth gorau y gallai ei wneud fyddai byw ei bywyd i'r eithaf. Cytunodd Casi, gan deimlo pwysau'r euogrwydd yn codi oddi arni am y tro cyntaf ers misoedd a phwysau o fath gwahanol yn setlo arni – y pwysau o dderbyn ail gyfle. Fe fyddai hi'n dechrau yng ngholeg y

Chweched cyn hir ac er iddi golli wythnosau cyntaf y tymor fyddai ddim yn hir yn dal i fyny â'r gwaith. Dysgu rhywbeth. Cael cyfle i wneud yr hyn na chafodd Cara'r siawns i'w wneud, meddyliodd wrth chwarae â'r swyndlws o gwmpas ei gwddf. Neidiodd Mags a Steve i'r car a chwifiodd Rhys ar Helen, Paul, Tim a Casi drwy'r ffenest gefn. Gwenodd Mags arnyn nhw wrth yrru i ffwrdd.

'Ti'n iawn?' gofynnodd Steve i Mags wrth iddo droi'r car i fewn i'r lôn a arweiniai'n syth allan o'r dre.

Edrychodd Mags arno'n ddifrifol. 'Ma hi'n mynd... ' meddai gan deimlo'r aer o'i chwmpas. 'Mae bron i naw mis wedi mynd heibio erbyn hyn ac ma hi'n mynd,' meddai gan wenu'n dawel.

'Fe ddwedi di wrtha i os byddi di'n gadael, yn 'nei di?' sibrydodd Cara drwy'r tywyllwch.

'Wrth gwrs,' atebodd Ifan.

'Addo?'

'Addo.'

'Wi'n gwbod bydd rhaid mynd, ond wi ise gwbod.'

Teimlodd Cara'i wefusau ar ei boch yn y tywyllwch. Dim ond ychydig o ddyddiau oedd ers i Leusa ddiflannu hefyd. Doedd 'run o'r ddau wedi sylwi i ddechrau a'r ddau'n cysgu gymaint, a blinder yn eu bwyta, bron. Byddai Lili'n chwarae yn yr ardd a Cara'n codi i edrych arni bob nawr ac yn y man fel yr arferai Beth wneud. Doedd dim strwythur i'r dydd o gwbwl erbyn hyn a'r unig beth i ddynodi'r amser weithiau fyddai'r tywyllwch. Byddai'r ddau'n gloddesta ar y llyfrau o'r llyfrgell cyn cilio'n ôl i'r tŷ yn teimlo'n rhy flinedig i wneud dim. Roedd gwrid iach ar wyneb Ifan hefyd. Yr un gwrid iachus a welsai Cara yn wyneb yr hen fenyw a werthodd iddi had i'r adar fisoedd yn ôl ac yn wyneb Abel, Beth a Leusa. Cydiai Cara yn wyneb Ifan yn aml gan deimlo'i groen o dan ei bysedd.

'Wyt ti'n ofan, Ifan?'

Clywodd Cara rhyw chwerthinad isel yn y tywyllwch.

'Wrth gwrs nag dw i.'

Daeth Mari i moyn Ifan rhyw fore, ac adwaenai Cara'r bwndel dillad dan ei chesail. Gwenodd arno ac fe wenodd yntau'n ôl. Gosododd Mari'r dillad ar y gwely cyn mynd allan i eistedd ar y wal gan adael i Cara ac Ifan orwedd ym mreichiau'i gilydd am ychydig. Yna fe gusanodd Ifan hi a chodi ac fe gododd hithau. Doedd arno ddim ofn, gallai hi weld hynny, ond roedd rhyw gynnwrf yn perthyn iddo nad oedd Cara wedi'i weld ynddo erioed o'r blaen. Tynnodd hithau ei ddillad yn araf. Dadfotymodd ei grys a'i dynnu dros ei ben. Gadawodd i'w bysedd deimlo'i groen llyfn. Roedd fel petai rhyw olau ynghynn y tu mewn iddo a hwnnw'n goleuo'i fodolaeth. Gwisgodd hi Ifan yn ei byjamas glas golau a phlygodd yntau ei ddillad a'u gosod yn ôl ar y gwely, yn yr un lle yn union ag y cawsai afael ynddyn nhw naw mis ynghynt. Roedd dagrau'n llenwi llygaid Cara ond gwenai Ifan wrth gydio ynddi a'i gwasgu.

'Wi'n dy garu di,' meddai'n dawel. Cydiodd yn ei hwyneb a syllu'n ddwfn i'w llygaid. 'Fe arhosa i amdanat ti. Bydda i 'na, yr ochr draw.'

Gwyddai Cara'i fod yn dweud y gwir.

'Wi ddim ise i ti fod yn drist, ti'n clywed? Ffydd,' meddai Ifan yn syml.

Nodiodd Cara.

Sychodd Ifan y dagrau oddi ar ei bochau a'i chusanu am y tro ola. Gafaelodd hithau ynddo a'i dynnu'n ôl ati am eiliad cyn ei ollwng, gan wybod, yn ddwfn yn ei chalon, bod yn rhaid iddo fynd. Gwrandawodd ar ôl traed Mari ac Ifan yn diflannu i lawr y stryd cyn teimlo dwylo bach yn cydio am ei chanol. Roedd Lili wedi dihuno a'r ystafell wedi'i llenwi â golau wrth iddi wasgu Cara a'i llenwi â'i chariad.

Gorweddodd Cara yn ei gwely a Lili wedi cwrlo wrth ei hymyl. Byddai'r ddwy'n treulio'u hamser yn y llyfrgell er mwyn teimlo'n agos at Ifan. Yna, a'u cryfder yn lleihau, fe fenthycodd Cara lyfr Ifan – y llyfr yn cofnodi'i hanes a ymddangosodd y bore y diflannodd. Fe'i cariodd yn ôl i'r tŷ a'i ddarllen bennod ar ôl pennod yn uchel i Lili, a honno'n gwrando'n astud. Fe deimlai'n agos at Ifan wedyn – mor agos nes y gallai dyngu ei fod yn dal wrth ei hochr ac fe fyddai'n cysgu'n gysurus wrth feddwl amdano. Weithiau, deuai Delo atynt ac fe fyddai Lili ac yntau'n gwrando ar lais Ifan. Yna, ar ôl iddi roi Lili yn y gwely, byddai Cara'n eistedd gyda Delo ar y fainc y tu allan i'r tŷ yn edrych ar y sêr. Holai ef a oedd hi'n amser iddi hi fynd ac yntau'n ei sicrhau y byddai hi'n gwybod pan ddeuai'r amser. Yna edrychai ar y sêr gan adael i'r golau ddod a'i llenwi, pob modfedd ohoni, gan wneud yr Arhosfyd deimlo ychydig ymhellach i ffwrdd, a'r tŷ, y stryd a'r ddinas yn fwy dierth. Doedd dim ofn arni o gwbwl. Roedd Ifan wedi dysgu iddi mai'r cyfan oedd ei angen oedd ychydig o ffydd.

PENNOD 69

Y bore y daeth Delo i'w chasglu, roedd Lili a hithau wedi codi i wylio'r wawr, gan eistedd yn yr ardd i deimlo'r gwlith yn ffurfio o'u cwmpas. Roedd hi'n barod, yn hollol barod, ac fe wyddai hynny. Yr unig beth a'i poenai oedd bod Lili heb adael eto, er ei bod wedi cyrraedd o'i blaen. Eisteddodd y tri wedyn ar y glaswellt yn aros i'r haul euro'r nen gan ledaenu golau dros bob man. Fe aeth Cara i'r tŷ a diosg ei dillad yn gwmws fel y gwnaeth Ifan. Eu tynnu'n araf bach ac yna'u plygu'n daclus a'u gosod yn ôl yn union lle cawsai afael ynddyn nhw. Gwisgodd y pyjamas golau a theimlo rhyw heddwch rhyfedd wrth wneud hynny. Roedd hi'n noeth, heb olion bysedd a heb olion yr holl emosiynau a darfodd arni dros y misoedd diwethaf. Doedd dim ar ôl ynddi bellach ond cariad – dim chwantau, dim eisiau bwyd, dim ond symud yn ôl at gariad.

Arhosai Delo amdani, ac er mawr syndod iddi fe gydiodd yn llaw Lili'n ogystal â'i llaw hithau a'u harwain ill dwy i lawr y stryd wag. Cydiai Lili yn ei thedi bêr bach gwyn hefyd. Teimlai Cara fel petai'n arnofio ar y ddaear ac nad oedd ei chorff yn perthyn iddi o gwbwl. Cerddodd y tri gyda'i gilydd a neb yn dweud gair. Teimlai'r cyfan mor naturiol, mor reddfol. Cerddodd y tri at y llyfrgell. Er syndod iddi, teimlodd ei hun yn cerdded ar hyd y coridor, heibio'r drysau hardd, heb i unrhyw un sylwi arnyn nhw. Cerddodd y tri at y drws aur, y drws nad oedd yn agor ond i Ofalwyr. Gwthiodd Delo'r drws ar agor a chamodd y tri i mewn. Yno, o'u blaenau, roedd yr olygfa harddaf a welsai Cara erioed – coeden aur mewn llyn dwfn o ddŵr glas golau.

Eisteddodd y tri ar lan y llyn, a Cara'n gwylio adlewyrchiad canghennau'r goeden aur yn y dŵr. Doedd hi erioed wedi gweld unrhyw beth mor brydferth yn ei bywyd. Roedd Lili'n dawel hefyd a gobeithiai Cara y medrai hi weld yr olygfa drwy ei dallineb. Dim ystafell oedd hon, ond gwagle golau euraid a'r goeden yn tyfu'n hudolus allan o'r dŵr. Gallai Cara weld bod ei gwreiddiau'n ymestyn mor bell i lawr ag roedd ei changhennau'n ymestyn i fyny. Roedd y dŵr yn glir, heb dywyllu wrth gyrraedd ei waelod ond yn hytrach yn goleuo. Yma roedd dau fyd, y naill yn adlewyrchu'r llall o dan y dŵr. Eisteddodd Delo ar bwys Cara mewn tawelwch gan adael iddi ryfeddu at yr olygfa.

'Beth sy lawr fan'na yn y dŵr?' gofynnodd Cara.

'Adre,' meddai Delo'n syml.

'A Duw?' gofynnodd Cara.

Gwenodd Delo arni a chydio yn ei llaw. Meddyliodd Cara am yr eglwys a wrthododd roi mynediad iddi ac am y cwestiwn oedd yn dal i'w phoeni.

'Delo? Os… os mai Dduw sy 'na,' meddai hi, 'pam y gadawodd e fi 'ma ar 'y mhen 'yn hunan?'

Bu'r cwestiwn yn hofran dros y dŵr am eiliad a Lili'n gwrando'n astud. Roedd teimlad y dŵr o amgylch eu traed yn hudolus.

'Fuest ti erioed ar ben dy hunan,' meddai Delo yn gynnes. 'Edrychwyd ar dy ôl di bob cam o'r ffordd.' Roedd Cara'n dal i edrych ar y goeden mewn penbleth. 'Anfonwyd fi i ofalu amdanot ti.'

'Ond o't ti'n pallu siarad â fi.'

'Do't ti ddim yn barod,' atebodd Delo. 'Ac fe anfonwyd ffydd atot ti 'fyd.'

Meddyliodd Cara am y gair 'ffydd'. 'Ifan?'

Nodiodd Delo'n dawel bach. 'A goddefgarwch.'

'Beth… ' Daeth yr enw o'i gwefusau heb iddi orfod chwilio amdano.

Roedd y golau'n cynyddu o gwmpas y dŵr a Cara'n teimlo'i hun yn diflannu.

'Does neb yn berson cwbwl annibynnol. Ry'n ni angen pobl i'n llenwi ni, i ddysgu pethe i ni.'

Doedd Cara ddim wedi meddwl am bethau fel'na o'r blaen.

'A phan oeddet ti'n ansicr ac eisie herio'i drefn, fe anfonwyd Seimon atat ti. Y gorffennol.'

Roedd meddwl Cara'n ceisio llyncu'r wybodaeth newydd.

'Anfonwyd Seimon atat ti ac at Leusa, y ddwy ohonoch chi ddim yn barod i fod yma. Rhoddwyd y cyfle i chi herio, i ofyn cwestiyne.'

'Ond pam nad anfonwyd rhywun i ofalu am Lil?'

Roedd Delo'n chwerthin erbyn hyn. 'Wyt ti ddim yn gweld, Cara?' gofynnodd gan roi ei fraich am Lili. 'Lili oedd ei anrheg fwya.'

'Cariad?' meddai Cara'n dawel gan ystyried ei eiriau'n ofalus. 'Ac mae cariad yn ddall,' meddai o'r diwedd.

'Fe anfonwyd cariad gyda ti, allan drwy'r ffens, i'r mannau tywyllaf.'

Meddyliodd Cara mewn ofn. 'Ond fe gymeres i'r cariad hwnnw a'i sarnu, ei aberthu er mwyn fy nibenion i.'

Roedd Delo'n cydio yn ei bysedd yn dynnach erbyn hyn. 'Fel pob un ar y ddaear. Ond fe 'nest ti'r peth iawn yn y diwedd.'

Roedd y cyfan yn disgyn i'w le o gwmpas Cara. Pob darn. Pob cwestiwn.

'Ond does dim addoli 'ma. Dim ffordd o siarad ag e.'

'Doedd y bobl yma ddim yn haeddu crefydd,' meddai Delo, a'i lygaid yn drist, 'am eu bod yn ei defnyddio i alltudio pobl eraill. Fe anfonwyd ti – drwy lyfrau, drwy luniau a thrwy'r llyfrgell. Roedden nhw'n defnyddio gwahanol ffyrdd i dy gyrraedd di.'

'Nhw?' gofynnodd Cara.

'Ma 'na fwy nag un,' meddai Delo a holl gyfrinachau'r byd nesa'n guddiedig mewn un gwên. Cododd a thynnu Cara ar ei thraed. Cododd Lili hefyd a chydio yn llaw Delo.

'Aros,' meddai Cara. Roedd ei meddwl yn dal i geisio deall. 'Pwy wyt ti?'

Edrychodd Delo arni a theimlodd Cara'r dŵr yn fendigedig o gynnes o gwmpas ei chluniau.

'Ry'n ni'n dysgu wrth gael pob bywyd, Cara,' meddai Delo. 'Drosodd a throsodd, a phan ry'n ni'n gorffen dysgu ry'n ni'n cael mynd adre. Mae Lili'n barod i fynd adre a chael aros yno.'

'A fi?'

Gwenodd Delo arni a gwasgu'i llaw wrth gamu'n araf i'r dŵr dwfn.

Syllodd Cara arno wrth i'r dŵr ddenu ei chorff i lawr. Teimlodd ei bresenoldeb cynnes, a Lili'n dod ati i ddal ei llaw a'r tri'n sefyll mewn cylch wrth suddo.

'Nawr, dere. Ma nhw'n aros amdanon ni.'

'Ifan? Dad?' gofynnodd Cara a'i llais yn toddi i mewn i'r dŵr.

'Gei di weld,' meddai Delo.

Teimlodd Cara'r dŵr yn ei hamgylchynu ac wrth iddi ddiflannu fe wlychodd inc gwlyb Cofnod y Meirwon yn y llyfrgell. Yna, yn ara bach, wrth iddi suddo, fe ymddangosodd y llythrennau, a'i henw'n ymffurfio fesul llythyren, mewn inc mor las â dŵr.

Pennod 70

'Psst'

Daeth llais o'r tywyllwch.

'Dihuna!'

Hefyd o'r Lolfa:

£7.95

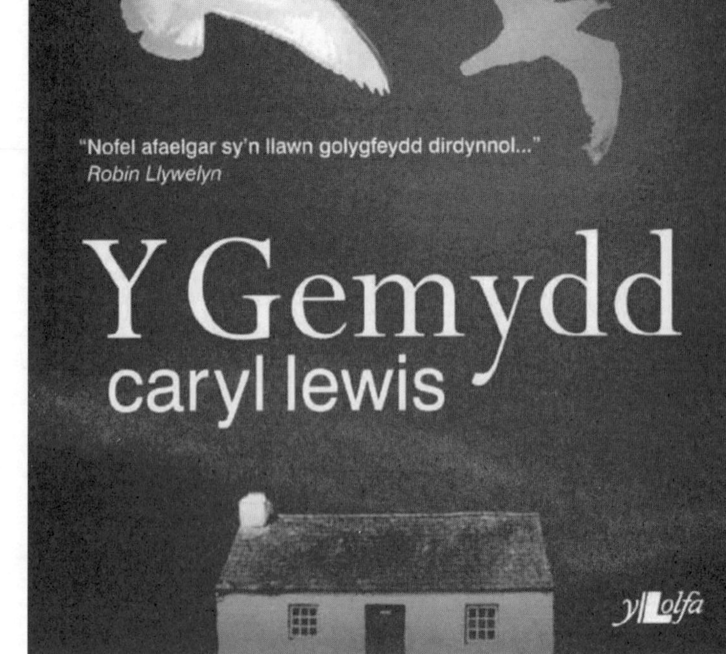
"Nofel afaelgar sy'n llawn golygfeydd dirdynnol..."
Robin Llywelyn
Y Gemydd
caryl lewis
y Lolfa

£7.95